)F ULSTER

THEODOR FONTANE · SÄMTLICHE WERKE

BAND IV

THEODOR FONTANE

L'ADULTERA

CÉCILE

DIE POGGENPUHLS

NYMPHENBURGER
VERLAGSHANDLUNG
MÜNCHEN

Herausgegeben von Edgar Gross

Bei der Herausgabe wurde auf die Erstausgaben zurückgegriffen,
wo nötig auf Erstdrucke in Zeitschriften oder auf Manuskripte.

Nachwort, biographische Notiz und Anmerkungen am Ende des Bandes

© 1959 Nymphenburger Verlagshandlung GmbH., München
Druck: Presse-Druck- und Verlags-GmbH. Augsburg
Alle Rechte vorbehalten
Printed in Germany

L'ADULTERA

Kommerzienrat van der Straaten

Der Kommenzienrat van der Straaten, Große Petristraße 4, war einer der vollgültigsten Finanziers der Hauptstadt, eine Tatsache, die dadurch wenig alteriert wurde, daß er mehr eines geschäftlichen als eines persönlichen Ansehens genoß. An der Börse galt er bedingungslos, in der Gesellschaft nur bedingungsweise. Es hatte dies, wenn man herumhorchte, seinen Grund zu sehr wesentlichem Teile darin, daß er zu wenig »draußen« gewesen war und die Gelegenheit versäumt hatte, sich einen allgemein gültigen Weltschliff oder auch nur die seiner Lebensstellung entsprechenden Allüren anzueignen. Einige neuerdings erst unternommene Reisen nach Paris und Italien, die übrigens niemals über ein paar Wochen hinaus ausgedehnt worden waren, hatten an diesem Tatbestande nichts Erhebliches ändern können und ihm jedenfalls ebenso seinen spezifisch lokalen Stempel wie seine Vorliebe für drastische Sprichwörter und heimische »geflügelte Worte« von der derberen Observanz gelassen. Er pflegte, um ihn selber mit einer seiner Lieblingswendungen einzuführen, »aus seinem Herzen keine Mördergrube zu machen«, und hatte sich, als reicher Leute Kind, von Jugend auf daran gewöhnt, alles zu tun und zu sagen, was zu tun und zu sagen er lustig war. Er haßte zweierlei: sich zu genieren und sich zu ändern. Nicht als ob er sich in der Theorie für besserungsunbedürftig gehalten hätte; keineswegs; er bestritt nur in der Praxis eine besondere Benötigung dazu. Die meisten Menschen, so hieß es dann wohl in seinen jederzeit gern gegebenen Auseinandersetzungen, seien einfach erbärmlich und so grundschlecht, daß er, verglichen mit ihnen, an einer wahren Engelgrenze stehe. Er sähe mithin nicht ein, warum er an sich arbeiten und sich Unbequemlichkeiten machen solle. Zudem könne man jeden Tag an jedem beliebigen Konventikler oder Predigtamtskandidaten erkennen, daß es *doch* zu nichts führe. Es sei eben immer die alte Geschichte, und um den Teufel auszutreiben, werde Beelzebub zitiert. Er zög es deshalb vor, alles beim alten zu belassen. Und wenn er so gesprochen, sah er sich selbstzufrieden um und schloß behaglich und gebildet: »O rühret, rühret nicht daran«, denn er liebte das Einstreuen lyrischer Stellen, ganz besonders solcher, die seinem echtberlinischen Hange zum bequem Gefühlvollen einen Ausdruck gaben. Daß er ebendiesen Hang auch wieder ironisierte, versteht sich von selbst.

Van der Straaten, wie hiernach zu bemessen, war eine sentimental-humoristische Natur, deren Berolinismen und Zynismen nichts weiter waren als etwas wilde Schößlinge seines Unabhängigkeitsgefühls und einer immer ungetrübten Laune. Und in der Tat, es gab nichts in der Welt, zu dem er allezeit so beständig aufgelegt gewesen wäre, wie zu Bonmots und scherzhaften Repartis, ein Zug seines Wesens, der sich schon bei Vorstellungen in der Gesellschaft zu zeigen pflegte. Denn die bei diesen und ähnlichen Gelegenheiten nie ausbleibende Frage nach seinen näheren oder ferneren Beziehungen zu dem Gutzkowschen Vanderstraaten, ward er nicht müde prompt und beinahe paragraphenweise dahin zu beantworten, daß er jede Verwandtschaft mit dem von der Bühne her so bekannt gewordenen Manasse Vanderstraaten ablehnen müsse, 1. weil er seinen Namen nicht einwortig, sondern dreiwortig schreibe, 2. weil er trotz seines Vornamens Ezechiel nicht bloß überhaupt getauft worden sei, sondern auch das nicht jedem Preußen zu teil werdende Glück gehabt habe, durch einen evangelischen Bischof, und zwar durch den alten Bischof Roß, in die christliche Gemeinschaft aufgenommen zu sein, und 3. und letztens weil er seit längerer Zeit des Vorzugs genieße, die Honneurs seines Hauses nicht durch eine Judith, sondern durch eine Melanie machen lassen zu können, durch eine Melanie, die, zu weiterem Unterschiede, nicht seine Tochter, sondern seine »Gemahlin« sei. Und dies Wort sprach er dann mit einer gewissen Feierlichkeit, in der Scherz und Ernst geschickt zusammenklangen.

Aber der Ernst überwog, wenigstens in seinem Herzen. Und es konnte nicht anders sein, denn die junge Frau war fast noch mehr sein Stolz als sein Glück. Älteste Tochter Jean de Caparoux’, eines Adligen aus der französischen Schweiz, der als Generalkonsul eine lange Reihe von Jahren in der norddeutschen Hauptstadt gelebt hatte, war sie ganz und gar als das verwöhnte Kind eines reichen und vornehmen Hauses großgezogen und in all ihren Anlagen aufs glücklichste herangebildet worden. Ihre heitere Grazie war fast noch größer als ihr Esprit, und ihre Liebenswürdigkeit noch größer als beides. Alle Vorzüge französischen Wesens erschienen in ihr vereinigt. Ob auch die Schwächen? Es verlautete nichts darüber. Ihr Vater starb früh, und statt eines gemutmaßten großen Vermögens fanden sich nur Debets über Debets. Und um diese Zeit war es denn auch, daß der zweiundvierzigjährige van der Straaten um die siebzehnjährige Melanie warb und ihre Hand erhielt. Einige Freunde beider Häuser ermangelten selbstverständlich nicht, allerhand Trübes zu prophezeien. Aber sie schienen im Unrecht bleiben zu sollen. Zehn glückliche Jahre, glücklich für beide Teile, waren seitdem vergangen, Melanie lebte wie die Prinzeß im Märchen, und van der Straaten seinerseits trug mit freudiger Ergebung seinen Necknamen »Ezel«, in den die junge Frau den langatmigen und etwas suspekten »Ezechiel« umgewandelt hatte. Nichts fehlte. Auch Kinder waren da: zwei Töchter, die jüngere des Vaters, die ältere der Mutter Ebenbild, groß und schlank und mit herabfallendem, dunklem Haar. Aber während die Augen der Mutter immer lachten, waren die der Tochter ernst und schwermütig, als sähen sie in die Zukunft.

2

L'Adultera

Die Wintermonate pflegten die van der Straatens in ihrer Stadtwohnung zuzubringen, die, trotzdem sie altmodisch war, doch an Komfort nichts vermissen ließ. Jedenfalls aber bot sie für das gesellschaftliche Treiben der Saison eine größere Bequemlichkeit, als die spreeabwärts am Nordwestrande des Tiergartens gelegene Villa.

Der erste Subskriptionsball war gewesen, vor zwei Tagen, und van der Straaten und Frau nahmen wie gewöhnlich in dem hochpaneelierten Wohn- und Arbeitszimmer des ersteren ihr gemeinschaftliches Frühstück ein. Von dem beinah unmittelbar vor ihrem Fenster aufragenden Petri-Kirchturme herab schlug es eben neun, und die kleine französische Stutzuhr sekundierte pünktlich, lief aber in ihrer Hast und Eile den dumpfen und langsamen Schlägen, die von draußen her laut wurden, weit voraus. Alles atmete Behagen, am meisten der Hausherr selbst, der, in einen Schaukelstuhl gelehnt und die Morgenzeitung in der Hand, abwechselnd seinen Kaffee und den Subskriptionsballbericht einschlürfte. Nur dann und wann ließ er seine Hand mit der Zeitung sinken und lachte.

»Was lachst du wieder, Ezel?« sagte Melanie, während sie mit ihrem linken Morgenschuh kokettisch hin und her klappte. »Was lachst du wieder? Ich wette die Robe, die du mir heute noch kaufen wirst, gegen dein häßliches, rotes und mir zum Tort wieder schief umgeknotetes Halstuch, daß du nichts gefunden hast als ein paar Zweideutigkeiten.«

»Er schreibt *zu* gut«, antwortete van der Straaten, ohne den hingeworfenen Fehdehandschuh aufzunehmen. »Und was mich am meisten freut, sie nimmt es alles für Ernst.«

»Wer denn?«

»Nun, wer! Die Maywald, deine Rivalin. Und nun höre. Oder lies es selbst.«

»Nein, ich mag nicht. Ich liebe nicht diese Berichte mit ausgeschnittenen Kleidern und Anfangsbuchstaben.«

»Und warum nicht? Weil du noch nicht an der Reihe warst. Ja, Lanni, er geht stolz an dir vorüber.«

»Ich würd es mir auch verbitten.«

»Verbitten! Was heißt verbitten? Ich verstehe dich nicht. Oder glaubst du vielleicht, daß gewesene Generalkonsulstöchter in vestalisch-priesterlicher Unnahbarkeit durchs Leben schreiten oder sakrosankt sind wie Botschafter und Ambassaden! Ich will dir ein Sprichwort sagen, das ihr in Genf nicht haben werdet...«

»Und das wäre?«

»Sieht doch die Katz den Kaiser an. Und ich sage dir, Lanni, was man ansehen darf, das darf man auch beschreiben. Oder verlangst du, daß ich ihn fordern sollte? Pistolen und zehn Schritte Barriere?«

Melanie lachte. »Nein, Ezel, ich stürbe, wenn du mir totgeschossen würdest.«

»Höre, dies solltest du dir doch überlegen. Das beste, was einer jungen Frau wie dir passieren kann, ist doch immer die Witwenschaft, oder ›le Veuvage‹, wie meine Pariser Wirtin mir einmal über das andere zu versichern pflegte. Beiläufig, meine beste Reisereminiszenz. Und dabei hättest du sie sehen sollen, die kleine, korpulente, schwarze Madame . . .«

»Ich sehne mich nicht danach. Ich will lieber wissen, wie alt sie war.«

»Fünfzig. Die Liebe fällt nicht immer auf ein Rosenblatt . . .«

»Nun, so mag es dir und ihr verziehen sein.«

Und dabei stand Melanie von ihrem hochlehnigen Stuhl auf, legte den Kanevas beiseite, an dem sie gestickt hatte, und trat an das Mittelfenster.

Unten bewegte sich das bunte Treiben eines Markttages, dem die junge Frau gern zuzusehen pflegte. Was sie daran am meisten fesselte, waren die Gegensätze. Dicht an der Kirchentür, an einem kleinen, niedrigen Tische, saß ein Mütterchen, das ausgelassenen Honig in großen und kleinen Gläsern verkaufte, die mit ausgezacktem Papier und einem roten Wollfaden zugebunden waren. Ihr zunächst erhob sich eine Wildhändlerbude, deren sechs aufgehängte Hasen mit traurigen Gesichtern zu Melanie hinübersahen, während in Front der Bude (das erfrorene Gesicht in der Kapuze) ein kleines Mädchen auf und ab lief und ihre Schäfchen, wie zur Weihnachtszeit, an die Vorübergehenden feilbot. Über dem Ganzen aber lag ein grauer Himmel, und ein paar Flocken federten und tanzten, und wenn sie niederfielen, wurden sie vom Luftzuge neu gefaßt und wieder in die Höhe gewirbelt.

Etwas wie Sehnsucht überkam Melanie beim Anblick dieses Flockentanzes, als müsse es schön sein, so zu steigen und zu fallen und dann wieder zu steigen, und eben wollte sie sich vom Fenster her ins Zimmer zurückwenden, um in leichtem Scherze, ganz wie sie's liebte, sich und ihre Sehnsuchtsanwandlung zu persiflieren, als sie, von der Brüderstraße her, eines jener langen und auf niedrigen Rädern gehenden Gefährte vorfahren sah, die die hauptstädtischen Bewohner Rollwagen nennen. Es konnte das Exemplar, das eben hielt, als ein Musterstück seiner Gattung gelten, denn nichts fehlte. Nach hinten zu war der zum Abladen dienende Doppelbaum in vorschriftsmäßigem rechten Winkel aufgerichtet, vorn stand der Kutscher mit Vollbart und Lederschurz, und in der Mitte lief ein kleiner Bastard von Spitz und Rattenfänger hin und her und bellte jeden an, der nur irgendwie Miene machte, sich auf fünf Schritte dem Wagen zu nähern. Er hatte kaum noch ein Recht zu diesen Äußerungen übertriebener Wachsamkeit, denn auf dem ganzen langen Wagenbrette lag nur noch ein einziges Kollo, das der Rollkutscher jetzt zwischen seine zwei Riesenhände nahm und in den Hausflur hineintrug, als ob es eine Pappschachtel wäre.

Van der Straaten hatte mittlerweile seine Lektüre beendet und war an ein unmittelbar neben dem Eckfenster stehendes Pult getreten, an dem er zu schreiben pflegte.

»Wie schön diese Leute sind«, sagte Melanie. »Und so stark. Und dieser wundervolle Bart. So denk ich mir Simson.«

»Ich nicht«, entgegnete van der Straaten trocken.

»Oder Wieland den Schmied.«

»Schon eher. Und über kurz oder lang denk ich, wird diese Sache spruchreif sein. Denn ich wette zehn gegen eins, daß ihn der ›Meister‹ in irgend etwas Zukünftigem bereits unterm Hammer hat. Oder sagen wir auf dem Ambos. Es klingt etwas vornehmer.«

»Ich muß dich bitten, Ezel ... Du weißt ...«

Aber ehe sie schließen konnte, wurde geklopft, und einer der jungen Kontoristen erschien in der Tür, um seinem Chef, unter gleichzeitiger Verbeugung gegen Melanie, einen Frachtbrief einzuhändigen, auf dem in großen Buchstaben und in italienischer Sprache vermerkt war: »Zu eigenen Händen des Empfängers.«

Van der Straaten las und war sofort wie elektrisiert. »Ah, von Salviati!... Das ist hübsch, das ist schön... Gleich die Kiste heraufschaffen!... Und du bleibst, Melanie... Hat er doch Wort gehalten... Freut mich, freut mich wirklich. Und dich wird es auch freuen. Etwas Venezianisches, Lanni... Du warst so gern in Venedig.«

Und während er in derartig kurzen Sätzen immer weiter perorierte, hatte er aus einem Kasten seines Arbeitstisches ein Stemmeisen herausgenommen und hantierte damit, als die Kiste hereingebracht worden war, so vertraut und so geschickt, als ob es ein Korkzieher oder irgendein anderes Werkzeug alltäglicher Benutzung gewesen wäre. Mit Leichtigkeit hob er den Deckel ab und setzte das daran angeschraubte Bild auf ein großes, staffeleiartiges Gestell, das er schon vorher aus einer der Zimmerecken ans Fenster geschoben hatte. Der junge Kommis hatte sich inzwischen wieder entfernt; van der Straaten aber, während er Melanie mit einer gewissen Feierlichkeit vor das Bild führte, sagte: »Nun, Lanni, wie findest du's?... Ich will dir übrigens zu Hilfe kommen... Ein Tintoretto.«

»Kopie?«

»Freilich«, stotterte van der Straaten etwas verlegen. »Originale werden nicht hergegeben. Und würden auch meine Mittel übersteigen. Dennoch dächt ich...«

Melanie hatte mittlerweile die Hauptfiguren des Bildes mit ihrem Lorgnon gemustert und sagte jetzt: »Ah, l'Adultera!... Jetzt erkenn ich's. Aber daß du gerade *das* wählen mußtest! Es ist eigentlich ein gefährliches Bild, fast so gefährlich wie der Spruch... Wie heißt er doch?«

»Wer unter euch ohne Sünde ist...«

»Richtig. Und ich kann mir nicht helfen, es liegt so was Ermutigendes darin. Und dieser Schelm von Tintoretto hat es auch ganz in diesem Sinne genommen. Sieh nur!... Geweint hat sie... Gewiß... Aber warum? Weil man ihr immer wieder und wieder gesagt hat, wie schlecht sie sei. Und nun glaubt sie's auch, oder *will* es wenigstens glauben. Aber ihr Herz wehrt sich dagegen und kann es nicht finden... Und daß ich dir's gestehe, sie wirkt eigentlich rührend auf mich. Es ist so viel Unschuld in ihrer Schuld ... Und alles wie vorherbestimmt.«

Melanie, während sie so sprach, war ernster geworden und von dem Bilde zurückgetreten. Nun aber fragte sie: »Hast du schon einen Platz dafür?«

»Ja, hier.« Und er wies auf eine Wandstelle neben seinem Schreibpult.

»Ich dachte«, fuhr Melanie fort, »du würdest es in die Galerie schicken. Und offen gestanden, es wird sich an diesem Pfeiler etwas sonderbar ausnehmen. Es wird ...«

»Unterbrich dich nicht.«

»Es wird den Witz herausfordern und die Bosheit, und ich höre schon Reiff und Duquede medisieren, vielleicht auf deine Kosten und gewiß auf meine.«

Van der Straaten hatte seinen Arm auf das Pult gelehnt und lächelte.

»Du lächelst, und sonst lachst du doch mehr als gut ist und namentlich lauter als gut ist. Es steckt etwas dahinter. Sage, was hast du gegen mich? Ich weiß recht gut, du bist nicht so harmlos, wie du dich stellst. Und ich weiß auch, daß es wunderliche Gemütlichkeiten gibt. Ich habe mal von einem russischen Fürsten gelesen, ich glaube Suboff war sein Name. Eigentlich waren es zwei, zwei Brüder. Die spielten Karten, und dann ermordeten sie den Kaiser Paul, und dann spielten sie wieder Karten. Ich glaube beinah, du könntest auch so was! Und alles mit gutem Gewissen und gutem Schlaf.«

»Also *darum* König Ezel!« lachte van der Straaten.

»O nein. Nicht darum. Als ich dich so hieß, war ich noch ein halbes Kind. Und ich kannte dich damals noch nicht. Jetzt aber kenn ich dich und weiß nur nicht, ob es etwas sehr Gutes oder etwas sehr Schlimmes ist, was in dir steckt ... Aber nun komm. Unser Kaffee ist kalt geworden.«

Und sie gab ihren Platz am Fenster auf, setzte sich wieder auf ihren hochlehnigen Stuhl und nahm Nadel und Kanevas und tat ein paar rasche Stiche. Zugleich aber ließ sie kein Auge von ihm, denn sie wollte wissen, was in seiner Seele vorging.

Und er wollt es auch nicht länger verbergen. War er doch ohnehin, aller Freundschaft unerachtet, ohne Freund und Vertrauten, und so trieb es ihn denn, angesichts dieses Bildes einmal aus sich herauszugehen.

»Ich habe dich nie mit Eifersucht gequält, Lanni.«

»Und ich habe dir nie Veranlassung dazu gegeben.«

»Nein. Aber heute rot und morgen tot. Das heißt, alles wechselt im Leben. Und sieh, als wir letzten Sommer in Venedig waren, und ich dies Bild sah, da stand es auf einmal alles deutlich vor mir. Und da war es denn auch, daß ich Salviati bat, mir das Bild kopieren zu lassen. Ich will es vor Augen haben, so als Memento mori, wie die Kapuziner, die sonst nicht mein Geschmack sind. Denn sieh, Lanni, auch in ihrer Furcht unterscheiden sich die Menschen. Da sind welche, die halten es mit dem Vogel Strauß und stecken den Kopf in den Sand und wollen nichts wissen. Aber andere haben eine Neigung, ihr Geschick immer vor sich zu sehen und sich mit ihm einzuleben. Sie wissen genau, den und den Tag sterb ich, und sie lassen sich einen Sarg machen und betrachten ihn fleißig. Und die beständige Vorstellung des Todes nimmt auch dem Tode schließlich seine Schrecken. Und sieh, Lanni, so will ich es auch machen, und das Bild soll mir dazu helfen . . . Denn es ist erblich in unserm Haus . . . und so gewiß dieser Zeiger . . .«

»Aber Ezel«, unterbrach ihn Melanie, »was hast du nur? Ich bitte dich, wo soll das hinaus? Wenn du die Dinge so siehst, so weiß ich nicht, warum du mich nicht heut oder morgen einmauern läßt.«

»An dergleichen hab ich auch schon gedacht. Und ich bekenne, ›Melanie die Nonne‹ klänge nicht übel, und es ließe sich eine Ballade darauf machen. Aber es hilft zu nichts. Denn du glaubst gar nicht, was Liebende bei gutem Willen alles durchsetzen. Und sie haben immer guten Willen.«

»Oh, ich glaub es schon.«

»Nun siehts du«, lachte van der Straaten, den diese scherzhafte Wendung plötzlich wieder zu heiterer Laune stimmte. »So hör ich dich gern. Und zur Belohnung: das Bild soll nicht an den Eckpfeiler, sondern wirklich in die Galerie. Verlaß dich darauf. Und um dir nichts zu verschweigen, ich hab auch über all das so meine wechselnden und widerstreitenden Gedanken, und mitunter denk ich: ich sterbe vielleicht darüber hin. Und das wäre das beste. Zeit gewonnen, alles gewonnen. Es ist nichts Neues. Aber die trivialsten Sätze sind immer die richtigsten.«

»Dann vergiß auch nicht *den,* daß man den Teufel nicht an die Wand malen soll!«

Er nickte. »Da hast du recht. Und wir *wollen's* auch nicht, und wollen diese Stunde vergessen. Ganz und gar. Und wenn ich dich je wieder daran erinnere, so sei's im Geiste des Friedens und zum Zeichen der Versöhnung. Lache nicht. Es kommt, was

»Eine Bagatelle.«

»Was deine Verlegenheit bestreitet.«

»Und doch eine Bagatelle. Wir werden einen Besuch empfangen, oder vielmehr einen Gast, oder, wenn ich mich des Ausdrucks bedienen darf, einen Dauergast. Also kurz und gut, denn was hilft es, es muß heraus: einen neuen Hausgenossen.«

Melanie, die bis dahin ein Schokoladenbiskuit, das noch auf dem Teller lag, zerkrümelt hatte, legte jetzt ihren Zeigefinger auf van der Straatens Hand und sagte: »Und das nennst du eine Bagatelle? Du weißt recht gut, daß es etwas sehr Ernsthaftes ist. Ich habe nicht den Vorzug, ein Kind dieser eurer Stadt zu sein, bin aber doch lange genug in eurer exquisiten Mitte gewesen, um zu wissen, was es mit einem ›Logierbesuch‹ auf sich hat. Schon das Wort, das sich sonst nirgends findet, kann einen ängstlich machen. Und was ist ein Logierbesuch gegen eine neue Hausgenossenschaft . . . Ist es eine Dame?«

»Nein, ein Herr.«

»Ein Herr. Ich bitte dich, Ezel . . .«

»Ein Volontär, ältester Sohn eines mir befreundeten Frankfurter Hauses. War in Paris und London, selbstverständlich, und kommt eben jetzt von New York, um hier am Ort eine Filiale zu gründen. Vorher aber will er in unserem Hause die Sitte dieses Landes kennenlernen, oder sag ich lieber *wieder* kennenlernen, weil er sie draußen halb vergessen hat. Es ist ein besonderer Vertrauensakt. Ich bin überdies dem Vater verpflichtet und bitte dich herzlich, mir eine Verlegenheit ersparen zu wollen. Ich denke, wir geben ihm die zwei leer stehenden Zimmer auf dem linken Korridor.«

»Und zwingen ihn also, einen Sommer lang auf die Fliesen unseres Hofes und auf Christels Geraniumtöpfe hinunterzusehen.«

»Es kann nicht die Rede davon sein, mehr zu geben, als man hat. Und er selbst wird es am wenigsten erwarten. Alle Personen, die viel in der Welt umher waren, pflegen am gleichgültigsten gegen derlei Dinge zu sein. Unser Hof bietet freilich nicht viel; aber was hätt er Besseres in der Front? Ein Stück Kirchengitter mit Fliederbusch, und an den Markttagen die Hasenbude.«

»Eh bien, Ezel. Faisons le jeu. Ich hoffe, daß nichts Schlimmes dahinter lauert, keine Konspirationen, keine Pläne, die du mir verschweigst. Denn du bist eine versteckte Natur. Und wenn es deine Geheimnisse nicht stört, so möcht ich schließlich wenigstens den Namen unseres neuen Hausgenossen hören.«

»Ebenezer Rubehn . . .«

»Ebenezer Rubehn«, wiederholte Melanie langsam und jede Silbe betonend. »Ich bekenne dir offen, daß mir etwas Christlich-Germanisches lieber gewesen wäre. Viel lieber. Als ob wir an deinem Ezechiel nicht schon gerade genug hätten! Und nun Ebenezer. Ebenezer Rubehn! Ich bitte dich, was soll dieser Accent grave, dieser Ton auf der letzten Silbe? Suspekt, im höchsten Grade suspekt!«

»Du mußt wissen, er schreibt sich mit einem h.«

»Mit einem h! Du wirst doch nicht verlangen, daß ich dies h für echt und ursprünglich nehmen soll? Einschiebsel, versuchte Leugnung des Tatsächlichen, absichtliche Verschleierung, hinter der ich nichtsdestoweniger alle zwölf Söhne Jakobs stehen sehe. Und er selber als Flügelmann.«

»Und doch irrst du, Lanni. Wie stand es denn mit Rubens? Ich meine mit dem großen Peter Paul? Nun, der hatte freilich ein s. Aber was dem s recht ist, ist dem h billig. Und kurz und gut, er ist getauft. Ob durch einen Bischof, stehe dahin; ich weiß es nicht und wünsch es nicht, denn ich möcht etwas vor ihm voraus haben. Aber allen Ernstes, du tust ihm Unrecht. Er ist nicht bloß christlich, er ist auch protestantisch, so gut wie du und ich. Und wenn du noch zweifelst, so lasse dich durch den Augenschein überzeugen.«

Und hierbei versuchte van der Straaten aus einem kleinen gelben Kuvert, das er schon bereit hielt, eine Visitenkartenphotographie herauszunehmen. Aber Melanie litt es nicht und sagte nur in wachsender Heiterkeit: »Sagtest du nicht New York? Sagtest du nicht London? Ich war auf einen Gentleman gefaßt, auf einen Mann von Welt, und nun schickt er sein Bildnis, als ob es sich um ein Rendezvous handelte. Krugs Garten, mit einer Verlobung im Hintergrund.«

»Und doch ist er unschuldig. Glaube mir. Ich wollte sicher gehen, um deinetwillen sicher gehen, und deshalb schrieb ich an den alten Goeschen, Firma Goeschen, Goldschmidt und Kompanie; diskreter alter Herr. Und daher stammt es. *Ich* bin schuld, nicht er, wahr und wahrhaftig, und wenn du mir das Wort gestattest, sogar ›auf Ehre‹.«

Melanie nahm das Kuvert und warf einen flüchtigen Blick auf das eingeschlossene Bild. Ihre Züge veränderten sich plötzlich, und sie sagte: »Ah, der gefällt mir. Er hat etwas Distinguiertes: Offizier in Zivil oder Gesandtschafts-Attaché. Das lieb ich. Und nun gar ein Bändchen. Ist es die Ehrenlegion?«

»Nein, du kannst es näher suchen. Er stand bei den fünften Dragonern und hat für Chartres und Poupry das Kreuz empfangen.«

»Ist das eine Schlacht von deiner Erfindung?«

»Nein. Dergleichen kommt vor, und als freie Schweizerin solltest du wissen, daß fremde Sprachen nicht immer gebührende Rücksicht auf die verpönten Klangformen einer anderen nehmen. Ja, Lanni, ich bin mitunter besser als mein Ruf.«

»Und wann dürfen wir unseren neuen Hausfreund erwarten?«

»Hausgenossen«, verbesserte van der Straaten. »Es ist nicht nötig, ihn, mit Rücksicht auf seine militärische Charge, so Hals über Kopf avancieren zu lassen. Übrigens ist er verlobt, oder so gut wie verlobt.«

»Schade.«

»Schade? Warum?«

»Weil Verlobte meistens langweilig sind. Sind sie beisammen, so sind sie zärtlich, bedrückend zärtlich für ihre Umgebung, und sind sie getrennt, so schreiben sie sich Briefe oder bereiten sich in ihrem Gemüt darauf vor. Und der Bräutigam ist immer der schlimmere von beiden. Und will man sich gar in ihn verlieben, so heißt das nicht mehr und nicht weniger, als zwei Lebenskreise stören.«

»Zwei?«

»Ja, Bräutigam und Braut.«

»Ich hätte drei gezählt«, lachte van der Straaten. »Aber so seid ihr. Ich wette, du hast den dritten in Gnaden vergessen. Ehemänner zählen überhaupt nicht mit. Und wenn sie sich darüber wundern, so machen sie sich ridikül. Ich werde mich übrigens davor hüten, den Mohren der Weltgeschichte, das seid ihr, weiß waschen zu wollen. Apropos, kennst du das Bild ›Die Mohrenwäsche‹?«

»Ach, Ezel, du weißt ja, ich kenne keine Bilder. Und am wenigsten alte.«

»Süße Simplicitas aus dem Hause de Caparoux«, jubelte van der Straaten, der nie glücklicher war, wie wenn Melanie sich eine Blöße gab oder auch klugerweise nur so tat. »Altes Bild! Es ist nicht älter als ich.«

»Nun, dann ist es gerade alt genug.«

»Bravissimo. Sieh, so hab ich dich gern. Übermütig und boshaft. Und nun sage, was beginnen wir, wohin gondeln wir?«

»Ich bitte dich, Ezel, nur keine Berolinismen. Du hast mir doch gestern erst . . .«

»Und ich halt es auch. Aber wenn mir wohl um's Herze wird, da bricht es wieder durch. Und jetzt komm, wir wollen zu Haas und uns einen Teppich ansehen ... ›Gerade alt genug‹ ... Vorzüglich, vorzüglich ... Und nun sage Papachen, wie heißt die schönste Frau im Land?«

»Melanie.«

»Und die liebste, die klügste, die beste Frau?«

»Melanie, Melanie.«

»Gut, gut ... Und nun gehab dich wohl, du Menschenkenner!«

4

Der engere Zirkel

Die »drei gestrengen Herren« waren ganz ausnahmsweise streng gewesen, aber nicht zu Verdruß beider van der Straatens, die vielmehr nun erst wußten, daß der Winter all seine Pfeile verschossen und unweigerlich und ohne weitere Widerstandsmöglichkeit seinen Rückzug angetreten habe. Nun erst konnte man freien Herzens hinaus, hinaus ohne Sorge vor frostigen Vormittagen oder gar vor Eingeschneitwerden über Nacht. Alles freute sich auf den Umzug, auch die Kinder, am meisten aber van der Straaten, der, um ihn selber sprechen zu lassen, »unter allen vorkommenden Geburtsszenen einzig und allein der des Frühlings beizuwohnen liebte«. Vorher aber sollte noch ein kleines Abschiedsdiner stattfinden und zwar unter ausschließlicher Heranziehung des dem Hause zunächst stehenden Kreises.

Es war das, übrigens von mehr verwandtschaftlicher als befreundeter Seite her, in erster Reihe der in der Alsenstraße wohnende Major von Gryczinski, ein noch junger Offizier mit abstehendem, englisch gekräuseltem Backenbart und klugen blauen Augen, der vor etwa drei Jahren die reizende Jacobine de Caparoux heimgeführt hatte, eine jüngere Schwester Melanies und nicht voll so schön wie diese, aber rotblond, was in den Augen einiger das Gleichgewicht zwischen beiden wiederherstellte. Gryczinski war Generalstäbler und hielt, wie jeder dieses Standes, an dem Glauben fest, daß es in der ganzen Welt nicht zwei so grundverschiedene Farben gäbe, wie das allgemeine preußische Militärrot und das Generalstabsrot. Daß er den Strebern zugehörte, war eine selbstverständliche Sache; wohl aber verdient es, in Rücksicht gegen den Ernst der Historie, schon an dieser

Stelle hervorgehoben zu werden, daß er, alles Strebertums unerachtet, in allen nicht *zu* verlockenden Fällen ein bescheidenes Maß von Rücksichtnahme gelten ließ und den Kampf ums Dasein nicht absolut als einen Übergang über die Beresina betrachtete. Wie sein großer Chef war er ein Schweiger, unterschied sich aber von ihm durch ein beständiges, jeden Sprecher ermutigendes Lächeln, das er, alle nutzlose Parteinahme klug vermeidend, über Gerechte und Ungerechte gleichmäßig scheinen ließ.

Gryczinski, wie schon angedeutet, war mehr Verwandter als Freund des Hauses. Unter diesen letzteren konnte der Baron Duquede, Legationsrat a. D., als der angesehenste gelten. Er war über sechzig, hatte bereits unter van der Straatens Vater dem damals ausgedehnten Kreise des Hauses angehört und durfte sich, wie um anderer Qualitäten so auch schon um seiner Jahre willen, seinem hervorstechendsten Charakterzuge, dem des Absprechens, Verkleinerns und Verneinens, ungehindert hingeben. Daß er, infolge davon, den Beinamen »Herr Negationsrat« erhalten hatte, hatte selbstverständlich seine milzsüchtige Krakeelerei nicht zu bessern vermocht. Er empörte sich eigentlich über alles, am meisten über Bismarck, von dem er seit 1866, dem Jahre seiner eigenen Dienstentlassung, unaufhörlich versicherte, »daß er überschätzt werde«. Von einer beinah gleichen Empörung war er gegen das zum Französieren geneigte Berlinertum erfüllt, das ihn, um seines »qu« willen, als einen Koloniefranzosen ansah und seinen altmärkischen Adelsnamen nach der Analogie von Admiral Duquesne auszusprechen pflegte. »Was er sich gefallen lassen könne«, hatte Melanie hingeworfen, von welchem Tag an eine stille Gegnerschaft zwischen beiden herrschte.

Dem Legationsrat an Jahren und Ansehn am nächsten stand Polizeirat Reiff, ein kleiner behäbiger Herr mit roten und glänzenden Backenknochen, auch Feinschmecker und Geschichtenerzähler, der, solange die Damen bei Tische waren, kein Wasser trüben zu können schien, im Moment ihres Verschwindens aber in Anekdoten exzellierte, wie sie, nach Zahl und Inhalt, immer nur einem Polizeirat zu Gebote stehn. Selbst van der Straaten, dessen Talente doch nach derselben Seite hin lagen, erging sich dann in lautem und mitunter selbst stürmischem Beifall oder zwinkerte seinen Tischnachbarn seine neidlose Bewunderung zu.

Diese Tischnachbarn waren in der Regel zwei Maler: der Landschafter Arnold Gabler, ebenfalls wie Reiff und der Legationsrat ein Erbstück aus des Vaters Tagen her, und Elimar Schulze, Porträt- und Genremaler, der sich erst in den letzten

Jahren angefunden hatte. Seine Zugehörigkeit zu der vorgeschilderten Tafelrunde basierte zumeist auf dem Umstande, daß er nur ein halber Maler, zur andern Hälfte aber Musiker und enthusiastischer Wagnerianer war, auf welchen »Titul« hin, wie van der Straaten sich ausdrückte, Melanie seine Aufnahme betrieben und durchgesetzt hatte. Die bei dieser Gelegenheit abgegebene Bemerkung ihres Eheherrn, »daß er gegen den Aufzunehmenden nichts einzuwenden habe, wenn er einfach übertreten und seine Zugehörigkeit zu der alleinseligmachenden Musik offen und ehrlich aussprechen wolle«, war von dem immer gut gelaunten Elimar mit der Bitte beantwortet worden, »ihm diesen Schritt erlassen zu wollen und zwar einfach deshalb, weil doch schließlich nur das Gegenteil von dem Gewünschten dabei herauskommen würde. Denn während er jetzt als Maler allgemein für einen Musiker gehalten werde, werd er als Musiker sicherlich für einen Maler gehalten und dadurch vom Standpunkte des Herrn Kommerzienrats aus in die relativ höhere Rangstufe wieder hinaufgehoben werden.«

Diesem Verwandten- und Freundeskreise waren die zu heute sieben Uhr Geladenen entnommen. Denn van der Straaten liebte die Spät-Diners und erging sich mitunter in nicht üblen Bemerkungen über den gewaltigen Unterschied zwischen einer um vier Uhr künstlich hergestellten und einer um sieben Uhr natürlich erwachsenen Dunkelheit. Eine künstliche Vier-Uhr-Dunkelheit sei nicht besser als ein junger Wein, den man in einen Rauchfang gehängt und mit Spinnweb umwickelt habe, um ihn alt und ehrwürdig erscheinen zu lassen. Aber eine feine Zunge schmecke den jungen Wein und ein feines Nervensystem schmecke die junge Dunkelheit heraus. Bemerkungen, die, namentlich in ihrer »das feine Nervensystem« betonenden Schlußwendung, von Melanie regelmäßig mit einem allerherzlichsten Lachen begleitet wurden.

Das van der Straaten'sche Stadthaus – wodurch es sich neben anderem von der mit allem Komfort ausgestatteten Tiergarten-Villa unterschied – hatte keinen eigentlichen Speisesaal, und die zwei großen und vier kleinen Diners, die sich über den Winter hin verteilten, mußten in dem ersten, als Entree dienenden Zimmer der großen Gemäldegalerie gegeben werden. Es griff dieser Teil der Galerie noch aus dem rechten Seitenflügel in das Vorderhaus über und lag unmittelbar hinter Melanies Zimmer, aus dem denn auch, sobald die breiten Flügeltüren sich öffneten, der Eintritt stattfand.

Und wie gewöhnlich, so auch heute. Van der Straaten nahm

den Arm seiner blonden Schwägerin, Duquede den Melanies, während die vier anderen Herren paarweise folgten, eine herkömmliche Form des Aufmarsches, bei der der Major ebenso geschickt zwischen den beiden Malern zu wechseln, als den Polizeirat zu vermeiden wußte. Denn so bereit und ergeben er war, die Geschichten Reiffs bei Tag oder Nacht über sich ergehen zu lassen, so konnt er sich doch nicht entschließen, ihm ebenbürtig den Arm zu bieten. Er stand vielmehr ganz in den Anschauungen seines Standes und bekannte sich, mit einem durch persönliches Fühlen unterstützten Nachdruck, zu dem alten Gegensatz von Militär und Polizei.

Jeder der Eintretenden war an dieser Stelle zu Haus und hatte keine Veranlassung mehr zum Staunen und Bewundern. Wer aber zum ersten Male hier eintrat, der wurde sicherlich durch eine Schönheit überrascht, die gerade darin ihren Grund hatte, daß der als Speisesaal dienende Raum kein eigentlicher Speisesaal war. Ein reichgegliederter Kronleuchter von französischer Bronze warf seine Lichter auf eine von guter italienischer Hand herrührende prächtig eingerahmte Kopie der Veronesischen »Hochzeit zu Cana«, die von Uneingeweihten auch wohl ohne weiteres für das Original genommen wurde, während daneben zwei Stilleben in fast noch größeren und reicheren Barockrahmen hingen. Es waren, von einiger vegetabilischer Zutat abgesehen, Hummer, Lachs und blaue Makrelen, über deren absolute Naturwahrheit sich van der Straaten in der ein für allemal gemünzten Bewunderungsformel ausließ, »es werd ihm, als ob er taschentuchlos über den Cöllnischen Fischmarkt gehe«.

Nach hinten zu stand das Buffet, und daneben war die Tür, die mit der im Erdgeschoß gelegenen Küche bequeme Verbindung hielt.

5

Bei Tisch

»Nehmen wir Platz«, sagte van der Straaten. »Meine Frau hat mich aller Placierungsmühen überhoben und Karten gelegt.«

Und dabei nahm er eine derselben in die Hand und ließ sein von Natur gutes und durch vieles Sehen kunstgeübtes Auge darüber hingleiten. »Ah, ah, sehr gut. Das ist Tells Geschoß. Gratuliere, Elimar. Allerliebst, allerliebst. Natürlich Amor, der schießt. Daß ihr Maler doch über diesen ewigen Schützen nicht wegkommen könnt.«

»Gegen dessen Abschaffung oder Dienstentlassung wir auch feierlich protestieren würden«, sagte die rotblonde Schwester.

Alle hatten sich inzwischen placiert, und es ergab sich, daß Melanie bei der von ihr getroffenen Anordnung vom Herkömmlichen abgewichen war. Van der Straaten saß zwischen Schwägerin und Frau, ihm gegenüber der Major, von Gabler und Elimar flankiert, an den Schmalseiten aber Polizeirat Reiff und Legationsrat Duquede.

Die Suppe war eben genommen und der im kommerzienrätlichen Hause von alter Zeit her berühmte Montefiascone gerade herumgereicht, als van der Straaten sich über den Tisch hin zu seinem Schwager wandte.

»Gryczinski, Major und Schwager«, hob er leicht und mit überlegener Vertraulichkeit an, »binnen heut und drei Monaten haben wir Krieg. Ich bitte dich, sage nicht nein, wolle mir nicht widersprechen. Ihr, die ihr's schließlich machen müßt, erfahrt es erfahrungsmäßig immer am spätesten. Im Juni haben wir die Sache wieder fertig oder wenigstens eingerührt. Es zählt jetzt zu den sogenannten berechtigten Eigentümlichkeiten preußischer Politik, allen Geheimräten, wozu, in allem was Karlsbad und Teplitz angeht, auch die Kommerzienräte gehören, ihre Brunnen- und Badekur zu verderben. Helgoland mit eingeschlossen. Ich wiederhole dir, in zwei Monaten haben wir die Sache fertig und in drei haben wir den Krieg. Irgend was Benedettihaftes wird sich doch am Ende finden lassen, und Ems liegt unter Umständen überall in der Welt.«

Gryczinski zwirbelte mit der Linken an der breitesten Stelle seines Backenbartes und sagte: »Schwager, du stehst zu sehr unter Börsengerüchten, um nicht zu sagen unter dem Einfluß der Börsenspekulation. Ich versichere dich, es ist kein Wölkchen am Horizont, und wenn wir zur Zeit wirklich einen Kriegsplan ausarbeiten, so betrifft er höchstens die hypothetische Bestimmung der Stelle, wo Rußland und England zusammenstoßen und ihre große Schlacht schlagen werden.«

Beide Damen, die von der entschiedensten Friedenspartei waren, die brünette, weil sie nicht gern das Vermögen, die blonde, weil sie nicht gern den Mann einbüßen wollte, jubelten dem Sprecher zu, während der Polizeirat, immer kleiner werdend, bemerkte: »Bitte dem Herrn Major meine gehorsamste Zustimmung aussprechen zu dürfen und zwar von ganzem Herzen und von ganzem Gemüte.« Wobei gesagt werden muß, daß er mit Vorliebe von seinem Gemüte sprach. »Überhaupt«, fuhr er fort, »nichts falscher und irriger, als sich Seine Durchlaucht den Fürsten, einen in Wahrheit friedliebenden Mann, als einen Kanonier mit ewig brennender Lunte vorzustellen, jeden Augenblick bereit, das Kruppsche Monstregeschütz eines europäischen Krieges auf gut Glück hin abzufeuern. Ich sage, nichts falscher und irriger als das. Hazardieren ist die Lust derer, die nichts besitzen, weder Vermögen noch Ruhm. Und der Fürst besitzt beides. Ich wette, daß er nicht Lust hat, seinen hochaufgespeicherten Doppelschatz immer wieder auf die Kriegskarte zu setzen. Er gewann 1864 – nur eine Kleinigkeit –, doublierte 1866 und triplierte 1870, aber er wird sich hüten, sich auf ein six-le-va einzulassen. Er ist ein sehr belesener Mann und kennt ohne Zweifel das Märchen vom »Fischer un sine Fru . . .«

»... Dessen pikante Schlußwendung uns unser polizeirätlicher Freund hoffentlich nicht vorenthalten will«, bemerkte van der Straaten, in dem sich der Übermut der Tafelstimmung bereits zu regen begann.

Aber der Polizeirat, während er sich wie zur Gewährleistung jeder Sicherheit gegen die Damen hin verneigte, ließ das Märchen und seine notorische Schlußzeile fallen und sagte nur: »Wer alles gewinnen will, verliert alles. Und das Glück ist noch launenhafter als die Damen. Ja, meine Damen, als die Damen. Denn die Launenhaftigkeit, ich lebe selbst in einer glücklichen Ehe, ist das Vorrecht und der Zauber ihres Geschlechts. Der Fürst hat Glück gehabt, aber gerade weil er es gehabt hat . . .«

»... Wird er sich hüten, es zu versuchen«, schloß mit ironischer Emphase der Legationsrat. »Aber, wenn er es *dennoch* täte? He? Der Fürst hat Glück gehabt, versichert uns unser Freund Reiff mit polizeirätlich unschuldiger Miene. Glück gehabt! Allerdings. Und zwar kein einfaches und gewöhnliches, sondern ein stupendes, ein nie dagewesenes Glück. Eines, das in seiner kolossalen Größe den Mann selber wegfrißt und verschlingt. Und sowenig ich geneigt bin, ihm dies Glück zu mißgönnen, ich kenne keine Mißgunst, so reizt es mich doch, einen Heroenkultus an dieses Glück geknüpft zu sehen. Er wird überschätzt, sag ich. Glauben Sie mir, er hat etwas Plagiatorisches. Es mögen sich Erklärungen finden lassen, meinetwegen auch Entschuldigungen, eines aber bleibt: er wird überschätzt. Ja, meine Freunde, den Heroenkultus haben wir, und den Götterkultus *werden* wir haben. Bildsäulen und Denkmäler sind bereits da, und die Tempel werden kommen. Und in einem dieser Tempel wird sein Bildnis sein, und Göttin Fortuna ihm zu Füßen. Aber man wird es nicht den Fortunatempel nennen, sondern den Glückstempel. Ja, den Glückstempel, denn es wird darin gespielt, und unser vorsichtiger Freund Reiff hat es mit seinem six-le-va, das über kurz oder lang kommen wird, besser getroffen, als er weiß. Alles Spiel und Glück, sag ich, und daneben ein unendlicher Mangel an Erleuchtung, an Gedanken und vor allem an großen schöpferischen Ideen.«

»Aber, lieber Legationsrat«, unterbrach hier van der Straaten, »es liegen doch einige Kleinigkeiten vor: Exmittierung Österreichs, Aufbau des Deutschen Reiches ...«

»... Ekrasierung Frankreichs und Dethronisierung des Papstes! Pah, van der Straaten, ich kenne die ganze Litanei. Wem aber haben wir dafür zu danken, wenn überhaupt dafür zu danken ist? Wem? Einer ihm feindlichen Partei, feindlich ihm und mir, einer Partei, der er ihren Schlachtruf genommen hat. Er hat etwas Plagiatorisches, sag ich, er hat sich die Gedanken anderer einfach angeeignet, gute und schlechte, und sie mit Hilfe reichlich vorhandener Mittel in Taten umgesetzt. Das konnte schließlich jeder, jeder von uns: Gabler, Elimar, du, ich, Reiff ...«

»Ich möchte doch bitten ...«

»In Taten umgesetzt«, wiederholte Duquede. »Ein Umsatz- und Wechselgeschäft, das ich hasse, solange nicht der selbsteigne Gedanke dahinter steht. Aber Taten mit gar keiner oder mit erheuchelter oder mit erborgter Idee haben etwas Rohes und Brutales, etwas Dschingiskhanartiges. Und ich wiederhole, ich hasse solche Taten. Am meisten aber hass' ich sie, wenn sie die Begriffe verwirren und die Gegensätze mengen, und wenn wir es erleben müssen, daß sich hinter den altehrwürdigen Formen unseres staatserhaltenden Prinzips, hinter der Maske des Konservatismus, ein revolutionärer Radikalismus birgt. Ich sage dir, van der Straaten, er segelt unter falscher Flagge. Und eines seiner einschlägigsten Mittel ist der beständige Flaggenwechsel. Aber ich hab ihn erkannt und weiß, was seine eigentliche Flagge ist...«

»Nennen ...«

»Die schwarze.«

»Die Piratenflagge?«

»Ja. Und Sie werden dessen über kurz oder lang alle gewahr werden. Ich sage dir, van der Straaten, und Ihnen Elimar und Ihnen Reiff, der Sie's morgen in Ihr schwarzes Buch eintragen können, meinetwegen, denn ich bin ein altmärkischer Edelmann und habe den Dienst dieses mir widerstrebenden Eigennützlings längst quittiert, ich sag es jedem, alt oder jung: sehen Sie sich vor. Ich warne Sie vor Täuschung, vor allem aber vor Überschätzung dieses falschen Ritters, dieses Glücks-Tempelherrn, an den die blöde Menge glaubt, weil er die Jesuiten aus dem Lande geschafft hat. Aber wie steht es damit? Die Bösen sind wir los, der Böse ist geblieben.«

Gryczinski hatte mit vornehmem Lächeln zugehört; van der Straaten indes, der, trotzdem er eigentlich ein Bismarck-Schwärmer war, in seiner Eigenschaft als kritiksüchtiger Berliner nichts Reizenderes kannte, als Größenniedermetzelung und Generalnivellierung, immer vorausgesetzt, daß er selber als einsam überragender Bergkegel übrigblieb, grüßte zu Duquede hinüber und rief einem der Diener zu, dem Legationsrat, der sich geopfert habe, noch einmal von der letzten Schüssel zu präsentieren.

»Eine spanische Zwiebel, Duquede. Nimm. Das ist etwas für dich. Scharf, scharf. Ich mache mir nicht viel aus Spanien, aber um zweierlei beneid ich es: um seine Zwiebeln und um seinen Murillo.«

»Überrascht mich«, sagte Gabler. »Und am meisten überrascht mich die dir entschlüpfte Murillo-, will also sagen Madonnen-Bewunderung.«

»Nicht entschlüpft, Arnold, nicht entschlüpft. Ich unterscheide nämlich, wie du wissen solltest, kalte und warme Madonnen. Die kalten sind mir allerdings verhaßt, aber die warmen hab ich desto lieber. A la bonne heure, die berauschen mich, und ich fühl es in allen Fingerspitzen, als ob es elfer Rheinwein wäre. Und zu diesen glühenden und sprühenden zähl ich all diese spanischen Immaculatas und Concepciones, wo die Mutter Gottes auf einer Mondsichel steht, und um ihr dunkles Gewand her leuchten goldene Wolken und Engelsköpfe. Ja, Reiff, dergleichen gibt es. Und so blickt sie brünstig oder sagen wir lieber inbrünstig gen Himmel, als wolle die Seele flügge werden in einem Brütofen von Heiligkeit.«

»In einem Brütofen von Heiligkeit«, wiederholte der Polizeirat, in dessen Augen es heimlich und verstohlen zu zwinkern begann. »In einem Brütofen! Oh, das ist magnifique, das ist herrlich, und eine Andeutung, die jeder von uns nach dem Maße seiner Erkenntnis interpretieren und weiterspinnen kann.«

Beide junge Frauen, einigermaßen überrascht, ihren sonst so zurückhaltenden Freund auf dieser Messerschneide balancieren zu sehen, trafen sich mit ihren Blicken, und Melanie, rasch erkennend, daß es sich jeden Moment um eine jener Katastrophen handeln könne, wie sie bei den kommerzienrätlichen Diners eben nicht allzu selten waren, suchte vor allem von dem heiklen Murillothema loszukommen, was bei van der Straatens Eigensinn nur durch eine geschickte Diversion geschehen konnte. Und solche gelang denn auch momentan, indem Melanie mit anscheinender Unbefangenheit bemerkte: »Van der Straaten wird mich auslachen, in Bild- und Malerfragen eine Meinung haben zu wollen. Aber ich muß ihm offen bekennen, daß ich mich, wenn seine gewagte Madonneneinteilung überhaupt akzeptiert werden soll, ohne weiteres für eine von ihm ignorierte Mittelgruppe, nämlich für die temperierten, entscheiden würde. Die Tizianischen scheinen mir diese wohltuend gemäßigte Temperatur zu haben. Ich lieb ihn überhaupt.«

»Ich auch, Melanie. Brav, brav. Ich hab es immer gesagt, daß ich noch einen Kunstprofessor in dir großziehe. Nicht wahr, Arnold, ich hab es gesagt? Beschwör es. Eine Schwurbibel ist nicht da, aber wir haben Reiff, und ein Polizeirat ist immer noch ebensogut wie ein Evangelium. Du lachst, Schwager; natürlich; ihr merkt es nicht, aber wir. Übrigens hat Reiff ein leeres Glas. Und Elimar auch. Friedrich, alter Pomuchelskopf, steh nicht in Liebesgedanken. Allons enfants. Wo bleibt der Mouet? Flink, sag ich. Bei den Gebeinen des unsterblichen Roller, ich lieb es nicht, meinen Champagner in den letzten fünf Minuten in kümmerlicher Renommage schäumen zu sehen. Und noch dazu in diesen vermaledeiten Spitzgläsern, mit denen ich nächstens kurzen Prozeß machen werde. Das sind Rechnungsrats-, aber nicht Kommerzienratsgläser. Übrigens mit dem Tizian hast du doch unrecht. Das heißt halb. Er versteht sich auf alles mögliche, nur nicht auf Madonnen. Auf Frau Venus versteht er sich. Das ist seine Sache. Fleisch, Fleisch. Und immer lauert irgendwo der kleine, liebe Bogenschütze. Pardon, Elimar, ich bin nicht für Massen-Amors auf Tischkarten, aber für den Einzel-Amor bin ich, und ganz besonders für den des Tizianischen roten Ruhebetts mit zurückgezogener grüner Damastgardine. Ja, meine Herrschaften, da gehört er hin, und immer ist er wieder reizend, ob er ihr zu Häupten oder zu Füßen sitzt, ob er hinter dem Bett oder der Gardine hervorkuckt, ob er seinen Bogen eben gespannt oder eben abgeschossen hat. Und was ist vorzuziehen? Eine feine Frage, Reiff. Ich denke mir, wenn er ihn spannt... Und diese ruhende linke Hand mit dem ewigen Spitzentaschentuch. Oh, superbe. Ja, Melanie, *den* Tag will ich deine Bekehrung feiern, wo du mir zugestehst: Suum cuique, dem Tizian die Venus und dem Murillo die Madonna.«

»Ich fürchte, van der Straaten, da wirst du lange zu warten haben, und am längsten auf meine Murillo-Bekehrung. Denn diese gelben Dunstwolken, aus denen etwas inbrünstig Gläubiges in seelisch-sinnlicher Verzückung aufsteigt, sind mir unheimlich. Es hat die Grenze des Bezaubernden überschritten, und statt des Bezaubernden find ich etwas Behexendes darin.«

Gryczinski nickte leise der Schwägerin zu, während jetzt Elimar das Glas erhob und um Erlaubnis bat, nach dem eben gehörten Wort einer echt deutschen Frau – »Französin«, schrie van der Straaten dazwischen – auf das Wohl der schönen und liebenswürdigen Dame des Hauses anstoßen zu dürfen. Und die Gläser klangen zusammen. Aber in ihren Zusammenklang mischte sich für die schärfer Hörenden schon etwas wie Zittern und Mißakkord, und ehe noch das allgemeine Lächeln verflogen war – das des Polizeirats hielt sich am längsten –, brach van der Straaten durch alle bis dahin mühsam eingehaltenen Gehege durch und debutierte mal wieder ganz als er selbst. Er sei, so hob er an, leider nicht in der Lage, der für die »Frau Kommerzienrätin« gewiß höchst wertvollen Zustimmung seines Freundes Elimar Schulze – wobei er Vor- und Zuname gleich ironisch betonte – *seinerseits* zustimmen zu können. Es gebe freilich einen Gegensatz von Bezauberung und Behexung, aber manches in der Welt gelte für Behexung, was Bezauberung, und noch mehr gelte für Bezauberung, was Behexung sei. Und er bitte sagen zu dürfen, daß er es seinerseits mit der Konsequenz halte und mit Farbe bekennen, und nicht mit heute so und morgen so. Am verdrießlichsten aber sei ihm zweierlei Maß.

Er hielt hier einen Augenblick inne und war vielleicht überhaupt gewillt, es bei diesen Allgemeinsätzen bewenden zu lassen. Aber die junge Gryczinski, die sich, nach Art aller Schwägerinnen, etwas herausnehmen durfte, sah ihn jetzt, in plötzlich wiedererwachtem Mute, keck und zuversichtlich an, und bat ihn, aus seinen Orakelsprüchen heraus und zu bestimmteren Erklärungen übergehen zu wollen.

»O gewiß, meine Gnädigste«, sagte der jetzt immer hitziger werdende van der Straaten. »O gewiß, mein geliebtes Rotblond. Ich stehe zu Befehl und will aus allen Orakulosen und Mirakulosen heraus, und will in die Trompete blasen, daß ihr aus eurer Dämmerung und meinetwegen auch aus eurer Götterdämmerung erwachen sollt, als ob die Feuerwehr vorüberführe.«

»Ah«, sagte Melanie, die jetzt auch ihrerseits alle Ruhe zu verlieren begann. »Also da hinaus soll es.«

»Ja, süßer Engel, da hinaus. Da. Ihr stellt euch stolz und gemütlich auf die Höhen aller Kunst und zieht als reine Casta diva am Himmel entlang, als ob ihr von Ozon und Keuschheit leben wolltet. Und *wer* ist euer Abgott? Der Ritter von Bayreuth, ein Behexer, wie es nur je einen gegeben hat. Und an diesen Tannhäuser und Venusberg-Mann setzt ihr, als ob ihr wenigstens die Voggenhuber wäret, eurer Seelen Seligkeit und singt und spielt ihn morgens, mittags und abends. Oder dreimal täglich, wie auf euren Pillenschachteln steht. Und euer Elimar immer mit. Und sein ewiger Samtrock wird ihn auch nicht retten. Nicht ihn und nicht euch. Oder wollt ihr mir das alles als himmlischen Zauber kredenzen? Ich sag euch, fauler Zauber. Und das ist es, was ich zweierlei Maß genannt habe. Den Murillo-Zauber möchtet ihr zu Hexerei stempeln, und die Wagner-Hexerei möchtet ihr in Zauber verwandeln. Ich aber sag euch, es liegt umgekehrt, und wenn es *nicht* umgekehrt liegt, so sollt ihr mir wenigstens keinen Unterschied machen. Denn es ist schließlich alles ganz egal und mit Permission zu sagen alles Jacke...«

Der aus der vergleichendsten Kleidersprache genommene Berolinismus, mit dem er seinen Satz abzuschließen gedachte, wurde auch wirklich gesprochen, aber er verklang in einem Getöse, das der Major durch einen geschickt kombinierten Angriff von Gläserklopfen und Stuhlrücken in Szene zu setzen gewußt hatte. Zugleich begann er: »Meine verehrten Freunde, das Wort Hexenmeister ist gefallen. Ein vorzügliches Wort! So lassen wir sie denn leben, alle diese Tannhäuser, wobei sich jeder das Seine denken mag. Ich trinke auf das Wohl der Hexenmeister. Denn alle Kunst ist Hexerei. Rechten wir nicht mit dem Wort. Was sind Worte? Schall und Rauch. Stoßen wir an. Hoch, hoch!«

Und mit einer wohlgemeinten Kraftanstrengung, in der jetzt jeder zitternde Ton fehlte, wurde zugestimmt, namentlich auch von seiten der beiden Maler, und kaum einer war da, der nicht an eine glücklich beseitigte Gefahr geglaubt hätte. Aber mit Unrecht. Van der Straaten, absolut unerzogen, konnte, vielleicht weil er dies Manko fühlte, nichts so wenig ertragen, als auf Unerzogenheiten aufmerksam gemacht zu werden: er vergaß sich dann ganz und gar, und der Dünkel des reichen Mannes, der gewohnt war zu helfen, nach allen Seiten hin zu helfen, stieg ihm dann zu Kopf und schlug in Wellen über ihm zusammen. Und so auch jetzt. Er erhob sich und sagte: »Kupierungen sind etwas Wundervolles. Keine Frage. Ich beispielsweise kupiere Kupons. Ein inferiores Geschäft, das unter Umständen nichtsdestoweniger einen Anspruch darauf gibt, gegen Wort- und Redekupierungen gesichert zu sein, namentlich gegen solche, die reprimandieren und erziehen wollen. Ich bin erzogen.«

Er hatte mit vor Erregung zitternder Stimme gesprochen, aber mit zugekniffenem Auge fest zu dem Major hinübergesehen. Dieser, ein vollkommener Weltmann, lächelte vor sich hin, und blinkte nur leise den beiden Damen zu, daß sie sich beruhigen möchten. Dann ergriff er sein Glas ein zweites Mal, gab seinen Zügen, ohne sich sonderlich anzustrengen, einen freundlichen Ausdruck und sagte zu van der Straaten: »Es ist so viel von Kupieren gesprochen worden; kupieren wir auch das. Ich lebe der festen Überzeugung . . .«

In ebendiesem Augenblicke sprang der Pfropfen von einer der im Weinkühler stehenden Flaschen, und Gryczinski, rasch den Vorteil erspähend, den er aus diesem Zwischenfalle ziehen konnte, brach inmitten des Satzes ab und sagte nur, während er unter leiser Verbeugung seines Schwagers Glas füllte: »Friede sei ihr erst Geläute!«

Solchem Appell zu widerstehen, war van der Straaten der letzte. »Mein lieber Gryczinski«, hob er in plötzlich erwachter Sentimentalität an, »wir verstehen uns, wir haben uns immer verstanden. Gib mir deine Hand. Lacrimae Christi, Friedrich. Rasch. Das Beste daran ist freilich der Name. Aber er hat ihn nun mal. Jeder hat nun einmal das Seine, der eine dies, der andre das.«

»Allerdings«, lachte Gabler.

»Ach, Arnold, du überschätzt das. Glaube mir, der Selige hatte recht. Gold ist nur Chimäre. Und Elimar würd es mir bestätigen, wenn es nicht ein Satz aus einer überwundenen Oper wäre. Ich muß sagen, leider überwunden. Denn ich liebe Nonnen, die tanzen. Aber da kommt die Flasche. Laß nur Staub und Spinnweb. Sie muß in ihrer ganzen unabgeputzten Heiligkeit verbleiben. Lacrimae Christi. Wie das klingt!«

Und die frühere Heiterkeit kehrte wieder oder schien wenigstens wiederzukehren, und als van der Straaten fortfuhr, in wahren Ungeheuerlichkeiten über Christustränen, Erlöserblut und Versöhnungswein zu sprechen, durfte Melanie schließlich die Bemerkung wagen: »Du vergißt, Ezel, daß der Polizeirat katholisch ist.«

»Ich bitte recht sehr«, sagte Reiff, als ob er auf etwas Uner-
laubtem ertappt worden wäre.

Van der Straaten aber verschwor sich hoch und teuer, daß ein
vierzig Jahre lang treu geleisteter Sicherheitsdienst über alles
konfessionelle Plus oder Minus hinaus entscheidend sein und vor
dem Richterstuhle der Ewigkeit angerechnet werden müsse. Und
als bald darauf die Gläser abermals gefüllt und geleert worden
waren, rückte Melanie den Stuhl, und man erhob sich, um im
Nebenzimmer den Kaffee zu nehmen.

6

Auf dem Heimwege

Die Kaffeestunde verlief ohne Zwischenfall, und es war bereits
gegen zehn, als der Diener meldete, daß der Wagen vorgefahren
sei. Diese Meldung galt dem Gryczinskischen Paare, das an den
Dinertagen seine Heimfahrt in der ihm bei dieser Gelegenheit
ein- für allemal zur Verfügung gestellten kommerzienrätlichen
Equipage zu machen pflegte. Mäntel und Hüte wurden gebracht,
und die schöne Jacobine, Hals und Kopf in ein weißes Filettuch
gehüllt, stand alsbald in der Mitte des Kreises und wartete
lachend und geduldig auf die beiden Maler, denen Gryczinski
noch im letzten Augenblicke die Mitfahrt angeboten hatte. Das
Parlamentieren darüber wollte kein Ende nehmen, und erst als
man unten am Wagenschlage stand, entschied sich's und Gabler
placierte sich nunmehr ohne weiteres auf den Rücksitz, während
Elimar mit einem kräftigen Turnerschwung seinen Platz auf
dem Bocke nahm, angeblich aus Rücksicht gegen die Wagen-
insassen, in Wahrheit aus eigner Bequemlichkeit und Neugier.
Er sehnte sich nämlich nach einem Gespräche mit dem Kutscher.

Dieser, auch noch ein Erbstück aus des alten van der Straaten
Zeiten her, führte den unkutscherlichen Namen Emil, der jedoch
seit lange seinen Verhältnissen angepaßt und in ein plattdeut-
sches »Ehm« abgekürzt worden war. Mit um so größerem Recht,
als er wirklich in Fritz Reuterschen Gegenden das Licht der Welt
erblickt und sich bis diesen Tag neben seinem Berliner Jargon
einen Rest heimatlicher Sprache konserviert hatte. Elimar, einer
seiner Bevorzugten, nahm gleich im ersten Momente des Zurecht-
rückens ein mehrklappiges Lederfutteral heraus, steckte dem

Alten eine der obenaufliegenden Zigarren zu und sagte vertraulich: »Für'n Rückweg, Ehm.«

Dieser fuhr mit der Rechten dankend an seinen Kutscherhut, und damit waren die Präliminarien geschlossen.

Als sie bald darauf bei der Normaluhr auf dem Spittelmarkte vorüberkamen und in eine der schlechtgepflasterten Seitenstraßen einbogen, hielt Elimar den ersehnten Zeitpunkt für gekommen und sagte:

»Ist denn der neue Herr schon da?«

»Der Frankfurtsche? Ne, noch nich, Herr Schulze.«

»Na, dann muß er aber doch bald . . .«

»I, woll. Bald muß er. Ich denke, so nächste Woche. Un de Stuben sind ooch all tapziert. Jott, se duhn ja, wie wenn't en Prinz wär, erst der Herr und nu ooch de Jnädige. Un Christel meent, he sall man en Jüdscher sinn.«

»Aber reich. Und Offizier. Das heißt bei der Landwehr oder so.«

»Is et möglich?«

»Und er soll auch singen.«

»Ja, singen wird er woll.«

Elimar war eitel genug, an dieser letzteren Äußerung Anstoß zu nehmen, und da sich's gerade traf, daß in ebendiesem Augenblicke der Wagen aus dem Wallstraßenportal auf den abendlichstillen Opernplatz einbog, so gab er das Gespräch um so lieber auf, als er nicht wollte, daß dasselbe von den Insassen des Wagens verstanden würde.

Von seiten dieser war bis dahin kein Wort gewechselt worden, nicht aus Verstimmung, sondern nur aus Rücksicht gegen die junge Frau, die, herzlich froh über den zur Hälfte frei gewordenen Rücksitz, ihre kleinen Füße gegen das Polsterkissen gestemmt und sich bequem in den Fond des Wagens zurückgelehnt hatte. Sie war gleich beim Einsteigen ersichtlich müde gewesen, hatte wie zur Entschuldigung etwas von Champagner und Kopfweh gesprochen, das Filettuch dabei höher gezogen und ihre Augen geschlossen. Erst als sie zwischen dem Palais und dem Friedrichsmonument hinfuhren, richtete sie sich wieder auf, weil sie jenen Allerloyalsten zugehörte, die sich schon beglückt fühlen, einen bloßen Schattenriß an dem herabgelassenen Vorhange des Eckfensters gesehen zu haben. Und wirklich, sie sah ihn und gab in ihrer reizenden, halb kindlich, halb koketten Weise der Freude darüber Ausdruck.

Ihr Geplauder hatte noch nicht geendet, als der Wagen am

Brandenburger Tore hielt. Im Nu waren beide Maler, deren Weg hier abzweigte, von ihren Plätzen herunter und empfahlen sich dankend dem liebenswürdigen Paare, das nun seinerseits durch die breite Schrägallee auf das Siegesdenkmal und die dahintergelegene Alsenstraße zufuhr.

Als sie mitten auf dem von bunten Lichtern überstrahlten Platze waren, schmiegte sich die schöne junge Frau zärtlich an ihren Gatten und sagte: »War das ein Tag, Otto. Ich habe dich bewundert.«

»Es wurde mir leichter, als du denkst. Ich spiele mit ihm. Er ist ein altes Kind.«

»Und Melanie! ... Glaube mir, sie fühlt es. Und sie tut mir leid. Du lächelst so. Dir nicht?«

»Ja und nein, ma chère. Man hat eben nichts umsonst in der Welt. Sie hat eine Villa und eine Bildergalerie ...«

»Aus der sie sich nichts macht. Du weißt es ja, wie wenig sie daran hängt ...«

»Und hat zwei reizende Kinder ...«

»Um die ich sie fast beneide.«

»Nun, siehst du«, lachte der Major. »Ein jeder hat die Kunst zu lernen, sich zu bescheiden und einzuschränken. Wär ich mein Schwager, so würd ich sagen ...«

Aber sie schloß ihm den Mund mit einem Kuß, und im nächsten Augenblicke hielt der Wagen.

*

Die beiden Räte, der Legations- und der Polizeirat, waren an der Ecke des Petriplatzes in eine Droschke gestiegen, um bis an das Potsdamer Tor zu fahren. Von hier aus wollten sie den Rest des Weges um der frischen Abendluft willen zu Fuß machen. In Wahrheit aber hielten sie bloß zu dem Satze, »daß man im kleinen sparen müsse, um sich im großen legitimieren zu können«, wobei leider nur zu bedauern blieb, daß ihnen die »großen Gelegenheiten« entweder nie gekommen oder regelmäßig von ihnen versäumt worden waren.

Unterwegs, solange die Fahrt dauerte, war kein Wort gewechselt worden, und erst beim Aussteigen hatte, wie bei der nun nötig werdenden Division von zwei in sechs, ein Gespräch begonnen, das alle Parteien zufrieden gestellt zu haben schien. Nur nicht den Kutscher. Beide Räte hüteten sich deshalb auch, sich nach dem letzteren umzusehen, vor allem Duquede, der, außerdem noch ein abgeschworener Feind aller Platzübergänge mit Eisenbahnschienen und Pferdebahngeklingel, überhaupt erst wieder in Ruhe kam, als er die schon frisch in Knospen stehende Bellevuestraße glücklich erreicht hatte.

Reiff folgte, schob sich artig und respektvoll an die linke Seite des Legationsrates und sagte plötzlich und unvermittelt:

»Es war doch wieder eine recht peinliche Geschichte heute. Finden Sie nicht? Und ehrlich gestanden, ich begreife ihn nicht. Er ist doch nun Fünfzig und darüber und sollte sich die Hörner abgelaufen haben. Aber er ist und bleibt ein Durchgänger.«

»Ja«, sagte Duquede, der einen Augenblick still stand, um Atem zu schöpfen, »etwas Durchgängerisches hat er. Aber, lieber Freund, warum soll er es nicht haben? Ich taxier ihn auf eine Million, seine Bilder ungerechnet, und ich sehe nicht ein, warum einer in seinem eigenen Haus und an seinem eigenen Tisch nicht sprechen soll, wie ihm der Schnabel gewachsen ist. Ich bekenn Ihnen offen, Reiff, ich freue mich immer, wenn er mal so zwischenfährt. Der Alte war auch so, nur viel schlimmer, und es hieß schon damals vor vierzig Jahren: ›Es sei doch ein sonderbares Haus und man könne eigentlich nicht hingehen.‹ Aber uneigentlich ging alles hin. Und so war es und so ist es geblieben.«

»Es fehlt ihm aber doch wirklich an Bildung und Erziehung.«

»Ach, ich bitte Sie, Reiff, gehen Sie mir mit Bildung und Erziehung. Das sind so zwei ganz moderne Wörter, die der ›Große Mann‹ aufgebracht haben könnte, so sehr haß ich sie. Bildung und Erziehung. Erstlich ist es in der Regel nicht viel damit, und wenn es mal was ist, dann ist es auch noch nichts. Glauben Sie mir, es wird überschätzt. Und kommt auch nur bei uns vor. Und warum? Weil wir nichts Besseres haben. Wer gar nichts hat, der ist gebildet. Wer aber so viel hat wie van der Straaten, der braucht all die Dummheiten nicht. Er hat einen guten Verstand und einen guten Witz, und was noch mehr sagen will, einen guten Kredit. Bildung, Bildung! Es ist zum Lachen.«

»Ich weiß doch nicht, ob Sie recht haben, Duquede. Ja, wenn es geblieben wäre, wie früher. Junggesellenwirtschaft. Aber nun hat er die junge Frau geheiratet, jung und schön und klug . . .«

»Nu, nu, Reiff. Nur nicht extravagant. Es ist damit nicht so weit her, wie Sie glauben; sie ist 'ne Fremde, französische Schweiz, und an allem Fremden verkucken sich die Berliner. Das ist wie Amen in der Kirche. Sie hat so ein bißchen Genfer Schick. Aber was will das am Ende sagen! Alles, was die Genfer haben, ist doch auch bloß aus zweiter Hand. Und nun gar klug. Ich bitte

Sie, was heißt klug? Er ist viel klüger! Oder glauben Sie, daß es auf 'ne französische Vokabel ankommt? oder auf den Erlkönig? Ich gebe zu, sie hat ein paar niedliche Manierchen und weiß sich unter Umständen ein Air zu geben. Aber es ist nicht viel dahinter, alles Firlefanz, und wird kolossal überschätzt.«

»Ich weiß doch nicht, ob Sie recht haben«, wiederholte der Polizeirat. »Und dann ist sie doch schließlich von Familie.«

Duquede lachte. »Nein, Reiff, *das* ist sie nun schließlich nicht. Und ich sag Ihnen, da haben wir den Punkt, auf den ich keinen Spaß verstehe. Caparoux. Es klingt nach was. Zugestanden. Aber was heißt es denn am Ende? Rotkapp oder Rotkäppchen? Das ist ein Märchenname, aber kein Adelsname. Ich habe mich darum gekümmert und nachgeschlagen. Und im Vertrauen, Reiff, es gibt gar keine de Caparoux.«

»Aber bedenken Sie doch den Major! Er hat alle Sorten Stolz und wird sich doch schwerlich eine Mesalliance nachsagen lassen wollen.«

»Ich kenn ihn besser. Er ist ein Streber. Oder sagen wir einfach, er ist ein Generalstäbler. Ich hasse die ganze Gesellschaft, und glauben Sie mir, Reiff, ich weiß, warum. Unsere Generalstäbler werden überschätzt, kolossal überschätzt.«

»Ich weiß doch nicht, ob Sie recht haben«, ließ sich der Polizeirat ein drittes Mal vernehmen. »Bedenken Sie bloß, was Stoffel gesagt hat. Und nachher kam es auch so. Aber ich will nur von Gryczinski sprechen. Wie liebenswürdig benahm er sich heute wieder! Wie liebenswürdig und wie vornehm.«

»Ah, bah, vornehm. Ich bilde mir auch ein, zu wissen, was vornehm ist. Und ich sage Ihnen, Reiff, Vornehmheit ist anders. Vornehm! Ein Schlaukopf ist er und weiter nichts. Oder glauben Sie, daß er die kleine Rotblondine mit den ewigen Schmachtaugen geheiratet hat, weil sie Caparoux hieß, oder meinetwegen auch de Caparoux? Er hat sie geheiratet, weil sie die Schwester ihrer Schwester ist. Du himmlischer Vater, daß ich einem Polizeirat solche Lektion halten muß.«

Der Polizeirat, dessen Schwachheiten nach der erotischen Seite hin lagen, las aus diesen andeutenden Worten ein Liebesverhältnis zwischen dem Major und Melanie heraus und sah den langen hageren Duquede von der Seite her betroffen an.

Dieser aber lachte und sagte: »Nicht *so*, Reiff, nicht so; Karrieremacher sind immer nur Courmacher. Nichts weiter. Es gibt heutzutage Personen – und auch *das* verdanken wir unsrem großen Reichsbaumeister, der die soliden Werkleute fallen läßt oder beiseite schiebt –, es gibt, sag ich, heutzutage Personen, denen alles bloß Mittel zum Zweck ist. Auch die Liebe. Und zu diesen Personen gehört auch unser Freund, der Major. Ich hätte nicht sagen sollen, er hat die Kleine geheiratet, weil sie die Schwester ihrer Schwester ist, sondern weil sie die Schwägerin ihres Schwagers ist. Er *braucht* diesen Schwager, und ich sag Ihnen, Reiff, denn ich kenne den Ton und die Strömung oben, es gibt Weniges, was nach oben hin *so* empfiehlt wie das. Ein Schwager-Kommerzienrat ist nicht viel weniger wert als ein Schwiegervater-Kommerzienrat und rangiert wenigstens gleich dahinter. Unter allen Umständen aber sind Kommerzienräte wie konsolidierte Fonds, auf die jeden Augenblick gezogen werden kann. Es ist immer Deckung da.«

»Sie wollen also sagen . . .«

»Ich will gar nichts sagen, Reiff . . . Ich meine nur so.«

Und damit waren sie bis an die Bendlerstraße gekommen, wo beide sich trennten. Reiff ging auf die von der Heydt-Brücke zu, während Duquede seinen Weg in gerader Richtung fortsetzte.

Er wohnte dicht an der Hofjäger-Allee, sehr hoch, aber in einem sehr vornehmen Hause.

7

Ebenezer Rubehn

Wenige Tage später hatte Melanie das Stadthaus verlassen und die Tiergartenvilla bezogen. Van der Straaten selbst machte diesen Umzug nicht mit und war, so sehr er die Villa liebte, doch immer erst vom September ab andauernd draußen. Und auch das nur, weil er ein noch leidenschaftlicher Obstzüchter als Bildersammler war. Bis dahin erschien er nur jeden dritten Tag als Gast und versicherte dabei jedem, der es hören wollte, daß dies die stundenweis ihm nachgezahlten Flitterwochen seiner Ehe seien. Melanie hütete sich wohl, zu widersprechen, war vielmehr die Liebenswürdigkeit selbst, und genoß in den zwischenliegenden Tagen das Glück ihrer Freiheit. Und dieses Glück war um vieles größer, als man, ihrer Stellung nach, die so dominierend und so frei schien, hätte glauben sollen. Denn sie dominierte nur, weil sie sich zu zwingen verstand; aber dieses Zwanges los und ledig zu sein, blieb doch ihr Wunsch, ihr beständiges, stilles Verlangen. Und das erfüllten ihr die Sommertage. Da hatte sie Ruhe vor seinen Liebesbeweisen und seinen Ungeniertheiten, nicht immer, aber doch meist, und das Bewußtsein davon gab ihr ein unendliches Wohlgefühl.

Und dieses Wohlgefühl steigerte sich noch in dem entzückenden und beinah ungestörten Stilleben, dessen sie draußen genoß. Wohl liebte sie Stadt und Gesellschaft und den Ton der großen Welt; aber wenn die Schwalben wieder zwitscherten und der Flieder wieder zu knospen begann, da zog sie's doch in die Parkeinsamkeit hinaus, die wiederum kaum eine Einsamkeit war, denn neben der Natur, deren Sprache sie wohl verstand, hatte sie Bücher und Musik, und – die Kinder. Die Kinder, die sie während der Saison oft tagelang nicht sah und an deren Aufwachsen und Lernen sie draußen in der Villa den regsten Anteil nahm. Ja, sie half selber nach in den Sprachen, vor allem im Französischen, und durchblätterte mit ihnen Atlas und historische Bilderbücher. Und an alles knüpfte sie Geschichten, die sie dem Gedächtnis der Kinder einzuprägen wußte. Denn sie war gescheit und hatte die Gabe, von allem, worüber sie sprach, ein klares und anschauliches Bild zu geben.

Es waren glückliche, stille Tage.

Möglich dennoch, daß es zu stille Tage gewesen wären, wenn das tiefste Bedürfnis der Frauennatur: das Plauderbedürfnis, unbefriedigt geblieben wäre. Aber dafür war gesorgt. Wie fast alle reichen Häuser, hatten auch die van der Straatens einen Anhang ganz-alter und halb-alter Damen, die zu Weihnachten beschenkt und im Laufe des Jahres zu Kaffees und Landpartien eingeladen wurden. Es waren ihrer sieben oder acht, unter denen jedoch zwei durch eine besonders intime Stellung hervorragten, und zwar das kleine verwachsene Fräulein Friederike von Sawatzki und das stattlich hochaufgeschossene Klavier- und Singefräulein Anastasia Schmidt. Ihrer apart bevorzugten Stellung entsprach es denn auch, daß sie jeden zweiten Osterfeiertag durch van der Straaten in Person befragt wurden, ob sie sich entschließen könnten, seiner Frau während der Sommermonate draußen in der Villa Gesellschaft zu leisten, eine Frage, die jedesmal mit einer Verbeugung und einem freundlichen »Ja« beantwortet wurde. Aber doch nicht *zu* freundlich, denn man wollte nicht verraten, daß die Frage erwartet war.

Und beide Damen waren auch in diesem Jahre, wie herkömmlich, als Dames d'honneur installiert worden, hatten den Umzug mitgemacht und erschienen jeden Morgen auf der Veranda, um gegen neun Uhr mit den Kindern das erste und um zwölf mit Melanie das zweite Frühstück zu nehmen.

Auch heute wieder.

Es mochte schon gegen eins sein, und das Frühstück war beendet. Aber der Tisch noch nicht abgedeckt. Ein leiser Luftzug, der ging und sich verstärkte, weil alle Türen und Fenster offenstanden, bewegte das rotgemusterte Tischtuch, und von dem am andern Ende des Korridors gelegenen Musikzimmer her hörte man ein Stück der Cramerschen Klavierschule, dessen mangelhaften Takt in Ordnung zu bringen Fräulein Anastasia Schmidt sich anstrengte. »Eins, zwei; eins, zwei.« Aber niemand achtete dieser Anstrengungen, am wenigsten Melanie, die neben Fräulein Riekchen, wie man sie gewöhnlich hieß, in einem Gartenstuhle saß und dann und wann von ihrer Handarbeit aufsah, um das reizende Parkbild unmittelbar um sie her, trotzdem sie jeden kleinsten Zug darin kannte, auf sich wirken zu lassen.

Es war selbstverständlich die schönste Stelle der ganzen Anlage. Denn von hundert Gästen, die kamen, begnügten sich neunundneunzig damit, den Park von hier aus zu betrachten und zu beurteilen. Am Ende des Hauptganges, zwischen den eben ergrünenden Bäumen hin, sah man das Zittern und Flimmern des vorüberziehenden Stromes, aus der Mitte der überall eingestreuten Rasenflächen aber erhoben sich Aloën und Bosketts und Glaskugeln und Bassins. Eines der kleineren plätscherte, während auf der Einfassung des großen ein Pfauhahn saß und die Mittagssonne mit seinem Gefieder einzusaugen schien. Tauben und Perlhühner waren bis in unmittelbare Nähe der Veranda gekommen, von der aus Riekchen ihnen eben Krumen streute.

»Du gewöhnst sie zu sehr an diesen Platz«, sagte Melanie. »Und wir werden einen Krieg mit van der Straaten haben.«

»Ich fecht ihn schon aus«, entgegnete die Kleine.

»Ja, du darfst es dir wenigstens zutrauen. Und wirklich, Riekchen, ich könnte jaloux werden, so sehr bevorzugt er dich. Ich glaube, du bist der einzige Mensch, der ihm alles sagen darf, und soviel ich weiß, ist er noch nie heftig gegen dich geworden. Ob ihm dein alter Adel imponiert? Sage mir deinen vollen Namen und Titel. Ich hör es so gern und vergeß es immer wieder.«

»Aloysia Friederike Sawat von Sawatzki, genannt Sattler von der Hölle, Stiftsanwärterin auf Kloster Himmelpfort in der Uckermark.«

»Wunderschön«, sagte Melanie. »Wenn ich doch so heißen könnte! Und du kannst es glauben, Riekchen, das ist es, was einen Eindruck auf ihn macht.«

Alles das war in herzlicher Heiterkeit gesagt und von Riekchen auch so beantwortet worden. Jetzt aber rückte diese den Stuhl näher an Melanie heran, nahm die Hand der jungen Frau und sagte: »Eigentlich sollt ich böse sein, daß du deinen Spott mit mir hast. Aber wer könnte dir böse sein?«

»Ich spotte nicht«, entgegnete Melanie. »Du mußt doch selber finden, daß er dich artiger und rücksichtsvoller behandelt als jeden anderen Menschen.«

»Ja«, sagte jetzt das arme Fräulein, und ihre Stimme zitterte vor Bewegung. »Er behandelt mich gut, weil er ein gutes Herz hat, ein viel besseres, als mancher denkt und vielleicht auch als du selber denkst. Und er ist auch gar nicht so rücksichtslos. Er kann nur nicht leiden, daß man ihn stört oder herausfordert, ich meine solche, die's eigentlich nicht sollten oder dürften. Sieh, Kind, dann beherrscht er sich nicht länger, aber nicht weil er's nicht könnte, nein, weil er nicht *will*. Und er braucht es auch nicht zu wollen. Und wenn man gerecht sein will, er kann es auch nicht wollen. Denn er ist reich, und alle reichen Leute lernen die Menschen von ihrer schlechtesten Seite kennen. Alles überstürzt sich, erst in Dienstfertigkeit und hinterher in Undank. Und Undank ernten ist eine schlechte Schule für Zartheit und Liebe. Und deshalb glauben die Reichen an nichts Edles und Aufrichtiges in der Welt. Aber, das sag ich dir, und muß ich dir immer wieder sagen, dein van der Straaten ist besser, als mancher denkt und als du selber denkst.«

Es entstand eine kleine Pause, nicht ganz ohne Verlegenheit; dann nickte Melanie freundlich dem alten Fräulein zu und sagte: »Sprich nur weiter. Ich höre dich gerne so.«

»Und ich will auch«, sagte diese. »Sieh, ich habe dir schon gesagt, er behandelt mich gut, weil er ein gutes Herz hat. Aber das ist es noch nicht alles. Er ist auch so freundlich gegen mich, weil er mitleidig ist. Und mitleidig sein ist noch viel mehr als bloß gütig sein und ist eigentlich das beste, was die Menschen haben. Er lacht *auch* immer, wenn er meinen langen Namen hört, gerade so wie du, aber ich hab es gern, ihn so lachen zu hören, denn ich höre wohl heraus, was er dabei denkt und fühlt.«

»Und was fühlt er denn?«

»Er fühlt den Gegensatz zwischen dem Anspruch meines Namens und dem, was ich bin: arm und alt und einsam, und ein bloßes Figürchen. Und wenn ich sage Figürchen, so beschönige ich noch und schmeichle noch mir selbst.«

Melanie hatte das Batisttuch ans Auge gedrückt und sagte: »Du hast recht. Du hast immer recht. Aber wo nur Anastasia bleibt, die Stunde nimmt ja gar kein Ende. Sie quält mir die Liddy viel zu sehr, und das Ende vom Lied ist, daß sie dem Kind einen Widerwillen beibringt. Und dann ist es vorbei. Denn ohne Lieb' und ohne Lust ist nichts in der Welt. Auch nicht einmal in der Musik ... Aber da kommt ja Teichgräber und will uns einen Besuch anmelden. Ich bin außer mir. Hätte viel lieber noch mit dir weiter geplaudert.«

In ebendiesem Augenblick war der alte Parkhüter, der sich vergeblich nach einem von der Hausdienerschaft umgesehen hatte, bis an die Veranda herangetreten und überreichte eine Karte.

Melanie las: Ebenezer Rubehn (Firma Jakob Rubehn und Söhne), Leutnant in der Reserve des 5. Dragonerregiments ...

»Ah, sehr willkommen ... Ich lasse bitten ...« Und während sich der Alte wieder entfernte, fuhr Melanie gegen das kleine Fräulein in übermütiger Laune fort: »Auch wieder einer. Und noch dazu aus der Reserve! Mir widerwärtig, dieser ewige Leutnant. Es gibt gar keine Menschen mehr.«

Und sehr wahrscheinlich, daß sie diese Betrachtungen fortgesetzt hätte, wenn nicht auf dem Kiesweg ein Knirschen hörbar geworden wäre, das über das rasche Näherkommen des Besuchs keinen Zweifel ließ. Und wirklich, im nächsten Augenblicke stand der Angemeldete vor der Veranda und verneigte sich gegen beide Damen.

Melanie hatte sich erhoben und war ihm einen Schritt entgegengegangen. »Ich freue mich, Sie zu sehen. Erlauben Sie mir, Sie zunächst mit meiner lieben Freundin und Hausgenossin bekannt machen zu dürfen ... Herr Ebenezer Rubehn, ... Fräulein Friederike von Sawatzki!«

Ein flüchtiges Erstaunen spiegelte sich ersichtlich in Rubehns Zügen, das, wenn Melanie richtig interpretierte, mehr noch dem kleinen verwachsenen Fräulein, als ihr selber galt. Ebenezer war indessen Weltmann genug, um seines Erstaunens rasch wieder Herr zu werden, und sich ein zweites Mal gegen die Freundin hin verneigend, bat er um Entschuldigung, seinen Besuch auf der Villa bis heute hinausgeschoben zu haben.

Melanie ging leicht darüber hin, ihrerseits bittend, die Gemütlichkeit dieses ländlichen Empfanges und vor allem eines unabgeräumten Frühstückstisches entschuldigen zu wollen. »Mais à la guerre, comme à la guerre, eine kriegerische Wendung, an die mir's im übrigen ferne liegt, ernsthafte Kriegsgespräche knüpfen zu wollen.«

»Gegen die Sie sich vielmehr unter allen Umständen gesichert haben möchten«, lachte Rubehn. »Aber fürchten Sie nichts. Ich weiß, daß sich Damen für das Kapitel Krieg nur so lange begeistern, als es Verwundete zu pflegen gibt. Von dem Augenblick an, wo der letzte Kranke das Lazarett verläßt, ist es mit dem Kriegseifer vorbei. Und wie die Frauen in allem recht haben, so auch hierin. Es ist das Traurigste von der Welt, immer wieder eine Durchschnittsheldengeschichte von zweifelhaftem Wert und noch zweifelhafterer Wahrheit hören zu müssen; aber es ist das Schönste, was es gibt, zu helfen und zu heilen.«

Melanie hatte, während er sprach, ihre Handarbeit in den Schoß gelegt und ihn fest und freundlich angesehen. »Ei, das lob ich und hör ich gern. Aber wer mit so warmer Empfindung von dem Hospitaldienst und dem Helfen und Heilen, das uns so wohl kleidet, zu sprechen versteht, der hat diese Wohltat wohl an sich selbst erfahren. Und so plaudern Sie mir denn wider Willen, nach fünf Minuten schon, Ihre Geheimnisse aus. Versuchen Sie nicht, mich zu widerlegen, Sie würden scheitern damit, und da Sie die Frauenherzen so gut zu kennen scheinen, so werden Sie natürlich auch unsere zwei stärksten Seiten kennen: unseren Eigensinn und unser Rätselraten. Wir erraten alles . . .«

»Und immer richtig?«

»Nicht immer, aber meist. Und nun erzählen Sie mir, wie Sie Berlin finden, unsere gute Stadt, und unser Haus, und ob Sie das Zutrauen zu sich haben, in Ihrem Hofkerker, dem eigentlich nur noch die Gitterstäbe fehlen, nicht melancholisch zu werden. Aber wir hatten nichts Besseres. Und wo nichts ist, hat, wie das Sprichwort sagt . . .«

»Oh, Sie beschämen mich, meine gnädigste Frau. Jetzt erst, nach meinem Eintreffen, weiß ich, wie groß das Opfer ist, das Sie mir gebracht haben. Und ich darf füglich sagen, daß ich bei besserer Kenntnis . . .«

Aber er sprach nicht aus und horchte plötzlich nach dem Hause hin, aus dem eben (die Musikstunde hatte schon vorher geschlossen) ein virtuoses und in jeder feinsten Nuancierung erkennbares Spiel bis auf die Veranda herausklang. Es war »Wotans Abschied«, und Rubehn erschien so hingerissen, daß es ihm Anstrengung kostete, sich loszumachen und das Gespräch wieder aufzunehmen. Endlich aber fand er sich zurück und sagte, während er sich abermals gegen Riekchen verneigte: »Pardon, meine Gnädigste. Hatt ich recht gehört? Fräulein von Sawatzki?«

Das Fräulein nickte.

»Mit einem jungen Offizier dieses Namens war ich einen Sommer über in Wildbad-Gastein zusammen. Unmittelbar nach dem Kriege. Ein liebenswürdiger, junger Kavalier. Vielleicht ein Anverwandter...?«

»Ein Vetter«, sagte Fräulein Riekchen. »Es gibt nur wenige meines Namens, und wir sind alle verwandt. Ich freue mich, aus Ihrem Munde von ihm zu hören. Er wurde noch in dem Nachspiel des Krieges verwundet, fast am letzten Tage. Bei Pontarlier. Und sehr schwer. Ich habe lange nichts von ihm gehört. Hat er sich erholt?«

»Ich glaube sagen zu dürfen, vollkommen. Er tut wieder Dienst im Regiment, wovon ich mich, ganz neuerdings erst, durch einen glücklichen Zufall überzeugen konnte... Aber, mein gnädigstes Fräulein, wir werden unser Thema fallen lassen müssen. Die gnädige Frau lächelt bereits und bewundert die Geschicklichkeit, mit der ich, unter Heranziehung ihres Herrn Vetters, in das Kriegsabenteuer und all seine Konsequenzen einzumünden trachte. Darf ich also vorschlagen, lieber dem wundervollen Spiele zuzuhören, das... Oh, wie schade; jetzt bricht es ab...«

Er schwieg, und erst als es drinnen still blieb, fuhr er in einer ihm sonst fremden, aber in diesem Augenblick völlig aufrichtigen Emphase fort: »Oh, meine gnädigste Frau, welch ein Zaubergarten, in dem Sie leben. Ein Pfau, der sich sonnt, und Tauben, so zahm und so zahllos, als wäre diese Veranda der Marcusplatz oder die Insel Cypern in Person! Und dieser plätschernde Strahl, und nun gar dieses Lied... In der Tat, wenn nicht auch der aufrichtigste Beifall unstatthaft und zudringlich sein könnte...«

Er unterbrach sich, denn vom Korridor her waren eben Schritte hörbar geworden, und Melanie sagte mit einer halben Wendung: »Ah, Anastasia! Du kommst gerade zu guter Zeit, um den Dank und die Bewunderung unseres lieben Gastes und neuen Hausgenossen allerpersönlichst in Empfang zu nehmen. Erlauben Sie mir, daß ich Sie miteinander bekanntmache: Herr Ebenezer Rubehn, Fräulein Anastasia Schmidt... Und hier meine Tochter Lydia«, setzte Melanie hinzu, nach dem schönen Kinde hinzeigend, das auf der Türschwelle neben dem Musikfräulein stehengeblieben war und den Fremden ernst und beinahe feindselig musterte.

Rubehn bemerkte den Blick. Aber es war ein Kind und so wandte er sich ohne weiteres gegen Anastasia, um ihr allerhand Schmeichelhaftes über ihr Spiel und die Richtung ihres Geschmackes zu sagen.

Diese verbeugte sich, während Melanie, der kein Wort entgangen war, aufs lebhafteste fortfuhr: »Ei, da dürfen wir Sie, wenn ich recht verstanden habe, wohl gar zu den Unseren zählen? Anastasia, das träfe sich gut! Sie müssen nämlich wissen, Herr Rubehn, daß wir hier in zwei Lagern stehen und daß sich das van der Straatensche Haus, das nun auch das Ihrige sein wird, in bilderschwärmende Montecchi und musikschwärmende Capuletti teilt. Ich, tout à fait Capulet und Julia. Doch mit untragischem Ausgang. Und ich füge zum Überfluß hinzu, daß wir, Anastasia und ich, jener kleinen Gemeinde zugehören, deren Namen und Mittelpunkt ich Ihnen nicht zu nennen brauche. Nur eines will ich auf der Stelle wissen. Und ich betrachte das als mein weibliches Neugiersrecht. Welcher seiner Arbeiten erkennen Sie den höchsten Preis zu? Worin erscheint er Ihnen am bedeutendsten oder doch am eigenartigsten?«

»In den Meistersingern.«

»Zugestanden. Und nun sind wir einig, und bei nächster Gelegenheit können wir van der Straaten und Gabler und vor allem den langen und langweiligen Legationsrat in die Luft sprengen. Den langen Duquede. Oh, der steigt wie ein Raketenstock. Nicht wahr, Anastasia?«

Rubehn hatte seinen Hut genommen. Aber Melanie, die durch die ganze Begegnung ungewöhnlich erfreut und angeregt war, fuhr in wachsendem Eifer fort: »Alles das sind erst Namen. Eine Woche noch oder zwei, und Sie werden unsere kleine Welt kennengelernt haben. Ich wünsche, daß Sie die Gelegenheit dazu nicht hinausschieben. Unsere Veranda hat für heute die Repräsentation des Hauses übernehmen müssen. Erinnern Sie sich, daß wir auch einen Flügel haben, und versuchen Sie bald und oft, ob er Ihnen paßt. Au revoir.«

Er küßte der schönen Frau die Hand, und unter gemessener Verbeugung gegen Riekchen und Anastasia verließ er die Damen. Über Lydia sah er fort.

Aber diese nicht über ihn.

»Du siehst ihm nach«, sagte Melanie. »Hat er dir gefallen?«

»Nein.«

Alle lachten. Aber Lydia ging in das Haus zurück, und in ihrem großen Auge stand eine Träne.

Auf der Stralauer Wiese

Nach dem ersten Besuche Rubehns waren Wochen vergangen, und der günstige Eindruck, den er auf die Damen gemacht hatte, war im Steigen geblieben wie das Wetterglas. Jeden zweiten, dritten Tag erschien er in Gesellschaft van der Straatens, der seinerseits an der allgemeinen Vorliebe für den neuen Hausgenossen teilnahm und nie vergaß, ihm einen Platz anzubieten, wenn er selber in seinem hochrädrigen Kabriolett hinausfuhr. Ein wolkenloser Himmel stand in jenen Wochen über der Villa, drin es mehr Lachen und Plaudern, mehr Medisieren und Musizieren gab, als seit lange. Mit dem Musizieren vermochte sich van der Straaten freilich auch jetzt nicht auszusöhnen, und es fehlte nicht an Wünschen wie dem, »mit von der Schiffsmannschaft des fliegenden Holländers zu sein«; aber im Grunde genommen war er mit dem »anspruchsvollen Lärm« um vieles zufriedener, als er einräumen wollte, weil der von nun an in eine neue, gesteigerte Phase tretende Wagner-Kultus ihm einen unerschöpflichen Stoff für seine Lieblingsformen der Unterhaltung bot. Siegfried und Brünnhilde, Tristan und Isolde, welche dankbaren Tummelfelder! Und es konnte, wenn er in Veranlassung dieser Themata seinem Renner die Zügel schießen ließ, mitunter zweifelhaft erscheinen, ob die Musizierenden am Flügel oder er und sein Übermut die Glücklicheren waren.

Und so war Hochsommer gekommen und fast schon vorüber, als an einem wundervollen Augustnachmittage van der Straaten den Vorschlag einer Land- und Wasserpartie machte. »Rubehn ist jetzt ein rundes Vierteljahr in unserer Stadt und hat nichts gesehen, als was zwischen unserem Comptoir und dieser unserer Villa liegt. Er muß aber endlich unsere landschaftlichen Schätze, will sagen unsere Wasserflächen und Stromufer kennenlernen, erhabene Wunder der Natur, neben denen die ganze heraufgepuffte Main- und Rheinherrlichkeit verschwindet. Also Treptow und Stralow, und zwar rasch, denn in acht Tagen haben wir den Stralauer Fischzug, der an und für sich zwar ein liebliches Fest der Maien, im übrigen aber etwas derb und nicht allzu günstig für Wiesewachs und frischen Rasen ist. Und so proponier ich denn eine Fahrt auf morgen nachmittag. Angenommen?«

Ein wahrer Jubel begleitete den Schluß der Ansprache, Melanie sprang auf, um ihm einen Kuß zu geben, und Fräulein Riekchen erzählte, daß es nun gerade dreiunddreißig Jahre sei, seit sie zum letzten Male in Treptow gewesen, an einem großen Dobremontschen Feuerwerkstage, – derselbe Dobremont, der nachher mit seinem ganzen Laboratorium in die Luft geflogen. »Und in die Luft geflogen, warum? Weil die Leute, die mit dem Feuer spielen, immer zu sicher sind und immer die Gefahr vergessen. Ja, Melanie, du lachst. Aber, es ist so, immer die Gefahr vergessen.«

Es wurde nun gleich zu den nötigen Verabredungen geschritten, und man kam überein, am anderen Tage zu Mittag in die Stadt zu fahren, daselbst ein kleines Gabelfrühstück einzunehmen und gleich danach die Partie beginnen zu lassen: die drei Damen im Wagen, van der Straaten und Rubehn entweder zu Fuß oder zu Schiff. Alles regelte sich rasch, und nur die Frage, wer noch aufzufordern sei, schien auf kleine Schwierigkeiten stoßen zu sollen.

»Gryczinskis?« fragte van der Straaten und war zufrieden, als alles schwieg. Denn sosehr er an der rotblonden Schwägerin hing, in der er, um ihres anschmiegenden Wesens willen, ein kleines Frauenideal verehrte, so wenig lag ihm an dem Major, dessen superiore Haltung ihn bedrückte.

»Nun denn, Duquede?« fuhr van der Straaten fort und hielt das Crayon an die Lippe, mit dem er eventuell den Namen des Legationsrates notieren wollte.

»Nein«, sagte Melanie. »Duquede nicht. Und so verhaßt mir der ewige Vergleich vom ›Mehltau‹ ist, so gibt es doch für Duquede keinen andern. Er würde von Stralow aus beweisen, daß Treptow, und von Treptow aus beweisen, daß Stralow überschätzt werde, und zu Feststellung dieses Satzes brauchen wir weder einen Legationsrat a. D., noch einen Altmärkischen von Adel.«

»Gut, ich bin es zufrieden«, erwiderte van der Straaten. »Aber Reiff?«

»Ja, Reiff«, hieß es erfreut. Alle drei Damen klatschten in die Hände, und Melanie setzte hinzu: »Er ist artig und manierlich und kein Spielverderber und trägt einem die Sachen. Und dann, weil ihn alle kennen, ist es immer, als führe man unter Eskorte, und alles grüßt so verbindlich, und mitunter ist es mir schon gewesen, als ob die Brandenburger Torwache ›heraus‹ rufen müsse.«

»Ach, das ist ja nicht um des alten Reiff willen«, sagte Anastasia, die nicht gern eine Gelegenheit vorübergehen ließ, sich durch eine kleine Schmeichelei zu insinuieren.»Das ist um *deinetwillen*. Sie haben dich für eine Prinzessin gehalten.«

»Ich bitte nicht abzuschweifen«, unterbrach van der Straaten, »am wenigsten im Dienst weiblicher Eitelkeiten, die sich, nach dem Prinzip von Zug um Zug, bis ins Ungeheuerliche steigern könnten. Ich habe Reiff notiert, und Arnold und Elimar verstehen sich von selbst. Eine Wasserfahrt ohne Gesang ist ein Unding. Dies wird selbst von mir zugestanden. Und nun frag ich, wer hat noch weitere Vorschläge zu machen? Niemand? Gut. So bleibt es bei Reiff und Arnold und Elimar, und ich werde sie per Rohrpost avertieren. Fünf Uhr. Und daß wir sie draußen bei Löbbekes erwarten.«

Am andern Tage war alles Erregung und Bewegung auf der Villa, viel, viel mehr, als ob es sich um eine Reise nach Teplitz oder Karlsbad gehandelt hätte. Natürlich, eine Fahrt nach Stralow war ja das Ungewöhnlichere. Die Kinder sollten mit, es sei Platz genug auf dem Wagen, aber Lydia war nicht zu bewegen und erklärte bestimmt, sie *wolle* nicht. Da mußte denn, wenn man keine Szene haben wollte, nachgegeben werden, und auch die jüngere Schwester blieb, da sie sich daran gewöhnt hatte, dem Beispiel der ältern in all und jedem zu folgen.

In der Stadt wurde, wie verabredet, ein Gabelfrühstück genommen, und zwar in van der Straatens Zimmer. Er wollte es so jagd- und reisemäßig wie möglich haben und war in bester Laune. Diese wurde auch nicht gestört, als in demselben Augenblicke, wo man sich gesetzt hatte, ein Absagebrief Reiffs eintraf. Der Polizeirat schrieb:»Chef eben konfidentiell mit mir gesprochen. Reise heute noch. Elf Uhr fünfzig. Eine Sache, die sich der Mittheilung entzieht. Dein Reiff. P.S. Ich bitte der schönen Frau die Hand küssen und ihr sagen zu dürfen, daß ich untröstlich bin . . .«

Van der Straaten fiel in einen heftigen Krampfhusten, weil er, unter dem Lesen, unklugerweise von seinem Sherry genippt hatte. Nichtsdestoweniger sprach er unter Husten und Lachen weiter und erging sich in Vorstellungen Reiffscher Großtaten. »In politischer Mission. Wundervoll. O lieb Vaterland, kannst ruhig sein. Aber *einen* kenn ich, der noch ruhiger sein darf: er, der Unglückliche, den er sucht. Oder sag ich gleich rundweg: der Attentäter, dem er sich an die Fersen heftet. Denn um etwas Staatsstreichlich-Hochverräterisches muß es sich doch am Ende handeln, wenn man einen Mann wie Reiff allerpersönlichst in den Sattel setzt. Nicht wahr, Sattlerchen von der Hölle? Und heut abend noch! Die reine Ballade. ›Wir satteln nur um Mitternacht.‹ O Leonore! O Reiff, Reiff.« Und er lachte konvulsivisch weiter.

Auch Arnold und Elimar, die man nach Verabredung draußen treffen wollte, wurden nicht geschont, bis endlich die Pendule vier schlug und zur Eile mahnte. Der Wagen wartete schon, und die Damen stiegen ein und nahmen ihre Plätze: Fräulein Riekchen neben Melanie, Anastasia auf dem Rücksitz. Und mit ihren Fächern und Sonnenschirmen grüßend, ging es über Platz und Straßen fort, erst auf die Frankfurter Linden und zuletzt auf das Stralauer Tor zu.

Van der Straaten und Rubehn folgten eine Viertelstunde später in einer Droschke zweiter Klasse, die man »Echtheits« halber gewählt hatte, stiegen aber unmittelbar vor der Stadt aus, um nunmehr an den Flußwiesen hin den Rest des Weges zu Fuß zu machen.

*

Es schlug fünf, als unsere Fußgänger das Dorf erreichten, und in Mitte desselben Ehms ansichtig wurden, der mit seinem Wagen, etwas ausgebogen, zur Linken hielt und den ohnehin wohlgepflegten Trakehnern einen vollen Futtersack eben auf die Krippe gelegt hatte. Gegenüber stand ein kleines Haus, wie das Pfefferkuchenhaus im Märchen, bräunlich und appetitlich, und so niedrig, daß man bequem die Hand auf die Dachrinne legen konnte. Dieser Niedrigkeit entsprach denn auch die kaum mannshohe Tür, über der, auf einem wasserblauen Schilde, »Löbbekes Kaffeehaus« zu lesen war. In Front des Hauses aber standen drei, vier verschnittene Lindenbäume, die den Bürgersteig vom Straßendamme trennten, auf welchem letzteren Hunderte von Sperlingen hüpften und zwitscherten und die verlorenen Körner aufpickten.

»Dies ist das Shiphotel von Stralow«, sagte van der Straaten im Ciceroneton und war eben willens in das Kaffeehaus einzutreten, als Ehm über den Damm kam und ihm halb dienstlich, halb vertraulich vermeldete, »daß die Damens schon vorauf seien, nach der Wiese hin. Und die Herren Malers auch. Und hätten beide schon vorher gewartet und gleich den Tritt ’runtergemacht und alles. Erst Herr Gabler und dann Herr Schulze. Und an der Würfelbude hätten sie Strippenballons und Gummibälle gekauft. Und auch Reifen und eine kleine Trommel und allerhand noch. Und einen Jungen hätten sie mitgenommen, der hätte die Reifen und Stöcke tragen müssen. Und Herr Elimar immer vorauf. Das heißt mit 'ner Harmonika.«

»Um Gottes Willen«, rief van der Straaten, »Ziehharmonika?«

»Nein, Herr Kommerzienrat. Wie 'ne Maultrommel.«

»Gott sei Dank!... Und nun kommen Sie, Rubehn. Und du, Ehm, du wartest nicht auf uns und läßt dir geben... Hörst du?«

Ehm hatte dabei seinen Hut abgenommen. In seinen Zügen aber war deutlich zu lesen: ich werde warten.

Am Ausgange des Dorfes lag ein prächtiger Wiesenplan und dehnte sich bis an die Kirchhofsmauer hin. In der Nähe dieser hatten sich die drei Damen gelagert und plauderten mit Gabler, während Elimar einen seiner großen Gummibälle monsieur-herkulesartig über Arm und Schulter laufen ließ.

Van der Straaten und Rubehn hörten schon von ferne her das Bravoklatschen und klatschten lebhaft mit. Und nun erst wurde man ihrer ansichtig, und Melanie sprang auf und warf ihrem Gatten, wie zur Begrüßung, einen der großen Bälle zu. Aber sie hatte nicht richtig gezielt, der Ball ging seitwärts und Rubehn fing ihn auf. Im nächsten Augenblicke begrüßte man sich, und die junge Frau sagte: »Sie sind geschickt. Sie wissen den Ball im Fluge zu fassen.«

»Ich wollt, es wäre das Glück.«

»Vielleicht ist es das Glück.«

Van der Straaten, der es hörte, verbat sich alle derartig intrikaten Wortspielereien, widrigenfalls er an die Braut telegraphieren oder vielleicht auch Reiff in konfidentieller Mission abschicken werde. Worauf Rubehn ihn zum hundertsten Male beschwor, endlich von der »ewigen Braut« ablassen zu wollen, die wenigstens vorläufig noch im Bereiche der Träume sei. Van der Straaten aber machte sein kluges Gesicht und versicherte, »daß er es besser wisse«.

Danach kehrte man an die Lagerstelle zurück, die sich nun rasch in einen Spielplatz verwandelte. Die Reifen, die Bälle flogen, und da die Damen ein rasches Wechseln im Spiele liebten, so ging man, innerhalb anderthalb Stunden, auch noch durch Blindekuh und Gänsedieb und »Bäumchen, Bäumchen, verwechselt euch«. Das letztere fand am meisten Gnade, besonders bei van der Straaten, dem es eine herzliche Freude war, das scharfgeschnittene Profil Riekchens mit ihren freundlichen und doch zugleich etwas stechenden Augen um die Baumstämme herumgucken zu sehen. Denn sie hatte, wie die meisten Verwachsenen, ein Eulengesicht.

Und so ging es weiter, bis die Sonne zum Rückzug mahnte. Harmonika-Schulze führte wieder und neben ihm marschierte Gabler, der das Trommelchen ganz nach Art eines Tambourins behandelte. Er schlug es mit den Knöcheln, warf es hoch und fing es wieder. Danach folgte das van der Straatensche Paar, dann Rubehn und Fräulein Riekchen, während Anastasia träumerisch und Blumen pflückend den Nachtrab bildete. Sie hing süßen Fragen und Vorstellungen nach, denn Elimar hatte beim Blindekuh, als er sie haschte, Worte fallen lassen, die nicht mißdeutet werden konnten. Er hätte denn ein schändlicher und zweizüngiger Lügner sein müssen. Und das war er nicht ... Wer so rein und kindlich an der Tete dieses Zuges gehen und die Harmonika blasen konnte, konnte kein Verräter sein.

Und sie bückte sich wieder, um (zum wievielten Male!) an einer Wiesenranunkel die Blätter und die Chancen ihres Glücks zu zählen.

9

Löbbekes Kaffeehaus

Vor Löbbekes Kaffeehaus hatte sich innerhalb der letzten zwei Stunden nichts verändert, mit alleiniger Ausnahme der Sperlinge, die jetzt, statt auf dem Straßendamm, in den verschnittenen Linden saßen und quirilierten. Aber niemand achtete dieser Musik, am wenigsten van der Straaten, der eben Melanies Arm in den Elimars gelegt und sich selbst an die Spitze des Zuges gesetzt hatte. »Attention!« rief er und bückte sich, um sich ohne Fährlichkeit durch das niedrige Türjoch hindurchzuzwängen.

Und alles folgte seinem Rat und Beispiel.

Drinnen waren ein paar absteigende Stufen, weil der Flur um ein Erhebliches niedriger lag als die Straße draußen, weshalb denn auch den Eintretenden eine dumpfe Kellerluft entgegenkam, von der es schwer zu sagen war, ob sie durch ihren biersäuerlichen Gehalt mehr gewann als verlor. In der Mitte des Flurs sah man nach rechts hin eine Nische mit Herd und Rauchfang, einer kleinen Schiffsküche nicht unähnlich, während von links her ein Schanktisch um mehrere Fuß vorsprang. Dahinter ein sogenanntes »Schapp«, in dem oben Teller und Tassen und unten allerhand ausgebuchtete Likörflaschen standen. Zwischen Tisch und Schapp aber thronte die Herrin dieser Dominien, eine große, starke Blondine von Mitte dreißig, die man ohne weiteres als eine Schönheit hätte hinnehmen müssen, wenn nicht ihre Augen gewesen wären. Und doch waren es eigentlich schöne Augen, an denen in Wahrheit nichts auszusetzen war, als daß sie sich daran gewöhnt hatten, alle Männer in zwei Klassen zu teilen, in solche, denen sie zuzwinkerten: »wir treffen uns noch«, und in solche, denen sie spöttisch nachriefen: »wir kennen euch besser«. Alles aber, was in diese zwei Klassen *nicht* hineinpaßte, war nur Gegenstand für Mitleid und Achselzucken.

Es muß leider gesagt werden, daß auch van der Straaten von diesem Achselzucken betroffen wurde. Nicht seiner Jahre halber, im Gegenteil, sie wußte Jahre zu schätzen, nein, einzig und allein, weil er von alter Zeit her die Schwäche hatte, sich à tout prix populär machen zu wollen. Und das war der Blondine das Verächtlichste von allem.

Am Ausgange des Flurs zeigte sich eine noch niedrigere Hoftür und dahinter kam ein Garten, drin, um kümmerliche Bäume herum, ein Dutzend grüngestrichene Tische mit schrägangelehnten Stühlen von derselben Farbe standen. Rechts lief eine Kegelbahn, deren vorderstes unsichtbares Stück sehr wahrscheinlich bis an die Straße reichte. Van der Straaten wies ironischen Tons auf alle diese Herrlichkeiten hin, verbreitete sich über die Vorzüge anspruchslos gebliebener Nationalitäten und stieg dann eine kleine Schrägung nieder, die, von dem Sommergarten aus, auf einen großen, am Spreeufer sich hinziehenden und nach Art eines Treibhauses angelegten Glasbalkon führte. An einer der offenen Stellen desselben rückte die Gesellschaft zwei, drei Tische zusammen und hatte nun einen schmalen, zerbrechlichen Wassersteg und links davon ein festgeankertes, aber schon dem Nachbarhause zugehöriges Floß vor sich, an das die kleinen Spreedampfer anzulegen pflegten.

Rubehn erhielt ohne weiteres den besten Platz angewiesen, um als Fremder den Blick auf die Stadt frei zu haben, die flußabwärts, im rot- und golddurchglühten Dunst eines heißen Sommertages dalag. Elimar und Gabler aber waren auf den Wassersteg hinausgetreten. Alles freute sich des Bildes, und van der Straaten sagte: »Sieh, Melanie. Die Schloßkuppel. Sieht sie nicht aus wie Santa Maria Saluta?«

»Salutè«, verbesserte Melanie, mit Akzentuierung der letzten Silbe.

»Gut, gut. Also Salutè«, wiederholte van der Straaten, indem er jetzt auch seinerseits das e betonte. »Meinetwegen. Ich prätendiere nicht, der alte Sprachen-Kardinal zu sein, dessen Namen ich vergessen habe. Salus salutis, vierte Deklination, oder dritte, das genügt mir vollkommen. Und Salutà oder Salutè macht mir keinen Unterschied. Freilich, muß ich sagen, so wenig zuverlässig die lieben Italiener in allem sind, so wenig sind sie's auch in ihren Endsilben. Mal a, mal e. Aber lassen wir die Sprachstudien und studieren wir lieber die Speisekarte. Die Speisekarte, die hier natürlich von Mund zu Mund vermittelt wird, eine Tatsache, bei der ich mich jeder blonden Erinnerung entschlage. Nicht wahr, Anastasia? He?«

»Der Herr Kommerzienrat belieben zu scherzen«, antwortete Anastasia pikiert. »Ich glaube nicht, daß sich eine Speisekarte von Mund zu Mund vermitteln läßt.«

»Es käm auf einen Versuch an, und ich für meinen Teil wollte mich zur Lösung der Aufgabe verpflichten. Aber erst wenn Luna herauf ist und ihr Antlitz wieder keusch hinter Wolkenschleiern birgt. Bis dahin muß es bleiben, und bis dahin sei Friede zwischen uns. Und nun, Arnold, ernenn ich dich, in deiner Eigenschaft als Gabler, zum Erbküchenmeister und lege vertrauensvoll unser leibliches Wohl in deine Hände.«

»Was ich dankbarst akzeptiere«, bemerkte dieser, »immer vorausgesetzt, daß du mir, um mit unsrem leider abwesenden Freunde Gryczinski zu sprechen, einige Direktiven erteilen willst.«

»Gerne, gerne«, sagte van der Straaten.

»Nun denn, so beginne.«

»Gut. So proponier ich Aal und Gurkensalat... Zugestanden?«

»Ja«, stimmte der Chorus ein.

»Und danach Hühnchen und neue Kartoffeln... Zugestanden?«

»Ja.«

»Bliebe nur noch die Frage des Getränks. Unter Umständen wichtig genug. Ich hätte der Lösung derselben, mit Unterstützung Ehms und unsres Wagenkastens, vorgreifen können, aber ich verabscheue Landpartien mit mitgeschlepptem Weinkeller. Erstens kränkt man die Leute, bei denen man doch gewissermaßen immer noch zu Gaste geht, und zweitens bleibt man in dem Kreise des Althergebrachten, aus dem man ja gerade heraus will. Wozu macht man Partien? Wozu? frag ich. Nicht um es besser zu haben, sondern um es anders zu haben, um die Sitten und Gewohnheiten anderer Menschen, und nebenher auch die

Lokalspenden ihrer Dorf- und Gauschaften kennenzulernen. Und da wir hier nicht im Lande Kanaan weilen, wo Kaleb die große Traube trug, so stimm ich für das landesübliche Produkt dieser Gegenden, für eine kühle Blonde. Kein Geld, kein Schweizer; keine Weiße, kein Stralow. Ich wette, daß selbst Gryczinski nie bessere Richtschnuren gegeben hat. Und nun geh, Arnold. Und für Anastasia einen Anisette... Kühle Blonde! Ob wohl unsere Blondine zwischen Tisch und Schapp in diese Kategorie fällt?«

Elimar hatte mittlerweile dem Schauspiele der untergehenden Sonne zugesehen und auf dem gebrechlichen Wasserstege, nach Art eines Turners, der zum Hocksprung ansetzt, seine Knie gebogen und wieder angestrafft. Alles mechanisch und gedankenlos. Plötzlich aber, während er noch so hin und her wippte, knackte das Brett und brach, und nur der Geistesgegenwart, mit der er nach einem der Pfähle griff, mocht er es zuschreiben, daß er nicht in das gerad' an dieser Dampfschiffanlegestelle sehr tiefe Wasser niederstürzte. Die Damen schrien laut auf, und Anastasia zitterte noch, als der durch sich selbst Gerettete mit einem gewissen Siegeslächeln erschien, das unter den sich jagenden Vorwürfen von »Tollkühnheit« und »Gleichgültigkeit gegen die Gefühle seiner Mitmenschen« eher wuchs als schwand.

Ein Zwischenfall wie dieser konnte sich natürlich nicht ereignen, ohne von einer Fülle von Kommentaren und Hypothesen begleitet zu sein, in denen Wörter »wenn« und »was« die Hauptrolle spielten und endlos wiederkehrten. *Was* würde geschehen sein, wenn Elimar den Pfahl nicht rechtzeitig ergriffen hätte? *Was*, wenn er trotzdem hineingefallen, endlich *was*, wenn er nicht zufällig ein guter Schwimmer gewesen wäre?

Melanie, die längst ihr Gleichgewicht wiedergewonnen hatte, behauptete, daß van der Straaten unter allen Umständen hätte nachspringen müssen, und zwar erstens als Urheber der Partie, zweitens als resoluter Mann und drittens als Kommerzienrat, von denen, allen historischen Aufzeichnungen nach, noch keiner ertrunken wäre. Selbst bei der Sintflut nicht.

Van der Straaten liebte nichts mehr, als solche Neckereien seiner Frau, verwahrte sich aber, unter Dank für das ihm zugetraute Heldentum, gegen alle daraus zu ziehenden Konsequenzen.

Er halte weder zu der alten Firma Leander, noch zu der neuen des Kapitän Boyton, bekenne sich vielmehr, in allem was Heroismus angehe, ganz zu der Schule seines Freundes Heine, der bei jeder Gelegenheit seiner äußersten Abneigung gegen tragische

Manieren einen ehrlichen und unumwundenen Ausdruck gegeben habe.

»Aber«, entgegnete Melanie, »tragische Manieren sind doch nun mal gerade *das*, was wir Frauen von euch verlangen.«

»Ah, bah! Tragische Manieren!« sagte van der Straaten. »Lustige Manieren verlangt ihr und einen jungen Fant, der euch beim Zwirnwickeln die Docke hält und auf ein Fußkissen niederkniet, darauf sonderbarerweise jedesmal ein kleines Hündchen gestickt ist. Mutmaßlich als Symbol der Treue. Und dann seufzt er, der Adorante, der betende Knabe, und macht Augen und versichert euch seiner innigsten Teilnahme. Denn ihr *müßtet* unglücklich sein. Und nun wieder Seufzen und Pause. Freilich, freilich, ihr hättet einen guten Mann – alle Männer seien gut –, aber enfin, ein Mann müsse nicht bloß gut sein, ein Mann müsse seine Frau *verstehen*. Darauf komm es an, sonst sei die Ehe niedrig, *so* niedrig, mehr als niedrig. Und dann seufzt er zum drittenmal. Und wenn der Zwirn endlich abgewickelt ist, was natürlich so lange wie möglich dauert, so glaubt ihr es auch. Denn jede von euch ist wenigstens für einen indischen Prinzen oder für einen Schah von Persien geboren. Allein schon wegen der Teppiche.«

Melanie hatte während dieser echt van der Straatenschen Expektoration ihren Kopf gewiegt und erwiderte schnippisch und mit einem Anfluge von Hochmut: »Ich weiß nicht, Ezel, warum du beständig von Zwirn sprichst. Ich wickle Seide.«

Sehr wahrscheinlich, daß es dieser Bemerkung an einer spitzen Replik nicht gefehlt hätte, wenn nicht eben jetzt eine dralle, kurzärmelige Magd erschienen und auf Augenblicke hin der Gegenstand allgemeiner Aufmerksamkeit geworden wäre. Schon um des virtuosen Puffs und Knalls willen, womit sie, wie zum Debüt, ihr Tischtuch auseinanderschlug. Und sehr bald nach ihr erschienen denn auch die dampfenden Schüsseln und die hohen Weißbierstangen, und selbst der Anisette für Anastasia war nicht vergessen. Aber es waren ihrer mehrere, da sich der lebens- und gesellschaftskluge Gabler der allgemeinen Damenstellung zur Anisettefrage rechtzeitig erinnert hatte. Und in der Tat, er mußte lächeln (und van der Straaten mit ihm), als er gleich nach dem Erscheinen des Tabletts auch Riekchen nippen und ihre Eulenaugen immer größer und freundlicher werden sah.

Inzwischen war es dämmerig geworden, und mit der Dämmerung kam die Kühle. Gabler und Elimar erhoben sich, um aus dem Wagen eine Welt von Decken und Tüchern heranzuschleppen, und Melanie, nachdem sie den schwarz- und weißgestreiften Burnus umgenommen und die Kapuze kokett in die Höhe geschlagen hatte, sah reizender aus als zuvor. Eine der Seidenpuscheln hing ihr in die Stirn und bewegte sich hin und her, wenn sie sprach oder dem Gespräch der andern lebhaft folgte. Und dieses Gespräch, das sich bis dahin medisierend um die Gryczinskis und vor allem auch um den Polizeirat und die neue katilinarische Verschwörung gedreht hatte, fing endlich an, sich näherliegenden und zugleich auch harmloseren Thematas zuzuwenden, beispielsweise, wie hell der »Wagen« am Himmel stünde.

»Fast so hell wie der große Bär«, schaltete Riekchen ein, die nicht fest in der Himmelskunde war. Und nun entsann man sich, daß dies gerade die Sternschnuppennächte waren, auf welche Mitteilung hin van der Straaten nicht nur die fallenden Sterne zu zählen anfing, sondern sich schließlich auch bis zu dem Satze steigerte, »daß alles in der Welt eigentlich nur des Fallens wegen da sei: die Sterne, die Engel, und nur die Frauen nicht«.

Melanie zuckte zusammen, aber niemand sah es, am wenigsten van der Straaten, und nachdem noch eine ganze Weile gezählt und gestritten und der Abend inzwischen immer kälter geworden war, einigte man sich dahin, daß es zur Bekämpfung dieser Polarzustände nur ein einzig erdenkbares Mittel gäbe: eine Glühweinbowle. Van der Straaten selbst machte den Vorschlag und definierte: »Glühwein ist diejenige Form des Weines, in der der Wein nichts und das Gewürznägelchen alles bedeutet«, auf welche Definition hin es gewagt und die Bestellung gemacht wurde. Und siehe da, nach verhältnismäßig kurzer Zeit schon erschien auch die blonde Wirtin in Person, um die Bowle vorsorglich inmitten des Tisches niederzusetzen.

Und nun nahm sie den Deckel ab und freute sich unter Lachen all der aufrichtig dankbaren »Achs«, womit ihre Gäste den warmen und erquicklichen Dampf einsogen. Ein reizender blonder Junge war mit ihr gekommen und hielt sich an der Schürze der Mutter fest.

»Ihrer?« fragte van der Straaten mit verbindlicher Handbewegung.

»Na, wem sonst«, antwortete die Blondine nüchtern und suchte mit Rubehn über den Tisch hin ein paar Blicke zu wechseln. Als es aber mißlang, ergriff sie die blonden Locken ihres Jungen, spielte damit und sagte: »Komm, Pauleken. Die Herrschaften sind lieber alleine.«

Elimar sah ihr betroffen nach und rieb sich die Stirn. Endlich rief er: »Gott sei Dank, nun hab ich's. Ich wußte doch, ich hatte sie schon gesehen. Irgendwo. Triumphzug des Germanicus; Thusnelda, wie sie leibt und lebt.«

»Ich kann es nicht finden«, erwiderte van der Straaten, der ein Piloty-Schwärmer war. »Und es stimmt auch nicht in Verhältnissen und Leibesumfängen, immer vorausgesetzt, daß man von solchen Dingen in Gegenwart unserer Damen sprechen darf. Aber Anastasia wird es verzeihen, und um den Hauptunterschied noch einmal zu betonen, bei Piloty gibt sich Thumelicus noch als ein Werdender, während wir ihn hier bereits an der Schürze seiner Mutter hatten. An der weißesten Schürze, die mir je vorgekommen ist. Aber sei weiß wie Schnee und weißer noch: Ach, die Verleumdung trifft dich doch.«

Diese zwei Reimzeilen waren in einer absichtlich spöttischen Singsangmanier von ihm gesprochen worden, und Rubehn, dem es mißfiel, wandte sich ab und blickte nach links hin auf den von Lichtern überblitzten Strom. Melanie sah es, und das Blut schoß ihr zu Kopf, wie nie zuvor. Ihres Gatten Art und Redeweise hatte sie, durch all die Jahre hin, viel Hunderte von Malen in Verlegenheit gebracht, auch wohl in bittere Verlegenheiten, aber dabei war es geblieben. Heute, zum ersten Male, schämte sie sich seiner.

Van der Straaten indes bemerkte nichts von dieser Verstimmung und klammerte sich nur immer fester an seinen Thusnelda-Stoff, in der an und für sich ganz richtigen Erkenntnis, etwas Besseres für seine Spezialansprüche nicht finden zu können.

»Ich frage jeden, ob dies eine Thusnelda ist? Höher hinauf, meine Freunde. Göttin Aphrodite, die Venus dieser Gegenden, Venus Spreavensis, frisch aus demselben Wasser gestiegen, das uns eben erst unsern teuren Elimar zu rauben trachtete. Das Wasser rauscht, das Wasser schwoll. Aus der Spree gestiegen, sag ich. Aber so mich nicht alles täuscht, haben wir hier *mehr*, meine Freunde. Wir haben hier, wenn ich richtig beobachtet, oder sagen wir, wenn ich richtig geahnt habe, eine Vermählung von Modernem und Antikem: Venus Spreavensis und Venus Kallipygos. Ein gewagtes Wort, ich räum es ein. Aber in Griechisch und Musik darf man alles sagen. Nicht wahr, Anastasia? Nicht wahr, Elimar? Außerdem entsinn ich mich, zu meiner Rechtfertigung, eines wundervollen Kallipygos-Epigramms ... Nein, nicht, Epigramms ... Wie heißt etwas Zweizeiliges, was sich nicht reimt ...«

»Distichon.«

»Richtig. Also ich entsinne mich eines Distichons . . . bah, da hab ich es vergessen . . . Melanie, wie war es doch? Du sagtest es damals so gut und lachtest so herzlich. Und nun hast du's auch vergessen. Oder *willst* du's bloß vergessen haben? . . . Ich bitte dich . . . Ich hasse das . . . Besinne dich. Es war etwas von Pfirsichflaum, und ich sagte noch, ›man fühl ihn ordentlich‹. Und du fandst es auch und stimmtest mit ein . . . Aber die Gläser sind ja leer . . .«

»Und ich denke, wir lassen sie leer«, sagte Melanie scharf und wechselte die Farbe, während sie mechanisch ihren Sonnenschirm auf- und zumachte. »Ich denke, wir lassen sie leer. Es ist ohnehin Glühwein. Und wenn wir noch hinüber wollen, so wird es Zeit sein, *hohe* Zeit«, und sie betonte das Wort.

»Ich bin es zufrieden«, entgegnete van der Straaten, aber in einem Tone, der nur allzu deutlich erkennen ließ, daß seine gute Stimmung in ihr Gegenteil umzuschlagen begann. »Ich bin es zufrieden und bedaure nur, allem Anscheine nach, wieder einmal Anstoß gegeben und das adelige Haus de Caparoux in seinen höheren Aspirationen verschnupft zu haben. Es ist immer das alte Lied, das ich nicht gerne höre. *Wenn* ich es aber hören will, so lad ich mir meinen Schwager-Major zu Tische, der ist erster Kammerherr am Throne des Anstands und der Langenweile. Heute fehlt er hier, und ich hätte gern darauf verzichtet, ihn durch seine Frau Schwägerin ersetzt zu sehen. Ich hasse Prüderien und jene Prätensionen höherer Sittlichkeit, hinter denen nichts steckt. Im günstigsten Falle nichts steckt. Ich darf das sagen, und jedenfalls *will* ich es sagen, und was ich gesagt habe, das habe ich gesagt.«

Es antwortete niemand. Ein schwacher Versuch Gablers, wieder einzulenken, mißlang, und in ziemlich geschäftsmäßigem, wenn auch freilich wieder ruhiger gewordenem Tone wurden alle noch nötigen Verabredungen zur Überfahrt nach Treptow in zwei kleinen Booten getroffen; Ehm aber sollte, mit Benutzung der nächsten Brücke, die Herrschaften am andern Ufer erwarten. Alles stimmte zu, mit Ausnahme von Fräulein Riekchen, die verlegen erklärte, »daß Bootschaukeln, von klein auf, ihr Tod gewesen sei«. Worauf sich van der Straaten in einem Anfalle von Ritterlichkeit erbot, mit ihr in der Glaslaube zurückbleiben und das Anlegen des nächsten, vom »Eierhäuschen« her erwarteten Dampfschiffes abpassen zu wollen.

Wohin treiben wir?

Es währte nicht lange, so steuerten von einer dunklen, etwas weiter flußaufwärts gelegenen Uferstelle her, zwei Jollen auf das Floß zu, jede mit einer Stocklaterne vorn an Bord. In der kleineren saß derselbe Junge, der schon am Nachmittage die Reifen auf die Kirchhofswiese hinausgetragen hatte, während die größere Jolle, leer und bloß angekettet, im Fahrwasser der anderen nachschwamm. Es gab einen hübschen Anblick, und kaum daß die beiden Fahrzeuge lagen, so stiegen auch, vom Floß aus, die schon ungeduldig Wartenden ein: Rubehn und Melanie in das kleinere, die beiden Maler und Anastasia in das größere Boot, eine Verteilung, die sich wie von selber machte, weil Elimar und Gabler gute Kahnfahrer waren und jeder anderweitigen Führung entbehren konnten. Sie nahmen denn auch die Tete, und der Junge mit der kleineren Jolle folgte.

Van der Straaten sah ihnen eine Weile nach und sagte dann zu dem Fräulein: »Es ist mir ganz lieb, Riekchen, daß wir zurückgeblieben sind und auf das Dampfschiff warten müssen. Ich habe Sie schon immer fragen wollen, wie gefällt Ihnen unser neuer Hausgenosse? Sie sprechen nicht viel, und wer nicht viel spricht, der beobachtet gut.«

»Oh, er gefällt mir.«

»Und *mir* gefällt es, Riekchen, daß er Ihnen gefällt. Nur das ›oh‹ beklag ich, denn es hebt ein gut Teil Lob wieder auf, und ›oh, er gefällt mir‹, ist eigentlich nicht viel besser als ›oh, er gefällt mir *nicht*‹. Sie sehen, ich lasse Sie nicht wieder los. Also, nur immer tapfer mit der Sprache heraus. Warum nur oh? Woran liegt es? Wo fehlt es? Mißtrauen Sie seinen Dragonerreserveleutnant-Allüren? Ist er Ihnen zu kavaliermäßig oder zu wenig? Ist er Ihnen zu laut oder zu still, zu bescheiden oder zu stolz, zu warm oder zu kalt?«

»Damit möchten Sie's getroffen haben.«

»Womit?«

»Mit dem zu kalt. Ja, er ist mir zu kalt. Als ich ihn das erste Mal sah, hatt ich einen guten Eindruck, obgleich nicht voll so gut wie Anastasia. Natürlich nicht. Anastasia singt und ist exzentrisch und will einen Mann haben.«

»Will jede.«

»Ich auch?« lachte die Kleine.

»Wer weiß, Riekchen.«

». . . Also, das erste war: er gefiel mir. Es war in der Veranda, gleich nach dem zweiten Frühstück; wir hatten eben die blauen Milchsatten zurückgeschoben, und es ist mir, als wär es gestern gewesen. Da kam der alte Teichgräber und brachte seine Karte. Und dann kam er selbst. Nun, er hat etwas Distinguiertes, und man sieht auf den ersten Blick, daß er die kleine Not des Lebens nicht kennengelernt hat. Und das ist immer hübsch, und das Hübsche davon soll ihm unbenommen sein. Er hat aber auch etwas Reserviertes. Und wenn ich sage, was Reserviertes, so hab ich noch sehr wenig gesagt. Denn Reserviertsein ist gut und schicklich. Er übertreibt es aber. Anfangs glaubt ich, es sei die kleine gesellschaftliche Scheu, die jeden ziert, auch den Mann von Welt, und er werd es ablegen. Aber bald konnt ich sehen, daß es nicht Scheu war. Nein, ganz im Gegenteil. Es ist Selbstbewußtsein. Er hat etwas amerikanisch Sicheres. Und so sicher er ist, so kalt ist er auch.«

»Ja, Riekchen, er war zu lange drüben, und drüben ist nicht der Platz, um Bescheidenheit und warme Gefühle zu lernen.«

»Sie sind auch nicht zu lernen. Aber man kann sie leider *verlernen.*«

»Verlernen?« lachte van der Straaten. »Ich bitte Sie, Riekchen, er ist ja ein Frankfurter!«

*

Während dieses Gespräch in dem Glassalon geführt wurde, steuerten die beiden Boote der Mitte des Stromes zu. Auf dem größeren war Scherz und Lachen, aber auf dem kleineren, das folgte, schwieg alles, und Melanie beugte sich über den Rand und ließ das Wasser durch ihre Finger plätschern.

»Ist es immer nur das Wasser, dem Sie die Hand reichen, Freundin?«

»Es kühlt. Und ich hab es so heiß.«

»So legen Sie den Burnus ab . . .« Und er erhob sich, um ihr behilflich zu sein.

»Nein«, sagte sie heftig und abwehrend. »Mich friert.« Und er sah nun, daß sie wirklich fröstelnd zusammenzuckte.

Und wieder fuhren sie schweigend dem andern Boote nach und horchten auf die Lieder, die von dorther herüberklangen. Erst war es »Long, long, ago«, und immer wenn der Refrain kam, summte Melanie die Zeile mit. Und nun lachten sie drüben, und neue Lieder wurden intoniert und ebenso rasch wieder verworfen, bis man sich endlich über eines geeinigt zu haben schien. »O säh ich auf der Heide dort.« Und wirklich, sie hielten aus und sangen alle Strophen durch. Aber Melanie sang nicht leise mehr mit, um nicht durch ein Zittern ihrer Stimme ihre Bewegung zu verraten.

Und nun waren sie mitten auf dem Strom, außer Hörweite von den Vorauffahrenden, und der Junge, der sie beide fuhr, zog mit einem Ruck die Ruder ein und legte sich bequem ins Boot nieder und ließ es treiben.

»Er sieht auch zu den Sternen auf«, sagte Rubehn.

»Und zählt, wie viele fallen«, lachte Melanie bitter. »Aber Sie dürfen mich nicht so verwundert ansehen, lieber Freund, als ob ich etwas Besonderes gesagt hätte. Das ist ja, wie Sie wissen, oder wenigstens seit *heute* wissen müssen, der Ton unsres Hauses. Ein bißchen spitz, ein bißchen zweideutig und immer unpassend. Ich befleißige mich der Ausdrucksweise meines Mannes. Aber freilich, ich bleibe hinter ihm zurück. Er ist eben unerreichbar und weiß so wundervoll alles zu treffen, was kränkt und bloßstellt und beschämt.«

»Sie dürfen sich nicht verbittern.«

»Ich verbittere mich nicht. Aber ich *bin* verbittert. Und weil ich es bin und es los sein möchte, deshalb sprech ich so. Van der Straaten . . .«

»Ist anders als andere. Aber er liebt Sie, glaub ich . . . Und er ist gut.«

»Und er ist gut«, wiederholte Melanie heftig und in beinahe krampfhafter Heiterkeit. »Alle Männer sind gut! . . . Und nun fehlt nur noch der Zwirnwickel und das Fußkissen mit dem Symbol der Treue darauf, so haben wir alles wieder beisammen. O Freund, wie konnten Sie nur *das* sagen, und, um ihn zu rechtfertigen, so ganz in seinen Ton verfallen!«

»Ich würde durch jeden Ton Anstoß gegeben haben.«

»Vielleicht . . . Oder sagen wir lieber gewiß. Denn es war zu viel, dieser ewige Hinweis auf Dinge, die nur unter vier Augen gehören, und das kaum. Aber er kennt kein Geheimnis, weil ihm nichts des Geheimnisses wert dünkt. Weil ihm nichts heilig ist. Und wer anders denkt, ist scheinheilig oder lächerlich. Und das vor Ihnen . . .«

Er nahm ihre Hand und fühlte, daß sie fieberte.

Die Sterne aber funkelten und spiegelten sich und tanzten um sie her, und das Boot schaukelte leis und trieb im Strom, und in

Melanies Herzen erklang es immer lauter: Wohin treiben wir? Und sieh, es war, als ob der Bootsjunge von derselben Frage beunruhigt worden wäre, denn er sprang plötzlich auf und sah sich um, und wahrnehmend, daß sie weit über die rechte Stelle hinaus waren, griff er jetzt mit beiden Rudern ein und warf die Jolle nach links herum, um so schnell wie möglich aus der Strömung heraus und dem andern Ufer wieder näherzukommen. Und sieh, es gelang ihm auch, und ehe fünf Minuten um waren, erkannte man die von zahllosen Lichtern erhellten Baumgruppen des Treptower Parks, und Rubehn und Melanie hörten Anastasias Lachen auf dem vorauffahrenden Boot. Und nun schwieg das Lachen, und das Singen begann wieder. Aber es war ein anderes Lied, und über das Wasser hin klang es »Rothtraut, Schön-Rothtraut«, erst laut und jubelnd, bis es schwermütig in die Worte verklang: »Schweig stille, mein Herze.«

»Schweig stille, mein Herze«, wiederholte Rubehn und sagte leise: »Soll es?«

Melanie antwortete nicht. Das Boot aber lief ans Ufer, an dem Elimar und Arnold schon in aller Dienstbeflissenheit warteten. Und gleich darauf kam auch das Dampfschiff, und Riekchen und van der Straaten stiegen aus. Er heiter und gesprächig.

Und er nahm Melanies Arm und schien die Szene, die den Abend gestört hatte, vollkommen vergessen zu haben.

11

Zum Minister

»Wohin treiben wir?« hatte es in Melanies Herzen gefragt, und die Frage war ihr unvergessen geblieben. Aber der fieberhaften Erregung jener Stunde hatte sie sich entschlagen, und in den Tagen, die folgten, war ihr die Herrschaft über sich selbst zurückgekehrt.

Und diese Herrschaft blieb ihr auch, und sie zuckte nur einen Augenblick zusammen, als sie, nach Ablauf einer Woche, Rubehn am Gitter draußen halten und gleich darauf auf die Veranda zukommen sah. Sie ging ihm, wie gewöhnlich, einen Schritt entgegen, und sagte: »Wie ich mich freue, Sie wieder zu sehen! Sonst sahen wir Sie jeden dritten Tag, und Sie haben diesmal eine Woche vergehen lassen, fast eine Woche. Aber die Strafe folgt Ihnen auf dem Fuße. Sie treffen nur Anastasia und mich. Unser

Riekchen, das Sie ja zu schätzen wissen – wenn auch freilich nicht genug –, hat uns auf einen ganzen Monat verlassen und erzieht sieben kleine Vettern auf dem Lande. Lauter Jungen und lauter Sawatzkis, und in ihren übermütigsten Stunden auch mutmaßlich lauter Sattler von der Hölle.«

»Sagen wir lieber gewiß. Und dazu Riekchen als Präzeptor und Regente. Muß das eine Zügelführung sein!«

»Oh, Sie verkennen sie; sie weiß sich in Respekt zu setzen.«

»Und doch möcht ich die Verzweiflung des Gärtners über zertretene Rabatten und die des Försters über angerichteten Wildschaden nicht mit Augen sehen. Denn ein kleiner Junker schießt alles, was kreucht und fleucht. Und nun gar sieben. Aber ich vergesse, mich meines Auftrages zu entledigen. Van der Straaten ... Ihr Herr Gemahl ... bittet, ihn zu Tisch *nicht* erwarten zu wollen. Er ist zum Minister befohlen und zwar in Sachen einer Enquete. Freilich erst morgen. Aber heute hat er das Vorspiel: das Diner. Sie wissen, meine gnädigste Frau, es gibt jetzt nur noch Enqueten.«

»Es gibt nur noch Enqueten, aber es gibt keine gnädigsten Frauen mehr. Wenigstens nicht hier und am wenigsten zwischen uns. Eine Gnädigste bin ich überhaupt nur bei Gryczinskis. Ich bin Ihre gute Freundin und weiter nichts. Nicht wahr?« Und sie gab ihm ihre Hand, die er nahm und küßte. »Und ich will nicht«, fuhr sie fort, »daß wir diese sechs Tage nur gelebt haben, um unsere Freundschaft um ebensoviele Wochen zurückzudatieren. Also nichts mehr von einer ›gnädigsten Frau‹.« Und dabei zwang sie sich, ihn anzusehen. Aber ihr Herz schlug, und ihre Stimme zitterte bei der Erinnerung an den Abend, der nur zu deutlich vor ihrer Seele stand.

»Ja, lieber Freund«, nahm sie nach einer kurzen Pause wieder das Wort, »ich mußte das zwischen uns klar machen. Und da wir einmal beim Klarmachen sind, so muß auch noch ein anderes heraus, auch etwas Persönliches und Diffiziles. Ich muß Ihnen nämlich endlich einen Namen geben. Denn Sie haben eigentlich keinen Namen, oder wenigstens keinen, der zu brauchen wäre.«

»Ich dächte doch ...« sagte Rubehn mit einem leisen Anfluge von Verlegenheit und Mißstimmung.

»Ich dächte doch ...« wiederholte Melanie und lachte. »Daß doch auch die Klugen und Klügsten auf *diesen* Punkt hin immer empfindlich sind! Aber ich bitte Sie, sich aller Empfindlichkeiten entschlagen zu wollen. Sie sollen selbst entscheiden. Beantworten Sie mir auf Pflicht und Gewissen die Frage: ob Ebenezer ein

Name ist? Ich meine ein Name fürs Haus, fürs Geplauder, für die Kauserie, die doch nun mal unser Bestes ist! Ebenezer! Oh, Sie dürfen nicht so bös aussehen. Ebenezer ist ein Name für einen Hohenpriester oder für einen, der's werden will, und ich seh ihn ordentlich, wie er das Opfermesser schwingt. Und sehen Sie, davor schaudert mir. Ebenezer ist au fond nicht besser als Aaron. Und es ist auch nichts daraus zu machen. Aus Ezechiel habe ich mir einen Ezel glücklich kondensiert. Aber Ebenezer!«

Anastasia weidete sich an Rubehns Verlegenheit und sagte dann: »Ich wüßte schon eine Hilfe.«

»Oh, die weiß ich auch. Und ich könnte sogar alles in einen allgemeinen und fast nach Grammatik klingenden Satz bringen. Und dieser Satz würde sein: Um- und Rückformung des abstrusen Familiennamens Rubehn in den alten, mir immer lieb gewesenen Vornamen Ruben.«

»Und das wollt ich auch sagen«, eiferte Anastasia.

»Aber ich *hab* es gesagt.«

Und in diesem Prioritätsstreite scherzte sich Melanie mehr und mehr in den Ton alter Unbefangenheit hinein und fuhr endlich, gegen Rubehn gewendet, fort: »Und wissen Sie, lieber Freund, daß mir diese Namensgebung wirklich etwas bedeutet? Ruben, um es zu wiederholen, war mir von jeher der Sympathischste von den Zwölfen. Er hatte das Hochherzige, das sich immer bei dem Ältesten findet, einfach, weil er der Älteste ist. Denken Sie nach, ob ich nicht recht habe. Die natürliche Herrscherstellung des Erstgeborenen sichert ihn vor Mesquinerie und Intrige.«

»Jeder Erstgeborene wird Ihnen für diese Verherrlichung dankbar sein müssen, und jeder Ruben erst recht. Und doch gesteh ich Ihnen offen, ich hätt unter den Zwölfen eine andere Wahl getroffen.«

»Aber gewiß keine bessere. Und ich hoff es Ihnen beweisen zu können. Über die sechs Halblegitimen ist weiter kein Wort zu verlieren; Sie nicken, sind also einverstanden. Und so nehmen wir denn, als erstes Betrachtungsobjekt, die Nestküken der Familie, die Muttersöhnchen. Es wird so viel von ihnen gemacht, aber Sie werden mir zustimmen, daß die spätere ägyptische Exzellenz nicht so ganz ohne Not in die Zisterne gesteckt worden ist. Er war einfach ein enfant terrible. Und nun gar der Jüngste! Verwöhnt und verzogen. Ich habe selbst ein Jüngstes und weiß etwas davon zu sagen ... Und so bleiben uns denn wirklich nur die vier alten Grognards von der Lea her. Wohl, sie haben alle vier ihre Meriten. Aber doch ist ein Unterschied. In dem Levi spukt schon der Levit, und in dem Juda das Königtum, – ein Stückchen Illoyalität, das sie mir als freier Schweizerin zu gute halten müssen. Und so sehen wir uns denn vor den Rest gestellt, vor die beiden letzten, die natürlich die beiden ersten sind. Eh bien, ich will nicht mäkeln und feilschen und will dem Simeon lassen, was ihm zukommt. Er war ein Charakter, und als solcher wollt er dem Jungen ans Leben. Charaktere sind nie für halbe Maßregeln. Aber, da trat Ruben dazwischen, *mein* Ruben, und rettete den Jungen, weil er des alten Vaters gedachte. Denn er war gefühlvoll und mitleidig und hochherzig. Und was Schwäche war, darüber sag ich nichts. Er hatte die Fehler seiner Tugenden, wie wir alle. Das war es und weiter nichts. Und deshalb Ruben und immer wieder Ruben. Und kein Appell und kein Refus. Anastasia, brich einen Tauf- und Krönungszweig ab, da von der Esche drüben. Wir können sie dann die Ruben-Esche nennen.«

Und dieses scherzhafte Geplauder würde sich mutmaßlich noch fortgesetzt haben, wenn nicht eben in diesem Augenblicke der wohlbekannte, zweirädrige Gig sichtbar geworden wäre, von dessen turmhohem Sitze herab van der Straaten über das Gitter weg mit der Peitsche salutierte. Und nun hielt das Gefährt, und der Enqueten-Kommerzienrat erschien in der Veranda, strahlend von Glück und freudiger Erregung. Er küßte Melanie die Stirn und versicherte einmal über das andere, daß er sich's nicht habe versagen wollen, die freie halbe Stunde bis zum ministeriellen Diner au sein de sa famille zu verbringen.

Und nun nahm er Platz und rief in das Haus hinein: »Liddy, Liddy. Rasch. Antreten. Immer flink. Und Heth auch; das Stiefkind, die Kleine, die vernachlässigt wird, weil sie mir ähnlich sieht . . .«

»Und von der ich eben erzählt habe, daß sie grenzenlos verwöhnt würde.«

Die Kinder waren inzwischen erschienen, und der glückliche Vater nahm ein elegantes Tütchen mit papiernem Spitzenbesatz aus der Tasche und hielt es Lydia hin. Diese nahm's und gab es an die Kleine weiter. »Da, Heth.«

»Magst du nicht?« fragte van der Straaten. »Sieh doch erst nach. Es sind ja Pralinés. Und noch dazu von Sarotti.«

Aber Lydia sah mit einem Streifblick zu Rubehn hinüber und sagte: »Tüten sind für Kinder. Ich mag nicht.«

Alles lachte, selbst Rubehn, trotzdem er wohl fühlte, daß er der Grund dieser Ablehnung war. Van der Straaten indes nahm die kleine Heth auf den Schoß und sagte: »Du bist deines Vaters

Kind. Ohne Faxen und Haberei. Lydia spielt schon die de Caparoux.«

»Laß sie«, sagte Melanie.

»Ich werde sie lassen *müssen*. Und sonderbar zu sagen, ich hasse die Vornehmheitsallüren eigentlich nur für mich selbst. In meiner Familie sind sie mir ganz recht, wenigstens gelegentlich, abgesehen davon, daß sich auch für meine Person allerhand Wandlungen vorbereiten. Denn in meiner Eigenschaft als Mitglied einer Enquetenkommission hab ich die Verpflichtung höherer gesellschaftlicher Formen übernommen, und geht das so weiter, Melanie, so hältst du zwischen heut und sechs Wochen einen halben Oberzeremonienmeister in deinen Händen. In den Sechswochenschaften hat ja von Uranfang an etwas mysteriös Bedeutungsvolles geschlummert.«

»Eine Wendung, lieber van der Straaten, die mir vorläufig nur wieder zeigt, wie weitab du noch von deiner neuen Charge bist.«

»Allerdings, allerdings«, lachte van der Straaten. »Gut Ding will Weile haben, und Rom wurde nicht an einem Tage gebaut. Und nun sage mir, denn ich habe nur noch zehn Minuten, wie du diesen Nachmittag zu verbringen und unsern Freund Rubehn zu divertieren gedenkst. Verzeih die Frage. Aber ich kenne deine mitunter ängstliche Gleichgültigkeit gegen Tisch- und Tafelfreuden und berechne mir in der Eile, daß deine Bohnen und Hammelkoteletts, auch wenn die Bohnen ziepsig und die Koteletts zähe sind, nicht gut über eine halbe Stunde hinaus ausgedehnt werden können. Auch nicht unter Heranziehung eines Desserts von Erdbeeren und Stiltonkäse. Und so sorg ich mich denn um euch, und zwar um so mehr, als ihr nicht die geringste Chance habt, mich vor neun Uhr wieder hier zu sehen.«

»Ängstige dich nicht«, entgegnete Melanie. »Es ist keine Frage, daß wir dich schmerzlich entbehren werden. Du wirst uns fehlen, du *mußt* uns fehlen. Denn wer könnt uns, um nur eines zu nennen, den Hochflug deiner bilderreichen Einbildungskraft ersetzen. Kaum, daß wir ihr zu folgen verstehen. Und doch verbürg ich mich für Unterbringung dieser armen, verlorenen Stunden, die dir so viel Sorge machen. Und du sollst das Programm wissen.«

»Da wär ich neugierig.«

»Erst singen wir.«

»Tristan?«

»Nein. Und Anastasia begleitet. Und dann haben wir unser Diner oder doch das, was dafür aufkommen muß. Und es wird sich schon machen. Denn immer, wenn du nicht da bist, suchen wir uns durch einen besseren Tisch und ein paar eingeschobene süße Speisen zu trösten.«

»Glaub's, glaub's. Und dann?«

»Dann hab ich vor, unsern lieben Freund, den ich dir übrigens, nach einem allerjüngsten Übereinkommen, als Rubehn mit dem gestrichenen h, also schlechtweg als unsern Freund Ruben vorstelle, mit den Schätzen und Schönheiten unserer Villa bekannt zu machen. Er ist eine Legion von Malen, wenn auch immer noch nicht oft genug, unser lieber Gast gewesen und kennt trotz alledem nichts von dieser ganzen Herrlichkeit, als unser Eß- und Musikzimmer und hier draußen die Veranda mit dem kreischenden Pfau, der ihm natürlich ein Greuel ist. Aber er soll heute noch in seinem halb freireichsstädtischen und halb überseeischen Hochmute gedemütigt werden. Ich habe vor, mit deinem Obstgarten zu beginnen und dem Obstgarten das Palmenhaus und dem Palmenhause das Aquarium folgen zu lassen.«

»Ein gutes Programm, das mich nur hinsichtlich seiner letzten Nummer etwas erschreckt oder wenigstens zur Vorsicht mahnen läßt. Sie müssen nämlich wissen, Rubehn, was wir letzten Sommer in dieser erbärmlichen Glaskastensammlung, die den stolzen Namen Aquarium führt, schaudernd selbst erlebt haben. Nicht mehr und nicht weniger als einen Ausbruch, Eruption, und ich höre noch Anastasias Aufschrei und werd ihn hören bis ans Ende meiner Tage. Denken Sie sich, eine der großen Glasscheiben platzt, Ursache unbekannt, wahrscheinlich aber, weil Gryczinski seinem Füsiliersäbel eine falsche Direktive gegeben, und siehe da, ehe wir drei zählen konnten, steht unser ganzer Aquariumflur nicht nur handhoch unter Wasser, sondern auch alle Schrecken der Tiefe zappeln um uns her, und ein großer Hecht umschnopert Melanies Fußtaille mit absichtlichster Vernachlässigung Tante Riekchens. Offenbar also ein Kenner. Und in einem Anfalle wahnsinniger Eifersucht hab ich ihn schlachten lassen und seine Leber höchsteigenhändig verzehrt.«

Anastasia bestätigte die Zutreffendheit der Schilderung, und selbst Melanie, die seit längerer Zeit ähnlichen Exkursen ihres Gatten mit nur zu sichtlichem Widerstreben folgte, nahm heute wieder an der allgemeinen Heiterkeit teil. Sie hatte sich schon vorher in dem mit Rubehn geführten Gespräche derartig heraufgeschraubt, daß sie wie geistig trunken und beinahe gleichgültig gegen Erwägungen und Rücksichten war, die sie noch ganz vor kurzem gequält hatten. Sie sah wieder alles von der lachenden

Seite, selbst das Gewagteste, und faßte, ohne sich Rechenschaft davon zu geben, den Entschluß, mit der ganzen nervösen Feinfühligkeit dieser letzten Wochen ein für allemal brechen und wieder keck und unbefangen in die Welt hineinleben zu wollen.

Van der Straaten aber, überglücklich, mit seinem Aquariumshecht einen guten Abgang gefunden zu haben, griff nach Hut und Handschuh und versprach, auf Eile dringen zu wollen, soweit sich, einem Minister gegenüber, überhaupt auf irgend etwas dringen lasse.

Das waren seine letzten Worte. Gleich darauf hörte man das Knirschen der Räder und empfing von außen her, über das Parkgitter hin, einen absichtlich übertriebenen Feierlichkeitsgruß, in dem sich die ganze Bedeutung eines Mannes ausdrücken sollte, der zum Minister fährt. Noch dazu zum Finanzminister, der eigentlich immer ein Doppelminister ist.

12

Unter Palmen

Die Nachmittagsstunden vergingen, wie's Melanie geplant und van der Straaten gebilligt hatte. Dem anderthalbstündigen Musizieren folgte das kleine Diner, opulenter als gedacht, und die Sonne stand eben noch über den Bosketts, als man sich erhob, um draußen im »Orchard« ein zweites Dessert von den Bäumen zu pflücken.

Dieser für allerhand Obstkulturen bestimmte Teil des Parkes lief, an sonnigster Stelle, neben dem Fluß entlang und bestand aus einem anscheinend endlosen Kieswege, der nach der Spree hin offen, nach der Parkseite hin aber von Spalierwänden eingefaßt war. An diesen Spalieren, in kunstvollster Weise behandelt und jeder einzelne Zweig gehegt und gepflegt, reiften die feinsten Obstarten, während kaum minder feine Sorten an nebenherlaufenden niederen Brettergestellen, etwa nach Art großer Ananaserdbeeren, gezogen wurden.

Melanie hatte Rubehns Arm genommen, Anastasia folgte langsam und in wachsenden Abständen; Heth aber auf ihrem Veloziped begleitete die Mama, bald weit vorauf, bald dicht neben ihr, und wandte sich dann wieder, ohne die geringste Ahnung davon, daß ihre rückseitige Drapierung in ein immer komischeres und ungenierteres Fliegen und Flattern kam. Melanie, wenn

Heth die Wendung machte, suchte jedesmal durch ein lebhafteres Sprechen über die kleine Verlegenheit hinwegzukommen, bis Rubehn endlich ihre Hand nahm und sagte: »Lassen wir doch das Kind. Es ist ja glücklich, beneidenswert glücklich. Und Sie sehen, Freundin, ich lache nicht einmal.«

»Sie haben recht«, entgegnete Melanie. »Torheit und nichts weiter. Unsere Scham ist unsere Schuld. Und eigentlich ist es rührend und entzückend zugleich.« Und als der kleine Wildfang in ebendiesem Augenblicke wieder heranrollte, kommandierte sie selbst: »Rechts um. Und nicht zu nah an die Spree! Sehen Sie nur, wie sie hinfliegt. So lange die Welt steht, hat keine Reiterei mit so fliegenden Fahnen angegriffen.«

Unter solchem Gespräch waren sie bis an die Stelle gekommen, wo, von der Parkseite her, ein breiter avenueartiger Weg in den langen und schmalen Spaziergang einmündete. Hier, im Zentrum der ganzen Anlage, erhoben sich denn auch, nach dem Vorbilde der berühmten englischen Gärten in Kew, ein paar hohe, glasgekuppelte Palmenhäuser, an deren eines sich ein altmodisches Treibhaus anlehnte, das, früher der Herrschaft zugehörig, inzwischen mit all seinen Blattpflanzen und Topfgewächsen in die Hände des alten Gärtners übergegangen und die Grundlage zum Betrieb eines sehr einträglichen Privatgeschäftes geworden war. Unmittelbar neben dem Treibhause hatte der Gärtner seine Wohnung, ein nur zweifenstriges und ganz von Efeu überwachsenes Häuschen, über das ein alter, schrägstehender Akazienbaum seine Zweige breitete. Zwei, drei Steinstufen führten bis in den Flur, und neben diesen Stufen stand eine Bank, deren Rücklehne von dem Efeu mit überwachsen war.

»Setzen wir uns«, sagte Melanie. »Immer vorausgesetzt, daß wir dürfen. Denn unser alter Freund hier ist nicht immer guter Laune. Nicht wahr, Kagelmann?«

Diese Worte hatten sich an einen kleinen und ziemlich häßlichen Mann gerichtet, der, wiewohl kahlköpfig (was übrigens die Sommermütze verdeckte), nichtsdestoweniger an beiden Schläfen ein paar lange, glatte Haarsträhnen hatte, die bis tief auf die Schulter niederhingen. Alles an ihm war außer Verhältnis, und so kam es, daß, seiner Kleinheit unerachtet, oder vielleicht auch um dieser willen, alles zu groß an ihm schien: die Nase, die Ohren, die Hände. Und eigentlich auch die Augen. Aber diese sah man nur, wenn er, was öfters geschah, die ganz verblakte Hornbrille abnahm. Er war eine typische Gärtnerfigur: unfreundlich, grob und habsüchtig, vor allem auch seinem Wohltäter, dem Kommerzienrat, gegenüber, und nur wenn er die »Frau Rätin« sah, erwies er sich auffallend verbindlich und guter Laune.

So nahm er denn auch heute das scherzhaft hingeworfene »wenn wir dürfen« in bester Stimmung auf und sagte, während er mit der Rechten (in der er einen kleinen Aurikeltopf hielt) seine großschirmige Mütze nach hinten schob: »Jott, Frau Rätin, ob *Sie* dürfen! Solche Frau, wie Sie, darf allens. Un warum? Weil Ihnen allens kleid't. Un wen alles kleid't, der darf ooch alles. Uf's Kleiden kommt's an. 's gibt welche, die sagen, die Blumen machen dumm und simplig. Aber daß es uff's Kleiden ankommt, so viel lernt man bei de Blumens.«

»Immer mein galanter Kagelmann«, lachte Melanie. »Man merkt doch den Unverheirateten, den Junggesellen. Und doch ist es unrecht, Kagelmann, daß Sie so geblieben sind. Ich meine, so ledig. Ein Mann wie Sie, so frisch und gesund, und ein so gutes Geschäft. Und reich dazu. Die Leute sagen ja, Sie hätten ein Rittergut. Aber ich will es nicht wissen, Kagelmann. Ich respektiere Geheimnisse. Nur das ist wahr, Ihr Efeuhaus ist zu klein, immer vorausgesetzt, daß Sie sich noch mal anders besinnen.«

»Ja, kleen is es man. Aber vor mir is es jroß genug, das heißt vor mir alleine. Sonst . . . Aber ich bin ja nu all sechzig.«

»Sechzig. Mein Gott, sechzig. Sechzig ist ja gar kein Alter.«

»Nee«, sagte Kagelmann. »En Alter is es eijentlich noch nich. Un es jeht ooch allens noch. Un janz gut. Un es schmeckt ooch noch, un die Gebrüder Benekens tragen einen ooch noch. Aber viel mehr is es ooch nich. Un wen soll man denn am Ende nehmen? Sehen Se, Frau Rätin, die so for mir passen, die gefallen mir nich, un die mir gefallen, die passen wieder nich. – Ich wäre so vor dreißig oder so drum rum. Dreißig ist jut, un dreißig zu dreißig, das stimmt ooch. Aber sechzig in dreißig jeht nich. Un da sagt denn die Frau: borg ich mir einen.«

Melanie lachte.

Kagelmann fuhr fort: »Ach, Frau Kommerzienrätin, Sie hören so was nich, un glauben jar nich, wie die Welt is un was allens passiert. Da war hier einer drüben bei Flatows, Cohn und Flatow, großes Ledergeschäft, – un sie sollen's ja von Amerika kriegen; na, mir is es jleich, – un war ooch en Gärtner, un war woll so sechsundfufzig. Oder vielleicht ooch erst fünfundfufzig. Und der nahm si ja nu so'n Madamchen, so von'n Jahrer dreißig, un war ne Wittib, un immer janz schwarz, un ne hübsche Person, un saß immer ins mittelste Zelt, Nummer 4, wo Kaiser

69

Wilhelm steht, un wo immer die Musik is mit Klavier un Flöte. Ja, du mein Jott, was hat er gehabt? Jar nichts hat er gehabt. Un da sitzt er nu mit seine drei Würmer, und Madamchen is weg. Un mit wem is se weg? Mit'n Gelbschnabel, un hatte noch keene zwanzig uff'n Rücken, un Teichgräber sagt, er wär erst achtzehn gewesen. Un möglich is es. Aber ein fixer, kleiner Kerl war es, so was Italien'sches, un war doch bloß aus Rathnow. Aber een paar Oogen! Ich sag Ihnen, Frau Kommerzienrätin, wie'n Feuerwerk, un es war orntlich, als ob's man so prasselte.«

»Ja, das ist traurig für den Mann«, lachte Melanie. »Aber doch am traurigsten für die Frau. Denn wenn einer *solche* Augen hat…«

»Un so was is jetzt alle Tage«, schloß der Alte, der auf die Zwischenbemerkung nicht geachtet hatte und wieder bei seinen Töpfen zu stellen und zu kramen anfing.

Aber Melanie ließ ihm keine Ruh. »Alle Tage«, sagte sie. »Natürlich, alle Tage. Natürlich, alles kommt vor. Aber das darf einen doch nicht abhalten. Sonst könnte ja keiner mehr heiraten, und es gäbe gar kein Leben und keine Menschen mehr. Denn ein kleiner fixer Gärtnerbursche, nu, mein Gott, der find't sich zuletzt überall.«

»Ja, Frau Kommerzienrätin, das is schon richtig. Aber mitunter find't er sich immer und mitunter find't er sich bloß manchmal. Heiraten! Nu ja, hübsch muß es ja sind, sonst dhäten es nich so viele. Aber besser is besser. Un ich denke, lieber bewahrt als beklagt.«

In diesem Augenblicke wurde von der Hauptallee her ein Einspänner sichtbar und hielt, indem er eine Biegung machte, vor der Bank, auf der Rubehn und Melanie Platz genommen hatten. Es war ein auf niedrigen Rädern gehendes Fuhrwerk, das den Geschäftsverkehr des kleinen Privattreibhauses mit der Stadt vermittelte.

Kagelmann tat ein paar Fragen an den vorn auf dem Deichselbrette sitzenden Kutscher, und nachdem er noch einen andern Arbeiter herbeigerufen hatte, fingen alle drei an, die Palmenkübel abzuladen, die, trotzdem sie nur von mäßiger Größe waren, den Rand des Wagenkastens weit überragten und mit ihren dunklen Kronen, schon von fern her, den Eindruck prächtig wehender Federbüsche gemacht hatten.

Alle drei waren ein paar Minuten lang emsig bei der Arbeit; als aber schließlich alles abgeladen war, wandte sich Kagelmann wieder an seine gnädige Frau und sagte, während er die zwei größten und schönsten Palmen mit seinen Händen patschelte:

»Ja, Frau Rätin, das sind nu so meine Stammhalter, so meine zwei Säulen von's Geschäft. Un immer unterwegs, wie'n Land-briefträger. Man bloß noch unterwegser. Denn der hat doch'n Sonntag oder Kirchenzeit. Aber meine Palmen nich. Un ich freue mir immer orntlich, wenn mal'n Stillstand is und ich allens mal wieder so zu sehen kriege. So wie heute. Denn mitunter seh ich meine Palmen die janze Woche nich.«

»Aber warum nicht?«

»Jott, Frau Rätin, Palme paßt immer. Un is kein Unter-schied, ob Trauung oder Begräbnis. Und manche taufen auch schon mit Palme. Und wenn ich sage Palme, na so kann ich auch sagen Lorbeer oder Lebensbaum oder was wir Thuja nennen. Aber Palme, versteht sich, is immer das Feinste. Un is bloß man *ein* Metier, das is jrade so, ganz akkurat ebenso bei Leben und Sterben. Und is och immer dasselbe.«

»Ah, ich versteh«, sagte Melanie. »Der Tischler.«

»Nein, Frau Rätin, der Tischler nich. Er is woll auch immer mit dabei, das is schon richtig, aber's is doch nich immer das-selbe. Denn ein Sarg is keine Wiege nich und eine Wiege is kein Sarg nich. Un was een richtiges Himmelbett is, nu davon will ich gar nich erst reden . . .«

»Aber Kagelmann, wenn es nicht der Tischler ist, wer denn?«

»Der Domchor, Frau Rätin. Der is auch immer mit dabei un is immer dasselbe. Jrade so wie bei mir. Un er hat auch so seine zwei Stammhalter, seine zwei Säulen von's Geschäft: >'s ist be-stimmt in Gottes Rat< oder >Wie sie so sanft ruhn<. Un es paßt immer un macht keinen Unterschied, ob einer abreist oder ob einer begraben wird. Un grün is grün, un's is jrade so wie Le-bensbaum und Palme.«

»Und doch, Kagelmann, wenn Sie nun mal heiraten und sel-ber Hochzeit machen – aber nicht hier in Ihrem Efeuhause, das ist zu klein –, dann sollen Sie doch beides haben: Gesang und Palme. Und was für Palmen! Das versprech ich Ihnen! Denn ohne Palmen und Gesang ist es nicht feierlich genug. Und aufs Feierliche kommt es an. Und dann gehen wir in das große Treibhaus, bis dicht an die Kuppel, und machen einen wunder-vollen Altar unter der allerschönsten Palme. Und da sollen Sie getraut werden. Und oben in der Kuppel wollen wir stehn und ein schönes Lied singen, einen Choral, ich und Fräulein Anasta-sia, und Herr Rubehn hier und Herr Elimar Schulze, den Sie ja auch kennen. Und dabei soll Ihnen zu Mute sein, als ob Sie schon im Himmel wären und hörten die Engel singen.«

»Glaub ich, Frau Rätin, glaub ich.«

»Und zu vorläufigem Dank für alle diese kommenden Herrlichkeiten sollen Sie, liebster Kagelmann, uns jetzt in das Palmenhaus führen. Denn ich weiß nicht Bescheid und kenne die Namen nicht, und der fremde Herr hier, der ein paarmal um die Welt herumgefahren ist und die Palmen sozusagen an der Quelle studiert hat, will einmal sehen, was wir haben und nicht haben.«

Eigentlich kam alles dieses dem Alten so wenig gelegen wie möglich, weil er seine Kübel und Blumentöpfe noch vor Dunkelwerden in das kleine Treibhaus hineinschaffen wollte. Er bezwang sich aber, schob seine Mütze, wie zum Zeichen der Zustimmung, wieder nach hinten und sagte: »Frau Rätin haben bloß zu befehlen.«

Und nun gingen sie zwischen langen und niedrigen Backsteinöfen hin, den bloß mannsbreiten Mittelgang hinauf, bis an die Stelle, wo dieser Mittelgang in das große Palmenhaus einmündete. Wenige Schritte noch, und sie befanden sich wie am Eingang eines Tropenwaldes, und der mächtige Glasbau wölbte sich über ihnen. Hier standen die Prachtexemplare der van der Straatenschen Sammlung: Palmen, Drakäen, Riesenfarren, und eine Wendeltreppe schlängelte sich hinauf, erst bis in die Kuppel und dann um diese selbst herum und in einer der hohen Emporen des Langschiffes weiter.

Unterwegs war nicht gesprochen worden.

Als sie jetzt unter der hohen Wölbung hielten, entsann sich Kagelmann, etwas Wichtiges vergessen zu haben. Eigentlich aber wollte er nur zurück und sagte: »Frau Rätin wissen ja nu Bescheid un kennen die Galerie. Da wo der kleine Tisch is un die kleinen Stühle, das ist der beste Platz, un is wie ne Laube, un janz dicht. Un da sitzt ooch immer der Herr Kommerzienrat. Un keiner sieht ihn. Un das hat er am liebsten.« Und danach verabschiedete sich der Alte, wandte sich aber noch einmal um, um zu fragen, »ob er das Fräulein schicken solle«?

»Gewiß, Kagelmann. Wir warten.«

Und als sie nun allein waren, nahm Rubehn den Vortritt und stieg hinauf und eilte sich, als er oben war, der noch auf der Wendeltreppe stehenden Melanie die Hand zu reichen. Und nun gingen sie weiter über die kleinen klirrenden Eisenbrettchen hin, die hier als Dielen lagen, bis sie zu der von Kagelmann beschriebenen Stelle kamen, besser beschrieben, als er selber wissen mochte. Wirklich, es war eine phantastisch aus Blattkronen gebildete Laube, fest geschlossen, und überall an den Gurten und Ribben der Wölbung hin rankten sich Orchideen, die die ganze Kuppel mit ihrem Duft erfüllten. Es atmete sich wonnig aber schwer in dieser dichten Laube; dabei war es, als ob hundert Geheimnisse sprächen, und Melanie fühlte, wie dieser berauschende Duft ihre Nerven hinschwinden machte. Sie zählte jenen von äußeren Eindrücken, von Luft und Licht abhängigen Naturen zu, die der Frische bedürfen, um selber frisch zu sein. Über ein Schneefeld hin, bei rasender Fahrt und scharfem Ost, – da wär ihr der heitere Sinn, der tapfere Mut ihrer Seele wiedergekommen; aber diese weiche, schlaffe Luft machte sie selber weich und schlaff; und die Rüstung ihres Geistes lockerte sich und löste sich und fiel.

»Anastasia wird uns nicht finden.«

»Ich vermisse sie nicht.«

»Und doch will ich nach ihr rufen.«

»Ich vermisse sie nicht«, wiederholte Rubehn, und seine Stimme zitterte. »Ich vermisse nur das Lied, das sie damals sang, als wir im Boot über den Strom fuhren. Und nun rate.«

»Long, long ago . . .«

Er schüttelte den Kopf.

»Oh, säh ich auf der Heide dort . . .«

»Auch *das* nicht, Melanie.«

»Rothtraut«, sagte sie leis.

Und nun wollte sie sich erheben. Aber er litt es nicht und kniete nieder und hielt sie fest, und sie flüsterten Worte, so heiß und so süß, wie die Luft, die sie atmeten.

Endlich aber war die Dämmerung gekommen, und breite Schatten fielen in die Kuppel. Und als alles immer noch still blieb, stiegen sie die Treppe hinab und tappten sich durch ein Gewirr von Palmen, erst bis in den Mittelgang und dann ins Freie zurück.

Draußen fanden sie Anastasia.

»Wo du nur bliebst!« fragte Melanie befangen. »Ich habe mich geängstigt um dich und mich. Ja, es ist so. Frage nur. Und nun hab ich Kopfweh.«

Anastasia nahm unter Lachen den Arm der Freundin und sagte nur: »Und du wunderst dich über Kopfweh! Man wandelt nicht ungestraft unter Palmen.«

Melanie wurde rot bis an die Schläfe. Aber die Dunkelheit half es ihr verbergen. Und so schritten sie der Villa zu, darin schon die Lichter brannten.

Alle Türen und Fenster standen auf, und von den frisch gemähten Wiesen her kam eine balsamische Luft. Anastasia setzte sich an den Flügel und sang und neckte sich mit Rubehn, der bemüht war, auf ihren Ton einzugehen. Aber Melanie sah vor sich hin und schwieg und war weit fort. Auf hoher See. Und in ihrem Herzen klang es wieder: Wohin treiben wir?!

Eine Stunde später erschien van der Straaten und rief ihnen schon vom Korridor her in Spott und guter Laune zu: »Ah, die Gemeinde der Heiligen! Ich würde fürchten, zu stören. Aber ich bringe gute Zeitung!«

Und als alles sich erhob und entweder wirklich neugierig war oder sich wenigstens das Ansehen davon gab, fuhr er in seinem Berichte fort: »Exzellenz sehr gnädig. Alles sondiert und abgemacht. Was noch aussteht, ist Form und Bagatelle. Oder Sitzung und Schreiberei. Melanie, wir haben heut einen guten Schritt vorwärts getan. Ich verrate weiter nichts. Aber das glaub ich sagen zu dürfen: von diesem Tag an datiert sich eine neue Ära des Hauses van der Straaten.«

13

Weihnachten

Die nächsten Tage, die viel Besuch brachten, stellten den unbefangenen Ton früherer Wochen anscheinend wieder her, und was von Befangenheit blieb, wurde, die Freundin abgerechnet, von niemandem bemerkt, am wenigsten von van der Straaten, der mehr denn je seinen kleinen und großen Eitelkeiten nachhing.

So näherte sich der Herbst, und der Park wurde schöner, je mehr sich seine Blätter färbten, bis gegen Ende September der Zeitpunkt wieder da war, der, nach altem Herkommen, dem Aufenthalt in der Villa draußen ein Ende machte.

Schon in den unmittelbar voraufgehenden Tagen war Rubehn nicht mehr erschienen, weil allernächst liegende Pflichten ihn an die Stadt gefesselt hatten. Ein jüngerer Bruder von ihm, von einem alten Prokuristen des Hauses begleitet, war zu rascher Etablierung des Zweiggeschäfts herübergekommen, und ihren gemeinschaftlichen Anstrengungen gelang es denn auch wirklich, in den ersten Oktobertagen eine Filiale des großen Frankfurter Bankhauses ins Leben zu rufen.

Van der Straaten nahm an all diesen Hergängen den größten

Anteil und sah es als ein gutes Zeichen und eine Gewähr geschäftskundiger Leitung an, daß Rubehns Besuche seltener wurden und in den Novemberwochen beinahe ganz aufhörten. In der Tat erschien unser neuer »Filialchef«, wie der Kommerzienrat ihn zu nennen beliebte, nur noch an den kleinen und kleinsten Gesellschaftstagen, und hätte wohl auch an diesen am liebsten gefehlt. Denn es konnt ihm nicht entgehen, und entging ihm auch wirklich nicht, daß ihm von Reiff und Duquede, ganz besonders aber von Gryczinski, mit einer vornehm ablehnenden Kühle begegnet wurde. Die schöne Jacobine suchte freilich durch halbverstohlene Freundlichkeiten alles wieder ins Gleiche zu bringen und beschwor ihn, ihres Schwagers Haus doch nicht ganz zu vernachlässigen, um ihretwillen nicht und um Melanies willen nicht; aber jedesmal, wenn sie den Namen nannte, schlug sie doch verlegen die Augen nieder und brach rasch und ängstlich ab, weil ihr Gryczinski sehr bestimmte Weisungen gegeben hatte, jedwedes Gespräch mit Rubehn entweder ganz zu vermeiden, oder doch auf wenige Worte zu beschränken.

Um vieles heiterer gestalteten sich die kleinen Reunions, wenn die Gryczinskis fehlten und statt ihrer bloß die beiden Maler und Fräulein Anastasia zugegen waren. Dann wurde wieder gescherzt und gelacht, wie damals in dem Stralauer Kaffeehaus, und van der Straaten, der mittlerweile von Besuchen, sogar von häufigen Besuchen gehört hatte, die Rubehn in Anastasias Wohnung gemacht haben solle, hing in Ausnutzung dieser ihm hinterbrachten Tatsache seiner alten Neigung nach, alle dabei Beteiligten ins Komische zu ziehen und zum Gegenstande seiner Schraubereien zu machen. Er sähe nicht ein, wenigstens für seine Person nicht, warum er sich eines reinen und auf musikalischer Glaubenseinigkeit aufgebauten Verhältnisses nicht aufrichtig freuen solle; ja, die Freude darüber würd ihm einfach als Pflicht erscheinen, wenn er nicht andererseits den alten Satz wieder bewahrheitet fände, daß jedes neue Recht immer nur unter Kränkung alter Rechte geboren werden könne. Das neue Recht – wie der Fall hier läge – sei durch seinen Freund Rubehn, das alte Recht durch seinen Freund Elimar vertreten, und wenn er diesem letzteren auch gerne zugestehe, daß er in vielen Stücken er selbst geblieben, ja bei Tische sogar als eine Potenzierung seiner selbst zu erachten sei, so läge doch gerade hierin die nicht wegzuleugnende Gefahr. Denn er wisse wohl, daß dieses Plus an Verzehrung einen furchtbaren Gleichschritt mit Elimars innerem verzehrenden Feuer halte. Wes Namen aber dieses Feuer sei, ob

Liebe, Haß oder Eifersucht, das wisse nur *der*, der in den Abgrund sieht.

In dieser Weise zischten und platzten die reichlich umhergeworfenen van der Straatenschen Schwärmer, von deren Sprühfunken sonderbarerweise diejenigen am wenigsten berührt wurden, auf die sie berechnet waren. Es lag eben alles anders, als der kommerzienrätliche Feuerwerker annahm. Elimar, der sich auf der Stralauer Partie weit über Wunsch und Willen hinaus engagiert hatte, hatte durch Rubehns anscheinende Rivalität eine Freiheit wiedergewonnen, an der ihm viel, viel mehr als an Anastasias Liebe gelegen war, und diese selbst wiederum vergaß ihr eigenes, offenbar im Niedergange begriffenes Glück in dem Wonnegefühl, ein anderes hochinteressantes Verhältnis unter ihren Augen und ihrem Schutze heranwachsen zu sehen. Sie schwelgte mit jedem Tage mehr in der Rolle der Konfidenten, und weit über das gewöhnliche Maß hinaus mit dem alten Evahange nach dem Heimlichen und Verbotenen ausgerüstet, zählte sie diese Winterwochen nicht nur zu den angeregtesten ihres an Anregungen so reichen Lebens, sondern erfreute sich nebenher auch noch des unbeschreiblichen Vergnügens, den ihr au fond unbequemen und widerstrebenden van der Straaten gerade *dann* am herzlichsten belachen zu können, wenn dieser sich in seiner Sultanslaune gemüßigt fühlte, *sie* zum Gegenstand allgemeiner und natürlich auch seiner eigenen Lachlust zu machen.

In der Tat, unser kommerzienrätlicher Freund hätte bei mehr Aufmerksamkeit und weniger Eigenliebe stutzig werden und über das Lächeln und den Gleichmut Anastasias den eigenen Gleichmut verlieren müssen; er gab sich aber umgekehrt einer Vertrauensseligkeit hin, für die, bei seinem sonst soupçonnösen und pessimistischen Charakter, jeder Schlüssel gefehlt haben würde, wenn er nicht unter Umständen, und auch jetzt wieder, der Mann völlig entgegengesetzter Voreingenommenheit gewesen wäre. In seiner Scharfsicht oft übersichtig und Dinge sehend, die gar nicht da waren, übersah er ebenso oft andere, die klar zutage lagen. Er stand in der abergläubischen Furcht, in seinem Glücke von einem vernichtenden Schlage bedroht zu sein, aber nicht heut und nicht morgen, und je bestimmter und unausbleiblicher er diesen Schlag von der Zukunft erwartete, desto sicherer und sorgloser erschien ihm die Gegenwart. Und am wenigsten sah er sich von *der* Seite her gefährdet, von der aus die Gefahr so nahe lag und von jedem andern erkannt worden wäre. Doch auch hier wiederum stand er im Bann einer vorgefaßten Meinung und zwar eines künstlich konstruierten Rubehn, der mit dem wirklichen eine ganz oberflächliche Verwandtschaft, aber in der Tat auch nur *diese* hatte. Was sah er in ihm? Nichts als ein Frankfurter Patrizierkind, eine ganz und gar auf Anstand und Hausehre gestellte Natur, die zwar in jugendliche Torheiten verfallen, aber einen Vertrauens- und Hausfriedensbruch nie und nimmer begehen könne. Zum Überflusse war er verlobt und um so verlobter, je mehr er es bestritt. Und abends beim Tee, wenn Anastasia zugegen und das Verlobungsthema mal wieder an der Reihe war, hieß es vertraulich und gut gelaunt: »Ihr Weiber hört ja das Gras wachsen und nun gar erst *das* Gras! Ich wäre doch neugierig, zu hören, an wen er sich vertan hat. Eine Vermutung hab ich und wette zehn gegen eins, an eine Freiin vom deutschen Uradel, etwa Schreck von Schreckenstein oder Sattler von der Hölle.« Und dann widersprachen beide Damen, aber doch so klug und vorsichtig, daß ihr Widerspruch, anstatt irgend etwas zu beweisen, eben nur dazu diente, van der Straaten in seiner vorgefaßten Meinung immer fester zu machen.

Und so kam Heiligabend, und im ersten Saale der Bildergalerie waren all unsere Freunde, mit Ausnahme Rubehns, um den brennenden Baum her versammelt. Elimar und Gabler hatten es sich nicht nehmen lassen, auch ihrerseits zu der reichen Bescherung beizusteuern: ein riesiges Puppenhaus, drei Stock hoch, und im Souterrain eine Waschküche mit Herd und Kessel und Rolle. Und zwar eine altmodische Rolle mit Steinkasten und Mangelholz. Und sie rollte wirklich. Und es unterlag alsbald keinem Zweifel, daß das Puppenhaus den Triumph des Abends bildete, und beide Kinder waren selig. Sogar Lydia tat ihre Vornehmheitsallüren beiseite und ließ sich von Elimar in die Luft werfen und wieder fangen. Denn er war auch Turner und Akrobat. Und selbst Melanie lachte mit und schien sich des Glücks der andern zu freuen oder es gar zu teilen. Wer aber schärfer zugesehen hätte, der hätte wohl wahrgenommen, daß sie sich bezwang, und mitunter war es, als habe sie geweint. Etwas unendlich Weiches und Wehmütiges lag in dem Ausdruck ihrer Augen, und der Polizeirat sagte zu Duquede: »Sehen Sie, Freund, ist sie nicht schöner denn je?«

»Blaß und angegriffen«, sagte dieser. »Es gibt Leute, die blaß und angegriffen immer schön finden. Ich nicht. Sie wird überhaupt überschätzt, in allem, und am meisten in ihrer Schönheit.«

An den Aufbau schloß sich, wie gewöhnlich, ein Souper, und man endete mit einem schwedischen Punsch. Alles war heiter und guter Dinge. Melanie belebte sich wieder, gewann auch wieder frischere Farben, und als sie Riekchen und Anastasia, die bis zuletzt geblieben waren, bis an die Treppe geleitete, rief sie dem kleinen Fräulein mit ihrer freundlichen und herzgewinnenden Stimme nach: »Und sieh dich vor, Riekchen. Christel sagt mir eben, es glatteist.« Und dabei bückte sie sich über das Geländer und grüßte mit der Hand.

»Oh, ich falle nicht«, rief die Kleine zurück. »Kleine Leute fallen überhaupt nicht. Und am wenigsten, wenn sie vorn und hinten gut balancieren.«

Aber Melanie hörte nichts mehr von dem, was Riekchen sagte. Der Blick über das Geländer hatte sie schwindlig gemacht, und sie wäre gefallen, wenn sie nicht van der Straaten aufgefangen und in ihr Zimmer zurückgetragen hätte. Er wollte klingeln und nach dem Arzte schicken. Aber sie bat ihn, es zu lassen. Es sei nichts, oder doch nichts Ernstes, oder doch nichts, wobei der Arzt ihr helfen könne.

Und dann sagte sie, was es sei.

14

Entschluß

Erst den dritten Tag danach hatte sich Melanie hinreichend erholt, um in der Alsenstraße, wo sie seit Wochen nicht gewesen war, einen Besuch machen zu können. Vorher aber wollte sie bei der Madame Guichard, einer vor kurzem erst etablierten Französin, vorsprechen, deren Konfektions und künstliche Blumen ihr durch Anastasia gerühmt worden waren. Van der Straaten riet ihr, weil sie noch angegriffen sei, lieber den Wagen zu nehmen; aber Melanie bestand darauf, alles zu Fuß abmachen zu wollen. Und so kleidete sie sich in ihr diesjähriges Weihnachtsgeschenk, einen Nerzpelz und ein Kastorhütchen mit Straußenfeder, und war eben auf dem letzten Treppenabsatz, als ihr Rubehn begegnete, der inzwischen von ihrem Unwohlsein gehört hatte und nun kam, um nach ihrem Befinden zu fragen.

»Ah, wie gut daß Sie kommen«, sagte Melanie. »Nun hab ich Begleitung auf meinem Gange. Van der Straaten wollte mir seinen Wagen aufzwingen, aber ich sehne mich nach Luft und Bewegung. Ach, unbeschreiblich... Mir ist so bang und schwer...«

Und dann unterbrach sie sich und setzte rasch hinzu: »Geben Sie mir Ihren Arm. Ich will zu meiner Schwester. Aber vorher will ich Ballblumen kaufen, und dahin sollen Sie mich begleiten. Eine halbe Stunde nur. Und dann geb ich Sie frei, ganz frei.«

»Das dürfen Sie nicht, Melanie. Das werden Sie nicht.«

»Doch.«

»Ich *will* aber nicht freigegeben sein.«

Melanie lachte. »So seid ihr. Tyrannisch und eigenmächtig auch noch in eurer Huld, auch *dann* noch, wenn ihr uns dienen wollt. Aber kommen Sie. Sie sollen mir die Blumen aussuchen helfen. Ich vertraue ganz Ihrem Geschmack. Granatblüten; nicht wahr?«

Und so gingen sie die große Petristraße hinunter und vom Platz aus durch ein Gewirr kleiner Gassen, bis sie, hart an der Jägerstraße, das Geschäft der Madame Guichard entdeckten, einen kleinen Laden, in dessen Schaufenster ein Teil ihrer französischen Blumen ausgebreitet lag.

Und nun traten sie ein. Einige Kartons wurden ihnen gezeigt, und ehe noch viele Worte gewechselt waren, war auch schon die Wahl getroffen. In der Tat, Rubehn hatte sich für eine Granatblütengarnitur entschieden, und eine Directrice, die mit zugegen war, versprach alles zu schicken. Melanie selbst aber gab der Französin ihre Karte. Diese versuchte den langen Titel und Namen zu bewältigen, und ein Lächeln flog erst über ihr Gesicht, als sie das »née de Caparoux« las. Ihre nicht hübschen Züge verklärten sich plötzlich, und es war mit einem unbeschreiblichen Ausdruck von Glück und Wehmut, daß sie sagte: »Madame est Française! ... Ah, notre belle France.«

Dieser kleine Zwischenfall war an Melanie nicht gleichgültig vorübergegangen, und als sie draußen ihres Freundes Arm nahm, sagte sie: »Hörten Sie's wohl? Ah, notre belle France! Wie das so sehnsüchtig klang. Ja, sie hat ein Heimweh. Und alle haben wir's. Aber wohin? wonach? ... Nach unsrem Glück ... Nach unsrem Glück! Das niemand kennt und niemand sieht. Wie heißt es doch in dem Schubertschen Liede?«

»Da, wo du *nicht* bist, ist das Glück.«

»Da, wo du *nicht* bist«, wiederholte Melanie.

Rubehn war bewegt und sah ihr unwillkürlich nach den Augen. Aber er wandte sich wieder, weil er die Träne nicht sehen wollte, die darin glänzte.

Vor dem großen Platz, in den die Straße mündet, trennten sie sich. Er, für sein Teil, hätte sie gern weiter begleitet, aber sie wollt es nicht und sagte leise: »Nein, Rubehn, es war der Begleitung schon zuviel. Wir wollen die bösen Zungen nicht vor der Zeit herausfordern. Die bösen Zungen, von denen ich eigentlich kein Recht habe zu sprechen. Adieu.« Und sie wandte sich noch einmal und grüßte mit leichter Bewegung ihrer Hand.

Er sah ihr nach, und ein Gefühl von Schreck und ungeheurer Verantwortlichkeit über ein durch ihn gestörtes Glück überkam ihn und erfüllte plötzlich sein ganzes Herz. Was soll werden? fragte er sich. Aber dann wurde der Ausdruck seiner Züge wieder milder und heitrer, und er sagte vor sich hin: »Ich bin nicht der Narr, der von Engeln spricht. Sie war keiner und ist keiner. Gewiß nicht. Aber ein freundlich Menschenbild ist sie, so freundlich, wie nur je eines über diese arme Erde gegangen ist . . . Und ich liebe sie, viel, viel mehr, als ich geglaubt habe, viel, viel mehr, als ich je geglaubt hätte, daß ich lieben könnte. Mut, Melanie, nur Mut. Es werden schwere Tage kommen, und ich sehe sie schon zu deinen Häupten stehen. Aber mir ist auch, als klär es sich dahinter. Oh, nur Mut, Mut!«

*

Eine halbe Woche danach war Silvester, und auf dem kleinen Balle, den Gryczinskis gaben, war Melanie die Schönste, Jacobine trat zurück und gönnte der älteren Schwester ihre Triumphe. »Superbes Weib. Ägyptische Königstochter«, schnarrte Rittmeister von Schnabel, der wegen seiner eminenten Ulanenfigur aus der Provinz in die Residenz versetzt worden war, und von dem Gryczinski zu sagen pflegte: »Der geborene Prinzessinnentänzer. Nur schade, daß es keine Prinzessinnen mehr gibt.«

Aber Schnabel war nicht der einzige Melanie-Bewunderer. In der letzten Fensternische stand eine ganze Gruppe von jungen Offizieren: Wensky von den Ohlauer kaffeebraunen Husaren, enragierter Sportsmann und Steeplechase-Reiter (Oberschenkel dreimal an derselben Stelle gebrochen), neben ihm Ingenieurhauptmann Stiffelius, brühmter Rechner, mager und trocken wie seine Gleichungen, und zwischen beiden Leutnant Tigris, kleiner, kräpscher Füsilieroffizier vom Regiment Zauche-Belzig, der aus Gründen, die niemand kannte, mehrere Jahre lang der Pariser Gesandtschaft attachiert gewesen war und sich seitdem für einen Halbfranzosen, Libertin und Frauenmarder hielt. Junge Mädchen waren ihm »ridikül«. Er schob eben, trotzdem er wahre Luchsaugen hatte, sein an einem kurzen Seidenbande hängendes

Pincenez zurecht und sagte: »Wensky, Sie sind so gut wie zu Haus hier, und eigentlich Hahn im Korbe. Wer ist denn dieser Prachtkopf mit den Granatblüten? Ich könnte schwören, sie schon gesehen zu haben. Aber wo? Halb die Herzogin von Mouchy und halb die Beauffremont. Un teint de lys et de rose, et tout à fait distinguée.«

»Sie treffen es gut genug, mon cher Tigris«, lachte Wensky, »'s ist die Schwester unsrer Gryczinska, eine geborene de Caparoux.«

»Drum, drum auch. Jeder Zoll eine Französin. Ich konnte mich nicht irren. Und wie sie lacht.«

Ja, Melanie lachte wirklich. Aber wer sie die folgenden Tage gesehen hätte, der hätte die Beauté jenes Ballabends in ihr nicht wiedererkannt, am wenigsten wär er ihrem Lachen begegnet. Sie lag leidend und abgehärmt, uneins mit sich und der Welt, auf dem Sofa und las ein Buch, und wenn sie's gelesen hatte, so durchblätterte sie's wieder, um sich einigermaßen zurückzurufen, was sie gelesen. Ihre Gedanken schweiften ab. Rubehn kam, um nach ihr zu fragen, aber sie nahm ihn nicht an und grollte mit ihm, wie mit jedem. Und ihr wurde nur leichter ums Herz, wenn sie weinen konnte.

So vergingen ein paar Wochen, und als sie wieder aufstand und sprach, und wieder nach den Kindern und dem Haushalte sah, schärfer und eindringlicher als sonst, war ihr der energische Mut ihrer früheren Tage zurückgekehrt, aber nicht die Stimmung. Sie war reizbar, heftig, bitter. Und was schlimmer, auch kapriziös. Van der Straaten unternahm einen Feldzug gegen diesen vielköpfigen Feind und im einzelnen nicht ohne Glück, aber in der Hauptsache griff er fehl, und während er ihrer Reizbarkeit klugerweise mit Nachgiebigkeit begegnete, war er, ihrer Kaprice gegenüber, unklugerweise darauf aus, sie durch Zärtlichkeit besiegen zu wollen. Und das entschied über ihn und sie. Jeder Tag wurde ihr qualvoller, und die sonst so stolze und siegessichere Frau, die mit dem Manne, dessen Spielzeug sie zu sein schien und zu sein vorgab, durch viele Jahre hin immer nur ihrerseits gespielt hatte, sie schrak jetzt zusammen und geriet in ein nervöses Zittern, wenn sie von fern her seinen Schritt auf dem Korridore hörte. Was wollte er? Um was kam er? Und dann war es ihr, als müsse sie fliehen und aus dem Fenster springen. Und kam er dann wirklich und nahm ihre Hand, um sie zu küssen, so sagte sie: »Geh. Ich bitte dich. Ich bin am liebsten allein.«

Und wenn sie dann allein war, so stürzte sie fort, oft ohne Ziel, öfter noch in Anastasiens stille, zurückgelegene Wohnung, und wenn dann der Erwartete kam, dann brach alle Not ihres Herzens in bittere Tränen aus, und sie schluchzte und jammerte, daß sie dieses Lügenspiel nicht mehr ertragen könne. »Steh mir bei, hilf mir, Ruben, oder du siehst mich nicht lange mehr. Ich muß fort, fort, wenn ich nicht sterben soll vor Scham und Gram.«

Und er war mit erschüttert und sagte: »Sprich nicht so, Melanie. Sprich nicht, als ob ich nicht alles wollte, was du willst. Ich habe dein Glück zerstört – *wenn* es ein Glück war – und ich will es wieder aufbauen. Überall in der Welt, *wie* du willst und *wo* du willst. Jede Stunde, jeden Tag.«

Und dann bauten sie Luftschlösser und träumten und hatten eine lachende Zukunft um sich her. Aber auch wirkliche Pläne wurden laut, und sie trennten sich unter glücklichen Tränen.

15

Die Vernezobres

Und was geplant worden war, das war Flucht. Den letzten Tag im Januar wollten sie sich an einem der Bahnhöfe treffen, in früher Morgenstunde, und dann fahren, weit, weit in die Welt hinein, nach Süden zu über die Alpen. »Ja, über die Alpen«, hatte Melanie gesagt und aufgeatmet, und es war ihr dabei gewesen, als wäre erst ein neues Leben für sie gewonnen, wenn der große Wall der Berge trennend und schützend hinter ihr läge. Und auch darüber war gesprochen worden, was zu geschehen habe, wenn van der Straaten ihr Vorhaben etwa hindern wolle. »Das wird er nicht«, hatte Melanie gesagt. »Und warum nicht? Er ist nicht immer der Mann der zarten Rücksichtnahmen und liebt es mitunter, die Welt und ihr Gerede zu brüskieren.« – »Und doch wird er sich's ersparen, sich und uns. Und wenn du wieder fragst, warum? Weil er mich liebt. Ich hab es ihm freilich schlecht gedankt. Ach, Ruben, Freund, was sind wir in unserem Tun und Wollen! Undank, Untreue ... mir so verhaßt! Und doch ... ich tät es wieder, alles, alles. Und ich will es nicht anders, als es ist.«

So vergingen die Januarwochen. Und nun war es die Nacht vor dem festgesetzten Tage. Melanie hatte sich zu früher Stunde niedergelegt und ihrer alten Dienerin befohlen, sie Punkt drei zu wecken. Auf diese konnte sie sich unbedingt verlassen, trotzdem Christel ihren Dienstjahren, aber freilich auch nur diesen nach, zu jenen Erbstücken des Hauses gehörte, die sich unter Duquedes Führung in einer stillen Opposition gegen Melanie gefielen.

Und kaum, daß es drei geschlagen, so war Christel da, fand aber ihre Herrin schon auf und konnte derselben nur noch beim Ankleiden behilflich sein. Und auch das war nicht viel, denn es zitterten ihr die Hände, und sie hatte, wie sie sich ausdrückte, »einen Flimmer vor den Augen«. Endlich aber war doch alles fertig, der feste Lederstiefel saß, und Melanie sagte: »So ist's gut, Christel. Und nun gib die Handtasche her, daß wir packen können.«

Christel holte die Tasche, die dicht am Fenster auf einer Spiegelkonsole stand, und öffnete das Schloß. »Hier, das tu hinein. Ich hab alles aufgeschrieben.« Und Melanie riß, als sie dies sagte, ein Blatt aus ihrem Notizbuch und gab es der Alten. Diese hielt den Zettel neben das Licht und las und schüttelte den Kopf.

»Ach, meine gute, liebe Frau, das ist ja gar nichts... Ach, meine liebe, gute Frau, Sie sind ja...«

»So verwöhnt, willst du sagen. Ja, Christel, das bin ich. Aber Verwöhnung ist kein Glück. Ihr habt hier ein Sprichwort: ›Wenig mit Liebe.‹ Und die Leute lachen darüber. Aber über das Wahrste wird immer gelacht. Und dann, wir gehen ja nicht aus der Welt. Wir reisen bloß. Und auf Reisen heißt es: Leicht Gepäck. Und sage selbst, Christel, ich kann doch nicht mit einem Riesenkoffer aus dem Hause gehen. Da fehlte bloß noch der Schmuck und die Kassette.«

Melanie hatte, während sie so sprach, ihre Hände dicht über das halb niedergebrannte Feuer gehalten. Denn es war kalt und sie fröstelte. Jetzt setzte sie sich in einen nebenstehenden Fauteuil und sah abwechselnd in die glühenden Kohlen und dann wieder auf Christel, die das Wenige, was aufgeschrieben war, in die Tasche tat und immer leise vor sich hinsprach und weinte. Und nun war alles hinein, und sie drückte den Bügel ins Schloß und stellte die Tasche vor Melanie nieder.

So verging eine Weile. Keiner sprach. Endlich aber trat Christel von hinten her an ihre junge Herrin heran und sagte, » Jott, liebe, jnädige Frau, muß es denn ... Bleiben Sie doch. Ich bin ja bloß solch alte, dumme Person. Aber die Dummen sind oft gar nicht so dumm. Und ich sag Ihnen, meine liebe Jnädigste, Sie jlauben jar nich, woran sich der Mensch alles jewöhnen kann. Jott, der Mensch jewöhnt sich an alles. Und wenn man reich ist und hat so viel, da kann man auch viel aushalten. Un vor mir wollt ich woll einstehn. Un wie jeht es denn? Un wie leben denn die Menschen? In jedes Haus is'n Gespenst, sagen sie jetzt, un das is so'ne neumodsche Redensart! Aber wahr is es. Und in manches Haus sind zweie, un rumoren, daß man's bei hellen, lichten Dage hören kann. Un so war es auch bei Vernezobres. Ich bin ja nu fufzig, und dreiundzwanzig hier. Un sieben vorher bei Vernezobres. Un war auch Kommerzienrat un alles ebenso. Das heißt, beinah.«

»Und wie war es denn?« lächelte Melanie.

»Jott, wie war es? Wie's immer is. Sie war dreißig, un er war fufzig. Und sie war sehr hübsch. Drall und blond, sagten die Leute. Na, und er? Ich will jar nich sagen, was die Leute von ihm alles gesagt haben. Aber viel Jutes war es nich... Un natürlich, da war ja denn auch ein Baumeister, das heißt eigentlich kein richtiger Baumeister, bloß einer, der immer Brücken baut, vor Eisenbahnen un so, un immer mit'n Gitter un schräge Löcher, wo man durchkucken kann. Und der war ja nu da un wie'n Wiesel, un immer mit ins Konzert un nach Saatwinkel oder Pichelsberg, un immer's Jackett übern Arm, un Fächer un Sonnenschirm, un immer Erdbeeren gesucht un immer verirrt un nie da, wenn die Herrschaften wieder nach Hause wollten. Un unser Herr, der ängstigte sich, un dacht immer, es wäre was passiert. Un was die andern waren, na, die tuschelten.«

»Und trennten sie sich? Oder blieben sie zusammen? Ich meine die Vernezobres«, fragte Melanie, die mit halber Aufmerksamkeit zugehört hatte.

»Natürlich blieben sie. Mal hört ich, weil ich nebenan war, daß er sagte: ›Hulda, das geht nicht.‹ Denn sie hieß wirklich Hulda. Und er wollt ihr Vorwürfe machen. Aber da kam er ihr jrade recht. Und sie drehte den Spieß um un sagte: was er nur wolle? Sie wolle fort. Un sie liebe ihn, das heißt den andern, un ihn liebe sie *nicht*. Un sie dächte gar nicht dran, ihn zu lieben. Und es wär eijentlich bloß zum Lachen. Und so ging es weiter, und sie lachte wirklich. Und ich sag Ihnen, da wurd er wie'n Ohrwurm und sagte bloß: ›sie sollte sich's doch überlegen.‹ Un so kam es denn auch, un als Ende Mai war, da kam ja der Vernezobresche Doktor, so'n richtiger, der alles janz genau wußte, der sagte, ›sie müßte nachs Bad‹, wovon ich aber den Namen immer vergesse, weil da der Wellenschlag am stärksten ist. Un das war ja nu damals, als sie jrade die große Hängebrücke bauten, un die Leute sagten, er könnt es alles am besten ausrechnen.

Un was unser Kommerzienrat war, der kam immer bloß Sonnabends. Un die Woche hatten sie frei. Un als Ende August war, oder so, da kam sie wieder un war ganz frisch un munter un hatte orntlich rote Backen, und kajolierte ihn. Und von *ihm* war gar keine Rede mehr.«

Melanie hatte, während Christel sprach, ein paar Holzscheite auf die Kohlen geworfen, so daß es wieder prasselte, und sagte: »Du meinst es gut. Aber so geht es nicht. Ich bin doch anders. Und wenn ich's nicht bin, so bild ich es mir wenigstens ein.«

»Jott«, sagte Christel, »en bißchen anders is es immer. Un sie war auch bloß von Neu-Cölln ans Wasser, un die Singuhr immer jrade gegenüber. Aber die war nicht schuld mit ›Üb' immer Treu' und Redlichkeit‹.«

»Ach, meine gute Christel, Treu' und Redlichkeit! Danach drängt es jeden, jeden, der nicht ganz schlecht ist. Aber weißt du, man kann auch treu sein, wenn man untreu ist. Treuer als in der Treue.«

»Jott, liebe Jnädigste, sagen Se doch so was nich. Ich versteh es eigentlich nich. Un das muß ich Ihnen sagen, wenn einer so was sagt un ich versteh es nicht, denn is es immer schlimm. Und Sie sagen, Sie sind anders. Ja, das is schon richtig, un wenn es auch nich janz richtig is, so is es doch halb richtig. Un was die Hauptsache is, das is, meine liebe Jnädigste, die hat eijentlich das liebe, kleine Herz auf'n rechten Fleck, un is immer für helfen und geben, un immer für die armen Leute. Un was die Vernezobern war, na, die putzte sich bloß, un war immer vor'n Stehspiegel, der alles noch hübscher machte, und sah aus wie's Modejournal und war eijentlich dumm. Wie'n Haubenstock, sagten die Leute. Und war auch nich so was Vornehmes, wie meine liebe Jnädigste, un bloß aus 'ne Färberei, türkischrot. Aber, das muß ich Ihnen sagen, Ihrer is doch auch anders als der Vernezobern ihrer war, und hat sich gar nicht, un red't immer frei weg, un kann keinen was abschlagen. Un zu Weihnachten immer alles doppelt.«

Melanie nickte.

»Nu, sehen Sie, meine liebe Jnädigste, das is hübsch, daß Sie mir zunicken, un wenn Sie mir immer wieder zunicken, dann kann es auch alles noch wieder werden, un wir packen alles wieder aus, un Sie legen sich ins Bett un schlafen bis an'n hellen lichten Tag. Un Klocker zwölfe bring ich Ihnen Ihren Kaffee un Ihre Schokolade, alles gleich auf *ein* Brett, un wenn ich Ihnen dann erzähle, daß wir hier gesessen und was wir alles gesprochen haben, dann is es Ihnen wie'n Traum. Denn dabei bleib ich, er is eijentlich auch ein juter Mann, ein sehr juter, un bloß ein bißchen sonderbar. Un sonderbar is nichts Schlimmes. Und ein reicher Mann wird es doch wohl am Ende dürfen! Und wenn *ich* reich wäre, ich wäre noch viel sonderbarer. Un daß er immer so spricht un solche Redensarten macht, als hätt er keine Bildung nich un wär von'n Wedding oder so, ja du himmlische Güte, warum soll er nich? Warum soll er nicht so reden, wenn es ihm Spaß macht? Er is nu mal fürs Berlinsche. Aber is er denn nich einer? Und am Ende ...«

16

Abschied

Christel unterbrach sich und zog sich erschrocken in die Nebenstube zurück, denn van der Straaten war eingetreten. Er war noch in demselben Gesellschaftsanzug, in dem er, eine Stunde nach Mitternacht, nach Hause gekommen war, und seine überwachten Züge zeigten Aufregung und Ermattung. Von welcher Seite her er Mitteilung über Melanies Vorhaben erhalten hatte, blieb unaufgeklärt. Aus allem war nur ersichtlich, daß er sich gelobt hatte, die Dinge ruhig gehen zu lassen. Und wenn er dennoch kam, so geschah es nicht, um gewaltsam zu hindern, sondern nur, um Vorstellungen zu machen, um zu bitten. Es kam nicht der empörte Mann, sondern der liebende.

Er schob einen Fauteuil an das Feuer, ließ sich nieder, so daß er jetzt Melanie gegenüber saß, und sagte leicht und geschäftsmäßig: »Du willst fort, Melanie?«

»Ja, Ezel.«

»Warum?«

»Weil ich einen andern liebe.«

»Das ist kein Grund.«

»Doch.«

»Und ich sage dir, es geht vorüber, Lanni. Glaube mir; ich kenne die Frauen. Ihr könnt das Einerlei nicht ertragen, auch nicht das Einerlei des Glücks. Und am verhaßtesten ist euch das eigentliche, das höchste Glück, das Ruhe bedeutet. Ihr seid auf die Unruhe gestellt. Ein bißchen schlechtes Gewissen habt ihr lieber, als ein gutes, das nicht prickelt, und unter allen Sprichwörtern ist euch das vom ›besten Ruhekissen‹ am langweiligsten und am lächerlichsten. Ihr wollt gar nicht ruhen. Es soll euch immer was kribbeln und zwicken, und ihr habt den überspannt sinnlichen oder meinetwegen auch den heroischen Zug, daß ihr dem Schmerz die süße Seite abzugewinnen wißt.«

»Es ist möglich, daß du recht hast, Ezel. Aber je mehr du recht hast, je mehr rechtfertigst du mich und mein Vorhaben. Ist es wirklich, wie du sagst, so wären wir geborene Hazardeurs, und Va banque spielen so recht eigentlich unsere Natur. Und natürlich auch die meinige.«

Er hörte sie gern in dieser Weise sprechen, es klang ihm wie aus guter, alter Zeit her, und er sagte, während er den Fauteuil vertraulich näher rückte: »Laß uns nicht spießbürgerlich sein, Lanni. Sie sagen, ich wär ein Bourgeois, und es mag sein. Aber ein Spießbürger bin ich *nicht*. Und wenn ich die Dinge des Lebens nicht sehr groß und nicht sehr ideal nehme, so nehm ich sie doch auch nicht klein und eng. Ich bitte dich, übereile nichts. Meine Kurse stehen jetzt niedrig, aber sie werden wieder steigen. Ich bin nicht Geck genug, mir einzubilden, daß du schönes und liebenswürdiges Geschöpf, verwöhnt und ausgezeichnet von den Klügsten und Besten, daß du mich aus purer Neigung oder gar aus Liebesschwärmerei genommen hättest. Du hast mich genommen, weil du noch jung warst und noch keinen liebtest und in deinem witzigen und gesunden Sinn einsehen mochtest, daß die jungen Attachés auch keine Helden und Halbgötter wären. Und weil die Firma van der Straaten einen guten Klang hatte. Also nichts von Liebe. Aber du hast auch nichts *gegen* mich gehabt und hast mich nicht ganz alltäglich gefunden, und hast mit mir geplaudert und gelacht und gescherzt. Und dann hatten wir die Kinder, die doch schließlich reizende Kinder sind, zugestanden, *dein* Verdienst, und du hast enfin an die zehn Jahre in der Vorstellung und Erfahrung gelebt, daß es nicht zu den schlimmsten Dingen zählt, eine junge, bequem gebettete Frau zu sein und der Augapfel ihres Mannes, eine junge, verwöhnte Frau, die tun und lassen kann, was sie will, und als Gegenleistung nichts anderes einzusetzen braucht, als ein freundliches Gesicht, wenn es ihr gerade paßt. Und sieh, Melanie, weiter will ich auch jetzt nichts, oder sag ich lieber, will ich auch in Zukunft nichts. Denn in diesem Augenblick erscheint dir auch das Wenige, was ich fordere, noch als zu viel. Aber es wird wieder anders, muß wieder anders werden. Und ich wiederhole dir, ein Minimum ist mir genug. Ich will keine Leidenschaft. Ich will nicht, daß du mich ansehen sollst, als ob ich Leone Leoni wär oder irgendein anderer großer Romanheld, dem zuliebe die Weiber Giftbecher trinken wie Mandelmilch und lächelnd sterben, bloß um *ihn* noch einmal lächeln zu sehen. Ich bin nicht Leone Leoni, bin bloß deutsch und von holländischer Abstraktion, wodurch das Deutsche nicht besser wird, und habe die mir abstammlich zukommenden hohen Backenknochen. Ich bewege mich nicht in Illusionen, am wenigsten über meinen äußeren Menschen, und ich verlange keine Liebesgroßtaten von dir. Auch nicht einmal Entsagungen. Entsagungen machen sich zuletzt von selbst, und das sind die besten. Die besten, weil es die freiwilligen und eben deshalb auch die dauerhaften und zuverlässigen sind. Übereile nichts. Es wird sich alles wieder zurechtrücken.«

Er war aufgestanden und hatte die Lehne des Fauteuils genommen, auf der er sich jetzt hin und her wiegte. »Und nun noch eins, Lanni«, fuhr er fort, »ich bin nicht der Mann der Rücksichtnahmen und hasse diese langweiligen ›Regards‹ auf nichts und wieder nichts. Aber dennoch sag ich dir, nimm Rücksicht auf dich *selbst*. Es ist nicht gut, immer nur an das zu denken, was die Leute sagen, aber es ist noch weniger gut, gar nicht daran zu denken. Ich hab es an mir selbst erfahren. Und nun überlege. Wenn du *jetzt* gehst ... Du weißt, was ich meine. Du kannst jetzt nicht gehen; nicht *jetzt*.«

»Eben deshalb geh ich, Ezel«, antwortete sie leise. »Es soll klar zwischen uns werden. Ich habe diese schnöde Lüge satt.«

Er hatte jedes Wort begierig eingesogen, wie man in entscheidenden Momenten auch das hören will, was einem den Tod gibt. Und nun war es gesprochen. Er ließ den Stuhl wieder nieder und warf sich hinein, und einen Augenblick war es ihm, als schwänden ihm die Sinne. Aber er erholte sich rasch wieder, rieb sich Stirn und Schläfe und sagte: »Gut. Auch das. Ich will es verwinden. Laß uns miteinander reden. Auch darüber reden. Du siehst, ich leide; mehr als all mein Lebtag. Aber ich weiß auch, es ist so Lauf der Welt, und ich habe kein Recht, dir Moral zu predigen. Was liegt nicht alles hinter mir! ... Es mußte so kommen, *mußte* nach dem van der Straatenschen Hausgesetz – warum sollen wir nicht auch ein Hausgesetz haben –, und ich glaube fast, ich wußt es von Jugend auf.« Und nach einer Weile fuhr er fort: »Es gibt ein Sprichwort ›Gottes Mühlen mahlen langsam‹, und sieh, als ich noch ein kleiner Junge war, hört ich's oft von unserer alten Kindermuhme, und mir wurde immer so bange dabei. Es war wohl eine Vorahnung. Nun bin ich zwischen den zwei Steinen, und mir ist, als würd ich zermahlen und zermalmt ...

Zermahlen?« Er schlug mit der rechten in die linke Hand und wiederholte noch einmal und in plötzlich verändertem Tone: »Zermahlen! Es hat eigentlich etwas Komisches. Und wahrhaftig, hol die Pest alle feigen Memmen. Ich will mich nicht länger damit quälen. Und ich ärgere mich über mich selbst und meine Haberei und Tuerei. Bah, die Nachmittagsprediger der Weltgeschichte machen zuviel davon, und wir sind dumm genug und plappern es ihnen nach. Und immer mit Vergessen allereigenster Herrlichkeit, und immer mit Vergessen, wie's war und ist und sein wird. Oder war es besser in den Tagen meines Paten Ezechiel? Oder als Adam grub und Eva spann? Ist nicht das ganze Alte Testament ein Sensationsroman? Dreidoppelte Geheimnisse von Paris! Und ich sage dir, Lanni, gemessen an *dem*, sind wir die reinen Lämmchen, weiß wie Schnee. Waisenkinder. Und so höre mich denn. Es soll niemand davon wissen, und ich will es halten, als ob es mein eigen wäre. Dein ist es ja, und das ist die Hauptsache. Denn so du's nicht übel nimmst, ich liebe dich und will dich behalten. Bleib. Es soll nichts sein. *Soll* nicht. Aber bleibe.«

Melanie war, als er zu sprechen begann, tief erschüttert gewesen, aber er selbst hatte, je weiter er kam, dieses Gefühl wieder weggesprochen. Es war eben immer dasselbe Lied. Alles, was er sagte, kam aus einem Herzen voll Gütigkeit und Nachsicht, aber die Form, in die sich diese Nachsicht kleidete, verletzte wieder. Er behandelte das, was vorgefallen, aller Erschütterung unerachtet, doch bagatellmäßig obenhin und mit einem starken Anfluge von zynischem Humor. Es war wohlgemeint, und die von ihm geliebte Frau sollte, seinem Wunsche nach, den Vorteil davon ziehn. Aber ihre vornehmere Natur sträubte sich innerlichst gegen eine solche Behandlungsweise. Das Geschehene, das wußte sie, war ihre Verurteilung vor der Welt, war ihre Demütigung, aber es war doch auch zugleich ihr Stolz, dies Einsetzen ihrer Existenz, dies rückhaltlose Bekenntnis ihrer Neigung. Und nun plötzlich sollte es *nichts* sein, oder doch nicht viel mehr als nichts, etwas ganz Alltägliches, über das sich hinwegsehen und hinweggehen lasse. Das widerstand ihr. Und sie fühlte deutlich, daß das Geschehene verzeihlicher war, als seine Stellung zu dem Geschehenen. Er hatte keinen Gott und keinen Glauben, und es blieb nur das eine zu seiner Entschuldigung übrig: daß sein Wunsch, ihr goldne Brücken zu bauen, sein Verlangen nach Ausgleich um *jeden* Preis, ihn anders hatte sprechen lassen, als er in seinem Herzen dachte. Ja, so war es. Und wenn es so war, so konnte sie dies Gnadengeschenk nicht annehmen. Jedenfalls wollte sie's nicht.

»Du meinst es gut, Ezel«, sagte sie. »Aber es kann nicht sein. Es hat eben alles seine natürliche Konsequenz, und *die*, die hier spricht, die scheidet uns. Ich weiß wohl, daß auch anderes geschieht, jeden Tag, und es ist noch keine halbe Stunde, daß mir Christel davon vorgeplaudert hat. Aber einem jeden ist das Gesetz ins Herz geschrieben, und danach fühl ich, ich muß fort. Du liebst mich, und deshalb willst du darüber hinsehen. Aber du darfst es nicht und du *kannst* es auch nicht. Denn du bist nicht jede Stunde derselbe, keiner von uns. Und keiner kann vergessen. Erinnerungen aber sind mächtig, und Fleck ist Fleck, und Schuld ist Schuld.«

Sie schwieg einen Augenblick und bog sich rechts nach dem Kamin hin, um ein paar Kohlenstückchen in die jetzt hellbrennende Flamme zu werfen. Aber plötzlich, als ob ihr ein ganz neuer Gedanke gekommen, sagte sie mit der ganzen Lebhaftigkeit ihres früheren Wesens: »Ach, Ezel, ich spreche von Schuld und wieder Schuld, und es muß beinah klingen, als sehnt ich mich danach, eine büßende Magdalena zu sein. Ich schäme mich ordentlich der großen Worte. Aber freilich, es gibt keine Lebenslagen, in denen man aus der Selbsttäuschung und dem Komödienspiele herauskäme. Wie steht es denn eigentlich? Ich will fort, nicht aus Schuld, sondern aus Stolz, und will fort, um mich vor mir selber wieder herzustellen. Ich kann das kleine Gefühl nicht länger ertragen, das an aller Lüge haftet; ich will wieder klare Verhältnisse sehen und will wieder die Augen aufschlagen können. Und das kann ich nur, wenn ich gehe, wenn ich mich von dir trenne und mich offen und vor aller Welt zu meinem Tun bekenne. Das wird ein groß Gerede geben, und die Tugendhaften und Selbstgerechten werden es mir nicht verzeihen. Aber die Welt besteht nicht aus lauter Tugendhaften und Selbstgerechten, sie besteht auch aus Menschen, die Menschliches menschlich ansehen. Und auf *die* hoff ich, *die* brauch ich. Und vor allem brauch ich mich selbst. Ich will wieder in Frieden mit mir selber leben, und wenn nicht in Frieden, so doch wenigstens ohne Zwiespalt und zweierlei Gesicht.«

Es schien, daß van der Straaten antworten wollte, aber sie litt es nicht und sagte: »Sage nicht nein. Es ist so und nicht anders. Ich will den Kopf wieder hochhalten und mich wieder fühlen lernen. Alles ist eitel Selbstgerechtigkeit. Und ich weiß auch, es wäre besser und selbstsuchtsloser, ich bezwänge mich und bliebe, freilich immer vorausgesetzt, ich könnte mit einer Einkehr bei mir selbst beginnen. Mit Einkehr und mit Reue. Aber das kann ich nicht. Ich habe nur ein ganz äußerliches Schuldbewußtsein, und wo mein Kopf sich unterwirft, da protestiert mein Herz. Ich nenn es selber ein störrisches Herz, und ich versuche keine Rechtfertigung. Aber es wird nicht anders durch mein Schelten und Schmähen. Und sieh, so hilft mir denn eines nur und reißt mich eines nur aus mir heraus: ein ganz neues Leben und in ihm *das*, was das erste vermissen ließ: Treue. Laß mich gehen. Ich will nichts beschönigen, aber das laß mich sagen: Es trifft sich gut, daß das Gesetz, das uns scheidet, und mein eignes selbstisches Verlangen zusammenfallen.«

Er hatte sich erhoben, um ihre Hand zu nehmen, und sie ließ es geschehen. Als er sich aber niederbeugen und ihr die Stirn küssen wollte, wehrte sie's und schüttelte den Kopf. »Nein, Ezel, nicht so. Nichts mehr zwischen uns, was stört und verwirrt und quält und ängstigt, und immer nur erschweren und nichts mehr ändern kann ... Ich werd erwartet. Und ich will mein neues Leben nicht mit einer Unpünktlichkeit beginnen. Unpünktlich sein, ist unordentlich sein. Und davor hab ich mich zu hüten. Es soll Ordnung in mein Leben kommen, Ordnung und Einheit. Und nun leb wohl und vergiß.«

Er hatte sie gewähren lassen, und sie nahm die kleine Reisetasche, die neben ihr stand, und ging. Als sie bis an die Tapetentür gekommen war, die zu der Kinderschlafstube führte, blieb sie stehen und sah sich noch einmal um. Er nahm es als ein gutes Zeichen und sagte: »Du willst die Kinder sehen!«

Es war das Wort, das sie gefürchtet hatte, das Wort, das in ihr selber sprach. Und ihre Augen wurden groß, und es flog um ihren Mund, und sie hatte nicht die Kraft, ein »Nein« zu sagen. Aber sie bezwang sich und schüttelte nur den Kopf und ging auf Tür und Flur zu.

Draußen stand Christel, ein Licht in der Hand, um ihrer Herrin das Täschchen abzunehmen und sie die beiden Treppen hinabzubegleiten. Aber Melanie wies es zurück und sagte: »Laß, Christel, ich muß nun meinen Weg allein finden.« Und auf der zweiten Treppe, die dunkel war, begann sie wirklich zu suchen und zu tappen.

»Es beginnt früh«, sagte sie.

Das Haus war schon auf, und draußen blies ein kalter Wind

von der Brüderstraße her, über den Platz weg, und der Schnee federte leicht in der Luft. Sie mußte dabei des Tages denken, nun beinah jährig, wo der Rollwagen vor ihrem Hause hielt, und wo die Flocken auch wirbelten wie heut, und die kindische Sehnsucht über sie kam, zu steigen und zu fallen wie sie.

Und nun hielt sie sich auf die Brücke zu, die nach dem Spittelmarkt führt, und sah nichts als den Laternenanstecker ihres Reviers, der mit seiner langen, schmalen Leiter immer vor ihr her lief und wenn er oben stand, halb neugierig und halb pfiffig auf sie niedersah und nicht recht wußte, was er aus ihr machen sollte.

Jenseits der Brücke kam eine Droschke langsam auf sie zu. Der Kutscher schlief, und das Pferd eigentlich auch, und da nichts Besseres in Sicht war, so zupfte sie den immer noch Verschlafenen an seinem Mantel und stieg endlich ein und nannt' ihm den Bahnhof. Und es war auch, als ob er sie verstanden und zugestimmt habe. Kaum aber, daß sie saß, so wandt er sich auf dem Bock um und brummelte durch das kleine Guckloch: »er sei Nachtdroschke, un janz klamm, un von Klock elwe nichts in'n Leib. Un er wolle jetzt nach Hause.« Da mußte sie sich aufs Bitten legen, bis er endlich nachgab. Und nun schlug er auf das arme Tier los, und holprig ging es die lange Straße hinunter.

Sie warf sich zurück und stemmte die Füße gegen den Rücksitz, aber die Kissen waren feucht und kalt, und das eben erlösende Lämpchen füllte die Droschke mit einem trüben Qualm. Ihre Schläfen fühlten mehr und mehr einen Druck, und ihr wurde weh und widrig in der elenden Armeleuteluft. Endlich ließ sie die Fenster nieder und freute sich des frischen Windes, der durchzog. Und freute sich auch des erwachenden Lebens der Stadt. Und jeden Bäckerjungen, der trällernd und pfeifend, und seinen Korb mit Backwaren hoch auf dem Kopf, an ihr vorüberzog, hätte sie grüßen mögen. Es war doch ein heiterer Ton, an dem sich ihre Niedergedrücktheit aufrichten konnte.

Sie waren jetzt bis an die letzte Querstraße gekommen, und in fortgesetztem und immer nervöser werdendem Hinaussehen erschien es ihr, als ob alle Fuhrwerke, die denselben Weg hatten, ihr eignes, elendes Gefährt in wachsender Eil' überholten. Erst einige, dann viele. Sie klopfte, rief. Aber alles umsonst. Und zuletzt war es ihr, als läg es an ihr, und als versagten ihr die Kräfte, und als sollte sie die letzte sein und käme nicht mehr mit, heute nicht und morgen nicht und nie mehr. Und ein Gefühl unendlichen Elends überkam sie. »Mut, Mut«, rief sie sich zu und raffte sich zusammen und zog ihre Füße von dem Rücksitzkissen und richtete sich auf. Und sieh, ihr wurde besser. Mit ihrer äußeren Haltung kam ihr auch die innere zurück.

Und nun endlich hielt die Droschke, und weil weder oben, noch auch vorne bei dem Kutscher etwas von Gepäckstücken sichtbar war, war auch niemand da, der sich dienstbar gezeigt und den Droschkenschlag geöffnet hätte. Sie mußt es von innen her selber tun. »Wenn er nicht da wäre!« Doch sie hatte nicht Zeit, es auszudenken. Im nächsten Augenblicke schon trat von einem der Auffahrtpfeiler her Rubehn an sie heran und bot ihr die Hand, um ihr beim Aussteigen behilflich zu sein. Ihr Fuß stand eben auf dem mit Stroh umwickelten Tritt, und sie lehnte den Kopf an seine Schulter und flüsterte: »Gott sei Dank! Ach, war *das* eine Stunde! Sei gut, einzig Geliebter, und lehre sie mich vergessen.«

Und er hob die geliebte Last und setzte sie nieder, und nahm ihren Arm und das Täschchen, und so schritten sie die Treppe hinauf, die zu dem Perron und dem schon haltenden Zuge führte.

17

Della Salute

»Nach Süden!« Und in kurzen, oft mehrtägig unterbrochenen Fahrten, wie sie Melanies erschütterte Gesundheit unerläßlich machte, ging es über den Brenner, bis sie gegen Ende Februar in Rom eintrafen, um daselbst das Osterfest abzuwarten und »Nachrichten aus der Heimat«. Es war ein absichtlich indifferentes Wort, das sie wählten, während es sich doch in Wahrheit um Mitteilungen handelte, die für ihr Leben entscheidend waren, und die länger ausblieben als erwünscht. Aber endlich waren sie da, diese »Nachrichten aus der Heimat«, und der nächste Morgen bereits sah beide vor dem Eingang einer kleinen englischen Kapelle, deren alten Reverend sie schon vorher kennengelernt und, durch seine Milde dazu bestimmt, ins Vertrauen gezogen hatten. Auch ein paar Freunde waren zugegen, und unmittelbar nach der kirchlichen Handlung brach man auf, um, nach monatelangem Eingeschlossensein in der Stadt, einmal außerhalb ihrer Mauern aufatmen und sich der Krokus- und Veilchenpracht in Villa d'Este freuen zu können. Und alles freute sich wirklich, am meisten aber Melanie. Sie war glücklich, unendlich glücklich. Alles, was ihr das Herz bedrückt hatte, war wie mit einem Schlage von ihr genommen, und sie lachte wieder, wie sie seit lange nicht mehr gelacht hatte, kindlich und harmlos. Ach, wem *dies* Lachen wurde, dem bleibt es, und wenn es schwand, so kehrt es wieder. Und es überdauert alle Schuld und baut uns die Brücken vorwärts und rückwärts in eine bessere Zeit.

Wohl, es war ihr so frei geworden an diesem Tag, aber sie wollt es noch freier haben, und als sie, bei Dunkelwerden, in ihre Wohnung zurückkehrte, drin die treffliche römische Wirtin außer dem hohen Kaminfeuer auch schon die dreidochtige Lampe angezündet hatte, beschloß sie, denselben Abend noch an ihre Schwester Jacobine zu schreiben, allerlei Fragen zu tun und nebenher von ihrem Glück und ihrer Reise zu plaudern.

Und sie tat es und schrieb:

»Meine liebe Jacobine. Heute war ein rechter Festestag, und was mehr ist, auch ein glücklicher Tag, und ich möchte meinem Danke so gern einen Ausdruck geben. Und da schreib ich denn. Und an wen lieber, als an Dich, Du mein geliebtes Schwesterherz. Oder willst Du das Wort nicht mehr hören? Oder darfst Du nicht?

Ich schreibe Dir diese Zeilen in der Via Catena, einer kleinen Querstraße, die nach dem Tiber hinführt, und wenn ich die Straße hinuntersehe, so blinken mir, vom andern Ufer her, ein paar Lichter entgegen. Und diese Lichter kommen von der Farnesina, der berühmten Villa, drin Amor und Psyche sozusagen aus allen Fensterkappen sehen. Aber ich sollte nicht so scherzhaft über derlei Dinge sprechen, und ich könnt es auch nicht, wenn wir heute nicht in der Kapelle gewesen wären. Endlich, endlich! Und weißt Du, wer mit unter den Zeugen war? Unser Hauptmann von Brausewetter, Dein alter Tänzer von Dachrödens her. Und lieb und gut und ohne Hoffart. Und wenn man in der Acht ist, die noch schlimmer ist als das Unglück, so hat man ein Auge dafür, und das Bild, Du weißt schon, über das ich damals so viel gespottet und gescherzt habe, es will mir nicht aus dem Sinn. Immer dasselbe ›Steinige, steinige‹. Und die Stimme schweigt, die vor den Pharisäern das himmlische Wort sprach.

Aber nichts mehr davon, ich plaudre lieber.

Wir reisten in kleinen Tagereisen, und ich war anfänglich abgespannt und freudlos, und wenn ich eine Freude zeigte, so war es nur um Rubens willen. Denn er tat mir so leid. Eine weinerliche Frau! Ach, das ist das Schlimmste, was es gibt. Und gar erst auf Reisen. Und so ging es eine ganze Woche lang, bis wir in die Berge kamen. Da wurd es besser, und als wir neben dem schäumenden Inn hinfuhren und an demselben Nachmittage noch in Innsbruck ein wundervolles Quartier fanden, da fiel es von mir ab und ich konnte wieder aufatmen. Und als Ruben sah, daß mir alles so wohltat und mich erquickte, da blieb er noch den folgenden Tag und besuchte mit mir alle Kirchen und Schlösser und zuletzt auch die Kirche, wo Kaiser Max begraben liegt. Es ist derselbe von der Martinswand her, und derselbe auch, der zu Luthers Zeiten lebte. Freilich schon als ein sehr alter Herr. Und es ist auch der, den Anastasius Grün als ›Letzten Ritter‹ gefeiert hat, worin er vielleicht etwas zu weit gegangen ist. Ich glaube nämlich nicht, daß er der letzte Ritter war. Er war überhaupt zu stark und zu korpulent für einen Ritter, und ohne Dir schmeicheln zu wollen, find ich, daß Gryczinski ritterlicher ist. Sonderbarerweise fühl ich mich überhaupt eingepreußter als ich dachte, so daß mir auch das Bildnis Andreas Hofers wenig gefallen hat. Er trägt einen Tyroler Spruchgürtel um den Leib und wurde zu Mantua, wie Du vielleicht gehört haben wirst, erschossen. Manche tadeln es, daß er sich geängstigt haben soll. Ich für mein Teil habe nie begreifen können, wie man es tadeln will, nicht gern erschossen zu werden.

Und dann gingen wir über den Brenner, der ganz in Schnee lag, und es sah wundervoll aus, wie wir an derselben Bergwand, an der unser Zug emporkletterte, zwei, drei andere Züge tief unter uns sahen, so winzig und unscheinbar wie die Futterkästchen an einem Zeisigbauer. Und denselben Abend noch waren wir in Verona. Das vorige Mal, als ich dort war, hatt ich es nur passiert, jetzt aber blieben wir einen Tag, weil mir Ruben das altrömische Theater zeigen wollte, das sich hier befindet. Es war ein kalter Tag, und mich fror in dem eisigen Winde, der ging, aber ich freue mich doch, es gesehen zu haben. Wie beschreib ich es Dir nun? Du mußt Dir das Opernhaus denken, aber nicht an einem gewöhnlichen Tage, sondern an einem Subskriptionsballabend, und an der Stelle, wo die Musik ist, rundet es sich auch noch. Es ist nämlich ganz eiförmig und amphitheatralisch, und der Himmel als Dach darüber, und ich würd es alles sehr viel mehr noch genossen haben, wenn ich mich nicht hätte verleiten lassen, in einem benachbarten Restaurant ein Salamifrühstück zu nehmen, das mir um ein Erhebliches zu national war.

Die Woche darauf kamen wir nach Florenz, und wenn ich Duquede wäre, so würd ich sagen: es wird überschätzt. Es ist voll

Engländer und Bilder, und mit den Bildern wird man nicht fertig. Und dann haben sie die ›Cascinen‹, etwas wie unsre Tiergarten- und Hofjägerallee, worauf sie sehr stolz sind, und man sieht auch wirklich Fuhrwerke mit sechs und zwölf und sogar mit vierundzwanzig Pferden. Aber ich habe sie nicht gesehen und will Dich durch Zahlenangaben nicht beirren. Über den Arno führt eine Budenbrücke, nach Art des Rialto, und wenn Du von den vielen Kirchen und Klöstern absehen willst, so gilt der alte Herzogspalast als die Hauptsehenswürdigkeit der Stadt. Und am schönsten finden sie den kleinen Turm, der aus der Mitte des Palastes aufwächst, nicht viel anders als ein Schornstein mit einem Kranz und einer Galerie darum. Es soll aber sehr originell gedacht sein. Und zuletzt findet man es auch. Und in der Nähe befindet sich eine lange, schmale Gasse, die neben der Hauptstraße herläuft und in der beständig Wachteln am Spieß gebraten werden. Und alles riecht nach Fett, und dazwischen Lärm und Blumen und aufgetürmter Käse, so daß man nicht weiß, wo man bleiben und ob man sich mehr entsetzen oder freuen soll. Aber zuletzt freut man sich, und es ist eigentlich das Hübscheste, was ich auf meiner ganzen Reise gesehen habe. Natürlich Rom ausgenommen. Und nun bin ich in Rom.

Aber Herzens-Jacobine, davon kann ich Dir heute nicht schreiben, denn ich bin schon auf dem vierten Blatt, und Ruben wird ungeduldig und wirft aus seiner dunklen Ecke Konfetti nach mir, trotzdem wir den Karneval längst hinter uns haben. Und so brech ich denn ab und tue nur noch ein paar Fragen.

Freilich, jetzt, wo ich die Fragen stellen will, wollen sie mir nicht aus der Feder, und Du mußt sie erraten. Rätsel sind es nicht. In Deiner Antwort sei schonend, aber verschweige nichts. Ich muß das Unangenehme, das Schmerzliche tragen lernen. Es ist nicht anders. Über all das geb ich mich keinen Illusionen hin. Wer in die Mühle geht, wird weiß. Und die Welt wird schlimmere Vergleiche wählen. Ich möchte nur, daß bei meiner Verurteilung über die ›mildernden Umstände‹ nicht ganz hinweggegangen würde. Denn sieh, ich konnte nicht anders. Und ich habe nur noch den *einen* Wunsch, daß es mir vergönnt sein möchte, *dies* zu beweisen. Aber dieser Wunsch wird mir versagt bleiben, und ich werd allen Trost in meinem Glück und alles Glück in meiner Zurückgezogenheit suchen und finden müssen. Und das werd ich. Ich habe genug von dem Geräusch des Lebens gehabt, und ich sehne mich nach Einkehr und Stille. Die hab ich *hier*. Ach, wie schön ist diese Stadt, und mitunter ist es mir, als wär es wahr und als käm uns jedes Heil und jeder Trost aus Rom und nur aus Rom. Es ist ein seliges Wandeln an diesem Ort, ein Sehen und Hören als wie im Traum.

Und nun, meine süße Jacobine, lebe wohl und schreibe recht viel und recht ausführlich. Es interessiert mich alles, und ich sehne mich nach Nachricht, vor allem nach Nachricht... Aber Du weißt es ja. Nichts mehr davon. Immer die Deine.

Melanie R.«

Der Brief wurde noch denselben Abend zur Post gegeben, in dem dunklen Gefühl, daß eine rasche Beförderung auch eine rasche Antwort erzwingen könne. Aber diese Antwort blieb aus, und die darin liegende Kränkung würde sehr schmerzlich empfunden worden sein, wenn nicht Melanie wenige Tage nach Absendung des Briefes in ihre frühere Melancholie zurückverfallen wäre. Sie glaubte bestimmt, daß sie sterben werde, versuchte zu lächeln und brach doch plötzlich in einen Strom von Tränen aus. Denn sie hing am Leben und genoß inmitten ihres Schmerzes *ein* unendliches Glück: die Nähe des geliebten Mannes.

Und sie hatte wohl recht, sich dieses Glückes zu freuen. Denn alle Tugenden Rubehns zeigten sich um so heller, je trüber die Tage waren. Er kannte nur Rücksicht; keine Mißstimmung, keine Klage wurde laut, und über das Vornehme seiner Natur wurde die Zurückhaltung darin vergessen.

Und so vergingen trübe Wochen.

Ein deutscher Arzt endlich, den man zu Rate zog, erklärte, daß vor allem das Stillsitzen vermieden, dagegen umgekehrt für beständige neue Eindrücke gesorgt werden müsse. Mit anderen Worten, das, was er vorschlug, war ein beständiger Orts- und Luftwechsel. Ein solch' tagtägliches Hin und Her sei freilich selber ein Übel, aber ein kleineres, und jedenfalls das einzige Mittel, der inneren Ruhelosigkeit abzuhelfen.

Und so wurden denn neue Reisepläne geschmiedet und von der Kranken apathisch angenommen.

In kurzen Etappen, unter geflissentlicher Vermeidung von Eisenbahn und großen Straßen, ging es, durch Umbrien, immer höher hinauf an der Ostküste hin, bis sich plötzlich herausstellte, daß man nur noch zehn Meilen von Venedig entfernt sei. Und siehe, da kam ihr ein tiefes und sehnsüchtiges Verlangen, ihrer Stunde dort warten zu wollen. Und sie war plötzlich wie verändert und lachte wieder und sagte: »Della Salute! Weißt du noch?... Es heimelt mich an, es erquickt mich: das Wohl, das Heil! Oh, komm. Dahin wollen wir.«

Und sie gingen, und dort war es, wo die bange Stunde kam. Und einen Tag lang wußte der Zeiger nicht, wohin er sich zu stellen habe, ob auf Leben oder Tod. Als aber am Abend, von über dem Wasser her, ein wunderbares Läuten begann, und die todmatte Frau auf ihre Frage »von wo« die Antwort empfing, »von Della Salute«, da richtete sie sich auf und sagte: »Nun weiß ich, daß ich leben werde.«

18

Wieder daheim

Und ihre Hoffnung hatte sie nicht betrogen. Sie genas, und erst als die Herbsttage kamen, und das Gedeihen des Kindes und vor allem auch ihr eigenes Wohlbefinden einen Aufbruch gestattete, verließen sie die Stadt, an die sie sich durch ernste und heitere Stunden aufs innigste gekettet fühlten, und gingen in die Schweiz, um in dem lieblichsten der Täler, in dem Tale »zwischen den Seen«, eine neue, vorläufige Rast zu suchen.

Und sie lebten hier glücklich-stille Wochen, und erst als ein scharfer Nordwest vom Thuner See nach dem Brienzer hinüber- fuhr und den Tag darauf der Schnee so dicht fiel, daß nicht nur die »Jungfrau«, sondern auch jede kleinste Kuppe verschneit und vereist ins Tal herniedersah, sagte Melanie: »Nun ist es Zeit. Es kleidet nicht jeden Menschen das Alter und nicht jede Landschaft der Schnee. Der Winter ist in diesem Tale nicht zu Haus oder paßt wenigstens nicht recht hierher. Und ich möchte nun wieder *da* hin, wo man sich mit ihm eingelebt hat und ihn versteht.«

»Ich glaube gar«, lachte Rubehn, »du sehnst dich nach der Rousseauinsel!«

»Ja«, sagte sie. »Und nach viel anderem noch. Sieh, in drei Stunden könnt ich von hier aus in Genf sein und das Haus wie- dersehen, darin ich geboren wurde. Aber ich habe keine Sehn- sucht danach. Es zieht mich nach dem *Norden* hin, und ich emp- find ihn mehr und mehr als meine Herzensheimat. Und was auch dazwischen liegt, er muß es bleiben.«

*

Und an einem milden Dezembertage waren Rubehn und Me- lanie wieder in der Hauptstadt eingetroffen und mit ihnen die

Vreni oder »das Vrenel«, eine derbe schweizerische Magd, die sie, während ihres Aufenthalts in Interlaken, zur Abwartung des Kindes angenommen hatten. Eine vorzügliche Wahl. Am Bahnhof aber waren sie von Rubehns jüngerem Bruder empfangen und in ihre Wohnung eingeführt worden: eine reizende Mansarde, dicht am Westende des Tiergartens, ebenso reich wie geschmackvoll eingerichtet, und beinah Wand an Wand mit Duquede. »Sollen wir gute Nachbarschaft mit ihm halten?« hatten sie sich im Augenblick ihres Eintretens unter gegenseitiger Heiterkeit gefragt.

Melanie war sehr glücklich über Wohnung und Einrichtung, überhaupt über alles, und gleich am andern Vormittage setzte sie sich, als sie allein war, in eine der tiefen Fensternischen und sah auf die bereiften Bäume des Parks und auf ein paar Eichkätzchen, die sich haschten und von Ast zu Ast sprangen. Wie oft hatte sie dem zugesehen, wenn sie mit Liddy und Heth durch den Tiergarten gefahren war! Es stand plötzlich alles wieder vor ihr, und sie fühlte, daß ein Schatten auf die heiteren Bilder ihrer Seele fiel.

Endlich aber zog es auch *sie* hinaus, und sie wollte die Stadt wieder sehen, die Stadt und bekannte Menschen. Aber wen? Sie konnte nur bei der Freundin, bei dem Musikfräulein, vorsprechen. Und sie tat es auch, ohne daß sie schließlich eine Freude daran gehabt hätte. Anastasia kam ihr vertraulich und beinah überheblich entgegen, und in begreiflicher Verstimmung darüber kehrte Melanie nach Hause zurück. Auch hier war nicht alles, wie es sein sollte, das Vrenel in schlechter Laune, die Zimmer überheizt, und ihre Heiterkeit kam erst wieder, als sie Rubehns Stimme draußen auf dem Vorflur hörte.

Und nun trat er ein.

Es war um die Teestunde; das Wasser brodelte schon, und sie nahm des geliebten Mannes Arm und schritt plaudernd mit ihm über den dicken, türkischen Teppich hin. Aber er litt von der Hitze, die sie mit ihrem Taschentuche vergeblich fortzufächeln bemüht war. »Und nun sind wir im Norden!« lachte er. »Und nun sage, haben wir im Süden je so was von Glut und Samum auszuhalten gehabt?«

»O doch, Ruben. Entsinnst du dich noch, als wir das erste Mal nach dem Lido hinausfuhren? Ich wenigstens vergeß es nicht. All mein Lebtag hab ich mich nicht so geängstigt, wie damals auf dem Schiff: erst die Schwüle, und dann der Sturm. Und dazwischen das Blitzen. Und wenn es noch ein Blitzen gewesen wäre! Aber wie feurige Laken fiel es vom Himmel. Und du warst so ruhig.«

»Das bin ich immer, Herz, oder such es wenigstens zu sein. Mit unserer Unruhe wird nichts geändert und noch weniger gebessert.«

»Ich weiß doch nicht, ob du recht hast. In unserer Angst und Sorge beten wir, auch wir, die wir's in unseren guten Tagen an uns kommen lassen. Und das versöhnt die Götter. Denn sie wollen, daß wir uns in unserer Kleinheit und Hilfsbedürftigkeit fühlen lernen. Und haben sie nicht recht?«

»Ich weiß nur, daß *du* recht hast. Immer. Und dir zuliebe sollen auch die Götter recht haben. Bist du zufrieden damit?«

»Ja und nein. Was Liebe darin ist, ist gut, oder ich hör es wenigstens gern. Aber . . .«

»Lassen wir das ›aber‹, und nehmen wir lieber unseren Tee, der uns ohnehin schon erwartet. Und er hilft auch immer und gegen alles, und wird uns auch aus dieser afrikanischen Hitze helfen. Um aber sicher zu gehen, will ich doch lieber noch das Fenster öffnen.« Und er tat's, und unter dem halb aufgezogenen Rouleau hin zog eine milde Nachtluft ein.

»Wie mild und weich«, sagte Melanie.

»Zu weich«, entgegnete Rubehn. »Und wir werden uns auf kältere Luftströme gefaßt machen müssen.«

19

Inkognito

Melanie war froh, wieder daheim zu sein.

Was sich ihr notwendig entgegenstellen mußte, das übersah sie nicht, und die Furcht, der Rubehn Ausdruck gegeben hatte, war auch ihre Furcht. Aber sie war doch andrerseits sanguinischen Gemüts genug, um der Hoffnung zu leben, sie werd es überwinden. Und warum sollte sie's nicht? Was geschehen, erschien ihr, der Gesellschaft gegenüber, so gut wie ausgeglichen; allem Schicklichen war genügt, alle Formen waren erfüllt, und so gewärtigte sie nicht einer Strenge zu begegnen, zu der die Welt in der Regel nur greift, wenn sie's zu *müssen* glaubt, vielleicht einfach in dem Bewußtsein davon, daß, wer in einem Glashause wohnt, nicht mit Steinen werfen soll.

Melanie gewärtigte keines Rigorismus. Nichtsdestoweniger

stimmte sie dem Vorschlage bei, wenigstens während der nächsten Wochen noch ein Inkognito bewahren und erst von Neujahr an die nötigsten Besuche machen zu wollen.

So war es denn natürlich, daß man den Weihnachtsabend im engsten Zirkel verbrachte. Nur Anastasia, Rubehns Bruder und der alte Frankfurter Prokurist, ein versteifter und schweigsamer Junggeselle, dem sich erst beim dritten Schoppen die Zunge zu lösen pflegte, waren erschienen, um die Lichter am Christbaum brennen zu sehen. Und als sie brannten, wurd auch das Anninettchen herbeigeholt, und Melanie nahm das Kind auf den Arm und spielte mit ihm und hielt es hoch. Und das Kind schien glücklich und lachte und griff nach den Lichtern.

Und glücklich waren alle, besonders auch Rubehn, und wer ihn an diesem Abend gesehen hätte, der hätte nichts von Behagen und Gemütlichkeit an ihm vermißt. Alles Amerikanische war abgestreift.

In dem Nebenzimmer war inzwischen ein kleines Mahl serviert worden, und als einleitend erst durch Anastasia und danach auch durch den jüngeren Rubehn ein paar scherzhafte Gesundheiten ausgebracht worden waren, erhob sich zuletzt auch der alte Prokurist, um »aus vollem Glas und vollem Herzen« einen Schlußtoast zu proponieren. Das beste des Lebens, das wiß er aus eigner Erfahrung, sei das Inkognito. Alles, was sich auf den Markt oder auf die Straße stelle, das tauge nichts, oder habe doch nur Alltagswert; das, was wirklich Wert habe, das ziehe sich zurück, das berge sich in Stille, das verstecke sich. Die lieblichste Blume, darüber könne kein Zweifel sein, sei das Veilchen, und die poetischste Frucht, darüber könne wiederum kein Zweifel sein, sei die Walderdbeere. Beide versteckten sich aber, beide ließen sich suchen, beide lebten sozusagen inkognito. Und somit lasse er das Inkognito leben, oder die Inkognitos, denn Singular oder Plural sei ihm durchaus gleichgültig:

> Das oder die
> Ein volles Glas für Melanie;
> Die oder das,
> Für Ebenezer ein volles Glas.

Und danach fing er an zu singen.

Erst zu später Stunde trennte man sich, und Anastasia versprach, am andern Tage zu Tisch wiederzukommen; abermals einen Tag später aber (Rubehn war eben in die Stadt gegangen) erschien das Vrenel, um in ihrem Schweizer Deutsch und zugleich in sichtlicher Erregung den Polizeirat Reiff zu melden. Und sie beruhigte sich erst wieder, als ihre junge Herrin antwortete: »Ah, sehr willkommen. Ich lasse bitten, einzutreten.«

Melanie ging dem Angemeldeten entgegen. Er war ganz unverändert: derselbe Glanz im Gesicht, derselbe schwarze Frack, dieselbe weiße Weste.

»Welche Freude, Sie wieder zu sehen, lieber Reiff«, sagte Melanie und wies mit der Rechten auf einen neben ihr stehenden Fauteuil. »Sie waren immer mein guter Freund, und ich denke, Sie bleiben es.«

Reiff versicherte etwas von unveränderter Devotion und tat Fragen über Fragen. Endlich aber ließ er durch Zufall oder Absicht auch den Namen van der Straatens fallen.

Melanie blieb unbefangen und sagte nur: »*Den* Namen dürfen Sie nicht nennen, lieber Reiff, wenigstens jetzt nicht. Nicht, als ob er mir unfreundliche Bilder weckte. Nein, o nein. Wäre das, so dürften Sie's. Aber gerade, weil mir der Name nichts Unfreundliches zurückruft, weil ich nur weiß, ihm, der ihn trägt, wehe getan zu haben, so quält und peinigt er mich. Er mahnt mich an ein Unrecht, das dadurch nicht kleiner wird, daß ich es in meinem Herzen nicht recht als Unrecht empfinde. Also nichts von ihm. Und auch nichts ...« Und sie schwieg und fuhr erst nach einer Weile fort: »Ich habe nun mein Glück, ein wirkliches Glück; mais il faut payer pour tout et deux fois pour notre bonheur.«

Der Polizeirat stotterte eine verlegene Zustimmung, weil er nicht recht verstanden hatte.

»Wir aber, lieber Reiff«, nahm Melanie wieder das Wort, »wir müssen einen neutralen Boden finden. Und das werden wir. Das zählt ja zu den Vorzügen der großen Stadt. Es gibt immer hundert Dinge, worüber sich plaudern läßt. Und nicht bloß um Worte zu machen, nein, auch mit dem Herzen. Nicht wahr? Und ich rechne darauf, Sie wiederzusehen.«

Und bald danach empfahl sich Reiff, um die Droschke, darin er gekommen war, nicht allzulange warten zu lassen. Melanie aber sah ihm nach und freute sich, als er wenige Häuser entfernt dem aus der Stadt zurückkommenden Rubehn begegnete. Beide grüßten einander.

»Reiff war hier«, sagte Rubehn, als er einen Augenblick später eintrat. »Wie fandest du ihn?«

»Unverändert. Aber verlegener als ein Polizeirat sein sollte.«

»Schlechtes Gewissen. Er hat dich aushorchen wollen.«

»Glaubst du?«

»Zweifellos. Einer ist wie der andre. Nur ihre Manieren sind verschieden. Und Reiff hat die Harmlosigkeitsallüren. Aber vor dieser Species muß man doppelt auf der Hut sein. Und so lächerlich es ist, ich kann den Gedanken nicht unterdrücken, daß wir morgen ins schwarze Buch kommen.«

»Du tust ihm Unrecht. Er hat ein Attachement für mich. Oder ist es meinerseits bloß Eitelkeit und Einbildung?«

»Vielleicht. Vielleicht auch nicht. Aber diese guten Herren.., ihr bester Freund, ihr leiblicher Bruder ist nie sicher vor ihnen. Und wenn man sich darüber erstaunt oder beklagt, so heißt es ironisch und achselzuckend: ›c'est mon métier‹.«

*

Eine Woche später hatte das neue Jahr begonnen, und der Zeitpunkt war da, wo das junge Paar aus seinem Inkognito heraustreten wollte. Wenigstens Melanie. Sie war noch immer nicht bei Jacobine gewesen, und wiewohl sie sich, in Erinnerung an den unbeantwortet gebliebenen Brief, nicht viel Gutes von diesem Besuche versprechen konnte, so mußte er doch auf jede Gefahr hin gemacht werden. Sie mußte Gewißheit haben, wie sich die Gryczinskis stellen wollten.

Und so fuhr sie denn nach der Alsenstraße.

Schwereren Herzens als sonst stieg sie die mit Teppich belegte Treppe hinauf und klingelte. Und bald konnte sie hinter der Korridorglaswand ein Hin- und Herhuschen erkennen. Endlich aber wurde geöffnet.

»Ah, Emmy. Ist meine Schwester zu Haus?«

»Nein, Frau Kommerzien... Ach, wie die gnädige Frau bedauern wird! Aber Frau von Heysing waren hier und haben die gnädige Frau zu dem großen Bilde abgeholt. Ich glaube ›Die Fackeln des Nero‹.«

»Und der Herr Major?«

»Ich weiß es nicht«, sagte das Mädchen verlegen. »Er wollte fort. Aber ich will doch lieber erst...«

»O nein, Emmy, lassen Sie's. Es ist gut so. Sagen Sie meiner Schwester, oder der gnädigen Frau, daß ich da war. Oder besser, nehmen Sie meine Karte...«

Danach grüßte Melanie kurz und ging.

Auf der Treppe sagte sie leise vor sich hin: »Das ist *er*. Sie ist ein gutes Kind und liebt mich.« Und dann legte sie die Hand aufs Herz und lächelte: »Schweig stille, mein Herze.«

Rubehn, als er von dem Ausfall des Besuches hörte, war wenig überrascht und noch weniger, als am andern Morgen ein Brief eintraf, dessen zierlich verschlungenes J. v. G. über die Absenderin keinen Zweifel lassen konnte. Wirklich, es waren Zeilen von Jacobine. Sie schrieb:

»Meine liebe Melanie. Wie hab ich es bedauert, daß wir uns verfehlen mußten. Und nach so langer Zeit! Und nachdem ich Deinen lieben, langen Brief unbeantwortet gelassen habe! Er war so reizend, und selbst Gryczinski, der doch so kritisch ist und alles immer auf Disposition hin ansieht, war eigentlich entzückt. Und nur an der einen Stelle nahm er Anstoß, daß alles Heil und aller Trost nach wie vor aus Rom kommen solle. Das verdroß ihn, und er meinte, daß man dergleichen auch nicht im Scherze sagen dürfe. Und meine Verteidigung ließ er nicht gelten. Die meisten Gryczinskis sind nämlich noch katholisch, und ich denke mir, daß er so streng und empfindlich ist, weil er es persönlich los sein und von sich abwälzen möchte. Denn sie sind immer noch sehr diffizil oben, und Gryczinski, wie Du weißt, ist zu klug, als daß er etwas wollen sollte, was man oben *nicht* will. Aber es ändert sich vielleicht wieder. Und ich bekenne Dir offen, *mir* wär es recht, und ich für mein Teil hätte nichts dagegen, sie sprächen erst wieder von etwas andrem. Ist es denn am Ende wirklich so wichtig und eine so brennende Frage? Und wär es nicht wegen der vielen Toten und Verwundeten, so wünscht ich mir einen neuen Krieg. (Es heißt übrigens, sie rechneten schon wieder an einem.) Und *hätten* wir den Krieg, so wären wir die ganze Frage los, und Gryczinski wäre Oberstleutnant. Denn er ist der dritte. Und ein paar von den alten Generälen, oder wenigstens von den ganz alten, werden doch wohl endlich abgehen müssen.

Aber ich schwatze von Krieg und Frieden und von Gryczinski und von mir, und vergesse ganz nach Dir und nach Deinem Befinden zu fragen. Ich bin überzeugt, daß es Dir gut geht, und daß Du mit dem Wechsel in allen wesentlichen Stücken zufrieden bist. Er ist reich und jung, und bei Deinen Lebensanschauungen, mein ich, kann es Dich nicht unglücklich machen, daß er unbetitelt ist. Und am Ende, wer jung ist, hofft auch noch. Und Frankfurt ist ja jetzt preußisch. Und da findet es sich wohl noch.

Ach, meine liebe Melanie, wie gerne wäre ich selbst gekommen und hätte nach allem Großen und Kleinen gesehen, ja, auch nach allem Kleinen, und wem es eigentlich ähnlich ist. Aber er hat es mir verboten und hat auch dem Diener gesagt, ›daß wir nie zu Hause sind‹. Und Du weißt, daß ich nicht den Mut habe, ihm zu widersprechen. Ich meine, wirklich zu widersprechen. Denn etwas widersprochen hab ich ihm. Aber da fuhr er mich an und sagte: ›Das unterbleibt. Ich habe nicht Lust, um solcher Allotria willen beiseite geschoben zu werden. Und sieh dich vor, Jacobine. Du bist ein entzückendes kleines Weib (er sagte wirklich so), aber ihr seid wie die Zwillinge, wie die Druväpfel, und es spukt dir auch so was im Blut. Ich bin aber nicht van der Straaten und führe keine Generositätskomödien auf. Am wenigsten auf meine Kosten.‹ Und dabei warf er mir de haut en bas eine Kußhand zu und ging aus dem Zimmer.

Und was tat ich? Ach, meine liebe Melanie, nichts. Ich habe nicht einmal geweint. Und nur erschrocken war ich. Denn ich fühle, daß er recht hat, und daß eine sonderbare Neugier in mir steckt. Und darin treffen es die Bibelleute, wenn sie so vieles auf unsere Neugier schieben . . . Elimar, der freilich nicht mit zu den Bibelleuten gehört, sagte mal zu mir: ›Das Hübscheste sei doch das Vergleichenkönnen.‹ Er meinte, glaub ich, in der Kunst. Aber die Frage beschäftigt mich seitdem, und ich glaube kaum, daß es sich auf die Kunst beschränkt. Übrigens hat Gryczinski noch in diesem Winter oder doch im Frühjahr eine kleine Generalstabsreise vor. Und dann sehe ich Dich. Und wenn er wiederkommt, so beicht ich ihm alles. Ich kann es dann. Er ist dann immer so zärtlich. Und ein Blaubart ist er überhaupt nicht. Und bis dahin Deine   Jacobine.«

Melanie ließ das Blatt fallen, und Rubehn nahm es auf. Er las nun auch und sagte: »Ja, Herz, das sind die Tage, von denen es heißt, sie gefallen uns nicht. Ach, und sie *beginnen* erst. Aber laß, laß. Es rennt sich alles tot und am ehesten *das*.«

Und er ging an den Flügel und spielte laut und mit einem Anfluge heiterer Übertreibung: »Mit meinem Mantel vor dem Sturm beschütz' ich dich, beschütz' ich dich.«

Und dann erhob er sich wieder und küßte sie und sagte: »cheer up, dear!«

20

Liddy

»Cheer up, dear«, hatte Rubehn Melanie zugerufen, und sie wollte dem Zurufe folgen. Aber es glückte nicht, konnte nicht glücken, denn jeder neue Tag brachte neue Kränkungen. Niemand war für sie zu Haus, ihr Gruß wurde nicht erwidert, und ehe der Winter um war, wußte sie, daß man sie, nach einem stillschweigenden Übereinkommen, in den Bann getan habe. Sie war tot für die Gesellschaft, und die tiefe Niedergedrücktheit ihres Gemüts hätte sie zur Verzweiflung geführt, wenn ihr nicht Rubehn in dieser Bedrängnis zur Seite gestanden hätte. Nicht nur in herzlicher Liebe, nein, vor allem auch in jener heiteren Ruhe, die sich der Umgebung entweder mitzuteilen oder wenigstens nicht ohne stillen Einfluß auf sie zu bleiben pflegt. »Ich kenne das, Melanie. Wenn es in London etwas ganz Apartes gibt, so heißt es ›it is a nine days wonder‹, und mit diesen neun Tagen ist das höchste Maß von Erregungsandauer ausgedrückt. Das ist in London. Hier dauert es etwas länger, weil wir etwas kleiner sind. Aber das Gesetz bleibt dasselbe. Jedes Wetter tobt sich aus. Eines Tages haben wir wieder den Regenbogen und das Fest der Versöhnung.«

»Die Gesellschaft ist unversöhnlich.«

»Im Gegenteil. Zu Gerichte sitzen, ist ihr eigentlich unbequem. Sie weiß schon, warum. Und so wartet sie nur auf das Zeichen, um das große Hinrichtungsschwert wieder in die Scheide zu stecken.«

»Aber dazu muß etwas geschehen.«

»Und das wird. Es bleibt selten aus und in den milderen Fällen eigentlich nie. Wir haben einen Eindruck gemacht und müssen ehrlich bemüht sein, einen andern zu machen. Einen entgegengesetzten. Aber auf demselben Gebiete . . . Du verstehst?«

Sie nickte, nahm seine Hand und sagte: »Und ich schwöre dir's, ich will. Und wo die Schuld lag, soll auch die Sühne liegen. Oder, sag ich lieber, der Ausgleich. Auch *das* ist ein Gesetz, so hoff ich. Und das schönste von allen. Es braucht nicht alles Tragödie zu sein.«

In diesem Augenblicke wurde durch den Diener eine Karte hereingegeben: »Friederike Sawat v. Sawatzki, genannt Sattler v. d. Hölle, Stiftsanwärterin auf Kloster Himmelpfort in der Uckermark.«

»Oh, laß uns allein, Rubehn«, bat Melanie, während sie sich erhob und der alten Dame bis auf den Vorflur entgegenging. »Ach, mein liebes Riekchen! Wie mich das freut, daß du kommst, daß du da bist. Und wie schwer es dir geworden sein muß . . . Ich meine nicht bloß die drei Treppen . . . ein halbes Stiftsfräulein und jeden Sonntag in Sankt Matthäi! Aber die Frommen, wenn sie's wirklich sind, sind immer noch die besten. Und sind gar nicht so schlimm. Und nun setze dich, mein einziges, liebes Riekchen, meine liebe, alte Freundin!«

Und während sie so sprach, war sie bemüht, ihr beim Ablegen behilflich zu sein und das Seidenmäntelchen an einen Haken zu hängen, an den die Kleine nicht heranreichen konnte.

»Meine liebe, alte Freundin«, wiederholte Melanie. »Ja, das warst du, Riekchen, das bist du gewesen. Eine rechte Freundin, die mir immer zum Guten geraten und nie zum Munde gesprochen hat. Aber es hat nicht geholfen, und ich habe nie begriffen, wie man Grundsätze haben kann oder Prinzipien, was eigentlich dasselbe meint, aber mir immer noch schwerer und unnötiger vorgekommen ist. Ich hab immer nur getan, was ich wollte, was mir gefiel, wie mir gerade zumute war. Und ich kann es auch so schrecklich nicht finden. Auch jetzt noch nicht. Aber gefährlich ist es, so viel räum ich ein, und ich will es anders zu machen suchen. Will es lernen. Ganz bestimmt. Und nun erzähle. Mir brennen hundert Fragen auf der Seele.«

Riekchen war verlegen eingetreten und auch verlegen geblieben; jetzt aber sagte sie, während sie die Augen niederschlug und dann wieder freundlich und fest auf Melanie richtete: »Habe doch mal sehen wollen ... Und ich bin auch nicht hinter seinem Rücken hier. Er weiß es und hat mir zugeredet.«

Melanie flogen die Lippen. »Ist er erbittert? Sag, ich will es hören. Aus *deinem* Munde kann ich alles hören. In den Weihnachtstagen war Reiff hier. Da mocht ich es nicht. Es ist doch ein Unterschied, *wer* spricht. Ob die Neugier oder das Herz. Sag, ist er erbittert?«

Die Kleine bewegte den Kopf hin und her und sagte: »Wie denn! Erbittert! Wär er erbittert, so wär ich nicht hier. Er war unglücklich und ist es noch. Und es zehrt und nagt an ihm. Aber seine Ruhe hat er wieder. Das heißt, so vor den Menschen. Und dabei bleibt es, denn er war dir sehr gut, Melanie, so gut er nur einem Menschen sein konnte. Und du warst sein Stolz, und er freute sich, wenn er dich sah.«

Melanie nickte.

»Sieh, Herzenskind, du hast nicht anders gekonnt, weil du das andre nicht gelernt hattest, das andre, worauf es ankommt, und weil du nicht wußtest, was der Ernst des Lebens ist. Und Anastasia sang wohl immer: ›Wer nie sein Brot mit Tränen aß‹, und Elimar drehte dann das Blatt um. Aber singen und erleben ist ein Unterschied. Und du hast das Tränenbrot nicht gegessen, und Anastasia hat es nicht gegessen, und Elimar auch nicht. Und so kam es, daß du nur getan hast, was dir gefiel oder wie dir zumute war. Und dann bist du von den Kindern fortgegangen, von den lieben Kindern, die so hübsch und fein sind, und hast sie nicht einmal sehen wollen. Hast dein eigen Fleisch und Blut verleugnet. Ach, mein armes, liebes Herz, das kannst du vor Gott und Menschen nicht verantworten.«

Es war, als ob die Kleine noch weiter sprechen wollte. Aber Melanie war aufgesprungen und sagte: »Nein, Riekchen, an dieser Stelle hört es auf. Hier tust du mir Unrecht. Sieh, du kennst mich so gut und so lange schon, und fast war ich selber noch ein Kind, als ich ins Haus kam. Aber das eine mußt du mir lassen: ich habe nie gelogen und geheuchelt, und hab umgekehrt einen wahren Haß gehabt, mich besser zu machen als ich bin. Und diesen Haß hab ich noch. Und so sag ich dir denn, das mit den Kindern, mit meiner süßen kleinen Heth, die wie der Vater aussieht und doch gerade so lacht und so fahrig ist wie die Frau Mama, nein, Riekchen, das mit den Kindern, *das* trifft mich nicht.«

»Und du bist doch ohne Blick und Abschied gegangen.«

»Ja, das bin ich, und ich weiß es wohl, manch' andre hätt es nicht getan. Aber wenn man auf etwas an und für sich Trauriges stolz sein darf, so bin ich stolz darauf. Ich wollte gehn, das stand fest. Und wenn ich die Kinder sah, so konnt ich nicht gehn. Und so hatt ich denn meine Wahl zu treffen. Ich mag eine falsche Wahl getroffen haben, in den Augen der Welt hab ich es gewiß, aber es war wenigstens ein klares Spiel und offen und ehrlich. Wer aus der Ehe fortläuft und aus keinem andern Grund als aus Liebe zu einem andern Manne, der begibt sich des Rechts, nebenher auch noch die zärtliche Mutter zu spielen. Und das ist die Wahrheit. Ich bin ohne Blick und ohne Abschied gegangen, weil es mir widerstand, Unheiliges und Heiliges durcheinander zu werfen. Ich wollte keine sentimentale Verwirrung. Es steht mir nicht zu, mich meiner Tugend zu berühmen. Aber eines hab ich wenigstens, Riekchen: ich habe feine Nerven für das, was paßt und nicht paßt.«

»Und möchtest du jetzt sie sehen?«

»Heute lieber als morgen. Jeden Augenblick. Bringst du sie?«

»Nein, nein, Melanie, du bist zu rasch. Aber ich habe mir einen Plan ausgedacht. Und wenn er glückt, so laß ich wieder von mir hören. Und ich komm entweder oder ich schreibe oder Jacobine schreibt. Denn Jacobine muß uns dabei helfen. Und nun Gott befohlen, meine liebe, liebe Melanie. Laß nur die Leute. Du bist doch ein liebes Kind. Leicht, leicht, aber das Herz sitzt an der richtigen Stelle. Und nun Gott befohlen, mein Schatz.«

Und sie ging und weigerte sich, das Mäntelchen anzuziehen, weil sie gerne rasch abbrechen wollte. Aber eine Treppe tiefer blieb sie stehen und half sich mit einiger Mühe selbst in die kleinen Ärmel hinein.

*

Melanie war überaus glücklich über diesen Besuch, zugleich sehnsüchtig erwartungsvoll, und mitunter war es ihr, als träte das Kleine, das nebenan in der Wiege lag, neben dieser Sehnsucht zurück. Gehörte sie doch ganz zu jenen Naturen, in deren Herzen eines immer den Vorrang behauptet.

Und so vergingen Wochen, und Ostern war schon nahe heran, als endlich ein Billett abgegeben wurde, dem sie's ansah, daß es ihr gute Botschaft bringe. Es war von der Schwester, und Jacobine schrieb:

Meine liebe Melanie! Wir sind allein, und gesegnet seien die Landvermessungen! Es sind das, wie Du vielleicht weißt, die hohen, dreibeinigen Gestelle, die man, wenn man mit der Eisenbahn fährt, überall deutlich erkennen kann und wo die Mitfahrenden im Kupee jedesmal fragen: ›Mein Gott, was ist das?‹ Und es ist auch nicht zu verwundern, denn es sieht eigentlich aus wie ein Malerstuhl, nur daß der Maler sehr groß sein müßte. Noch größer und langbeiniger als Gabler. Und erst in vierzehn Tagen kommt er zurück, worauf ich mich sehr, sehr freue und eigentlich schon Sehnsucht habe. Denn er hat doch entschieden *das*, was uns Frauen gefällt. Und früher hat er Dir auch gefallen, ja, Herz, das kannst Du nicht leugnen, und ich war mitunter eifersüchtig, weil Du klüger bist als ich, und das haben sie gern. Aber weshalb ich eigentlich schreibe! Riekchen war hier und hat es mir ans Herz gelegt, und so denk ich, wir säumen keinen Augenblick länger und Du kommst morgen um die Mittagsstunde. Da werden sie hier sein und Riekchen auch. Aber wir haben nichts gesagt und sie sollen überrascht werden. Und ich bin glücklich, meine Hand zu so was Rührendem bieten zu können. Denn ich denke mir, Mutterliebe bleibt doch das schönste... Ach, meine liebe Melanie!... Aber ich schweige, Gryczinskis drittes Wort ist ja, daß es im Leben darauf ankomme, seine Gefühle zu beherrschen... Ich weiß doch nicht, ob er recht hat. Und nun lebe wohl. Immer Deine

J. v. G.«

Melanie war nach Empfang dieser Zeilen in einer Aufregung, die sie weder verbergen konnte noch wollte. So fand sie Rubehn und geriet in wirkliche Sorge, weil er aus Erfahrung wußte, daß solchen Überreizungen immer ein Rückschlag und solchen hochgespannten Erwartungen immer eine Enttäuschung zu folgen pflegt. Er suchte sie zu zerstreuen und abzuziehen und war endlich froh, als der andere Morgen da war.

Es war ein klarer Tag und eine milde Luft, und nur ein paar weiße Wölkchen schwammen oben im Blau. Melanie verließ das Haus noch vor der verabredeten Stunde, um ihren Weg nach der Alsenstraße hin anzutreten. Ach, wie wohl ihr diese Luft tat! Und sie blieb öfters stehen, um sie begierig einzusaugen und sich an den stillen Bildern erwachenden Lebens und einer hier und da schon knospenden Natur zu freuen. Alle Hecken zeigten einen grünen Saum, und an den geharkten Stellen, wo man das abgefallene Laub an die Seite gekehrt hatte, keimten bereits die grünen Blättchen des Gundermann, und einmal war es ihr, als schöss' eine Schwalbe mit schrillem aber heiterem Ton an ihr vorüber. Und so passierte sie den Tiergarten in seiner ganzen Breite, bis sie zuletzt den kleinen, der Alsenstraße unmittelbar vorgelegten Platz erreicht hatte, den sie den »Kleinen Königsplatz« nennen. Hier setzte sie sich auf eine Bank und fächelte sich mit ihrem Tuch und hörte deutlich, wie ihr das Herz schlug.

»In welche Wirrnis geraten wir, sowie wir die Straße des Hergebrachten verlassen und abweichen von Regel und Gesetz. Es nutzt uns nichts, daß wir uns selber frei sprechen. Die Welt ist doch stärker als wir und besiegt uns schließlich in unserem eigenen Herzen. Ich glaubte recht zu tun, als ich ohne Blick und Abschied von meinen Kindern ging, ich wollte kein Rührspiel; entweder oder, dacht ich. Und ich glaub auch noch, daß ich recht gedacht habe. Aber, was hilft es mir? Was ist das Ende? Eine Mutter, die sich vor ihren Kindern fürchtet.«

Dies Wort richtete sie wieder auf. Ein trotziger Stolz, der neben aller Weichheit in ihrer Natur lag, regte sich wieder, und sie ging rasch auf das Gryczinskische Haus zu.

Die Portiersleute, Mann und Frau, und zwei halberwachsene Töchter mußten schon auf dem Hintertreppenwege von dem bevorstehenden Ereignisse gehört haben, denn sie hatten sich in die halbgeöffnete Souterraintür postiert und guckten einander über die Köpfe fort. Melanie sah es und sagte vor sich hin: »A nine-days wonder! Ich bin eine Sehenswürdigkeit geworden. Es war mir immer das Schrecklichste.«

Und nun stieg sie hinauf und klingelte. Riekchen war schon da, die Schwestern küßten sich und sagten sich Freundlichkeiten über ihr gegenwärtiges Aussehen. Und alles verriet Aufregung und Freude.

Das Wohn- und Empfangszimmer, in das man jetzt eintrat, war ein großer und luftiger, aber im Verhältnis zu seiner Tiefe nur schmaler Raum, dessen zwei große Fenster (ohne Pfeiler dazwischen) einen nischenartigen Ausbau bildeten. Etwas Feierliches herrschte vor, und die roten, von beiden Seiten her halb zugezogenen Gardinen gaben ein gedämpftes, wundervolles Licht, das auf den weißen Tapeten reflektierte. Nach hinten zu, der Fensternische gegenüber, bemerkte man eine hohe Tür, die nach dem dahinter gelegenen Eßzimmer führte.

Melanie nahm auf einem kleinen Sofa neben dem Fenster Platz, die beiden anderen Damen mit ihr, und Jacobine versuchte nach ihrer Art eine Plauderei. Denn sie war ohne jede tiefere Bewegung und betrachtete das Ganze vom Standpunkte einer dramatischen Matinee. Riekchen aber, die wohl wahrnahm, daß die Blicke Melanies immer nur nach der *einen* Stelle hin gerichtet waren, unterbrach endlich das Gespräch und sagte: »Laß, Binchen. Ich werde sie nun holen.«

Eine peinliche Stille trat ein, Jacobine wußte nichts mehr zu sagen und war herzlich froh, als eben jetzt vom Platze her die Musik eines vorüberziehenden Garderegiments hörbar wurde. Sie stand auf, stellte sich zwischen die Gardinen und sah nach rechts hinaus ... »es sind die Ulanen«, sagte sie. »Willst du nicht auch ...« Aber ehe sie noch ihren Satz beenden konnte, ging die große Flügeltür auf, und Riekchen, mit den beiden Kindern an der Hand, trat ein.

Die Musik draußen verklang.

Melanie hatte sich rasch erhoben und war den verwundert und beinah erschrocken dastehenden Kindern entgegengegangen. Als sie aber sah, daß Lydia einen Schritt zurück trat, blieb auch *sie* stehen, und ein Gefühl ungeheurer Angst überkam sie. Nur mit Mühe brachte sie die Worte heraus: »Heth, mein süßer, kleiner Liebling ... Komm ... Kennst du deine Mutter nicht mehr?«

Und ihre ganze Kraft zusammennehmend, hatte sie sich bis dicht an die Türe vorbewegt und bückte sich, um Heth mit beiden Händen in die Höhe zu heben. Aber Lydia warf ihr einen Blick bitteren Hasses zu, riß das Kind am Achselbande zurück und sagte: »Wir haben keine Mutter mehr.«

Und dabei zog und zwang sie die halbwiderstrebende Kleine mit sich fort und zu der halb offen gebliebenen Tür hinaus.

Melanie war ohnmächtig zusammengesunken.

Eine halbe Stunde später hatte sie sich soweit wieder erholt, daß sie zurückfahren konnte. Jede Begleitung war von ihr abgelehnt worden. Riekchens Weisheiten und Jacobinens Albernheiten mußten ihr in ihrer Stimmung gleich unerträglich erscheinen.

Als sie fort war, sagte Jacobine zu Riekchen: »Es hat doch einen rechten Eindruck auf mich gemacht. Und Gryczinski darf gar nichts davon erfahren. Er ist ohnehin gegen Kinder. Und er würde mir doch nur sagen: ›Da siehst du, was dabei herauskommt. Undank und Unnatur‹.«

21

In der Nikolaikirche

Es schlug zwei von dem kleinen Hoftürmchen des Nachbarhauses, als Melanie wieder in ihre Wohnung eintrat. Das Herz war ihr zum Zerspringen, und sie sehnte sich nach Aussprache. Dann, das wußte sie, kamen ihr die Tränen und in den Tränen Trost.

Aber Rubehn blieb heute länger aus als gewöhnlich, und zu den anderen Ängsten ihres Herzens gesellte sich auch noch das Bangen und Sorgen um den geliebten Mann. Endlich kam er; es war schon Spätnachmittag, und die drüben hinter dem kahlen Gezweig niedersteigende Sonne warf eine Fülle greller Lichter durch die kleinen Mansardenfenster. Aber es war kalt und unheimlich, und Melanie sagte, während sie dem Eintretenden entgegenging: »Du bringst so viel Kälte mit, Ruben. Ach, und ich sehne mich nach Licht und Wärme.«

»Wie du nur bist«, entgegnete Ruben in sichtlicher Zerstreutheit, während er doch seine gewöhnliche Heiterkeit zu zeigen trachtete. »Wie du nur bist! Ich sehe nichts als Licht, ein wahrer embarras de richesse, auf jedem Sofakissen und jeder Stuhllehne, und das Ofenblech flimmert und schimmert, als ob es Goldblech wäre. Und du sehnst dich nach Licht. Ich bitte dich, mich blendet's, und ich wollt, es wäre weniger oder wäre fort.«

»Du wirst nicht lange darauf zu warten haben.«

Er war im Zimmer auf- und abgegangen. Jetzt blieb er stehen

und sagte teilnehmend: »Ich vergesse, nach der Hauptsache zu fragen. Verzeihe. Du warst bei Jacobine. Wie lief es ab? Ich fürchte, nicht gut. Ich lese so was aus deinen Augen. Und ich hatt auch eine Ahnung davon, gleich heute früh, als ich in die Stadt fuhr. Es war kein glücklicher Tag.«

»Auch für dich nicht?«

»Nicht der Rede wert. A shadow of a shadow.«

Er hatte sich in den zunächststehenden Fauteuil niedergelassen und griff mechanisch nach einem Album, das auf dem Sofatische lag. Seiner oft ausgesprochenen Ansicht nach war dies die niedrigste Form aller geistigen Beschäftigung, und so durft es nicht überraschen, daß er während des Blätterns über das Buch fortsah und wiederholentlich fragte: »Wie war es? Ich bin begierig, zu hören.«

Aber sie konnte nur zu gut erkennen, daß er *nicht* begierig war, zu hören, und sosehr es sie nach Aussprache verlangt hatte, so schwer wurde es ihr jetzt, ein Wort zu sagen, und sie verwirrte sich mehr als einmal, als sie, um ihm zu willfahren, von der tiefen Demütigung erzählte, die sie von ihrem eigenen Kinde hatte hinnehmen müssen.

Rubehn war aufgestanden und versuchte sie durch ein paar hingeworfene Worte zu beruhigen, aber es war nicht anders, wie wenn einer einen Spruch herbetet.

»Und das ist alles, was du mir zu sagen hast?« fragte sie.
»Ruben, mein Einziger, soll ich auch *dich* verlieren?!« Und sie stellte sich vor ihn hin und sah ihn starr an.

»Oh, sprich nicht so. Verlieren! Wir können uns nicht verlieren. Nicht wahr, Melanie, wir können uns nicht verlieren?« Und hierbei wurde seine Stimme momentan inniger und weicher. »Und was die Kinder angeht«, fuhr er nach einer Weile fort, »nun, die Kinder sind eben Kinder. Und eh' sie groß sind, ist viel Wasser den Rhein hinuntergelaufen. Und dann darfst du nicht vergessen, es waren nicht gerade die glänzendsten metteurs en scène, die es in die Hand nahmen. Unser Riekchen ist lieb und gut, und du hast sie gern, *zu* gern vielleicht; aber auch *du* wirst nicht behaupten wollen, daß die Stiftsanwärterin auf Kloster Himmelpfort an die Pforten ewiger Weisheit geklopft habe. Jedenfalls ist ihr nicht aufgemacht worden. Und Jacobine! Pardon, sie hat etwas von einer Prinzessin, aber von einer, die die Lämmer hütet.«

»Ach, Ruben«, sagte Melanie, »du sagst so vieles durcheinander. Aber das rechte Wort sagst du nicht. Du sagst nichts, was mich aufrichten, mich vor mir selbst wieder herstellen könnte. Mein eigen Kind hat mir den Rücken gekehrt. Und daß es noch ein Kind ist, das gerade ist das Vernichtende. Das richtet mich.«

Er schüttelte den Kopf und sagte: »Du nimmst es zu schwer. Und glaubst du denn, daß Mütter und Väter außerhalb aller Kritik stehen?«

»Wenigstens außerhalb *der* ihrer Kinder.«

»Auch *der* nicht. Im Gegenteil, die Kinder sitzen überall zu Gericht, still und unerbittlich. Und Lydia war immer ein kleiner Großinquisitor, wenigstens genferischen Schlages, und an ihr läßt sich die Rückschlagstheorie studieren. Ihr Urahne muß mitgestimmt haben, als man Servet verbrannte. Mich hätte sie gern mit auf dem Holzstoß gesehen, so viel steht fest. Und nun, laß uns schweigen davon. Ich muß noch in die Stadt.«

»Ich bitte dich, was ist? Was gibt's?«

»Eine Konferenz. Und es wird sich nicht vermeiden lassen, daß wir nach ihrem Abschluß zusammenbleiben. Ängstige dich nicht, und vor allem, erwarte mich nicht. Ich hasse junge Frauen, die beständig am Fenster passen, ›ob er noch nicht kommt‹, und mit dem Wächter unten auf du und du stehen, nur, um immer eine Heilablieferungsgarantie zu haben. Ich perhorresziere das. Und das beste wird sein, du gehst früh zu Bett und schläfst es aus. Und wenn wir uns morgen früh wiedersehen, wirst du mir vielleicht zustimmen, daß Lydia Bescheidenheit lernen muß, und daß zehnjährige dumme Dinger, Fräulein Liddy mit eingeschlossen, nicht dazu da sind, sich zu Sittenrichterinnen ihrer eigenen Frau Mama aufzuwerfen.«

»Ach, Ruben, das sagst du nur so. Du fühlst es anders und bist zu klug und zu gerecht, als daß du nicht wissen solltest, das Kind hat recht.«

»Es mag recht haben. Aber ich auch. Und jedenfalls gibt es Ernsteres als das. Und nun Gott befohlen.«

Und er nahm seinen Hut und ging.

*

Melanie wachte noch, als Rubehn wieder nach Hause kam. Aber erst am andern Morgen fragte sie nach der Konferenz und bemühte sich, darüber zu scherzen. Er seinerseits antwortete in gleichem Ton und war wie gestern ersichtlich bemüht, mit Hilfe lebhaften Sprechens einen Schirm aufzurichten, hinter dem er, was eigentlich in ihm vorging, verbergen konnte.

So vergingen Tage. Seine Lebhaftigkeit wuchs, aber mit ihr auch seine Zerstreutheit, und es kam vor, daß er mehrere Male dasselbe fragte. Melanie schüttelte den Kopf und sagte: »Ich bitte dich, Ruben, wo bist du? sprich.« Aber er versicherte nur: »es sei nichts, und sie forsche, wo nichts zu forschen sei. Zerstreutheit wäre ein Erbstück in der Familie, kein gutes, aber es sei einmal da, und sie müsse sich damit einleben und daran gewöhnen.« Und dann ging er, und sie fühlte sich freier, wenn er ging. Denn das rechte Wort wurde nicht gesprochen, und *er*, der die Last ihrer Einsamkeit verringern sollte, verdoppelte sie nur durch seine Gegenwart.

Und nun war Ostern. Anastasia sprach am Ostersonntag auf eine halbe Stunde vor, aber Melanie war froh, als das Gespräch ein Ende nahm und die mehr und mehr unbequem werdende Freundin wieder ging. Und so kam auch der zweite Festtag, unfestlich und unfreundlich wie der erste, und als Rubehn über Mittag erklärte, »daß er abermals eine Verabredung habe«, konnte sie's in ihrer Herzensangst nicht länger ertragen und sie beschloß, in die Kirche zu gehen und eine Predigt zu hören. Aber wohin? Sie kannte Prediger nur von Taufen und Hochzeiten her, wo sie, neben frommen und nicht frommen, manch liebes Mal bei Tisch gesessen und beim Nachhausekommen immer versichert hatte: »Geht mir doch mit eurem Pfaffenhaß. Ich habe mich mein Lebtag nicht so gut unterhalten, wie heute mit Pastor Käpsel. Ist das ein reizender alter Herr! Und so humoristisch und beinahe witzig. Und schenkt einem immer ein und stößt an und trinkt selber mit, und sagt einem verbindliche Sachen. Ich begreif euch nicht. Er ist doch interessanter als Reiff oder gar Duquede.«

Aber nun eine Predigt! Es war seit ihrem Einsegnungstage, daß sie keine mehr gehört hatte.

Endlich entsann sie sich, daß ihr Christel von Abendgottesdiensten erzählt hatte. Wo doch? In der Nikolaikirche. Richtig. Es war weit, aber desto besser. Sie hatte soviel Zeit übrig, und die Bewegung in der frischen Luft war seit Wochen ihr einziges Labsal. So machte sie sich auf den Weg, und als sie die große Petristraße passierte, sah sie zu den erleuchteten Fenstern des ersten Stockes auf. Aber *ihre* Fenster waren dunkel und auch keine Blumen davor. Und sie ging rascher und sah sich um, als verfolge sie wer, und bog endlich in den Nikolaikirchhof ein.

Und nun in die Kirche selbst.

Ein paar Lichter brannten im Mittelschiff, aber Melanie ging an der Schattenseite der Pfeiler hin, bis sie der alten, reichgeschmückten Kanzel grad' gegenüber war. Hier waren Bänke gestellt, nur drei oder vier, und auf den Bänken saßen Waisenhauskinder, lauter Mädchen in blauen Kleidern und weißen Brusttüchern, und dazwischen alte Frauen, das graue Haar unter einer schwarzen Kopfbinde versteckt, und die meisten einen Stock in Händen oder eine Krücke neben sich.

Melanie setzte sich auf die letzte Bank und sah, wie die kleinen Mädchen kicherten und sich anstießen und immer nach ihr hinsahen und nicht begreifen konnten, daß eine so feine Dame zu solchem Gottesdienst käme. Denn es war ein Armengottesdienst, und deshalb brannten auch die Lichter so spärlich. Und nun schwieg Lied und Orgel, und ein kleiner Mann erschien auf der Kanzel, dessen sie sich, von ein paar großen und überschwenglichen Bourgeoisbegräbnissen her, sehr wohl entsann, und von dem sie mehr als einmal in ihrer übermütigen Laune versichert hatte, »er spräche schon vorweg im Grabsteinstil. Nur nicht so kurz.« Aber heute sprach er kurz und pries auch keinen, am wenigsten überschwenglich, und war nur müde und angegriffen, denn es war der zweite Feiertagabend. Und so kam es, daß sie nichts Rechtes für ihr Herz finden konnte, bis es zuletzt hieß: »Und nun, andächtige Gemeinde, wollen wir den vorletzten Vers unsres Osterliedes singen.« Und in demselben Augenblicke summte wieder die Orgel und zitterte, wie wenn sie sich erst ein Herz fassen oder einen Anlauf nehmen müsse, und als es endlich voll und mächtig an dem hohen Gewölbe hinklang und die Spittelfrauen mit ihren zittrigen Stimmen einfielen, rückten zwei von den kleinen Mädchen halb schüchtern an Melanie heran und gaben ihr ihr Gesangbuch und zeigten auf die Stelle. Und sie sang mit:

> Du lebst, du bist in Nacht mein Licht,
> Mein Trost in Not und Plagen,
> Du weißt, was alles mir gebricht,
> Du wirst mir's nicht versagen.

Und bei der letzten Zeile reichte sie den Kindern das Buch zurück und dankte freundlich und wandte sich ab, um ihre Bewegung zu verbergen. Dann aber murmelte sie Worte, die ein Gebet vorstellen sollten, und es vor dem Ohr dessen, der die Regungen unseres Herzens hört, auch wohl waren, und verließ die Kirche so still und seitab, wie sie gekommen war.

In ihre Wohnung zurückgekehrt, fand sie Rubehn an seinem Arbeitstische vor. Er las einen Brief, den er, als sie eintrat, beiseite schob. Und er ging ihr entgegen und nahm ihre Hand und führte sie nach ihrem Sofaplatz.

»Du warst fort?« sagte er, während er sich wieder setzte.

»Ja, Freund. In der Stadt . . . In der Kirche.«

»In der Kirche! Was hast du da gesucht?«

»Trost.«

Er schwieg und seufzte schwer. Und sie sah nun, daß der Augenblick da war, wo sich's entscheiden müsse. Und sie sprang auf und lief auf ihn zu und warf sich vor ihm nieder und legte beide Arme auf seine Knie: »Sage mir, was es ist! Habe Mitleid mit mir, mit meinem armen Herzen. Sieh, die Menschen haben mich aufgegeben, und meine Kinder haben sich von mir abgewandt. Ach, so schwer es war, ich hätt es tragen können. Aber daß du, *du* dich abwendest von mir, das trag ich nicht.«

»Ich wende mich nicht ab von dir.«

»Nicht mit deinem Auge, wiewohl es mich nicht mehr sieht, aber mit deinem Herzen. Sprich, mein Einziger, was ist es? Es ist nicht Eifersucht, was mich quält. Ich könnte keine Stunde leben mehr, wär es *das*. Aber ein anderes ist es, was mich ängstigt, ein anderes, nicht viel Besseres: Ich habe deine Liebe nicht mehr. Das ist mir klar, und unklar ist mir nur das eine, wodurch ich sie verscherzt. Ist es der Bann, unter dem ich lebe und den du mit mir zu tragen hast? Oder ist es, daß ich so wenig Licht und Sonnenschein in dein Leben gebracht und unsere Einsamkeit auch noch in Betrübsamkeit verwandelt habe? Oder ist es, daß du mir mißtraust? Ist es der Gedanke an das alte ›heute dir und morgen mir‹? O sprich. Ich will dich nicht leiden sehen. Ich werde weniger unglücklich sein, wenn ich dich glücklich weiß. Auch getrennt von dir. Ich will gehen, jede Stunde. Verlang es, und ich tu es. Aber reiße mich aus dieser Ungewißheit. Sage mir, was es ist, was dich drückt, was dir das Leben vergällt und verbittert. Sage mir's. Sprich.«

Er fuhr sich über Stirn und Auge, dann nahm er den beiseite geschobenen Brief und sagte: »Lies.«

Melanie faltete das Blatt auseinander. Es waren Zeilen vom alten Rubehn, dessen Handschrift sie sehr wohl kannte. Und nun las sie: »Frankfurt, Ostersonntag. Ausgleich gescheitert. Arrangiere, was sich arrangieren läßt. In spätestens acht Tagen muß ich unsere Zahlungseinstellung aussprechen. M. R. . . .«

In Rubehns Mienen ließ sich, als sie las, erkennen, daß er einer neuen Erschütterung gewärtig war. Aber wie sehr hatte er sie verkannt, sie, die viel, viel mehr war, als ein bloß verwöhnter Liebling der Gesellschaft, und eh ihm noch Zeit blieb, über seinen Irrtum nachzudenken, hatte sie sich schon in einem wahren Freudenjubel erhoben und ihn umarmt und geküßt und wieder umarmt.

»Oh, nur das!... Oh, nun wird alles wieder gut... Und was eurem Hause Unglück bedeutet, mir bedeutet es Glück, und nun weiß ich es, es kommt alles wieder in Schick und Richtung, weit über all mein Hoffen und Erwarten hinaus... Als ich damals ging und das letzte Gespräch mit ihm hatte, sieh, da sprach ich von den Menschlichen unter den Menschen. Und es ist mir, als wär es gestern gewesen. Und auf diese Menschlichen baut ich meine Zukunft und rechnete darauf, daß sie's versöhnen würde: ich liebte dich! Aber es war ein Fehler, und auch die Menschlichen haben mich im Stich gelassen. Und jetzt muß ich sagen, sie hatten recht. Denn die Liebe tut es nicht, und die Treue tut es auch nicht. Ich meine die Werkeltagstreue, die nichts Besseres kann, als sich vor Untreue bewahren. Es ist eben nicht viel, treu zu sein, wo man liebt und wo die Sonne scheint und das Leben bequem geht und kein Opfer fordert. Nein, nein, die bloße Treue tut es nicht. Aber die bewährte Treue, *die* tut es. Und nun kann ich mich bewähren und will es und werd es, und nun kommt *meine* Zeit. Ich will nun zeigen, was ich kann, und will zeigen, daß alles Geschehene nur geschah, weil es geschehen mußte, weil ich dich liebte, nicht aber, weil ich leicht und übermütig in den Tag hineinlebte und nur darauf aus war, ein bequemes Leben in einem noch bequemeren fortzusetzen.«

Er sah sie glücklich an, und der Ausdruck des Selbstsuchtslosen in Wort und Miene riß ihn aus der tiefen Niedergedrücktheit seiner Seele heraus. Er hoffte nun selber wieder, aber Bangen und Zweifel liefen nebenher, und er sagte bewegt: »Ach, meine liebe Melanie, du warst immer ein Kind, und du bist es auch in diesem Augenblicke noch. Ein verwöhntes und ein gutes, aber doch ein Kind. Sieh, von deinem ersten Atemzuge an hast du keine Not gekannt, ach, was sprech ich von Not, nie, solange du lebst, ist dir ein Wunsch unerfüllt geblieben. Und du hast gelebt wie im Märchen von ›Tischlein decke dich‹, und das Tischlein *hat* sich dir gedeckt, mit allem, was du wolltest, mit allem, was das Leben hat, auch mit Schmeicheleien und Liebkosungen. Und du bist geliebkost worden wie ein King-Charles-Hündchen mit einem blauen Band und einem Glöckchen daran. Und alles, was du getan hast, das hast du spielend getan. Ja, Melanie, spielend. Und nun willst du auch spielend entbehren lernen und denkst: es findet sich. Oder denkst auch wohl, es sei hübsch und apart, und schwärmst für die Poetenhütte, die Raum hat für ein glücklich liebend Paar oder wenigstens haben *soll*. Ach es liest sich erbaulich von dem blankgescheuerten Eßtisch und dem Maienbusch in jeder Ecke und von dem Zeisig, der sich das Futternäpfchen selbst heranzieht. Und es ist schon richtig: die gemalte Dürftigkeit sieht gerade so gut aus, wie der gemalte Reichtum. Aber wenn es aufhört, Bild und Vorstellung zu sein und wenn es Wirklichkeit und Regel wird, dann ist Armut ein bitteres Brot, und Muß eine harte Nuß.«

Es war umsonst. Sie schüttelte nur den Kopf, immer wieder, und sagte dann in jener einschmeichelnden Weise, der so schwer zu widerstehen war: »Nein, nein, du hast unrecht. Und es liegt alles anders, ganz anders. Ich hab einmal in einem Buche gelesen, und nicht in einem schlechten Buche, die Kinder, die Narren und die Poeten, die hätten immer recht. Vielleicht überhaupt, aber von ihrem Standpunkt aus ganz gewiß. Und ich bin eigentlich alles drei, und daraus magst du schließen, wie *sehr* ich recht habe. Dreifach recht. ›Ich will spielend entbehren lernen‹, sagst du. Ja, Lieber, das will ich, das ist es, um was es sich handelt. Und du glaubst einfach, ich könn' es nicht. Ich kann es aber, ich kann es ganz gewiß, so gewiß ich diesen Finger aufhebe, und ich will dir auch sagen, warum ich es kann. Den einen Grund hast du schon erraten: weil ich es mir so romantisch denke, so hübsch und apart. Gut, gut. Aber du hättest auch sagen können, weil ich andere Vorstellungen von Glück habe. Mir ist das Glück etwas anderes als ein Titel oder eine Kleiderpuppe. *Hier* ist es, oder nirgends. Und so dacht ich und fühlt ich immer, und so war ich immer und so bin ich noch. Aber wenn es auch anders mit mir stünde, wenn ich auch an dem Flitter des Daseins hinge, so würd ich doch die Kraft haben, ihm zu entsagen. *Ein* Gefühl ist immer das herrschende, und seiner Liebe zuliebe kann man alles, alles. Wir Frauen wenigstens. Und *ich* gewiß. Ich habe so vieles freudig hingeopfert, und ich sollte nicht einen Teppich opfern können! Oder einen Vertiko! Ach, einen Vertiko!« und sie lachte herzlich. »Entsinnst du dich noch, als du sagtest: ›Alles sei jetzt Enquete.‹ Das war damals. Aber die Welt ist inzwischen fortgeschritten, und jetzt ist alles Vertiko!«

Er war nicht überzeugt; seine praktisch-patrizische Natur glaubte nicht an die Dauer solcher Erregungen, aber er sagte doch: »Es sei. Versuchen wir's. Also ein neues Leben, Melanie!«

»Ein neues Leben! Und das erste ist, wir geben diese Wohnung auf und suchen uns eine bescheidenere Stelle. Mansarde klingt freilich anspruchslos genug, aber dieser Trumeau und diese Bronzen sind um so anspruchsvoller. Ich habe nichts gelernt, und das ist gut, denn wie die meisten, die nichts gelernt haben, weiß ich allerlei. Und mit Toussaint L'Ouverture fangen wir an, nein, nein, mit Toussaint-Langenscheidt, und in acht Tagen oder doch spätestens in vier Wochen geb ich meine erste Stunde. Wozu bin ich eine Genferin! Und nun sage: Willst du? Glaubst du?«

»Ja.«

»Topp.«

Und sie schlug in seine Hand und zog ihn unter Lachen und Scherzen in das Nebenzimmer, wo das Vrenel in Abwesenheit des Dieners eben den Teetisch arrangiert hatte.

Und sie hatten an diesem Unglückstage wieder einen ersten glücklichen Tag.

22

Versöhnt

Und Melanie nahm es ernst mit jedem Worte, das sie gesagt hatte. Sie hatte dabei ganz ihre Frische wieder, und eh ein Monat um war, war die modern und elegant eingerichtete Wohnung gegen eine schlichtere vertauscht und das Stundengeben hatte begonnen. Ihre Kenntnis des Französischen und beinahe mehr noch ihr glänzendes musikalisches, auch nach der technischen Seite hin vollkommen ausgebildetes Talent hatten es ihr leicht gemacht, eine Stellung zu gewinnen, und zwar in ein paar großen schlesischen Häusern, die gerade vornehm genug waren, den Tagesklatsch ignorieren zu können.

Und bald sollte es sich herausstellen, wie nötig diese raschen und resoluten Schritte gewesen waren, denn der Zusammensturz erfolgte jäher als erwartet, und jede Form der Einschränkung erwies sich als geboten, wenn nicht mit der finanziellen Reputation des großen Hauses auch die bürgerliche verlorengehen sollte. Jede neue Nachricht, von Frankfurt her, bestätigte dies, und Rubehn, der anfangs nur allzu geneigt gewesen war, den Eifer Melanies für eine bloße Opferkaprice zu nehmen, sah sich alsbald gezwungen, ihrem Beispiele zu folgen. Er trat als amerikanischer Korrespondent in ein Bankhaus ein, zunächst mit nur geringem Gehalt, und war überrascht und glücklich zugleich, die berühmte Poetenweisheit von der »kleinsten Hütte« schließlich an sich selber in Erfüllung gehen zu sehen.

Und nun folgten idyllische Wochen, und jeden neuen Morgen, wenn sie von der Wilmersdorfer Feldmark her am Rande des Tiergartens hin ihren Weg nahmen und an ihrer alten Wohnung vorüberkamen, sahen sie zu der eleganten Mansarde hinauf und atmeten freier, wenn sie der zurückliegenden schweren und sorgenreichen Tage gedachten. Und dann bogen sie plaudernd in die schmalen, schattigen Gänge des Parkes ein, bis sie zuletzt unter der schräg liegenden Hängeweide fort, die zwischen dem Königsdenkmal und der Luiseninsel steht und hier beinahe den Weg sperrt, in die breite Tiergartenstraße wieder einmündeten. Den schrägliegenden Baum aber nannten sie scherzhaft ihren Zoll- und Schlagbaum, weil sich dicht hinter demselben ein Leiermann postiert hatte, dem sie Tag um Tag ihren Wegezoll entrichten mußten. Er kannte sie schon, und während er die große Mehrheit, als wären es Steuerdefraudanten, mit einem zornig-verächtlichen Blicke verfolgte, zog er vor unserem jungen Paare regelmäßig seine Militärmütze. Ganz aber konnt er sich auch ihnen gegenüber nicht zwingen und verleugnen, und als sie den schon Pflicht gewordenen Zoll eines Tages vergessen oder vielleicht auch absichtlich nicht entrichtet hatten, hörten sie, daß er die Kurbel in Wut und Heftigkei noch dreimal drehte und dann so jäh und plötzlich abbrach, daß ihnen ein paar unfertige Töne wie Knurr- und Scheltworte nachklangen. Melanie sagte: »Wir dürfen es mit niemand verderben, Ruben; Freundschaft ist heuer rar.« Und sie wandte sich wieder um und ging auf den Alten zu und gab ihm. Aber er dankte nicht, weil er noch immer in halber Empörung war.

Und so verging der Sommer, und der Herbst kam, und als das Laub sich zu färben und an den Ahorn- und Platanenbäumen auch schon abzufallen begann, da hatte sich bei denen, die Tag um Tag unter diesen Bäumen hinschritten, manches geändert, und zwar zum Guten geändert. Wohl hieß es auch jetzt noch, wenn sie den alten Invaliden unter ihrerseits devotem Gruße passierten, »daß sie der neuen Freundschaften noch nicht sicher genug seien, um die bewährten alten aufgeben zu können«, aber diese neuen Freundschaften waren doch wenigstens in ihren Anfängen da. Man kümmerte sich wieder um sie, ließ sie gesellschaftlich wieder aufleben, und selbst solche, die bei dem Zusammenbrechen der Rubehnschen Finanzherrlichkeit nur Schadenfreude gehabt und je nach ihrer klassischen oder christlichen

Bildung und Beanlagung von »Nemesis« oder »Finger Gottes« gesprochen hatten, bequemten sich jetzt, sich mit dem hübschen Paare zu versöhnen, »das so glücklich und so gescheit sei und nie klage und sich so liebe«. Ja, sich so liebe. *Das* war es, was doch schließlich den Ausschlag gab, und wenn vorher ihre Neigung nur Neid und Zweifel geweckt hatte, so schlug jetzt die Stimmung in ihr Gegenteil um. Und nicht zu verwundern! War es doch ein und dasselbe Gefühl, was bei Verurteilung und Begnadigung zu Gericht saß, und wenn es anfangs eine sensationelle Befriedigung gewährt hatte, sich in Indignation zu stürzen, so war es jetzt eine kaum geringere Freude, von den »Inséparables« sprechen und über ihre »treue Liebe« sentimentalisieren zu können. Eine kleine Zahl Esoterischer aber führte den ganzen Fall auf die Wahlverwandtschaften zurück und stellte wissenschaftlich fest, daß einfach seitens des stärkeren und deshalb berechtigteren Elements das schwächere verdrängt worden sei. Das Naturgesetzliche habe wieder mal gesiegt. Und hiermit sah sich denn auch der einen Winter lang auf den Schild gehobene van der Straaten abgefunden und teilte das Schicksal aller Saisonlieblinge, noch schneller vergessen als erhoben zu werden. Ja, der Spott und die Bosheit begannen jetzt ihre Pfeile gegen ihn zu richten, und wenn des Falles ausnahmsweise noch gedacht wurde, so hieß es: »Er hat es nicht anders gewollt. Wie kam er nur dazu? Sie war siebzehn! Allerdings, er soll einmal ein lion gewesen sein. Nun gut. Aber wenn dem ›Löwen‹ zu wohl wird…« Und dann lachten sie und freuten sich, daß es so gekommen, wie es gekommen.

Ob van der Straaten von diesen und ähnlichen Äußerungen hörte? Vielleicht. Aber es bedeutete ihm nichts. Er hatte sich selbst zu skeptisch und unerbittlich durchforscht, als daß er über die Wandlungen in dem Geschmacke der Gesellschaft, über ihr Götzenschaffen und Götzenstürzen auch nur einen Augenblick erstaunt gewesen wäre. Und so durfte denn von ihm gesagt werden: »Er hörte, was man sprach, auch wenn er es *nicht* hörte.« Weg über das Urteil der Menschen, galt ihm nur eines ebensowenig oder noch weniger: ihr Mitleid. Er war immer eine selbständige Natur gewesen, frei und fest, und so war er geblieben. Und auch derselbe geblieben in seiner Nachsicht und Milde.

Und der Tag kam, wo sich's zeigen und auch Melanie davon erfahren sollte.

Es war schon ausgangs Oktober, und nur wenig gelbes und rotes Laub hing noch an den halb kahl gewordenen Bäumen.

Das meiste lag abgeweht in den Gängen und wurde, wo's trocken war, zusammengeharkt, denn seit gestern hatte sich das Wetter wieder geändert und nach langen Sturm- und Regentagen schien eine wundervolle Herbstsonne. Vielleicht die letzte dieses Jahres.

Und auch Anninettchen wurde hinausgeschickt und blieb heute länger fort als erwartet, bis endlich um die vierte Stunde die Magd in großer Aufregung heimkam und in ihrem schweren Schweizer-Deutsch über ein eben gehabtes Erlebnis berichtete: »Sie hab auf der Bank g'sesse, wo die vier Löwe das Brückle halte, und hätt ebe g'sagt: ›Sieh, Anninette, des isch der alt Weibersommer, der will di einspinne, aber der hat di no lang nit‹, un das Anninettl hab grad g'juchzt un lacht un n'am Ohrring g'langt, da wäre zwei Herre über die Brücke komme, so gute funfzig, aber schon auf der Wipp, und einer hätt g'sagt, e langer Spindelbein: ›Schau des Silberkettle; des isch e Schweizerin; un i wett, des isch e Kind vom Schweizer G'sandte.‹ Aber do hat der andre g'sagt: ›Nein, des kann nit sein; den Schweizer G'sandte, den kenn i, un der hat kein Kind un kein Kegel . . .‹ Un do hat er z'mir gsagt: ›Ah nu, wem g'hört das Kind?‹ Un da hab i g'sagt: Dem Herr Rubehn, un ›s isch e Mädle, un heißt Anninettl.‹ Un do hab i g'sehn, daß er sich verfärbt hat und hat wegg'schaut. Aber nit lang, da hat er sich wieder umg'wandt und hat g'sagt: ›'s isch d' Mutter, und lacht auch so, un hat dieselbe schwarze Haar'. Es isch e schön's Kindle. Findscht nit au?‹ Aber er hat's nit finde wolle und hat nur g'sagt: ›Übertax es nit. Es gibt mehr so. Un's ischt e Kind aus 'm Dutzend.‹ Jo, so hat er g'sagt, der garstige Spindelbein: ›'s gibt mehr so, un 's ischt e Kind aus 'm Dutzend.‹ Aber der gute Herre, der hat's Pätschle g'nomme un hat's g'streichelt. Un hat mi g'lobt, deß i so brav un g'scheidt sei. Jo, so hat er g'sagt. Und dann sind sie gange.«

All das hatte seines Eindrucks nicht verfehlt, und Melanie war während der Tage, die folgten, immer wieder auf diese Begegnung zurückgekommen. Immer wieder und wieder hatte die Vreni jedes Kleinste nennen und beschreiben müssen, und so war es durch Wochen hin geblieben, bis endlich in den großen und kleinen Vorbereitungen zum Feste der ganze Vorfall vergessen worden war.

Und nun war das Fest selber da, der Heilige Abend, zu dem auch diesmal Rubehns jüngerer Bruder und der alte Prokurist, die sich zur Rückkehr nach Frankfurt nicht hatten entschließen können, geladen waren. Auch Anastasia.

Melanie, die noch vor Eintreffen ihres Besuchs allerlei Wirtschaftliches anzuordnen hatte, war ganz Aufregung und erschrak ordentlich, als sie gleich nach Dunkelwerden und lange vor der festgesetzten Stunde die Klingel gehen hörte. Wenn das schon die Gäste wären! Oder auch nur einer von ihnen. Aber ihre Besorgnis währte nicht lange, denn sie hörte draußen ein Fragen und Parlamentieren, und gleich darauf erschien das Vrenel und trug eine mittelgroße Kiste herein, auf der, ohne weitere Adresse, bloß das eine Wort »Julklapp« zu lesen war.

»Ist es denn für uns, Vreni?« fragte Melanie.

»I denk schon. I hab ihm g'sagt: ›'s isch der Herr Rubehn, der hier wohnt. Un die Frau Rubehn‹. Un do hat er g'sagt: ›'s isch schon recht; des isch der Nam'.‹ Un do hob i's g'nomme.«

Melanie schüttelte den Kopf und ging in Rubehns Stube, wo man sich nun gemeinschaftlich an das Öffnen der Kiste machte. Nichts fehlte von den gewöhnlichen Julklappszutaten, und erst als man unten am Boden eines großen Gravensteiner Apfels gewahr wurde, sagte Melanie: »Gib acht. Hierin steckt es.« Aber es ließ sich nichts erkennen, und schon wollte sie den Gravensteiner, wie alles andere, beiseite legen, als sich durch eine zufällige Bewegung der Hand die geschickt zusammengepaßten Hälften des Apfels auseinanderschoben. »Ah, violà.« Und wirklich, an Stelle des Kernhauses, das herausgeschnitten war, lag ein in Seidenpapier gewickeltes Päckchen. Sie nahm es, entfernte langsam und erwartungsvoll eine Hülle nach der andern und hielt zuletzt ein kleines Medaillon in Händen, einfach, ohne Prunk und Zierat. Und nun drückte sie's an der Feder auf und sah ein Bildchen und erkannt es, und es entfiel ihrer Hand. Es war, en miniature, der Tintoretto, den sie damals so lachend und übermütig betrachtet und für dessen Hauptfigur sie nur die Worte gehabt hatte: »Sieh, Ezel, sie hat geweint. Aber ist es nicht, als begriffe sie kaum ihre Schuld?«

Ach, sie fühlte jetzt, daß das alles auch für sie selbst gesprochen war, und sie nahm das ihrer Hand entfallene Bildchen wieder auf und gab es an Ruben und errötete.

Dieser spielte damit hin und her und sagte dann, während er die Feder wieder zuknipste: »King Ezel in all his glories! Immer derselbe. Wohlwollend und ungeschickt. Ich werd es tragen. Als Uhrgehäng', als Berlocke.«

»Nein, *ich*. Ach, du weißt nicht, wie viel es mir bedeutet. Und es soll mich erinnern und mahnen . . . jede Stunde . . .«

»Meinetwegen. Aber nimm es nicht tragischer als nötig und grüble nicht zuviel über das alte leidige Thema von Schuld und Sühne.«

»Du bist hochmütig, Ruben.«

»Nein.«

»Nun gut. Dann bist du stolz.«

»Ja, das bin ich, meine süße Melanie. Das bin ich. Aber auf was? Auf *wen?*«

Und sie umarmten sich und küßten sich, und eine Stunde später brannten ihnen die Weihnachtslichter in einem ungetrübten Glanz.

CÉCILE

Erstes Kapitel

»Thale. Zweiter...«

»Letzter Wagen, mein Herr.«

Der ältere Herr, ein starker Fünfziger, an den sich dieser Bescheid gerichtet hatte, reichte seiner Dame den Arm und ging in langsamem Tempo, wie man eine Rekonvaleszentin führt, bis an das Ende des Zuges. Richtig, »Nach Thale« stand hier auf einer ausgehängten Tafel.

Es war einer von den neuen Waggons mit Treppenaufgang, und der mit besonderer Adrettheit gekleidete Herr: blauer Überrock, helles Beinkleid und Korallentuchnadel, wandte sich, als er das Waggontreppchen hinauf war, wieder um, um seiner Dame beim Einsteigen behilflich zu sein. Die Kompartiments waren noch leer, und so hatte man denn die Wahl, aber freilich auch die Qual, und mehr als eine Minute verging, ehe die schlanke, schwarzgekleidete Dame sich schlüssig gemacht und einen ihr zusagenden Platz gefunden hatte. Von ähnlicher Unruhe war der sie begleitende Herr, dessen Aufundabschreiten jedoch, allem Anscheine nach, mit der Platzfrage nichts zu schaffen hatte, wenigstens sah er, das Fenster mehrfach öffnend und schließend, immer wieder den Perron hinunter, wie wenn er jemand erwarte. Das war denn auch der Fall, und er beruhigte sich erst, als ein in eine Halblivree gekleideter Diener ihm die Fahrbilletts samt Gepäckschein eingehändigt und sich bei dem »Herrn Obersten« (ein Wort, das er beständig wiederholte) wegen seines langen Ausbleibens entschuldigt hatte. »Schon gut«, sagte der so beharrlich als »Herr Oberst« Angeredete. »Schon gut. Unsere Adresse weißt du. Halte mir die Pferde instand; jeden Tag eine Stunde; nicht mehr. Aber nimm dich auf dem Asphalt in acht.« Dann kam der Schaffner, um unter respektvoller Verbeugung gegen den Fahrgast, den er sofort als einen alten Militär erkannte, die Billetts zu kupieren.

Und nun setzte sich der Zug in Bewegung.

»Gott sei Dank, Cécile«, sagte der Oberst, dessen scharfer und beinah stechender Blick durch einen kleinen Fehler am linken Auge noch gesteigert wurde. »Gott sei Dank, wir sind allein.«

»Um es hoffentlich zu bleiben.«

Damit brach das Gespräch wieder ab.

*

Es hatte die Nacht vorher geregnet, und der am Fluß hin gelegene Stadtteil, den der Zug eben passierte, lag in einem dünnen Morgennebel, gerade dünn genug, um unseren Reisenden einen Einblick in die Rückfronten der Häuser und ihre meist offenstehenden Schlafstubenfenster zu gönnen. Merkwürdige Dinge wurden da sichtbar, am merkwürdigsten aber waren die hier und da zu Füßen der hohen Bahnbögen gelegenen Sommergärten und Vergnügungslokale. Zwischen rauchgeschwärzten Seitenflügeln erhoben sich etliche Kugelakazien, sechs oder acht, um die herum ebensoviel grüngestrichene Tische samt angelehnten Gartenstühlen standen. Ein Handwagen, mit eingeschirrtem Hund, hielt vor einem Kellerhals, und man sah deutlich, wie Körbe und Flaschen hinein- und mit ebensoviel leeren Flaschen wieder herausgetragen wurden. In einer Ecke stand ein Kellner und gähnte.

Bald aber war man aus dieser Straßenenge heraus, und statt ihrer erschienen weite Bassins und Plätze, hinter denen die Siegessäule halb gespenstisch aufragte. Die Dame wies kopfschüttelnd mit der Schirmspitze darauf hin und ließ dann an dem offenen Fenster, wenn auch freilich nur zur Hälfte, das Gardinchen herunter.

Ihr Begleiter begann inzwischen eine mit dicken Strichen gezeichnete Karte zu studieren, die die Bahnlinien in der unmittelbaren Umgebung Berlins angab. Er kam aber nicht weit mit seiner Orientierung, und erst, als man die Lisiere des Zoologischen Gartens streifte, schien er sich zurechtzufinden und sagte: »Sieh, Cécile, das sind die Elefantenhäuser.«

»Ah«, sagte diese mit einem Versuch, Interesse zu zeigen, blieb aber zurückgelehnt in ihrem Eckplatz und richtete sich erst auf, als der Zug in Potsdam einfuhr. Viele Militärs schritten hier den Perron auf und ab, unter ihnen auch ein alter General, der, als er Céciles ansichtig wurde, mit besonderer Artigkeit in das Kupee hineingrüßte, dann aber sofort vermied, abermals in die Nähe desselben zu kommen. Es entging ihr nicht, ebensowenig dem Obersten.

Und nun wurde das Signal gegeben, und die Fahrt ging weiter über die Havelbrücke hin, erst über die Potsdamer, dann über die Werdersche. Niemand sprach, und nur die Gardine mit dem eingemusterten M. H. E. flatterte lustig im Winde. Cécile starrte darauf hin, als ob sie den Tiefsinn dieser Zeichen erraten wolle, gewann aber nichts, als daß sich der Mattigkeitsausdruck ihrer Züge nur noch steigerte.

»Du sollst dir's bequem machen«, sagte der Oberst, »und dich ausstrecken, statt aufrecht in der Ecke zu sitzen.« Und als sie zustimmend nickte, nahm er Plaids und Decken und mühte sich um sie.

»Danke, Pierre. Danke. Nur noch das Kissen.«

Und nun zog sie die Reisedecke höher hinauf und schloß die Augen, während der Oberst in einem Reisehandbuch zu lesen begann und kleine Strichelchen an den Rand machte. Nur von Zeit zu Zeit sah er über das Buch fort und betrachtete die nur scheinbar Schlafende mit einem Ausdrucke von Aufmerksamkeit und Teilnahme, der unbedingt für ihn eingenommen haben würde, wenn sich nicht ein Zug von Herbheit, Trotz und Eigenwillen mit eingemischt und die freundliche Wirkung wieder gemindert hätte. Täuschte nicht alles, so lag eine »Geschichte« zurück, und die schöne Frau (worauf auch der Unterschied der Jahre hindeutete) war unter allerlei Kämpfen und Opfern errungen.

Es verging eine Weile, dann öffnete sie die Augen wieder und sah in die Landschaft hinaus, die beständig wechselte: Saaten und Obstgärten und dann wieder weite Heidestriche. Kein Wort wurde laut, und es schien fast, als ob dies apathische Träumen ihr, der eben erst in der Genesung Begriffenen, am meisten zusage.

»Du sprichst nicht, Cécile.«

»Nein.«

»Aber ich darf sprechen?«

»Gewiß. Sprich nur. Ich höre zu.«

»Sahst du Saldern?«

»Er grüßte mich mit besonderer Artigkeit.«

»Ja, mit besonderer. Und dann vermied er dich und mich. Wie wenig selbständig doch diese Herren sind.«

»Ich fürchte, daß du recht hast. Aber nichts davon; warum uns quälen und peinigen? Erzähle mir etwas Hübsches, etwas von Glück und Freude. Gibt es nicht eine Geschichte: Die Reise nach dem Glück? Oder ist es bloß ein Märchen?«

»Es wird wohl ein Märchen sein.«

Sie nickte schmerzlich bei diesem Wort, und als er nicht ohne aufrichtige, wenn auch freilich nur flüchtige Bewegung sah, daß ihr Auge sich trübte, nahm er ihre Hand und sagte: »Laß, Cécile. Vielleicht ist das Glück näher, als du denkst, und hängt im Harz an irgendeiner Klippe. Da hol ich es dir herunter, oder wir pflücken es gemeinschaftlich. Denke nur, das Hotel, in dem wir wohnen werden, heißt Hotel Zehnpfund. Klingt das nicht

wie die gute alte Zeit? Ich sehe schon die Waage, drauf du ge-
wogen wirst und dich mit jedem Tage mehr in die Gesundheit
hineinwächst. Denn Zunehmen heißt Gesundwerden. Und dann
kutschieren wir umher und zählen die Hirsche, die der Wer-
nigeroder Graf in seinem Parke hat. Er wird doch hoffentlich
nichts dagegen haben. Und überall, wo ein Echo ist, laß ich
einen Böllerschuß dir zu Ehren abfeuern.«

Es schien, daß ihr diese Worte wohltaten, im übrigen aber
doch wenig bedeuteten, und so sagte sie: »Ich hoffe, daß wir
viel allein sind.«

»Warum immer allein? Und gerade du. Du brauchst Menschen.«

»Vielleicht. Nur keine Table d'hôte. Versprich mir's.«

»Gern. Aber ich denke, du wirst bald andren Sinnes werden.«

Und nun stockte das Gespräch wieder und in immer rasche-
rem Fluge ging es erst an Brandenburg und seiner Sankt Gode-
hards-Kirche, dann an Magdeburg und seinem Dome vorüber.
In Oschersleben schloß sich der Leipziger Zug an, und mit etwas
geringerer Geschwindigkeit, weil sich die Steigung fühlbar zu
machen begann, fuhr man jetzt auf Quedlinburg zu, hinter
dessen Abteikirche der Brocken bereits aufragte. Das Land, das
man passierte, wurde mehr und mehr ein Gartenland, und wie
sonst Kornstreifen sich über den Ackergrund ziehen, zogen sich
hier Blumenbeete durch die weite Gemarkung.

»Sieh, Cécile«, sagte der Oberst. »Ein Teppich legt sich dir zu
Füßen, und der Harz empfängt dich à la Princesse. Was willst
du mehr?«

Und sie richtete sich auf und lächelte.

Wenige Minuten später hielt der Zug in Thale, wo sofort ein
Schwarm von Kutschern und Hausdienern aller Art die Kupees
umdrängte: »Hubertusbad!« »Waldkater!« »Zehnpfund!«

»Zehnpfund«, wiederholte der Oberst, und einem dienstfertig
zuspringenden Kommissionär den Gepäckschein einhändigend,
bot er Cécile den Arm und schritt auf das unmittelbar am Bahnhof gelegene Hotel zu.

Zweites Kapitel

Der große Balkon von Hotel Zehnpfund war am anderen Morgen kaum zur Hälfte besetzt, und nur ein Dutzend Personen
etwa sah auf das vor ihnen ausgebreitete Landschaftsbild, das

durch die Feueressen und Rauchsäulen einer benachbarten Fabrik nicht allzuviel an seinem Reize verlor. Denn die Brise, die ging, kam von der Ebene her und trieb den dicken Qualm am Gebirge hin. In die Stille, die herrschte, mischte sich, außer dem Rauschen der Bode, nur noch ein fernes Stampfen und Klappern und ganz in der Nähe das Zwitschern einiger Schwalben, die, im Zickzack vorüberschießend, auf eine vor dem Balkon gelegene Parkwiese zu flogen. Diese war das Schönste der Szenerie, schöner fast als die Bergwand samt ihren phantastischen Zacken, und wenn schon das saftige Grün der Wiese das Auge labte, so mehr noch die Menge der Bäume, die gruppenweise von ersichtlich geschickter Hand in dies Grün hineingestellt waren. Ahorn und Platanen wechselten ab, und dazwischen drängten sich allerlei Ziersträucher zusammen, aus denen hervor es buntfarbig blühte: Tulpenbaum und Goldregen und Schneeball und Akazie.

Der Anblick mußte jeden entzücken, und so hing denn auch das Auge der schönen Frau, die wir am Tage vorher auf ihrer Reise begleiteten, an dem ihr zu Füßen liegenden Bilde, freilich, im Gegensatze zu dem Obersten, ihrem Gemahl, mit nur geteiltem Interesse.

Der Tisch, an dem beide das Frühstück nahmen, stand im Schutz einer den Balkon nach dem Gebirge hin abschließenden Glaswand und fiel nicht nur durch ein besonders elegantes Service, sondern mehr noch durch ein großes und prächtiges Fliederbukett auf, das man, vielleicht in Huldigung gegen die durch Rang und Erscheinung gleich distinguierte Dame, gerad' auf diesen Tisch gestellt hatte. Cécile selbst brach einige von den Blütenzweigen ab und sah dann abwechselnd auf Berg und Wiese, ganz einer träumerischen Stimmung hingegeben, in der sie sich augenscheinlich ungern gestört fühlte, wenn der Oberst, in wohlmeinendem Erklärungseifer, den Cicerone machte.

»Vieles«, hob er an, »hat sich speziell an dieser Stelle geändert, seit ich in meinen Fähnrichstagen hier war. Aber ich finde mich doch noch zurecht. Das Plateau dort oben, mit dem großen, würfelförmigen Gasthause, muß der Hexentanzplatz sein. Ich höre, man kann jetzt bequem hinauffahren.«

»O gewiß kann man«, sagte sie, während sie, sichtlich gleichgültig gegen diese Mitteilung, mit ihrem Auge den Balkon überflog, auf dem die Jalousieringe klapperten und die rot und weiß gemusterten Tischdecken im Winde wehten. Zugleich zupfte sie an einer ihrer Schleifen und wandte den Kopf so, daß man, von der anderen Seite des Balkons her, ihr schönes Profil sehen mußte.

»Hexentanzplatz«, nahm sie nach einer Weile das Gespräch wieder auf. »Wahrscheinlich ein Felsen mit einer Sage, nicht wahr? Wir hatten auch in Schlesien so viele; sie sind alle so kindisch. Immer Prinzessinnen und Riesenspielzeug. Ich dachte, der Felsen, den man hier sähe, hieße die Roßtrappe.«

»Gewiß, Cécile. Das ist der andre; gleich hier der nächste.«

»Müssen wir hinauf?«

»Nein, wir müssen nicht. Aber ich dachte, du würdest es wünschen. Der Blick ist schön, und man sieht meilenweit in die Ferne.«

»Bis Berlin? Aber nein, darin irr ich, das ist nicht möglich. Berlin muß weiter sein; fünfzehn Meilen oder noch mehr. Ah, sahst du die zwei Schwalben? Es war, als haschten sie sich und spielten miteinander. Vielleicht sind es Geschwister oder vielleicht ein Pärchen.«

»Oder beides. Die Schwalben nehmen es nicht so genau. Sie sind nicht so offiziell in diesen Dingen.«

Es lag etwas Bitteres in diesem Ton. Aber diese Bitterkeit schien sich nicht gegen die Dame zu richten, denn ihr Auge blieb ruhig, und keine Röte stieg in ihr auf. Sie zog nur ein Chenilletuch, das sie bis zur Hälfte hatte fallen lassen, wieder in die Höhe und sagte: »Mich fröstelt, Pierre.«

»Weil du nicht Bewegung genug hast.«

»Und weil ich schlecht geschlafen habe. Komm, ich will mich niederlegen und eine halbe Stunde ruhn.«

Und bei diesen Worten erhob sie sich und ging unter leichtem Gruß, den die Zunächstsitzenden ebenso leicht erwiderten, auf das Nebenzimmer und den Korridor zu. Der Oberst folgte. Nur einer der Gäste, der, über seine Zeitung fort, von der anderen Seite des Balkons her das distinguierte Paar schon seit lange beobachtet hatte, stand auf, legte die Zeitung aus der Hand und grüßte mit besonderer Devotion, was seines Eindrucks auf die schöne Frau nicht verfehlte. Wie belebt und erheitert, nahm diese plötzlich ihres Begleiters Arm und sagte: »Du hast recht, Pierre. Luft wird mir besser sein als Ruhe. Mich fröstelt nur, weil ich keine Bewegung habe. Laß uns in den Park gehn. Wir wollen sehn, ob wir die Stelle finden, wo die Schwalben nisten. Ich habe mir den Baum gemerkt.«

*

Der junge Mann, der sich von seinem Platz erhoben und mit so besonderer Artigkeit gegrüßt hatte, rief jetzt den Kellner heran und sagte: »Kennen Sie die Herrschaften?«

»Ja, Herr von Gordon.«

»Nun?«

»Oberst a. D. von St. Arnaud und Frau. Sie kamen gestern mit dem Mittagszug und nahmen ein Diner à part. Die Dame scheint krank.«

»Und werden einige Tage bleiben?«

»Ich vermute.«

Der Kellner trat wieder zurück, und der als Herr von Gordon Angeredete wiederholte jetzt zwei-, dreimal den Namen, den er eben gehört hatte. »St. Arnaud . . . St. Arnaud!«

Endlich schien er es gefunden zu haben.

»Ja, jetzt entsinne ich mich. In St. Denis war anno 70 viel von ihm die Rede. Kugel durch den Hals, zwischen Karotis und Luftröhre. Wahrer Wunderschuß. Und wunderbar auch die Heilung: in sechs Wochen wiederhergestellt. Witzleben hat mir ausführlich davon erzählt. Kein Zweifel, das ist er. Er war damals ältester Hauptmann in einem der Garderegimenter, bei ›Franz‹ oder den ›Maikäfern‹, und wurde noch in Frankreich Major. Ich muß ihn im ›Cerf‹ gesehen haben. Aber warum außer Dienst?«

Der dies Selbstgespräch Führende nahm, als er sich mit Hilfe seines Gedächtnisses auf diese Weise leidlich orientiert hatte, die Zeitung wieder zur Hand und überflog den Leitartikel, der die letzten Fortschritte der Russen in Turkmenien behandelte, zugleich aber unter allerhand Namensverwechslungen auch über Indien und Persien orakelte. »Der Herr Verfasser weiß da so gut Bescheid wie ich auf dem Mond.« Und das Blatt verdrießlich wieder beiseite schiebend, sah er lieber auf das Gebirge hin, das er seit länger als einer Woche an jedem neuen Morgen mit immer neuer Freude betrachtete. Zuletzt ruhte sein Blick auf dem Vordergrund und verfolgte hier die Kieswege, die sich in abwechselnd breiten und schmalen Schlängellinien durch die Parkwiese hinzogen. Eins der Bosketts, das dem Sonnenbrand am meisten ausgesetzt war, zeigte viel Gelb, und er sah eben scharf hin, um sich zu vergewissern, ob es gelbe Blüten oder nur von der Sonne verbrannte Blätter seien, als er aus ebendiesem Boskett die Gestalten des St. Arnaudschen Paares hervortreten sah. Sie bogen in den Weg ein, der jenseits der Parkwiese parallel mit dem Hotel lief, so daß man vom Balkon her beide genau beobachten konnte. Die schöne Frau schien sich unter dem

Einflusse der Luft rasch gekräftigt zu haben und ging aufrecht und elastisch, trotzdem sich unschwer erkennen ließ, daß ihr das Gehen immer noch Müh' und Anstrengung verursachte.

»Das ist Baden-Baden«, sagte der vom Balkon aus sie Beobachtende. »Baden-Baden oder Brighton oder Biarritz, aber nicht Harz und Hotel Zehnpfund.« Und so vor sich hinsprechend, folgte sein Auge dem sich bald nähernden, bald entfernenden Paare mit immer gesteigertem Interesse, während er zugleich in seinen Erinnerungen weiterforschte. »St. Arnaud. Anno 70 war er noch unverheiratet; sie wäre damals auch kaum achtzehn gewesen.« Und unter solchem Rechnen und Erwägen erging er sich in immer neuen Mutmaßungen darüber, welche Bewandtnis es mit dieser etwas sonderbaren und überraschenden Ehe haben möge. »Dahinter steckt ein Roman. Er ist über zwanzig Jahre älter als sie. Nun, das ginge schließlich, das bedeutet unter Umständen nicht viel. Aber den Abschied genommen, ein so brillanter und bewährter Offizier! Man sieht ihm noch jetzt den Schneid an; Garde-Oberst comme-il-faut, jeder Zoll. Und doch außer Dienst. Sollte vielleicht... Aber nein, sie kokettiert nicht, und auch sein Benehmen gegen sie hält das richtige Maß. Er ist artig und verbindlich, aber nicht zu gesucht artig, als ob was zu kaschieren sei. Nun, ich will es schon erfahren. Übrigens wirkt sie katholisch, und wenn sie nicht aus Brüssel ist, ist sie wenigstens aus Aachen. Nein, auch das nicht. Jetzt hab ich es: Polin oder wenigstens polnisches Halbblut. Und in einem festen Kloster erzogen: Sacré cœur‹ oder ›Zum guten Hirten‹.«

Drittes Kapitel

Herr von Gordon war auf bestem Wege, seine Mutmaßungen noch weiter auszuspinnen, als er sich durch ein von rückwärts her laut werdendes sehr ungeniertes Lachen unterbrochen und zwei neue Besucher auf den Balkon heraustreten sah, stattliche Herren von etwa dreißig, über deren spezielle Heimat, sowohl ihrem Auftreten wie besonders ihrer Sprechweise nach, kein Zweifel sein konnte. Sie trugen graubraune Sommeranzüge, deren Farbe sich nach oben hin bis in die kleinen Filzhüte fortsetzte, dazu Plaids und Reisetaschen. Alles paßte vorzüglich zusammen, mit Ausnahme zweier Ausrüstungsgegenstände, von denen der eine, mit Rücksicht auf eine Harzreise, des Guten zu wenig, der andere aber entschieden zu viel tat. Diese zwei *nicht*

passenden Dinge waren: ein eleganter Promenadenstock mit
Elfenbeingriff und anderseits ein hypersolides Schuhzeug, das
sich mit seinen Schnürösen und dicken Sohlen ausnahm, als ob
es sich um eine Besteigung des Matterhorn, nicht aber der Roßtrappe gehandelt hätte.

»Wo kampieren wir?« fragte der ältere, von der Türschwelle
her Umschau haltend. Im selben Augenblick aber des geschützt
stehenden Tisches mit dem großen Fliederstrauß ansichtig werdend, an dem die St. Arnauds eben noch gesessen hatten, schritt
er rasch auf diese bevorzugte, weil windgeschützte Stelle zu und
sagte: »Wo *das* blüht, da laß dich ruhig nieder, böse Menschen
haben keinen Flieder.« Und im selben Augenblicke sowohl
Reisetasche wie Plaid über die Stuhllehne hängend, rief er mit
charakteristischer Betonung der letzten Silbe: »Kellneer!«

»Befehlen?«

»Zuvörderst einen Mokka samt Zubehör oder, sagen wir
kurz: ein Schweizer Frühstück. Jedem Mann ein Ei, dem tapf'ren
Schweppermann aber zwei.«

Der Kellner lächelte schalkhaft vor sich hin und suchte, zu sichtlicher Freude der beiden neuen Ankömmlinge, durch eine humo-
ristische Handbewegung auszudrücken, daß er nicht recht wisse,
wer der zu Bevorzugende sein werde.

»Berliner?«

»Zu dienen.«

»Nun denn, Freund und Landsmann, Sie werden uns nicht
verraten, wenn Sie hören, daß wir eigentlich beide Schwepper-
männer sind. Macht vier Eier. Und nun flink. Aber erst hier das
alte Schlachtfeld abräumen. Und wie steht es mit Honig?«

»Sehr gut.«

»Nun denn auch Honig. Aber Wabenhonig. Alles frisch vom
Faß. Echt, echt!«

Unter diesem Gespräch hatte der Kellner den Tisch klar gemacht und ging nun, um das Frühstück herbeizuschaffen. Es
folgte eine Pause, die das Berliner Paar, weil ihm nichts anderes
übrigblieb, mit Naturbetrachtungen ausfüllte.

»Das also ist der Harz oder das Harzgebirge«, nahm der
ältere zum zweiten Male das Wort, derselbe, der das kurze
Gespräch mit dem Kellner gehabt hatte. »Merkwürdig ähnlich.
Ein bißchen wie Tivoli, wenn die Kuhnheimsche Fabrik im Gang
ist. Sieh nur, Hugo, wie das Ozon da drüben am Gebirge hin-
streicht. In den Zeitungen heißt es in einer allwöchentlich wiederkehrenden Annonce: ›Thale, klimatischer Kurort‹. Und nun

diese Schornsteine! Na meinetwegen; Rauch konserviert, und wenn wir hier vierzehn Tage lang im Schmook hängen, so kommen wir als Dauerschinken wieder heraus. Ach, Berlin! Wenn ich nur wenigstens die Roßtrappe sehen könnte!«

»Du hast sie ja vor dir«, sagte der andre, während eben auf einem großen Tablett das Frühstück gebracht wurde. »Nicht wahr, Kellner, das rötliche Haus da oben, das ist die Roßtrappe?«

»Nicht ganz, mein Herr. Die Roßtrappe liegt etwas weiter zurück. Das Haus, das Sie sehen, ist das ›Hotel zur Roßtrappe‹.«

»Na, das ist die Roßtrappe. Das Hotel entscheidet. Übrigens, Pilsener oder Kulmbacher?«

»Beides, meine Herren. Aber wir brauen auch selbst.«

»Wohl am Ende da drüben, wo der Rauch zieht?«

»Nein, hier mehr links. Die Schornsteine nach rechts hin sind die Blechhütte.«

»Was?«

»Die Blechhütte. Blech mit Emaille.«

»Wundervoll! Mit Emaille! Fehlt bloß noch das Zifferblatt. Und darf man das alles sehn?«

»O gewiß, gewiß. Wenn die Herren nur ihre Karten abgeben wollen ...«

Und damit brach das Gespräch ab, und die beiden Touristen par excellence machten sich an ihr Frühstück mit Ei und Wabenhonig.

*

Eine halbe Stunde später erhoben sie sich und verließen den Balkon, wobei der jüngere den Stock mit der Elfenbeinkrücke quer vor den Mund nahm, zugleich den Ton einer zum Marsch blasenden Pickelflöte nachahmend. Alles, was noch auf dem Balkon verblieben war, sah ihnen neugierig nach, auch Gordon, der ihren Weitermarsch bis ins Bodetal hinein verfolgt haben würde, wenn nicht der eben mit neuen Ankömmlingen eingetroffene Frühzug sein Interesse nach der entgegengesetzten Seite hin abgezogen hätte. Sängervereine rückten vom Bahnhof heran und marschierten auf Treseburg zu, wo sie den Tag zu verbringen und ihre Sängerwettkämpfe zu führen gedachten. Im Vorüberziehen an dem Hotel schwenkten sie die Hüte, zahllose Hochs ausbringend, von denen niemand recht wußte, wem sie galten. An ihre letzte Sektion aber schlossen sich alle diejenigen an, die der Zug außerdem noch gebracht hatte, lauter Durch-schnittsfiguren, unter denen nur die direkt abschließenden einiger Aufmerksamkeit wert waren.

Es waren ihrer zwei, beide lebhaft plaudernd, aber doch nur wie Personen, die sich eben erst kennengelernt haben. Der zur Lin-ken Gehende, schwarz gekleidet in Stehkragenrock, dabei von freundlichen Zügen, war ein alter Emeritus, den Gordon schon von verschiedenen Ausflügen und namentlich von der Table d'hôte her kannte, während der andere durch eine große Häß-lichkeit und beinahe mehr noch durch die Sonderbarkeit seiner Kleidung auffiel. Er trug nämlich ziemlich defekte Gamaschen und eine Manchesterweste, deren Schöße länger waren als seine Joppe, dazu Strippenhaar, Klapphut und Hornbrille. Worauf deutete das alles hin? Seinem unteren Menschen nach hätte man ihn ohne weiteres für einen Trapper, seinem oberen nach ebenso zweifellos für einen Rabulisten und Winkeladvokaten halten müssen, wenn nicht sein letztes und vorzüglichstes Ausrüstungs-stück: eine Botanisiertrommel, gewesen wäre, ja sogar eine Botanisiertrommel am gestickten Bande. Diese beständig hin und her schiebend, schritt er an der Seite des geistlichen Herrn, der übrigens bereits Miene zum Abschwenken machte, mit gro-ßen Schritten und unter beständigen Gestikulationen auf die Parkwiese zu.

»Botaniker«, sagte Gordon zu dem Wirte von ›Hotel Zehn-pfund‹, der sich ihm mittlerweile gesellt hatte. »Sieht er nicht aus wie der Knecht Ruprecht, der den Frühling in seinen Sack stecken will?«

Der joviale Hotelier jedoch, der, wie die meisten seines Stan-des, ein Menschenkenner war, wollte von der Gordonschen Diagnose nichts wissen und sagte: »Nein, Herr von Gordon, die grüne Trommel, die kenn ich; in neun Fällen von zehn ist sie Vorratskammer, am gestickten Bande aber ist sie's immer. Nichts von Botanik. Ich halte den Herrn für einen Urnenbuddler.«

»Archäologe?«

»So drum herum.«

Und als beide so sprachen, verschwand der Gegenstand ihrer Unterhaltung jenseits der Parkwiese, nachdem er sich schon vor-her von dem im Hotel wohnenden Emeritus verabschiedet hatte.

Zehn Minuten vor eins läutete die Tischglocke durch alle Korridore hin, und wiewohl die Hautesaison noch nicht begonnen hatte, versammelte sich doch eine stattliche Zahl von Gästen im großen Speisesaal. Auch die beiden Berliner in Graubraun fehlten nicht und hatten sofort am unteren Ende der Tafel eine Korona teils bewundernder, teils lächelnder Zuhörer um sich her, zu welchen letzteren auch der alte Herr im geistlichen Rock und der Langhaarige mit der Hornbrille zählte. Das im Gegensatze zu dem unterwegs von Cécile geäußerten Wunsch heut ebenfalls erschienene St. Arnaudsche Paar war vom Oberkellner gebeten worden, die Mittelplätze der Tafel einzunehmen, gegenüber von Herrn von Gordon, der im selben Augenblicke, wo die Herrschaften Platz genommen hatten, auch schon die mit allerhand rotem Blattwerk zwischen ihm und Cécile stehende Vase zu verwünschen begann. Selbstverständlich ließ er sich durch dies Hindernis nicht abhalten, sich vorzustellen, worauf der Oberst, vielleicht weil er einen adligen Namen gehört hatte, mit bemerkenswerter Artigkeit erwiderte: »von St. Arnaud, – meine Frau.« Es schien aber bei diesem Namensaustausch bleiben zu sollen, denn Minuten vergingen, ohne daß ein weiterer Annäherungsversuch von hüben oder drüben gemacht worden wäre. Gordon, trotzdem ihm die Tage preußischer Disziplin um mehrere Jahre zurücklagen, glaubte doch mit Rücksicht auf den Rang des Obersten diesem das erste Wort überlassen zu müssen. Auch Cécile schwieg und richtete nur dann und wann ein Wort an ihren Gemahl, während sie mechanisch an einem Türkisringe drehte.

Seit dem Ragoût fin en coquille, von dem sie zwei Bröckchen gekostet und zwei andere auf der Gabelspitze gelassen hatte, hatte sie bei jedem neu präsentierten Gange gedankt und lehnte sich jetzt mit verschränkten Armen in den Stuhl zurück, nur dann und wann nach der Saaluhr blickend, auf deren Zifferblatt der Zeiger langsam vorrückte. Gordon, auf bloße Beobachtung angewiesen, begann allmählich die Vase zu segnen, die, so hinderlich sie war, ihm wenigstens gestattete, seine Studien einigermaßen unauffällig, wenn auch freilich nicht unbemerkt, fortsetzen zu können. Er gestand sich, selten eine schönere Frau gesehen zu haben, kaum in England, kaum in den »States«. Ihr Profil war von seltener Reinheit, und das Fehlen jeder Spur von Farbe gab ihrem Kopfe, darin Apathie der vorherrschende Zug war, etwas Marmornes. Aber dieser Ausdruck von Apathie war nicht Folge besonderer Niedergeschlagenheit, noch weniger von schlechter Laune, denn ihre Züge, wie Gordon nicht entging, begannen sich sofort zu beleben, als plötzlich von der unteren Tafel her dem Kellner in gutem Berlinisch zugerufen wurde: »Kalt stellen also. Aber nicht zu lange. Denn der Knall bleibt immer die Hauptsache« – bei welcher These der, der sie aufstellte, mit seinem Zeigefinger rasch und geschickt unter den Mundwinkel und mit solcher Energie wieder herausfuhr, daß es einen lauten Puff gab.

Alles lachte. Selbst der Oberst schien froh, aus der Tafel-Langeweile heraus zu sein, und sagte jetzt, während er sich über den Tisch hin vorbeugte: »Nicht wahr, Herr von Gordon, Sie sind ein Sohn des Generals?«

»Nein, mein Herr Oberst, auch kaum verwandt, denn ich bin eigentlich ein Leslie. Der Name Gordon ist erst durch Adoption in unsere Familie gekommen.«

»Und stehen in welchem Regiment?«

»In keinem, Herr Oberst. Ich habe den Dienst quittiert.«

»Ah«, sagte der Oberst, und eine Pause folgte, die zum zweiten Male verhängnisvoll werden zu wollen schien. Aber die Gefahr ging vorüber, und St. Arnaud, der sonst wenig sprach, fuhr mit einem für seinen Charakter überraschend artigen Entgegenkommen fort: »Und Sie sind schon längere Zeit hier, Herr von Gordon? Und vielleicht zur Kur?«

»Seit einer Woche, mein Herr Oberst. Aber nicht eigentlich zur Kur. Ich will ausruhen und eine gute Luft atmen und nebenher auch Plätze wiedersehen, die mir aus meiner Kindheit her teuer sind. Ich war, eh' ich in die Armee trat, oft im Harz und darf sagen, daß ich ihn kenne.«

»Da bitt ich, daß wir uns vorkommendenfalls an Ihren guten Rat und Ihre Hilfe wenden dürfen. Wir gedenken nämlich, sobald es das Befinden meiner Frau zuläßt, immer höher in die Berge hinaufzugehen und etwa mit Andreasberg abzuschließen. Es soll dort die beste Luft für Nervenkranke sein.«

In diesem Augenblicke präsentierte der Kellner ein Panachee, von dessen Vanillenseite Frau von St. Arnaud nahm und kostete. »Lieber Pierre«, sagte sie dann mit sich rasch belebender Stimme, »du bittest Herrn von Gordon um seinen Beistand und verscheuchst ihn im selben Augenblick aus unserer Nähe. Denn was ist lästiger als Rücksichten auf eine kranke Frau nehmen? Aber erschrecken Sie nicht, Herr von Gordon, wir werden Ihre

Güte nicht mißbrauchen, wenigstens nicht ich. Sie sind zweifellos ein Bergsteiger, also enragiert für große Partien, während ich' vorhabe, mir noch auf Wochen hin an unserem Balkon und der Parkwiese genügen zu lassen.«

Das Gespräch setzte sich fort und ward erst unterbrochen, als der an der unteren Tafel inzwischen erschienene Champagner mit allem Zeremoniell geöffnet wurde. Der Pfropfen flog in die Höh', und während der jüngere die Gläser füllte, musterte der ältere die Marke, selbstverständlich nur um Gelegenheit zum Vortrage einiger Champagner-Anekdoten zu finden, die sämtlich, um seinen eigenen Ausdruck zu gebrauchen, auf »Wirt- und Hotelentlarvung auf dem Pfropfenwege« hinausliefen – alles übrigens in bester Laune, die sich nicht bloß seiner nächsten Umgebung, sondern so ziemlich der ganzen Tafel mitteilte.

Zehn Minuten danach erhob man sich und verließ in Gruppen den Eßsaal. Auch die Berliner gingen den Korridor hinunter, machten aber an einem Fenstertischchen Halt, auf dem das Fremdenbuch aufgeschlagen lag, und begannen darin zu blättern.

»Ah, hier. Das is er: Gordon-Leslie, Zivilingenieur.«

»Gordon-Leslie!« wiederholte der andere. »Das ist ja der reine ›Wallensteins Tod‹.«

»Wahrhaftig, fehlt bloß noch Oberst Buttler.«

»Na, höre, der alte . . .«

»Meinst du?«

»Freilich, mein ich. Sieh dir 'n mal an. Wenn *der* erst anfängt . . .«

»Höre, das wär famos; da könnt man am Ende noch was erleben.«

Und damit gingen sie weiter und auf ihr Zimmer zu, »um sich hier«, wie sich der Ältere ausdrückte, »inwendig ein bißchen zu besehn«.

Fünftes Kapitel

Gleich nach Aufhebung der Tafel war zwischen den St. Arnauds und ihrem neuen Bekannten und Tisch-Visavis ein Nachmittagsspaziergang auf die Roßtrappe hinauf verabredet worden, und um vier Uhr traf man sich unter der großen Parkplatane, wo Gordon dann sofort auch, aber doch erst, nachdem er seine Dispositionen gehorsamst unterbreitet hatte, die Führung übernahm. Die gnädige Frau, so waren seine Worte gewesen, möge nicht erschrecken, wenn er statt des sehr steilen nächsten Weges einen Umweg vorschlage, der sich nicht bloß durch das, was er habe – darunter die schönsten Durchblicke –, sondern viel, viel mehr noch durch das, was er *nicht* habe, höchst vorteilhaft auszeichne. Die sonst üblichen Begleitstücke harzischer Promenadenwege: Hütten, Kinder und aufgehängte Wäsche kämen nämlich in Wegfall.

Cécile gab in guter Laune die Versicherung, lange genug verheiratet zu sein, um auch in kleinen Dingen Gehorsam und Unterordnung zu kennen; am wenigsten aber werde sie sich gegen Herrn von Gordon auflehnen, der den Eindruck mache, wie zum Führer und Pfadfinder geboren zu sein.

»Bedanken Sie sich«, lachte der Oberst. »Reminiszenz aus ›Lederstrumpf‹.«

Gordon war nicht angenehm von einem Scherze berührt, dessen Spott sich ebenso gegen ihn wie gegen Cécile richten konnte, verwand den Eindruck aber schnell und nahm das Schaltuch, das die schöne Frau bis dahin über dem Arm getragen hatte. Dann wies er auf einen einigermaßen schattigen, am Parkende gelegenen Steinweg hin und führte, diesen einschlagend, das St. Arnaudsche Paar an Buden und Sommerhäusern vorüber auf das benachbarte Hubertusbad zu, von dem aus er den Aufstieg auf die Roßtrappe bewerkstelligen wollte. Von beiden Seiten trat das Laubholz dicht heran, aber auch freiere Plätze kamen, auf deren einem eine von einem vergoldeten Drahtgitter eingefaßte, mit wildem Wein und Efeu dicht überwachsene Villa lag. Nichts regte sich in dem Hause, nur die Gardinen bauschten überall, wo die Fenster aufstanden, im Zugwind hin und her, und man hätte den Eindruck einer absolut unbewohnten Stätte gehabt, wenn nicht ein prächtiger Pfau gewesen wäre, der von seiner hohen Stange herab, über den meist mit Rittersporn und brennender Liebe bepflanzten Vorgarten hin, in übermütigem und herausforderndem Tone kreischte.

Cécile blieb betroffen stehen und wandte sich dann zu Gordon, der den ganzen Umweg vielleicht nur um dieser Stelle willen gemacht hatte.

»Wie zauberhaft«, sagte sie. »Das ist ja das ›verwunschene Schloß‹ im Märchen. Und so still und lauschig. Wirkt es nicht, als wohne der Friede darin oder, was dasselbe sagt: das Glück.«

»Und doch haben beide keine Stätte hier gefunden, und ich gehe täglich an diesem Hause vorüber und hole mir eine Predigt.«

»Und welche?«

»Die, daß man darauf verzichten soll, ein Idyll oder gar ein Glück von außen her aufbauen zu wollen. Der, der dies schuf, hatte dergleichen im Sinn. Aber er ist über die bloße Kulisse nicht hinausgekommen, und was dahinter für ihn lauerte, war weder Friede noch Glück. Es geht ein finsterer Geist durch dieses Haus, und sein letzter Bewohner erschoß sich hier, an dem Fenster da— das vorletzte links –, und wenn ich so hinseh, ist mir immer, als säh er noch heraus und suche nach dem Glücke, das er nicht finden konnte. Plätze, daran Blut klebt, erfüllen mich mit Grauen.«

Es war, als ob Gordon auf ein Wort der Zustimmung gewartet hätte. Dies Wort blieb aber aus, und Cécile zählte nur die Maschen des vor ihr ausgespannten Drahtgitters, während der Oberst sein Lorgnon nahm und die Fenster mit einer Art ruhiger Neugier musterte.

Dann, ohne daß weiter ein Wort gesprochen worden wäre, schritt man dem Schlängelwege zu, der auf die Roßtrappe hinaufführte.

Sechstes Kapitel

Die Bahnhofsuhr unten im Tale schlug eben fünf, als das St. Arnaudsche Paar und Gordon bis auf wenige Schritt an den Felsenvorsprung mit dem »Hotel zur Roßtrappe« heran waren und im selben Augenblicke wahrnahmen, daß viele der Gäste, mit denen sie die Table d'hôte geteilt hatten, ebenfalls hier oben erschienen waren, um an diesem bevorzugten Aussichtspunkte ihren Kaffee zu nehmen. Einige, darunter auch die beiden Herren in Graubraun (und an einem Nachbartische der Emeritus und der Langhaarige), saßen paar- und gruppenweis unter einem von Pfeifenkraut überwachsenen Zeltschuppen und sahen in die reiche Landschaft hinein, aus der in nächster Nähe die pittoresken Gebilde der Teufelsmauer und weiter zurück die Quedlinburger und Halberstädter Turmspitzen aufragten. Alles, was unter dem Zeltschuppen und zum Teil auch in der Front desselben saß, war heiter und guter Dinge, voran die beiden Berliner, deren Diner-Stimmung sich, unter dem Einfluß des Kaffeekognaks, eher gesteigert als gemindert hatte.

»Da sind sie wieder«, sagte der ältere, während er auf das St. Arnaudsche Paar und den unmittelbar folgenden Gordon zeigte. »Sieh nur, schon den Schal überm Arm. Der fackelt nicht lange. Was du tun willst, tue bald. Ich wundre mich nur, daß der Alte ...«

Seine Neigung, in diesem Gesprächstone fortzufahren, war unverkennbar; er brach aber ab, weil die, denen diese Bemerkungen galten, mittlerweile ganz in ihrer Nähe Platz genommen hatten, und zwar an einem unmittelbar am Abhange stehenden Tische, neben dem auch ein Teleskop für das schaulustige Publikum aufgestellt war. Eine junge, freilich nicht allzu junge, mit Skizzierung der Landschaft beschäftigte Dame saß schon vorher an dieser Stelle, was den Obersten, als er seinen Stuhl heranschob, zu den Worten veranlaßte: »Pardon, wenn wir lästig fallen. Aber alle Tische sind besetzt, mein gnädiges Fräulein, und der Ihrige genießt außerdem des Vorzugs, der landschaftlich anziehendste zu sein.«

»Das ist er«, sagte die Dame rasch und mit ungewöhnlicher Befangenheit, während sie das Blatt, an dem sie bis dahin gezeichnet, in die Mappe schob. »Ich ziehe diese Stelle jeder anderen vor, auch der eigentlichen Roßtrappe. Dort ist alles Kessel, Eingeschlossenheit und Enge, hier ist alles Weitblick. Und Weitblicke machen einem die Seele weit und sind recht eigentlich meine Passion in Natur und Kunst.«

Der Oberst, den das frank und freie Wesen der jungen Dame sichtlich anmutete, beeilte sich, sich und seine Begleitung vorzustellen, und fuhr dann fort: »Ich hoffe, meine Gnädigste, daß wir nicht zu sehr als eine Störung empfunden werden. Sie schoben das Blatt in die Mappe ...«

»Nur weil es beendet war, nicht um es Ihren Augen zu entziehen. Ich mißbillige diese Kunstprüderie, die doch meistens nur Hochmut ist. Die Kunst soll die Menschen erfreuen, immer da sein, wo sie gerufen wird, aber sich nicht wie die Schnecke furchtsam oder gar vornehm in ihr Haus zurückziehen. Am schrecklichsten sind die Klaviervirtuosen, die zwölf Stunden lang spielen, wenn man sie nicht hören will, und nie spielen, wenn man sie hören will. Das Verlangen nach einem Walzer ist ihnen die tödlichste der Beleidigungen, und doch ist ein Walzer etwas Hübsches und wohl des Entgegenkommens wert. Denn er macht ein Dutzend Menschen auf eine Stunde glücklich.«

Ein herantretender und nach den Befehlen der neuen Gäste fragender Kellner unterbrach hier auf Augenblicke das Gespräch, aber es wurde rasch wieder aufgenommen und führte nach einer kleinen Weile schon zur Durchsicht der bereits die verschiedensten Blätter enthaltenden Mappe. Cécile war entzückt, verklagte sich ihrer argen Talentlosigkeit halber, unter der sie zeitlebens gelitten, und tat freundliche, wohlgemeinte Fragen, die reizend gewesen wären, wenn sich nicht bei mancher überraschenden Kenntnis im einzelnen, im ganzen genommen, eine noch verwunderliche Summe von Nicht-Wissen darin ausgesprochen hätte. Sie selber schien aber kein Gewicht darauf zu legen und übersah ein nervöses Zucken, das bei der einen oder anderen dieser Fragen um den Mund ihres Gatten spielte.

Gordon, selber ein guter Zeichner und speziell von einem für landschaftliche Dinge geübten Auge, hatte hier und da Bedenken und gab ihnen, wenn auch unter den artigsten Entschuldigungen, Ausdruck.

»Oh, nur das nicht«, sagte die junge Dame. »Nur keine Entschuldigungen. Nichts schrecklicher als totes Lob; ein verständiger und liebevoller Tadel ist das Beste, was ein Künstlerohr vernehmen kann. Aber sehen Sie *das* hier; das ist besser.« Und sie zog unter den Blättern eines hervor, das eine Wiese mit Brunnentrog und an dem Trog ein paar Kühe zeigte.

»Das ist schön«, sagte Gordon, während die beständig auf Ähnlichkeiten ausgehende Cécile durchaus eine Wiese, die man vorher passiert hatte, darin wiedererkennen wollte.

Die junge Malerin überhörte diese Bemerkungen aber und fuhr, während sie Gordon ein zweites Blatt zuschob, in immer lebhafterem Tone fort: »Und hier sehen Sie, was ich kann und nicht kann. Ich bin nämlich, um es rund heraus zu sagen, eine Tiermalerin.«

»Ah, das ist ja reizend«, sagte Cécile.

»Doch nicht, meine gnädigste Frau, wenigstens nicht so bedingungslos, wie Sie gütigst anzunehmen scheinen. Eine Dame soll Blumenmalerin sein, aber nicht Tiermalerin. So fordert es die Welt, der Anstand, die Sitte. Tiermalerin ist an der Grenze des Unerlaubten. Es gibt da so viele intrikate Dinge. Glauben Sie mir, Tiere malen aus Beruf oder Neigung, ist ein Schicksal. Und wer den Schaden hat, darf für den Spott nicht sorgen. Denn zum Überfluß heiße ich auch noch Rosa, was in meinem speziellen Falle nicht mehr und nicht weniger als eine Kalamität ist.«

»Und warum das?« fragte Cécile.

»Weil mich, auf diesen Namen hin, die Neidteufelei der Kollegen in Gegensatz bringt zu meiner berühmten Namensschwester. Und so nennen sie mich denn Rosa Malheur.«

Cécile verstand nicht. Gordon aber erheiterte sich und sagte: »Das ist allerliebst, und ich müßte mich ganz in Ihnen irren, wenn Sie diese Namensgebung auch nur einen Augenblick ernstlich verdrösse.«

»Tut es auch nicht«, lachte jetzt das Fräulein, das eigentlich stolz auf den Spitznamen war, den man ihr gegeben hatte. »Man kommt darüber hin. Und Spielverderberei gehört ohnehin nicht zu meinen Tugenden.«

In diesem Augenblick erschien der Kellner mit einem tassenklirrenden Tablett, und während er die Serviette zu legen und den Tisch zu arrangieren begann, hörte man bei der eingetretenen Gesprächspause beinah jedes Wort, das unter dem Zeltschuppen, und zwar an dem zunächststehenden Tische, gesprochen wurde.

»Darin«, sagte der Langhaarige, dessen Botanisiertrommel trophäenartig an einem Balkenhaken hing, »darin, mein sehr verehrter Herr Emeritus, muß ich Ihnen durchaus widersprechen. Es ist ein Irrtum, alles in unserer Geschichte von den Hohenzollern herleiten zu wollen. Die Hohenzollern haben das Werk nur weitergeführt, die Begründer aber sind die halb vergessenen und eines dankbaren Gedächtnisses doch so würdigen Askanier. Ein oberflächlicher Geschichtsunterricht, der beiläufig die Hauptschuld an dem pietäts- und vaterlandslosen Nihilismus unserer Tage trägt, begnügt sich, wenn von den Askaniern die Rede ist, in der Regel mit zwei Namen, mit Albrecht dem Bären und Waldemar dem Großen, und wenn der Herr Lehrer ein wenig ästhetisiert – ich hasse das Ästhetisieren in der Wissenschaft –, so spricht er auch wohl von Otto mit dem Pfeil und der schönen Heilwig und dem Schatz in Angermünde. Nun ja, das mag gehen; aber das alles sind, wenn nicht Allotria, so doch bloße Kosthäppchen. In Wahrheit liegt es so, daß sie, die Askanier, trotz einiger sonderbarer Beinamen und Bezeichnungen, die, wie gern zugestanden werden mag, den Scherz oder einen billigen Witz herausfordern, samt und sonders bedeutend waren. Ich sage, gern zugestanden. Aber andererseits muß ich doch sagen dürfen, wohin kommen wir, mein Herr Emeritus, wenn wir die Bedeutung der Menschen nach ihren Namen abschätzen wollen? Ist Klopstock ein Dichtername? Vermutet man in Griepenkerl einen Dramatiker oder in Bengel einen berühmten Theologen? Oder gar in Ledderhose? Wir müssen uns freimachen von solchen Albernheiten.«

An einer lebhaften Bewegung seiner Lippen ließ sich erkennen, daß der Emeritus emsig dabei war, dem Manne des historischen Essays mit gleicher Münze heimzuzahlen, da seine Pensionierung aber, auf Antrag seiner ihn sonst verehrenden Gemeinde, vor zehn Jahren schon, und zwar »um Mümmelns willen«, erfolgt war, so war an ein Verstehen dessen, was er sagte, gar nicht zu denken, während das, was in ebendiesem Augenblick an dem berlinischen Nachbartisch gesprochen wurde, desto deutlicher herüberschallte.

»Sieh nur«, sagte der ältere. »Die beiden Türme da. Der nächste, das muß der Quedlinburger sein, das ist klar, das kann 'ne alte Frau mit 'm Stock fühlen. Aber der dahinter, der sich so retiré hält! Ob es der Halberstädter ist? Es muß der Halberstädter sein. Was meinst du, wollen wir 'n mal ein bißchen 'ranholen?«

»Gewiß. Aber womit?«

»Na, mit's Perspektiv. Sieh doch den Opernkucker da.«

»Wahrhaftig. Und auf 'ner Lafette. Komm.«

Und so weitersprechend, erhoben sie sich und gingen auf das Teleskop zu.

»Berliner«, flüsterte Rosa leise zu Gordon hinüber, und rückte mehr seitwärts.

Aber sie gewann wenig durch diese Retraite, denn die Stimmen der jetzt abwechselnd in das Glas hineinschauenden beiden Freunde waren von solcher Berliner Schärfe, daß kein Wort von ihrer Unterhaltung verlorenging.

»Nu? Hast du 'n?«

»Ja. Haben hab ich ihn. Und er kommt auch immer näher. Aber er wackelt so.«

»Denkt nicht dran. Weißt du, wer wackelt? Du.«

»Noch nich.«

»Aber bald.«

Und damit traten sie von dem Teleskop wieder unter die Halle zurück, wo sie sich nunmehr rasch zum Weitermarsch auf die eigentliche Roßtrappe hin fertig machten.

Als sie fort waren, sagte Rosa: »Gott sei Dank. Ich ängstige mich immer so.«

»Warum?«

»Weil meine lieben Landsleute so sonderbar sind.«

»Ja sonderbar sind sie«, lachte Gordon. »Aber nie schlimm. Oder sie müßten sich in den letzten zehn Jahren sehr verändert haben.«

*

So plaudernd, wurde das Durchblättern der Mappe fortgesetzt, freilich unter sehr verschiedener Anteilnahme. Der Oberst, ohne recht hinzublicken, beschränkte sich auf einige wenige bei solcher Gelegenheit immer wiederkehrende Bewunderungslaute, während Cécile zwar hinsah, aber doch vorwiegend mit einem schönen Neufundländer spielte, der, von Hotel Zehnpfund her, der schönen Frau gefolgt war und, seinen Kopf in ihren Schoß legend, mit unerschüttertem und beinah zärtlichem Vertrauensausdruck auf die Zuckerstücke wartete, die sie ihm zuwarf. Nur Gordon war bei der Sache, machte Bemerkungen, die zwischen Ernst und Scherz die Mitte hielten und sagte, als ein Blatt kam, das ein aus vielen Feldsteinen aufgebautes Grabmal darstellte, »Pardon, ist das Absicht oder Zufall? Einige der Steine haben eine Totenkopfphysiognomie. Wahrhaftig, man weiß nicht, ist es ein Steinkegel oder eine Schädelstätte.«

Rosa lachte. »Sie haben die Bilder von Wereschagin gesehen?«

»Freilich. Aber nur in Skizzen.«

»In Paris?«

»Nein, in Samarkand. Und dann später eine größere Zahl in Plewna.«

»Sie scherzen. Plewna, das möchte gehn, das glaub ich Ihnen. Aber Samarkand! Ich bitte Sie, Samarkand ist doch eigentlich bloß Märchen.«

»Oder schreckliche Wirklichkeit«, erwiderte Gordon. »Entsinnen Sie sich der samarkandischen Tempeltüren?«

»O gewiß. Eine Perle.«

»Zugestanden. Aber haben Sie nebenher auch die Tempelwächter mit Pfeil und Bogen in Erinnerung, die, der seltsam kriegerischsten Beschäftigung hingegeben – da wo sich Krieg und Jagd berühren –, in Front dieser berühmten Tempeltüren hockten? Ach, meine Gnädigste, glauben Sie mir, die Vorzüge jener Gegenden sind überaus zweifelhafter Natur, und ich bin alles in allem entschieden für Berlin mit einer ›Lohengrin‹-Aufführung und einem Souper bei Hiller. ›Lohengrin‹ ist phantastischer und Hiller appetitlicher. Und auch das letztere bedeutet viel, sehr viel. Namentlich auf die Dauer.«

Der Oberst nickte zustimmend, die Malerin aber wollte sich nicht gleich und jedenfalls nicht in allen Stücken gefangengeben und fuhr deshalb fort: »Es mag sein. Aber eins bleibt, die großartige Tierwelt: der Steppenwolf, der Steppengeier.«

»Im ganzen werden Sie die Bekanntschaft dieser liebenswürdigen Geschöpfe Gottes im Berliner Zoologischen sich'rer und kopierbarer machen als an Ort und Stelle. Die Wahrheit zu gestehen, ich habe während meines Trienniums in der Steppe keinen einzigen Steppengeier gesehen und sicherlich keinen, der sich so gut ausgenommen hätte wie *der* da. Freilich kein Geier. Sehen Sie, meine Gnädigste, da zwischen den Klippen.«

Und er wies auf einen Habicht, der sich am Eingange der Schlucht hoch in den Lüften wiegte.

Rosa sah dem Fluge nach und bemerkte dann: »Er fliegt offenbar nach dem Hexentanzplatz hin.«

»Gewiß«, sagte Cécile, von Herzen froh, daß endlich ein Wort gefallen war, das sie der unheilvollen Mappe samt daran anknüpfenden kunstästhetischen oder gar erdbeschreiblichen Betrachtungen entzog. »Nach dem Hexentanzplatz! Ich höre das Wort immer wieder und wieder; heute schon zum dritten Male.«

»Was einer Mahnung, ihn zu besuchen, gleichkommt, meine gnädigste Frau. Wirklich, wir werden ihn über kurz oder lang sehen müssen, das schulden wir einem Harzaufenthalte. Denn allerorten, wo man sich aufhält, hat man eine Art Pflicht, das Charakteristische der Gegend kennenzulernen: in Samarkand«, und er verbeugte sich gegen Rose, »die Tempeltüren und ihre Wächter, in der Wüste den Wüstenkönig und im Harze die Hexen. Die Hexen sind hier nämlich Landesprodukt und wachsen wie der rote Fingerhut überall auf den Bergen umher. Auf Schritt und Tritt begegnet man ihnen, und wenn man fertig zu sein glaubt, fängt es erst recht eigentlich an. Zuletzt kommt nämlich der Brocken, der in seinem Namen zwar alle hexlichen Beziehungen verschweigt, aber doch immer der eigentliche Hexentanzplatz bleibt. Da sind sie zu Haus, das ist ihr Ur- und Quellgebiet. Allen Ernstes, die Landschaft ist hier so gesättigt mit derlei Stoff, daß die Sache schließlich eine reelle Gewalt über uns gewinnt, und was mich persönlich angeht, nun so darf ich nicht verschweigen: als ich neulich, die Mondsichel am Himmel, das im Schatten liegende Bodetal passierte, war mir's, als ob hinter jedem Erlenstamm eine Hexe hervorsähe.«

»Hübsch oder häßlich?« fragte Rosa. »Nehmen Sie sich in acht, Herr von Gordon. In Ihrem Hexenspuk spukt etwas vor. Das sind die inneren Stimmen.«

»Oh, Sie wollen mir bange machen. Aber Sie vergessen, meine Gnädigste, wo das Übel liegt, liegt in der Regel auch die Heilung, und ich kenne, Gott sei Dank, kein Stück Land, wo bei drohendsten Gefahren zugleich so viel Rettungen vorkämen wie gerade hier. Und immer siegt die Tugend, und der Böse hat das Nachsehen. Sie werden vielleicht vom ›Mägdesprung‹ gehört haben? Aber wozu so weit in die Ferne schweifen! Eben hier, in unserer nächsten Nähe, haben wir ein solches Rettungsterrain, eine solche beglaubigte Zufluchtsstätte. Sehen Sie dort«, und er wandte sich nach rückwärts, »den Roßtrapp-Felsen? Die Geschichte seines Namens wird Ihnen kein Geheimnis sein. Eine tugendhafte Prinzessin zu Pferde, von einem dito berittenen, aber untugendhaften Ritter verfolgt, setzte voll Todesangst über das Bodetal fort, und siehe da, wo sie glücklich landete, wo der Pferdehuf aufschlug, haben wir die Roßtrappe. Sie sehen an diesem einen Beispiele, wie recht ich mit meinem einen Satze hatte: wo die Gefahr liegt, liegt auch die Rettung.«

»Ich kann Ihr Beispiel nicht gelten lassen«, lachte Rosa. »Zum mindesten beweist es ein gut Teil weniger, als Sie glauben. Es macht eben einen Unterschied, ob ein gefährlicher Ritter eine schöne Prinzessin, oder ob umgekehrt eine gefährlich schöne Prinzessin . . .«

»Was dem einen recht ist, ist dem andern billig.«

»Oh, nicht doch, Herr von Gordon, nicht doch. Einem armen Mädchen, Prinzessin oder nicht, wird immer geholfen, da tut der Himmel seine Wunder, interveniert in Gnaden und trägt das Roß, als ob es ein Flügelroß wäre, glücklich über das Bodetal hin. Aber wenn ein Ritter oder ein Kavalier von einer gefährlich-schönen Prinzessin oder auch nur von einer gefährlich-schönen Hexe, was mitunter zusammenfällt, verfolgt wird, da tut der Himmel gar nichts und ruft nur sein aide toi même herunter. Und hat auch recht. Denn die Kavaliere gehören zum starken Geschlecht und haben die Pflicht, sich selber zu helfen.«

St. Arnaud applaudierte der Malerin, und selbst Cécile, die beim Beginn des Wortgefechtes ein leises Unbehagen nicht unterdrücken konnte, hatte sich, als ihr das harmlos Unbeabsichtigte dieser kleinen Pikanterien zur Gewißheit geworden war, ihrer allerbesten Laune rückhaltlos hingegeben. Selbst der säuerlich schlechte Kaffee, mit der allerorten im Harz als Sahne geltenden häßlichen Milchhaut, erwies sich außerstande, diese gute Laune zu verscheuchen, und bestimmte sie nur, behufs leidlicher Balancierung des Übels, um Sodawasser zu bitten, was freilich, weil es multrig war, seines Zweckes ebenfalls verfehlte.

»Die Roßtrappen-Prinzessin«, sagte der Oberst, »wenn sie sich nach dem Sprunge hat restaurieren wollen, hat es hoffentlich besser getroffen als wir. Aber«, und er verneigte sich bei diesen

Worten gegen Rosa, »wir haben dafür etwas anderes vor ihr voraus, eine liebenswürdige Bekanntschaft, die wir anknüpfen durften.«

»Und die sich hoffentlich fortsetzt«, fügte Cécile mit großer Freundlichkeit hinzu. »Dürfen wir hoffen, Sie morgen an der Table d'hôte zu treffen?«

»Ich habe vor, meine gnädigste Frau, mich morgen in Quedlinburg umzutun und möchte mein Reiseprogramm gern innehalten. Aber es würde mich glücklich machen, mich Ihnen für diesen Nachmittag anschließen zu dürfen und dann später vielleicht auf dem Heimwege.«

*

Dieser Heimweg wurde denn auch bald danach beschlossen, und zwar über die sogenannte »Schurre« hin, bei welcher Gelegenheit man den eigentlichen Roßtrappe-Felsen, also die Hauptsehenswürdigkeit der Gegend, mit in Augenschein nehmen wollte.

»Werden auch deine Nerven ausreichen?« fragte der Oberst. »Oder nehmen wir lieber einen Tragstuhl? Der Weg bis zur Roßtrappe mag gehen. Aber hinterher die Schurre? Der Abstieg ist etwas steil und fährt in Kreuz und Rücken oder, um mich wissenschaftlicher auszudrücken, in die Vertebrallinie.«

Der schönen Frau blasses Gesicht wurde rot, und Gordon sah deutlich, daß es sie peinlich berührte, den Schwächezustand ihres Körpers mit solchem Lokaldetail behandelt zu sehen. Sie begriff St. Arnaud nicht: er war sonst so diskret. Aber sich bezwingend, sagte sie: »Nur nicht getragen werden, Pierre; das ist für Sterbende. Gott sei Dank, ich habe mich erholt und empfinde mit jeder Stunde mehr den wohltätigen Einfluß dieser Luft ... Ich glaube, Sie beruhigen zu können«, setzte sie lächelnd, gegen Gordon gewandt, hinzu.

So brach man denn auf und erreichte zunächst die Roßtrappe, die berühmte Felsenpartie, wo ganze Gruppen von Personen, aber auch einzelne, vor einer Erfrischungsbude standen und unter Lachen und Plaudern das Echo weckten – die meisten ein Seidel, andere, die dem Selbstbräu mißtrauten, einen Kognak in der Hand. Unter diesen waren auch unsere Berliner, die sich, als sich ihnen St. Arnaud mit der Malerin und dann Gordon mit der gnädigen Frau von der Seite her genähert hatten, anscheinend respektvoll zurückzogen, aber nur um gleich danach ihrem Herzen in desto ungenierterer Weise Luft zu machen.

»Sieh die Große«, sagte der ältere. »Pompöse Figur.«

»Ja; bißchen zu sehr Karoline Plättbrett.«

»Tut mir nichts.«

»Mir aber. Übrigens darum keine Feindschaft nicht. Chacun à son goût. Und sage mir, wen lassen wir leben, den Stöpsel oder die Stricknadel?«

»Ich denke Berlin.«

»Das is recht.«

Und erfreut über das Aufsehen, das sie durch ihre vorgeschrittene Heiterkeit machten, stießen sie mit den Kognakgläschen zusammen.

Siebentes Kapitel

Gordon bot Cécile den Arm und führte sie so geschickt bergab, daß die gefürchtete »Schurre« nicht nur ohne Beschwerde, sondern sogar unter Scherz und Lachen passiert wurde, wobei die schöne Frau mehr als einmal durch einen Anflug kleinen Übermuts überraschte.

»St. Arnaud, müssen Sie wissen, macht sich gelegentlich interessant mit meinen Nerven, was er besser mir selber überließe. Das ist Frauensache. Gleichviel indes, ich werd ihn in Erstaunen setzen.«

Und wirklich, ehe noch das Hotel erreicht war, war auch schon eine von St. Arnaud gutgeheißene Verabredung getroffen, die Malerin am folgenden Tage nach Quedlinburg begleiten zu wollen. Cécile selbst hatte den Vorschlag dazu gemacht.

*

Ja, die nervenkranke Frau, die von ihrer Krankheit und vor allem von einer Spezialisierung derselben, deren St. Arnaud sich schuldig gemacht hatte, nichts hören wollte, hatte sich tapfer gehalten; nichtsdestoweniger rächte sich, als sie wieder auf ihrem Zimmer war, das Maß von Überanstrengung, und ihren Hut beiseitewerfend, streckte sie sich auf eine Chaiselongue, nicht schlaf-, aber ruhebedürftig.

Als sie sich wieder erhob, fragte St. Arnaud, ob man das Souper auf dem großen Balkon nehmen wolle? Cécile war aber dagegen und sprach den Wunsch aus, daß man daheim bleibe. Der Kellner brachte denn auch eine Viertelstunde später das

Teezeug und schob den Tisch an das offene Fenster, vor dem weit drüben und zu Häupten der Berge, die Mondsichel leuchtete.

Hier saßen sie schweigend eine Weile. Dann sagte Cécile: »Was war das mit dem Spottnamen, dessen das Fräulein heute nachmittag erwähnte?«

»Du hast nie von Rosa Bonheur gehört?«

»Nein.«

St. Arnaud lächelte vor sich hin.

»Ist es etwas, das man wissen muß?«

»Je nachdem. Meinem persönlichen Geschmacke nach brauchen Damen überhaupt nichts zu wissen. Und jedenfalls lieber zu wenig als zu viel. Aber die Welt ist nun mal, wie sie ist, auch in *diesem* Stück, und verlangt, daß man dies und jenes wenigstens dem Namen nach kenne.«

»Du weißt...«

»Ich weiß alles. Und wenn ich dich so vor mir sehe, so gehörst du zu denen, die sich's schenken können... Bitte, noch eine halbe Tasse... Dich zu sehen, ist eine Freude. Ja, lache nur; ich hab es gern, wenn du lachst... Also lassen wir das dumme Wissen. Und doch wär es gut, du könntest dich etwas mehr kümmern um diese Dinge, vor allem mehr sehen, mehr lesen.«

»Ich lese viel.«

»Aber nicht das Rechte. Da hab ich neulich einen Blick auf deinen Bücherschrank geworfen und war halb erschrocken über das, was ich da vorfand. Erst ein gelber französischer Roman. Nun, das möchte gehen. Aber daneben lag: ›Ehrenström, ein Lebensbild, oder die separatistische Bewegung in der Uckermark‹. Was soll das? Es ist zum Lachen und bare Traktätchenliteratur. Die bringt dich nicht weiter. Ob deine Seele Fortschritte dabei macht, weiß ich nicht; nehmen wir an, ›ja‹, so fraglich es mir ist. Aber was hast du gesellschaftlich von Ehrenström? Ehrenström mag ein ausgezeichneter Mann gewesen sein, ich glaub es sogar aufrichtig und gönn ihm seinen Platz in Abrahams Schoß, aber für die Kreise, darin wir leben oder doch wenigstens leben sollten, für *die* Kreise bedeutet Ehrenström nichts, Rosa Bonheur aber sehr viel.«

Sie nickte zustimmend und abgespannt, wie fast immer, wenn irgend etwas, das nicht direkt mit ihrer Person oder ihren Neigungen zusammenhing, eingehender besprochen wurde. Sie wechselte deshalb rasch den Gesprächsgegenstand und sagte: »Gewiß, gewiß, es wird so sein. Fräulein Rosa scheint übrigens ein gutes Kind und dabei heiter. Vielleicht ein wenig mit Absicht. Denn die Männer lieben Heiterkeit, und Herr von Gordon wird alles, nur keine Ausnahme sein. Es schien mir vielmehr, als ob er sich für das plauderhafte Fräulein interessiere.«

»Nein, es schien mir umgekehrt, als ob er sich für *die* Dame interessiere, die wenig sprach und viel schwieg, wenigstens solange wir oben auf der Roßtrappe waren. Und ich kenne wen, dem es auch so schien, und der es noch besser weiß als ich.«

»Glaubst du?« sagte Cécile, deren Züge sich plötzlich belebten, denn sie hatte nun gehört, was sie hören wollte. »Wie spät mag es sein? Ich bin angegriffen. Aber bringe noch ein Kissen, eine Rolle, daß wir noch einen Augenblick auf das Gebirge sehen und auf das Rauschen der Bode hören. Ist es nicht die Bode?«

»Freilich. Wir kamen ja durch das Bodetal. Alles Wasser hier herum ist die Bode.«

»Wohl, ich entsinne mich. Und wie klar die Sichel da vor uns steht. Das bedeutet schönes Wetter für unsre Partie. Herr von Gordon ist ein vorzüglicher Reisemarschall. Er spricht nur zuviel über Dinge, die nicht jeden interessieren, über Steppenwolf und Steppengeier und, was noch schlimmer ist, über Bilder von unbekannten Meistern. Ich kann Bildergespräche nicht leiden.«

»Ah, Cécile«, lachte St. Arnaud, »wie du dich verrätst! Ich glaube gar, du verlangst, er soll, als ob er noch in Indien wäre, den Säulenheiligen spielen und zehn Jahre lang nichts als deinen Namen sprechen. Es erheitert mich. Eifersüchtig. Und eifersüchtig auf wen?«

*

Und nun kam der andre Tag.

Es war eine Früh- oder doch Vormittagspartie, darauf hatte Gordon bestanden, und ehe noch der nach Quedlinburg abdampfende Zug über die letzten Dorfvillen und die schöne Blutbuche des am anderen Flußufer gelegenen Baron Bucheschen Parkes hinaus war, sagte Cécile, während sie die kleinen Füße gegen den Rücksitz stemmte: »Jetzt aber das Programm, Herr von Gordon. Versteht sich, nicht zu lang, nicht zuviel! Nicht wahr, Fräulein Rosa?«

Diese stimmte zu, freilich mehr aus Artigkeit als aus Überzeugung, weil sie, nach Art aller Berlinerinnen, am Lerntrieb litt und nie genug hören oder sehen konnte. Gordon gab übrigens die Versicherung, es gnädig machen zu wollen. Es seien vier Dinge da, darum sich's lediglich handeln könne: das Rathaus, die Kirche, dann das Schloß und endlich der Brühl.

»Der Brühl?« sagte Rosa. »Was soll uns der? Das ist ja die Straße, worin die Pelzhändler wohnen. Wenigstens in Leipzig.«

»Aber nicht in Quedlinburg, meine Gnädigste. Der Quedlinburger Brühl gibt sich ästhetischer und ist ein Tiergarten oder ein Bois de Boulogne mit schönen Bäumen und allerlei Bild- und Bauwerken. Karl Ritter, der berühmte Geograph, hat ein gußeisernes Denkmal darin und Klopstock ein Tempelchen mit Büste. Beide waren nämlich geborene Quedlinburger.«

»Also nach dem Brühl«, seufzte Cécile, die nicht den geringsten Sinn für Tempelchen und gußeiserne Monumente hatte. »Nach dem Brühl. Ist es weit von der Stadt?«

»Nein, meine gnädigste Frau, nicht weit. Aber weit oder nicht, wir können ihn fallen lassen, ich meine den Brühl und auch das Rathaus, trotz seines steinernen Rolands und seines aus Brettern zusammengeschlagenen großen Kastens mit Vorlegeschloß, darin der Regensteiner, natürlich ein Buschklepper oder dergleichen, eine hübsche Weile gefangensaß.«

»Mit Vorlegeschloß«, wiederholte Cécile neugierig, die sich für den Regensteiner augenscheinlich mehr als für Klopstock interessierte. »Mit Vorlegeschloß. War es ein großer Kasten, darin man ihn einsperrte?«

»Nicht viel größer als eine Apfelkiste, weshalb mir auch bei seinem Anblick diese bevorzugten Versteckplätze meiner Jugend wieder in Erinnerung kamen, mit ihrem Glück und ihrem Grusel. Besonders mit ihrem Grusel. Denn wenn die Krampe zufiel und eingriff, so saß ich allemal voll Todesangst in dem stickigen Kasten, um kein Haar breit besser als der Regensteiner. Aber der wirkliche Regensteiner – der übrigens kein Asthmatikus gewesen sein kann – ließ sich's, trotz Stickigkeit und Enge, nicht anfechten und steckte zwanzig Monate lang in dem Loch, ohne mehr Luft als die, die durch die spärlichen Ritzen eindrang. Und nur dann und wann kamen die Quedlinburger und wohl auch die Quedlinburgerinnen und sahen hinein und grinsten ihn an.«

»Und piekten ihn mit ihren Sonnenschirmen.«

»Ganz unzweifelhaft, meine gnädigste Frau. Zum mindesten sehr wahrscheinlich. Die Bourgeoisie, die nie tief aus dem Becher der Humanität trank, war gerade damals von einer besonderen Abstinenz, und die liberale Geschichtsschreibung – verzeihen Sie diesen Exkurs, meine Gnädigste – greift in nichts so fehl als darin, daß sie den Bürger immer als Lamm und den Edelmann immer als Wolf schildert. ›Die Nürnberger henken keinen nich, sie hätten ihn denn zuvor‹, und *dieser* Milde huldigten auch die

Quedlinburger. Aber wenn sie den zu Henkenden hatten, henkten sie ihn auch gewiß, und zwar mit allen Schikanen.«

St. Arnaud, dem jedes Wort aus der Seele gesprochen war, nickte beifällig und wollte den ihm sympathischen Gegenstand eben mit einigen Bemerkungen seinerseits begleiten, als der Zug hielt und ein paar Kupeetüren geöffnet wurden.

»Ist dies Quedlinburg?« fragte Cécile.

»Nein, meine gnädigste Frau, dies ist *Neinstadt*, eine kleine Zwischenstation. Hier ist der Lindenhof, und, was dasselbe sagen will, hier wohnen die Nathusiusse.«

»Die Nathusiusse? Wer sind die?« fragten à tempo beide Damen.

»Eine Frage«, lachte Gordon, »die die betreffende Familie sehr übel vermerken würde. Die gnädige Frau, deren Protestantismus mir, pardon, einigen kleinen Anzeichen nach einigermaßen zweifelhaft erscheint, hat Absolution. Aber Fräulein Rosa, Berlinerin, ah, ah . . .«

»Keine Reprimande, keine Spöttereien. Einfach Antwort: Wer sind die Nathusiusse?«

»Nun denn, die Nathusiusse sind viel und vielerlei; sie sind, ohne die Frage damit erschöpfen zu wollen, fromme Leute, literarische Leute, landwirtschaftliche Leute, politische Leute. Bücher, Kreuz-Zeitung, Rambouillet-Zucht, alles kommt in der Familie vor, und selbst die Geschichte von der aufgenommenen Stecknadel, die dann schließlich den Aufnehmer zum Millionär umschuf, ist dem Ahnherr der Nathusiusse nicht erspart geblieben. Aber das bedeutet nichts, das ist eine alte Geschichte, denn in wenigstens sechs großen Städten, in denen ich gelebt habe, kam der Reichtum der Reichsten immer von einer Stecknadel her. Überhaupt sind die besten Geschichten uralt und überall zu Haus, also Welteigentum, und ich habe manche, von denen wir glaubten, daß sie zwischen Havel und Spree das Licht der Welt erblickten oder ohne die Gebrüder Grimm gar nicht existieren würden, in Tibet und am Himalaja wiedergefunden.«

Rosa wollte davon nichts wissen und stritt hartnäckig hin und her, bis das abermalige Halten des Zuges allem Streiten ein Ende machte.

»Quedlinburg, Quedlinburg!«

Und unsere Reisenden entstiegen ihrem Waggon und sahen dem Zug nach, der sich eine Minute später rasch wieder in Bewegung setzte.

Die Sonne brannte heiß auf den Perron nieder, und Cécile, die nach Art aller Nervösen sehr empfindlich gegen extreme Temperaturverhältnisse war, suchte nach einer schattigen Stelle, bis Gordon endlich vorschlug, in die große Flurhalle des Bahnhofgebäudes eintreten und hier in aller Ruhe den in der Schwebe gebliebenen Schlachtplan feststellen zu wollen. Das geschah denn auch, und nachdem man ebenso wie den Brühl auch noch das Rathaus ohne lange Bedenken gestrichen hatte, kam man überein, sich an Schloß und Kirche genügen zu lassen. Beide, so versicherte Gordon, lägen dicht nebeneinander und der Weg dahin, wenn man am Außenrande der Stadt bleibe, werde der gnädigen Frau nicht allzu beschwerlich fallen.

All das war rasch akzeptiert worden, die Damen nahmen noch ein Himbeerwasser, und eine Minute später schritt man bereits, nach Passierung eines von einer wahren Tropensonne beschienenen Vorplatzes, an der die Stadt in einem Halbbogen umfließenden und an beiden Ufern von prächtig alten Bäumen überschatteten Bode hin. Das Wasser plätscherte neben ihnen, die Lichter hüpften und tanzten um sie her, und mit Hilfe kleiner Brückenstege machte man sich das Vergnügen, die Flußseite zu wechseln, je nachdem hüben oder drüben der kühlere Schatten lag. Es war sehr entzückend, am entzückendsten aber da, wo die bis dicht an die Bode herantretenden Gärten einen Blick auf endlos scheinende Blumenbeete gestatteten, ähnlich jenen draußen vor der Stadt, die schon, während der Eisenbahnfahrt von Berlin bis Thale, Cécile bezaubert hatten. Auch heute wieder konnte sie sich nicht satt sehen an der oft ganze Muster bildenden Blumen- und Farbenpracht und fand es, gegen ihre Gewohnheit, sogar interessant, als Gordon, in allerhand Einzelheiten eingehend, von den zwei großen Gartenfirmen der Stadt sprach, die mit ihren um die ganze Welt gehenden Quedlinburger Blumensamenpaketen ein Vermögen erworben und sich den Zuckermillionären in der Umgegend mindestens gleichgestellt hätten.

»Ei, das freut mich. Zuckermillionäre! Wie hübsch das klingt.« Und dabei blieb sie stehen und sah durch ein goldbronziertes Gitter einen der breiten Gartenstege hinauf. »Das lila Beet da, das sind Levkojen, nicht wahr?«

»Und das rote«, fragte Rosa, »was ist das?«

»Das ist ›Brennende Liebe‹.«

»Mein Gott, so viel.«

»Und doch immer noch unter der Nachfrage. Muß ich Ihnen sagen, meine Gnädigste, wie stark der Konsum ist?«

»Ah«, sagte Cécile mit etwas plötzlich Aufleuchtendem in ihrem Auge, das dem sie scharf beobachtenden Gordon nicht entging und ihn mehr als alle seine bisherigen Wahrnehmungen über ihre ganz auf Huldigung und Pikanterie gestellte Natur aufklärte. Der Eindruck, den er von diesem fein-sinnlichen Wesen hatte, war aber ein angenehmer, ihm überaus sympathischer, und eine lebhafte Teilnahme, darin sich etwas von Wehmut mischte, regte sich plötzlich in seinem Herzen.

Von der Stelle, wo man stand, bis zu dem hochgelegenen Stadtteile, der mit Schloß und Kirche das ihm zu Füßen liegende Quedlinburg beherrscht, war nur noch ein kurzer Weg, und ehe man hundert Schritte gemacht hatte, begann bereits die Steigung. Diese selbst war beschwerlich, die malerisch-mittelalterlichen Häuser aber, die nestartig zu beiden Seiten der zur Höhe hinaufführenden Straße klebten, erhielten Cécile bei Mut, und als sie bald danach auf einen von stattlichen Häusern gebildeten und zu weiterer Verschönerung auch noch von alten Nußbäumen überschatteten Platz hinaustrat, kam ihr zu dem Mut auch alle Kraft und gute Laune wieder, die sie gleich zu Beginn des Spazierganges an der Bode hin gehabt hatte.

»Das ist das Klopstock-Haus«, sagte Gordon und zeigte, seine Führerrolle wieder aufnehmend, auf ein etwas zur Seite gelegenes und beinah grasgrün getünchtes Haus mit Säulenvorbau.

»Das Klopstock-Haus?« wiederholte Cécile. »Sagten Sie nicht, es stände ... Wie hieß es doch?«

»Im Brühl. Ja, meine gnädigste Frau. Aber da läuft eine kleine Verwechslung mit unter. Was im Brühl steht, das ist das Klopstock-Tempelchen mit der Klopstock-Büste. Dies hier ist das eigentliche Klopstock-Haus, das Haus, darin er geboren wurde. Wie gefällt es Ihnen?«

»Es ist so grün.«

Rosa lachte lauter und herzlicher, als die Schicklichkeit gestattete, sofort aber wahrnehmend, daß Cécile sich verfärbte, lenkte sie wieder ein und sagte: »Pardon, aber Sie haben mir so ganz aus der Seele gesprochen, meine gnädigste Frau. Wirklich, es ist zu grün. Und nun excelsior! Immer höher hinauf. Sind es noch viele Stufen?«

Unter solchem Gespräch erstiegen alle das noch verbleibende Stück Weges, eine gepflasterte Treppe, deren Seitenwände dicht genug standen, um gegen die Sonne Schutz zu geben.

Und nun war man oben und freute sich, aufatmend, der Brise, die ging. Der Platz, den man erreicht hatte, war ein mäßig breiter, Schloß und Abteikirche voneinander scheidender Hof, der, außer den auf ihm lagernden Schatten und Lichtern, nichts als zwei Männer zeigte, die, wie Besuch erwartende Gastwirte, vor ihren zwei Lokalen standen. Wirklich, es waren Kastellan und Küster, die zwar nicht mit haßentstellten, aber doch immerhin mit unruhigen Gesichtern abwarteten, nach welcher Seite hin die Schale sich neigen würde, worüber in der Tat selbst bei denen, die die Entscheidung hatten, immer noch ein Zweifel waltete.

Besichtigung von Schloß und Kirche, so lautete das Programm, *das* stand fest, und daran war nicht zu rütteln. Aber was noch schwebte, war die Prioritätsfrage. Gordon und St. Arnaud sahen sich also fragend an. Endlich entschied der Oberst mit einem Anfluge von Ironie dahin, daß Herrendienst vor Gottesdienst gehe, welchem Entscheide Gordon in gleichem Tone hinzusetzte: »Preußen-Moral! Aber wir *sind* ja Preußen.«

Und so wandte man sich denn rasch entschlossen dem Kastellan zu, freilich nicht ohne sein Visavis, den nach links hin stehenden Küster, mit einem hoffnunggebenden Gruße gestreift zu haben. Er verneigte sich denn auch in Erwiderung darauf verbindlich lächelnd und schien alles in allem nicht unzufrieden über diesen Gang der Dinge. Denn unten in der Stadtkirche läuteten eben die Mittagsglocken, und etwas Bratwurstartiges, das von der Küche her durch die Luft zog, ließ das In-die-zweite-Linie-gestellt-werden fast als einen Vorzug erscheinen.

Unter diesen Vorgängen, die nur von Rosa scharf beobachtet und mit Künstlerauge gewürdigt worden waren, waren alle vier in den Schloßflur eingetreten, an dem respektvoll die Honneurs machenden Kastellan vorüber. Dieser, ein freundlicher und angenehmer Mann, nahm durch seine Freundlichkeit sofort für sich ein, fiel aber anderseits durch ein unsicheres und fast ein schlechtes Gewissen verratendes Auftreten einigermaßen auf, ganz wie jemand, der Lotterielose feilbietet, von denen er weiß, daß es Nieten sind. Und wirklich, sein Schloß konnte, durch alle Räume hin, als eine wahre Musterniete gelten. Was es vordem an Kostbarkeiten besessen hatte, war längst fort, und so lag ihm, dem Hüter ehemaliger Herrlichkeit, nur ob, über Dinge zu sprechen, die nicht mehr da waren. Eine nicht leichte Pflicht. Er unterzog sich derselben aber mit vielem Geschick, indem er den herkömmlichen, an *vorhandene* Sehenswürdigkeiten anknüpfenden Kastellans-Vortrag in einen umgekehrt sich mit dem *Verschwunde-*

nen beschäftigenden Geschichtsvortrag umwandelte. Voll richtigen Instinkts ersah er hierbei den Wert der historischen Anekdote, die denn auch beständig aus der Verlegenheit helfen mußte.

Rosa, deren Wißbegier auf ganze Säle voll Rubens und Snyders, voll Wouvermanns und Potters rechnete, hielt sich selbstverständlich unausgesetzt in der Nähe des Kastellans und mühte sich, durch allerlei klug gestellte Fragen seine besondere Teilnahme zu wecken.

»Und in diesen Räumen also haben die Quedlinburger Äbtissinnen residiert?« begann sie mit erheucheltem Interesse; denn es lag ihr ungleich mehr an Bärenhatz und Sechzehnendern als an Porträts mit Pompadourfrisuren. »In diesen Räumen also . . .«

»Ja, meine gnädigste Frau«, antwortete der Kastellan, der unsere Freundin um ihres munteren Wesens und vielleicht auch um ihres Embonpoints willen für eine glücklich verheiratete Dame nahm. »Ja, meine gnädigste Frau, *wirklich* residiert, das heißt mit Hofstaat und Krone. Denn die Quedlingburger Äbtissinnen waren nicht gewöhnliche Klosteräbtissinnen, sondern Fürstäbtissinnen und saßen von Mechthildis, Schwester Ottos des Großen, an bei den Reichsversammlungen auf der Fürstenbank. Und hier im Schlosse war auch der Thronsaal. Es ist der Saal nebenan, in welchem ich die gnädigste Frau vorweg bitten möchte, die roten Damasttapeten beachten zu wollen. Es ist Damast von Arras.«

Und damit traten alle von einem kleinen, bis dahin besichtigten Vorzimmer her in den großen Thronsaal ein, in welchem neben der so ruhmvoll erwähnten Damasttapete nur noch der getäfelte Fußboden an die frühere Herrlichkeit erinnerte.

Rosa sah sich verlegen um, was dem Führer nicht entging, weshalb er seinen Vortrag rasch wieder aufnahm, um durch Erzählungskunst den absoluten Mangel an Sehenswürdigkeiten auszugleichen. »Also, der Thronsaal, gnädige Frau«, hob er an. »Und hier, wo die Tapete fehlt, genau hier, stand der Thron selbst, der Thron der Fürstäbtissinnen, ebenfalls rot, aber von rotem Samt und mit Hermelin verbrämt. Und mit dem zuständigen Wappen: Zwei Kelche mit einem Pokal.«

»Ah«, sagte Rosa, »mit zwei Kelchen und einem Pokal . . . Sehr interessant.«

»Und hier«, fuhr der Kastellan, während er auf einen großen aber leeren Goldrahmen zeigte, mit einer immer voller tönenden und beinah feierlich werdenden Stimme fort, »hier in diesem Goldrahmen befand sich die Hauptsehenswürdigkeit des Schlosses: der Spiegel aus Bergkristall. Der Spiegel aus Bergkristall, sag ich, der sich zurzeit in den skandinavischen Reichen, und zwar in dem Königreiche Schweden, befindet.«

»In Schweden?« wiederholte St. Arnaud. »Aber wie kam er dahin?«

»Auf Umwegen und durch allerlei seltsame Schicksale«, nahm der Kastellan seinen historischen Vortrag wieder auf. »Unsere letzte Fürstabbatissin war nämlich eine Prinzessin von Schweden, Josephine Albertine, Tochter der Königin Ulrike, Schwester Friedrichs des Großen. Über zwanzig Jahre hatte Josephine Albertine hier glänzend und segensreich residiert und sich an dem Kristallspiegel, der ihr Stolz und ihr Liebesglück war, erfreut, als diese Gegenden eines Tages westfälisch wurden und unter König Jérôme kamen. Da mußte sie sich trennen von ihrem Schloß, samt allem, was drinnen war, und natürlich auch von ihrem Spiegel. Denn es ward ihr kaum Zeit gelassen zum Notwendigsten, geschweige zum Einpacken und Mitnehmen dessen, was das Nebensächliche, wenn auch freilich für sie das Liebste war.«

»Und was wurde?«

»Nun, König Jérôme, der, wegen dem ewigen ›Morgen wieder lustik sein‹ sehr viel Geld brauchte, stand alsbald vor der Notwendigkeit, das ganze Schloßinventar unter den Hammer zu bringen, und eines Tages hieß es in allen Zeitungen, deutschen und fremden, daß, neben den anderen Schätzen des Schlosses, auch der berühmte Kristallspiegel versteigert werden solle. Das war der Moment, auf den Prinzessin Josephine Albertine, die mittlerweile nach Schweden zurückgekehrt war – denn die Bernadottesche Zeit war noch nicht da –, gewartet hatte, weshalb sie nunmehr strikten Befehl gab, auf den Spiegel zu fahnden und jeden Preis zu zahlen, zu dem er angesetzt oder am Auktionstage selbst hinaufgetrieben werden würde. Wie hoch er kam, weiß ich nicht; nur das eine weiß ich, daß es ein Vermögen gewesen sein soll. Ich habe von einer Tonne Goldes sprechen hören. Unter allen Umständen aber kam der Spiegel nach Schweden, nach Stockholm, woselbst er sich bis an diesen Tag befindet und im Ridderholm-Museum gezeigt wird.«

»Allerliebst«, sagte St. Arnaud. »Im ganzen genommen ist mir die Geschichte lieber als der Spiegel«, eine Meinung, die von Gordon und Rosa vollkommen, keineswegs aber von Cécile geteilt wurde. Diese hätte sich gern in dem Kristallspiegel gesehen und war während der zweiten Hälfte der ihr viel zu weit ausgesponnenen Erzählung an ein offen stehendes Balkonfenster getreten, das nicht nur einen Blick auf das Gebirge, sondern auch auf die weiten Gartenanlagen hatte, die sich im Halbkreis um die Schloßfundamente herumzogen. In diesen Gartenanlagen wechselten Strauchwerk und Blumenterrassen; was aber das Auge Céciles bald ausschließlich in Anspruch nahm, war ein Sandsteinobelisk von mäßiger Höhe, der, halb in dem Schloßunterbau drinsteckend, hautreliefartig aus einer alten Mauerwand vorsprang. Der Sockel war mit Girlanden ornamentiert und schien auch eine Inschrift zu haben.

»Was ist das?« fragte Cécile.

»Ein Grabstein.«

»Von einer Äbtissin?«

»Nein, von einem Schoßhündchen, das Anna Sophie, Pfalzgräfin von und bei Rhein und vorletzte Fürstabbatissin, an dieser Stelle beisetzen ließ.«

»Sonderbar. Und mit einer Inschrift?«

»Zu dienen«, antwortete der Kastellan.

Und den Damen ein Opernglas überreichend, das er zu diesem Behufe stets mit sich führte, las Cécile: »Jedes Geschöpf hat eine Bestimmung. Auch der Hund. Dieser Hund erfüllte die *seine,* denn er war treu bis in den Tod.«

Gordon lachte herzlich. »Denkmal für Hundetreue! Brillant. Wie sähe die Welt aus, wenn jedem treuen Hunde ein Obelisk errichtet würde. Ganz im Stil einer Barockprinzessin.«

Rosa stimmte zu, während Cécile verwirrt vom Fenster zurücktrat und mechanisch, und ohne zu wissen, was sie tat, an die Wandstelle klopfte, wo der Kristallspiegel seinen Platz gehabt hatte.

*

»Was haben wir noch zu gewärtigen?« fragte Gordon.

»Die Zimmer Friedrich Wilhelms des Vierten.«

»Friedrich Wilhelms des Vierten? Wie kam *der* hierher?«

»In den ersten Jahren seiner Regierung erschien er jeden Herbst, um von hier aus die großen Harzjagden abzuhalten. Als aber anno 48 die Jagdfreiheit aufkam und Stadt und Bürgerschaft ihm die Jagd verweigerten, wurde er so verstimmt, daß er nicht wiederkam.«

»Was ich nur in der Ordnung finde. Bourgeoismanieren. Aber nun die Zimmer.«

Und damit traten sie vom Thronsaal her in ein paar niedrige,

mit kleinen Mahagoniemöbeln ausgestattete Räume, deren Spieß-
bürgerlichkeit nur noch von ihrer Langweile übertroffen wurde.

Rosa sah ihre Hoffnung auf große Tierstücke mehr und mehr
hinschwinden, hielt aber eine darauf gerichtete Frage immer noch
für zulässig.

Freilich erfolglos.

»Tierstücke«, antwortete der Kastellan in einem Tone, darin
unsere Künstlerin eine kleine Spitze zu hören glaubte, »Tierstücke haben wir in diesem Schlosse *nicht*. Wir haben nur Fürstabbatissinnen. Aber diese haben wir auch vollständig. Und
außerdem die Quedlinburger Geistlichen lutherischer Konfession
– ebenfalls beinah vollständig –, deren einer, altem Herkommen
gemäß, allsonntäglich hier oben predigte, so daß er neben seinem
Stadtdienst auch noch Hofdienst hatte. Nach der Predigt blieb
er dann zu Tisch und mitunter auch bis zur Dunkelstunde. So
beispielsweise dieser hier, ein schöner Mann, etwas blaß, der in
seinen besten Jahren an der Auszehrung starb. Er war Prediger
zur Zeit der schwedischen Prinzessin Josephine Albertine, derselben, die den Kristallspiegel wiedererstand. Und hier ist die
Prinzessin in Person.«

Dabei wies er auf das Bild einer mittelalterlichen Dame mit
großer Kurfürsten-Nase, Stirnlöckchen und Agraffenturban, aus
deren ganz ungewöhnlicher Stattlichkeit sich die vom Kastellan
nur leis angedeuteten Anfechtungen ihres Seelsorgers unschwer
erklären ließen.

Einige der Bilder kehrten mehrfach wieder, was die Zahl der
Äbtissinnen größer erscheinen ließ, als sie tasächlich war. Rosa
drang darauf, die Namen zu hören, aber es waren tote Namen,
einen ausgenommen, den der Gräfin Aurora von Königsmark.

Und vor das Porträt *dieser* traten jetzt alle mit ganz ersichtlicher Neugier, ja Cécile – die vor kaum Jahresfrist einen historischen Roman, dessen Heldin die Gräfin war, mit besonderer
Teilnahme gelesen hatte – war so hingenommen von dem Bilde,
daß sie von der Unechtheit desselben nichts hören und alle dafür
beigebrachten Beweisführungen nicht gelten lassen wollte.

Gordon, als er sah, daß er nicht durchdränge, wandte sich um
Sukkurs an Rosa. »Helfen Sie mir. Die gnädigste Frau will sich
nicht überzeugen lassen.«

Rosa lachte. »Kennen Sie die Frauen so wenig? Welche . . .«

»Wohl, Sie haben recht. Und am Ende, wer will an Bildern
Echtheit oder Unechtheit beweisen? Aber zweierlei gilt auch
ohne Beweis.«

»Und das wäre?«

»Nun zunächst das, daß es nichts Toteres gibt als solche Galerie beturbanter alter Prinzessinnen.«

»Und dann zweitens?«

»Daß der Unterschied von ›hübsch‹ und ›häßlich‹ in solcher Galerie zurechtgemachter Damenköpfe gar keine Rolle spielt, ja, daß einer Häßlichkeitsgalerie wie dieser hier vor einer sogenannten Schönheitsgalerie mit ihrer herkömmlichen Ödheit und Langerweile der Vorzug gebührt. Ach, wie viele solcher ›Galeries of beauties‹ hab ich gesehen und eigentlich keine darunter, die mich nicht zur Verzweiflung gebracht hätte. Schon in ihrer Entstehungsgeschichte sind sie meistens beleidigend und ein Verstoß gegen Geschmack und gute Sitte. Denn wer sind denn die jedesmaligen Mäzene, Stifter und Donatoren? Immer ältliche Herren, immer mehr oder weniger mythologische Fürsten, die, pardon, meine Damen, nicht zufrieden mit der wirklichsten Wirklichkeit, ihre Schönheiten auch noch in effigie genießen wollen. Einer von ihnen – derselbe, von dem das Bonmot existiert, er habe nie was Dummes gesagt und nie was Kluges getan – ist mit seiner Galerie von Magdalenen – selbstverständlich von Magdalenen *vor* dem Bußestadium – allen anderen vorauf. Er war ein Stuart, wie kaum gesagt zu werden braucht. Aber unsere deutschen Kleinkönige sind ihm gefolgt und haben nun auch dergleichen. Ich entsinne mich noch des Eindrucks, den der Kopf der Lola Montez oder, wenn Sie wollen, der Gräfin Landsfeld, auf mich machte. Denn Gräfinnen werden sie schließlich alle, wenn sie nicht vorziehen, heilig gesprochen zu werden.«

»Ei, wie tugendhaft Sie sind«, lachte Rosa. »Doch Sie täuschen mich nicht, Herr von Gordon. Es ist ein alter Satz: ›Je mehr Don Juan, je mehr Torquemada‹.«

Cécile schwieg und ließ sich, wie gelähmt, in einen in einer tiefen Fensternische stehenden Sessel nieder. St. Arnaud, der wohl wußte, was in ihr vorging, öffnete den einen der beiden Flügel und sagte, während die frische Luft einströmte: »Du bist angegriffen, Cécile. Ruh dich.«

Und sie nahm seine Hand und drückte sie, wie dankbar, während es vor Erregung um ihre Lippen zuckte.

Cécile erholte sich rascher, als erwartet, von dieser Anwandlung, und die weitere Besichtigung des Schlosses und bald danach auch der Abteikirche verlief zu allseitiger Zufriedenheit, ganz besonders auch zur Freude Céciles. Ja, sie war durch den Besuch der prächtig kühlen Kirche so gekräftigt und erfrischt worden, daß man auf *ihren* Vorschlag das Programm überschritt und guten Mutes die schon aufgegebene Partie nach dem Rathause machte, wo man erst den Roland und gleich danach das Gefängnis des Regensteiners bewunderte. Daran schloß sich dann unmittelbar ein ziemlich mittägliches Frühstück an Ort und Stelle. Kulmbacher Bier, wofür das Rathaus ein Renommee hatte, wurde bestellt, und Cécile war entzückt, als der Wirt die schäumenden und frisch beschlagenen Seidel brachte. »Wie viel schöner doch als eine Table d'hôte«, sagte sie. »Pierre, votre santé… Fräulein Rosa, wohl bekomm's … Herr von Gordon, Ihr Wohl.« Und während sie so plauderte, stieß sie mit ihrem Seidel an, sprach von dem Regensteiner, der es achtzehn Monate lang nicht voll so gut gehabt habe, und war überhaupt wie ein Kind. Nur als die Malerin auf die Bilder der Äbtissinnen zurückkam und bei der Gelegenheit bemerkte, daß auch noch im Rathaussaale – wie der Herr Wirt ihr eben verraten – ein Bild der schönen Aurora sei, »besser und jedenfalls echter als das im Schloß«, brach Cécile rasch ab und sagte verstimmt und in beinahe heftigem Tone: »Bilder und immer wieder Bilder. Wozu? Wir hatten mehr als genug davon.«

*

Gegen fünf Uhr war man in Thale zurück, und Cécile, die sich nach Ruhe sehnte, verabschiedete sich für den Rest des Tages. »Bis auf morgen, Fräulein Rosa; bis auf morgen, Herr von Gordon.«

Und dieser Morgen war nun da.

Gordon, der am Abend vorher noch einem Konzert auf dem Hubertusbade beigewohnt und bei dieser Gelegenheit eine halbe Stunde lang mit der Malerin über Samarkand und Wereschagin, dann aber mit dem ebenfalls erschienenen St. Arnaud über den Quedlinburger Roland, den Regensteiner und vieles andere noch geplaudert hatte, hatte sich's, um den Morgen zu genießen, auf einem Fauteuil am Fenster bequem gemacht und blies eben den

Dampf seiner Havanna in die frische Luft hinaus. Er ließ dabei die Vorgänge des letzten Tages, darunter auch die Bilder der Fürstabbatissinnen, noch einmal an sich vorüberziehen und begleitete den Zug ihrer meist grotesken Gestalten mit allerhand spöttisch erbaulichen Betrachtungen. »Ja, diese kleinen Grandes Dames aus dem vorigen Jahrhundert! Wie wird eine freiere Zeit darüber lachen, wenn sie nicht *jetzt* schon darüber lacht. Es gibt nichts, an dem sich das Wesen der Karikatur so gut demonstrieren ließe. Meist waren sie häßlich oder doch mindestens von einem unschönen Embonpoint, und alle hielten sie sich einen Kammerherrn und einen Mops, wuschen sich nicht oder doch nur mit Mandelkleie und waren ungebildet und hochmütig zugleich. Ja, auch hochmütig. Nur nicht gegen ihren Leibdiener.« Er malte sich das alles noch weiter aus, bis sich ihm plötzlich vor ebendiese groteske Gestaltenreihe die graziöse Gestalt Céciles stellte, wechselnd in Stimmung und Erscheinung, genau so, wie sie der vorhergehende Tag ihm gezeigt hatte. Jetzt sah er sie, wie sie, sich vorbeugend, die Inschrift auf dem Grabobelisk des Bologneser Hündchens las, und dann wieder, wie sie bei dem Gespräch über die Schönheitsgalerien und die Gräfin Aurora nahezu von einer Ohnmacht angewandelt wurde. War das alles Zufall? Nein. Es verbarg sich etwas dahinter. Aber dann vernahm er wieder das heitere Lachen und sah, wie sie glückstrahlend den Krug nahm und anstieß. »Ihr Wohl, Fräulein Rosa; Herr von Gordon, Ihr Wohl.« Und er empfand dabei deutlich, daß, was immer auch auf ihrer Seele laste, die Seele, die diese Last trage, trotz alledem eine Kinderseele sei.

»Klothilde muß von ihr wissen«, sprach er vor sich hin. »Und wenn sie nichts weiß, so doch von ihr hören können. Liegnitz ist just der Ort dazu, nicht zu groß und nicht zu klein, und was das Regiment nicht weiß, das weiß die Ritter-Akademie. Die Schlesier sind ohnehin miteinander verwandt und haben einen schwatzhaften Zug. Schwatzhaftigkeit, Eigensinn und ›so gerne‹ hat Rübezahl jedem der Seinen in die Wiege gelegt. Ja, Klothilde muß es wissen; an sie zu schreiben hab ich ohnehin, und so denn two birds with one stone. Fräulein Schwester wird freilich sommerlich ausgeflogen und irgendwo im Gebirge sein, in Landeck oder in Reinerz oder gar in Böhmen? Aber was tut's? Die Post wird sie schon zu finden wissen. Wozu haben wir Stephan? Er kommt ja gleich nach Bismarck.«

Und bei diesem Selbstgespräche die Havanna aus der Hand legend, nahm er ein Kuvert und adressierte mit großer Handschrift: »Dem Fräulein Klothilde von Gordon-Leslie, Liegnitz, Am Haag 3a.« Dann schob er das Kuvert zurück, legte sich zwei kleine Bogen mit »Hexentanzplatz« und »Roßtrappe« zurecht und schrieb:

»Meine liebe Klotho. Genau vier Wochen heute, daß ich mich von Dir und Elsy verabschiedete. Vier Wochen fort aus Eurem traulichen Heim, aber erst seit einer Woche hier, weil ich, als ich von Liegnitz nach Berlin zurückkehrte, Briefe vorfand, die mich in geschäftlichen Angelegenheiten erst nach Hamburg und dann nach Bremen führten. Um Euch wenigstens eine Andeutung zu machen: es handelt sich abermals um Legung eines Kabels. Von Bremen dann hierher, nach Thale, Thale am Harz und nicht zu verwechseln mit einem gleichnamigen Kurort in Thüringen.

Es gereut mich nicht, diesen entzückenden Platz mit seiner erfrischenden und stärkenden Luft gewählt zu haben, denn Luft ist kein leerer Wahn, was *der* am besten weiß, der ihre mannigfachen Arten an sich selber erprobt hat. Wir gehen einer totalen Reform der Medizin oder doch zum mindesten der Heilmittellehre entgegen, und die Rezepte der Zukunft werden lauten: drei Wochen Lofoten, sechs Wochen Engadin, drei Monate Wüste Sahara. Ja, selbst Malariagegenden werden in kleinen Dosen verordnet werden, etwa wie man jetzt Arsenik gibt. Die große Wirkung der Luftheilmethode liegt in ihrer Perpetuierlichkeit – man kommt Tag und Nacht aus dem Heilmittel nicht heraus.

Ein gut Teil dieser Heilmethode hab ich auch hier, und so fühl ich denn mehr und mehr die Verstimmung von mir abfallen, die mich, ohne rechten Grund, seit lange quälte. Nur bei Euch war ich frei davon. Die Partien und Ausflüge liegen hier wie vor der Tür, und so sieht man sich in der angenehmen Lage, Naturschönheit ohne jede Müh' und Anstrengungen genießen zu können. Daß es eine Schönheit kleineren Stils ist, schadet wenig. Ich bin oft genug bis zwanzigtausend Fuß hoch umhergeklettert, um jetzt mit zweitausend vollkommen zufrieden, ja sogar eigens dankbar dafür zu sein. Ich liebe Weltreisen und möchte sie, wiewohl ich fühle, daß die Passion nachläßt, auch für die Zukunft nicht missen, aber ich bin andererseits kein Freund von Strapazen als solchen, und je bequemer ich den Kongo hinauf oder hinunter komme, desto besser. Ökonomie der Kräfte.

Doch was Kongo! Vorläufig heißt meine Welt noch Thale, ›Hotel Zehnpfund‹, ein wundervoller Hotelname, bei dem man sich, wie auf dem Bilde ›Wo speisen Sie?‹, förmlich arrondieren fühlt, und der sofort die Vorstellung weckt: hier ist es gut sein.

Und diese Vorstellung täuscht auch nicht. Es ist hier in der Tat gut sein, appetitlich und unterhaltlich, letzteres besonders seit drei Tagen, wo sich, durch Eintreffen neuer Gäste, die Table d'hôte belebt hat. Unter diesen Gästen ist ein alter Emeritus, mit dem ich mich gleich anfänglich anfreundete; seit Dienstag aber hat er vor einer neuen Bekanntschaft einigermaßen zurück-treten müssen: Oberst St. Arnaud und Frau. Er, trotzdem er ›a. D.‹ ist (nicht bloß ›zur Disposition‹), Gardeoffizier from top to toe, *sie*, trotz eines languissanten Zuges, oder vielleicht auch um desselben willen, eine Schönheit ersten Ranges. Wundervoll geschnittenes Profil, Gemmenkopf. Ihre Augen stehen scharf nach innen, wie wenn sie sich suchten und lieber sich selbst als die Außenwelt sähen – eine Besonderheit, die von Splitterrich-tern sehr wahrscheinlich ihrer Schönheit zum Nachteil angerech-net und mit einem ziemlich prosaischen Namen bezeichnet wer-den wird. Es gibt ihr aber entschieden etwas Apartes, und wenn ihre beauté wirklich Einbuße dadurch erfahren sollte, was ich nicht zugeben kann, so doch sicherlich nicht ihr Reiz. Sie verzieht mich ein wenig, und zwar in einer ganz eigentümlichen Weise, der ich Koketterie nicht zuschreiben und auch nicht ganz ab-sprechen kann. Ich stehe vor einem Rätsel oder doch mindestens vor etwas Unbestimmtem und Unklarem, das ich aufgeklärt sehen möchte. Und dazu, meine liebe Klothilde, mußt Du mir behilflich sein. Du weißt ja den Genealogischen halb und die Rangliste ganz auswendig, hast das Offizierkorps Eurer berühm-ten Garnison eingetanzt und kennst die nachbarlichen Wahlstät-ter Kadettenleutnants, die sich so ziemlich aus allen Provinzen rekrutieren. Du mußt also was erfahren können. Daß er meh-rere Jahre lang ein Gardebataillon kommandierte, weiß ich; er hat sich gestern abend, als ich von einem Konzert mit ihm heim-kehrte, selbst darüber ausgesprochen. Warum aber nahm er den Abschied? Warum zieht er sich augenscheinlich aus dem, was man Gesellschaft nennt, zurück?

Vor allem jedoch: Wer ist Cécile? Dies ist nämlich ihr Name. Woher stammt sie? Brüssel, Aachen, Sacré cœur, so schoß es mir durch den Kopf, als ich sie zum ersten Male sah, aber dies alles war ein Irrtum. Ich finde, sie schlesiert ein wenig, und so wird es Dir, wenn ich darin recht habe, nur um so leichter sein, meine Neugier zu befriedigen.

Meine Neugier? Ich würde Dir von einem tieferen Interesse sprechen, wenn ich nicht fürchten müßte, diesen Ausdruck miß-verstanden zu sehen. Sie hat offenbar viel erfahren, Leid und

Freud', und ist nicht glücklich in ihrer Ehe, trotzdem sie dem Obersten, ihrem Gemahl, in einzelnen Momenten etwas wie Dank oder selbst wie Hingebung und Herzlichkeit zeigt. Aber es sind immer nur Momente, wo sie nach einem Halt sucht und diesen Halt in ihm zu finden glaubt. Also, wenn Du willst, eine Neigung mehr aus Schutzbedürfnis als aus Liebe. Mitunter auch aus bloßer Kaprice.

Ja, sie hat Kapricen, was an einer schönen Frau nicht sonderlich überraschen darf; aber was durchaus frappieren muß, ist das naive Minimalmaß ihrer Bildung. Sie spricht gut Französisch (recht gut) und versteht ein weniges von Musik; im übrigen fehlt ihr nicht bloß alles Positive, sondern auch jener Esprit, der adorierten Frauen fast immer zu Gebote steht. Wir waren gestern in Quedlinburg und kamen unter anderem an dem Klopstock-Haus vorüber. Ich sprach von dem Dichter und konnte deutlich wahrnehmen, daß sie den Namen desselben zum ersten Male hörte. Was nicht in französischen Romanen und italienischen Opern vorkommt, das weiß sie nicht. Ob sie Zeitungen liest, ist mir fraglich. Und so gibt sie sich Blößen über Blößen. Aber sie besitzt dafür ein anderes, was alle diese Mängel wieder aufwiegt: eine vornehme Haltung und ein feines Gefühl, will sagen ein Herz. Denn ein feines Gefühl läßt sich so wenig lernen wie ein echtes. Man hat es – oder hat es nicht. Dazu gesellt sich jener freiere Blick oder doch mindestens jenes unbefangene, allem Schwerfälligen abgewandte Wesen, das allen Personen eigen ist, die jahrelang in der Obersphäre der Gesellschaft gelebt und sich einfach dadurch jenes je ne sais quoi erworben haben, das sie Gebildeteren und selbst Klügeren überlegen macht. Sie weiß, daß sie nichts weiß und behandelt dies Manko mit einer entwaffnenden Offenheit. Trotz einer hautänen Miene, die sie, wenn sie will, sehr wohl aufzusetzen versteht, ist sie bescheiden bis zur Demut. Daß sie nervenkrank ist, ist augenscheinlich, aber der Oberst (vielleicht, weil es ihm paßt) macht unter Umständen mehr davon, als nötig. Er mag übrigens, was diesen Punkt angeht, in einer ziemlich heiklen Lage sein, denn nimmt er's leicht, wo sie's vorzieht, krank zu sein, so verdrießt es sie, und nimmt er's schwer, wo sie's vorzieht, gesund zu sein, so verdrießt es sie kaum minder. Ich war auf der Roßtrappe Zeuge solcher Szene. Mir persönlich will es scheinen, daß sie, nach Art aller Nervenkranken, im höchsten Grade von zufälligen Eindrücken abhängig ist, die sie, je nachdem sie sind, entweder matt und hinfällig oder aber umgekehrt zu jeder Anstrengung fähig machen.

Überhaupt voller Gegensätze: Dame von Welt und dann wieder voll Kindersinn. Sie lacht wenig, aber wenn sie lacht, ist es entzückend, weil man herausfühlt, wie dieses Lachen sie selber beglückt. Sie war wohl eigentlich, ihrer ganzen Natur nach, auf Reifenwerfen und Federballspiel gestellt und dazu angetan, so leicht und graziös in die Luft zu steigen wie selber ein Federball. Aber es wird ihr von Jugend an nicht daran gefehlt haben, was sie wieder herabzog. Vielleicht weil sie so schön war. Übrigens glaube nicht, daß ich an eine St. Arnaudsche Mesalliance denke. Nichts in und an ihr, das an eine Tochter Thaliens oder gar Terpsichorens erinnerte. Noch weniger hat sie den kecken Ton unserer Offiziersdamen oder den unmotiviert selbstbewußten unseres Kleinadels auf seinen Herrensitzen. Ihr Ton ist vornehmer, ihre Sphäre liegt höher hinauf. Ob von Natur oder durch zufällige Lebensgänge, laß ich dahingestellt sein. Sie hascht nach keinem Witzwort, am wenigsten müht sie sich um ein zugespitztes Reparti; sie läßt *andre* sich mühen und zeigt auch darin, daß sie ganz daran gewöhnt ist, Huldigungen entgegenzunehmen. Alles erinnert an ›kleinen Hof‹.

Und nun tue das Deine. Deiner Antwort sehe ich noch *hier* entgegen, und zwar binnen einer Woche. Wird es später, so nach Berlin: poste restante. Zu ›postlagernd‹ hab ich mich noch nicht bekehren können. Und nun Dir und meiner teuren Elsy Gruß und Kuß. Wie immer, Dein Dich herzlich liebender Robert v. G. L.«

Zehntes Kapitel

Gordon überflog den Brief noch einmal und war mit seiner Charakteristik Céciles zufrieden, aber nicht so mit dem, was er über St. Arnaud geschrieben hatte. Der war offenbar zu kurz gekommen, was ihn bestimmte, noch ein paar Worte hinzuzufügen.

»Eben, meine liebe Klotho«, – so kritzelte er an den Rand – »hab ich mein langes Skriptum noch einmal durchgelesen und finde, daß St. Arnauds Bild der Retouche bedarf. Es wird dadurch freilich mehr an Richtigkeit als an Liebenswürdigkeit gewinnen. Wenn ich ihn Dir als Gardeoberst comme il faut vorstellte, was zutrifft, so gibt dies doch immer nur eine Seite; mindestens mit gleichem Recht darf ich ihn als den Typus eines alten Garçons aus der Oberschicht der Gesellschaft bezeichnen. Es ist unmöglich, sich etwas Unverheirateteres vorzustellen als ihn, trotzdem er voll Courtoisie gegen die junge Frau, ja gelegentlich selbst voll anscheinend großer Aufmerksamkeiten ist. Aber sie wirken äußerlich, und wenn sie nicht *bloß* in chevaleresker Gewohnheit ihren Grund haben, so doch jedenfalls zur größeren Hälfte. Zu dem allem hat er (in *diesem* Punkte mit Cécile verwandt) einen ›genierten Blick‹; aber was ihr kleidet, ja, rund heraus, ihren Reiz noch steigert, ist an ihm einfach unheimlich. In manchen Momenten, ich zögere fast, es auszusprechen, wirkt er nicht viel anders, als ob er ein Jeu-Oberst wäre, der hier in Thale den Gemütlichen spielt und seine Kräfte für eine neue Kampagne sammelt. Jedenfalls wirst Du nach dem allen meine Neugier begreifen. Und nun noch einmal Gott befohlen. Dein Roby.«

Und nun schob er den Brief ins Kuvert und ging in das Lesezimmer, um sich in die »Times« zu vertiefen, die zu lesen ihm seit seinen indisch-persischen Tagen ein Bedürfnis war.

*

Um dieselbe Stunde, wo Gordon den Brief schrieb, machte das St. Arnaudsche Paar, wie täglich nach dem Frühstück, seinen Morgenspaziergang. Als sie die große Parkwiese zweimal umschritten hatten, war Cécile müde geworden und nahm auf einer von Flieder und Goldregen überwachsenen Bank Platz, die zum großen Teil im Schatten lag. Es war eine lauschige Stelle, vormittags die schönste der ganzen Anlage, von der aus man nicht bloß die vorgelegene bewaldete Gebirgswand, sondern auch den Hexentanzplatz und die Roßtrappe mit ihren in der Sonne blitzenden Hotels übersehen konnte. Die Luft stand, und nur dann und wann fuhr ein Windstoß durch die Stille.

Cécile, die den schattigsten Platz hatte, zog den Sonnenschirm ein und sagte: »Gewiß, ich finde das Fräulein sehr unterhaltlich, aber doch etwas emanzipiert oder, wenn dies nicht das richtige Wort ist, etwas zu sicher und selbstbewußt. Künstlerin, sagst du. Gut. Aber was heißt Künstlerin? Sie schlägt gelegentlich einen Weisheits- und Überlegenheitston an, als ob sie Gordons Großtante wäre.«

»Wohl ihr.«

»Ja«, beharrte Cécile. »Wohl ihr. Wenn nur nicht das Gerede der Leute wäre.«

»Das Gerede der Leute«, wiederholte St. Arnaud spöttisch

das ihn allemal nervös machende Wort. Aber Cécile, die sonst ein scharfes Ohr für diesen Ton hatte, hörte heute darüber hin, und mit ihrem Sonnenschirm auf einen Hausgiebel zeigend, der in geringer Entfernung aus einer Baumgruppe hervorragte, sagte sie: »Das ist das Hubertusbad, nicht wahr? Wie verlief eigentlich das gestrige Konzert? Ich hatte das Fenster auf und hörte noch die Schlußpiece: ›Komm in mein Schloß mit mir.‹ Wenn ich mir Rosa als Zerline denke.«

»Und Cécile als Donna Elvira.«

Sie lachte herzlich, denn der Ton, in dem St. Arnaud dies sagte, klang durchaus liebenswürdig und jedenfalls ebenso frei von Gereiztheit wie Tadel. »Donna Elvira«, wiederholte sie, »die Rolle der Verschmähten! Wirklich, es wäre die letzte meiner Passionen, und wenn ich mich da hineindenke, so muß ich dir offen gestehen, es gibt doch allerlei Dinge . . .«

»Die noch schwerer zu tragen sind als *die,* die wir tragen müssen. Ja, Cécile, sprich es nur aus. Und du solltest dich jeden Tag daran erinnern. Freilich ist es leichter, die Wahrheit zu predigen, als danach zu handeln. Aber wir sollten es wenigstens versuchen.«

Jedes dieser Worte tat ihr wohl, und in einem flüchtigen Zärtlichkeitsanfluge sich an ihn lehnend, sagte sie: »Wie du nur sprichst. Als ob ich eine Neigung hätte, den Kopf hängen zu lassen. Und du weißt doch das Gegenteil. Ach, Pierre, wir hätten uns statt der großen Stadt einen stillen Platz suchen sollen, da wär uns manch Bitteres erspart geblieben. Einen stillen Platz, oder lieber gleich ein paar, um mit ihnen wechseln zu können. Wie leicht und gefällig macht sich hier das Leben. Und warum? Weil sich beständig neue Beziehungen und Anknüpfungen bieten. Das ist noch der Vorzug des Reiselebens, daß man den Augenblick walten und überhaupt alles gelten läßt, was einem gefällt.«

»Und doch hat das ›Leben aus dem Koffer‹ auch seine schweren Bedenken. Man findet nicht jeden Tag einen perfekten Kavalier, der die Tugenden unserer militärischen Erziehung mit weltmännischem Blick vereinigt. Du weißt, wen ich meine. Welche Fülle von Wissen und dabei absolut unrenommistisch. Er hat einen entzückenden Ton; es klingt immer, als ob er sich geniere, viel erlebt zu haben.«

Sie nickte zustimmend und fuhr dann ihrerseits fort: »Du hast gestern, als ihr gemeinschaftlich das Fräulein vom Konzert her bis an das Hotel zurückführtet, noch ein Gespräch mit Herrn von Gordon gehabt. Ich stand am Fenster und sah euch den Kiesweg auf und ab promenieren. Erzähle. Du weißt, ich bin eigentlich nicht neugierig, aber wenn ich es bin ...«

»Dann?«

»Dann de tout mon cœur. Also was ist es mit ihm? Warum ging er in die weite Welt? Ein Mann von so guter Erscheinung und Familie, denn die Schotten sind alle von guter Familie. Wir hatten unter den Kavalieren am Hofe ... Daher meine Kenntnis. Mir liegt sonst die Prätension fern, über schottische Familien unterrichtet zu sein. Also warum trat er aus der Armee?«

St. Arnaud lachte. »Meine liebe Cécile, du gehst einer grausamen Enttäuschung entgegen. Er schied aus der Armee ...«

»Nun?«

»Einfach Schulden halber. In diesem Punkt beginnt seine Laufbahn als chevalier errant so trivial wie möglich. Er stand erst bei den Pionieren in Magdeburg, dann bei dem Eisenbahnbataillon unter Golz, einer Truppe, die sonst viel zu klug und zu gescheit ist, um sich durch Schuldenmachen auszuzeichnen. Aber jede Regel hat ihre Ausnahme. Kurzum, er konnte sich nicht halten und übersiedelte, wenn sich in solcher Lage von Übersiedlung sprechen läßt, nach England, woselbst er seine wissenschaftlichen Kenntnisse praktisch zu verwerten hoffte. Dies gelang ihm denn auch, und er ging Mitte der siebziger Jahre nach Suez, um hier im Auftrag einer großen englischen Gesellschaft einen Draht durch das Rote Meer und den Persischen Golf zu legen. Du wirst nicht orientiert sein, aber ich zeige dir's auf der Karte.«

»Nur weiter.«

»Etwas später trat er in persischen und, nach Beendigung einer unter seiner Oberleitung hergestellten Telegraphenverbindung zwischen den zwei Hauptstädten des Landes, in russischen Dienst. Es war gerade die Zeit, als Skobeleff, dessen du dich von Warschau her erinnern wirst, vor Samarkand seine Triumphe feierte. Später, als der Kriegsschauplatz wechselte, war er mit demselben General vor Plewna. Der wachsende Haß der Russen aber gegen alles Deutsche hat ihm schließlich den Dienst verleidet; er nahm den Abschied und hat das Glück gehabt, alte Beziehungen wieder anknüpfen zu können. Er ist in diesem Augenblicke Bevollmächtigter derselben englischen Firma, in deren Dienst er seine Laufbahn begann, und gerade jetzt mit einer geplanten neuen Kabellegung in der Nordsee beschäftigt. Hat aber den lebhaften Wunsch, in preußischen Dienst zurückzutreten, was ihm, bei Protektion an hoher Stelle, deren er sich erfreut, ganz zweifellos gelingen wird.«

»Und das ist alles?«

»Aber, Cécile ...«

»Du hast recht«, lachte sie. »Buntes Leben genug. Und doch find ich wirklich, daß einen Draht oder ein Kabel an einer mir unbekannten Küste zu legen – und welche Küste wäre mir nicht unbekannt –, schließlich ebenso trivial ist wie Schuldenmachen.«

»Da bin ich doch neugierig, zu hören, was du geneigt sein möchtest, *nicht* trivial zu finden.«

»Nun, beispielsweise den Regensteiner. Der ist doch um vieles romantischer. Und wenn es der Regensteiner nicht sein kann, nun denn: Abenteuer, Tigerjagd, Wüste, Verirrungen ...«

»Geographische oder moralische?«

»Beide.«

»Nun, wer weiß, was er davon noch in petto hat. Er konnte mich doch nicht gleich in seine letzten Intimitäten einweihen. Aber sieh nur ...«

Und ein Windstoß, der eben in das große, mit Zentifolien dicht besetzte Rondell gefahren war, trieb eine Wolke von Rosenblättern auf Cécile zu.

»Sieh nur«, wiederholte der Oberst, und im selben Augenblicke sanken die herangewehten Blätter, denen das Fliedergebüsch den Durchgang wehrte, zu Füßen der schönen Frau nieder.

»Ah, wie schön«, sagte Cécile. »Das ist mir eine gute Vorbedeutung.«

Und sie bückte sich nach einem der Blätter, um es auf ihre Lippen zu legen. Dann aber erhob sie sich und schritt, in guter Laune St. Arnauds Arm nehmend, auf das Hotel zu.

Elftes Kapitel

Es war noch eine gute Weile bis Mittag. St. Arnaud, der die Kartenpassion hatte, beabsichtigte, sich in eine Harz-Karte zu vertiefen! Cécile dagegen wollte ruhen und zog, als sie sich auf die Chaiselongue gestreckt hatte, den über ihre Füße gebreiteten Schal höher hinauf und sagte: »Wecke mich, Pierre. Nicht länger als zehn Minuten.« Und gleich danach schlief sie, die linke Hand unter dem schönen Kopf, während ihre Rechte noch das Tuch hielt. –

Zwei Stunden später erschien man an der Table d'hôte, wo der die Neigungen und Wünsche seiner Gäste beständig scharf im Auge habende Wirt eine Neuplacierung hatte stattfinden lassen. Die St. Arnauds saßen an alter Stelle, Gordon aber, statt gegenüber von Cécile, war links neben diese gesetzt worden, während der Emeritus den erledigten Visavisplatz und der in seiner Erscheinung etwas aufgebesserte Privatgelehrte – denn das war er – den Platz neben dem Geistlichen erhalten hatte. Rosa fehlte. Gordon erschien erst, als man die Suppe schon herumgab, und als Soldat ein wenig verlegen über die Verspätung, noch verlegener aber über das Neuarrangement, das er vorfand, wandte er sich mit der Bemerkung an Cécile, »daß er nicht recht wisse, wodurch er sich, der er doch viel mehr ein Sodawasser- als ein Champagner-Gast sei, diese wirtliche Bevorzugung verdient habe« – eine Bemerkung, bei der der alte Emeritus jovial und lebemännisch lächelte, während der Privatgelehrte mit einem schon den Ernst der Historie streifenden Interesse seine Hornbrille höher schob und mehr forscherhaft-wissenschaftlich als landesüblich-artig zu Gordon hinüberstarrte. Dieser selbst indes war durch die schöne Frau viel zu sehr in Anspruch genommen, um für das Lächeln des Emeritus oder gar für den Forscherblick des askanischen Spezialisten irgendwie Sinn und Auge zu haben, und gab der Erregung, in der er sich nach wie vor befand, durch allerlei rasche Fragen Ausdruck, die sich auf die kleinen Vorkommnisse der Quedlinburger Partie bezogen, auf die Krypta, den Roland und das Klopstock-Haus, »das«, und Cécile lachte jetzt mit, »nur leider zu grün gewesen sei«. Noch andere Fragen drängten sich, und nur der Äbtissinnen und speziell des Bildes der schönen Gräfin Aurora wurde von seiten Gordons mit keinem Worte gedacht.

»Aber ich schwatze so viel«, unterbrach er sich plötzlich selbst, »und versäume darüber die Hauptsache, *die,* mich nach dem Befinden der gnädigen Frau zu erkundigen, das mir auf der Rückfahrt in der Tat ernstlich gefährdet erschien, denn ich entsinne mich nicht, etwas Ähnliches von Zug erlebt zu haben, nicht einmal auf amerikanischen Bahnen, die bekanntlich in ›frischer Luft‹ ein äußerstes tun. Oh, wie haß ich diese großen Salonwagen, wo jede Vorsicht, auch die sorglichste, scheitert, weil einem das *eine* geschlossene Fenster, auf das man einen reglementmäßigen Anspruch hat, zu rein gar nichts hilft – man bleibt eben immer noch im Kreuzfeuer von sechs anderen, die sich der Kontrolle durch allerhand Zwischenbauten entziehen: eine wahre Perfidie der

Wagenbaukonstrukteure. Sahen Sie gestern wohl den dicken kleinen Herrn in dem Nachbarkompartiment? *Der* war schuld. Mit einem wahren Krach ließ er alle noch geschlossenen Fenster in die Versenkung niederfallen und sah sich dabei so stolz und herausfordernd um, daß mir der Mut entsank, ihn in seinem mörderischen Tun zu hindern. O diese Ventilationsenthusiasten!«

»Und doch weiß ich nicht«, sagte St. Arnaud, »ob sein Antagonist, der Ventilationshasser, nicht vielleicht noch schlimmer ist als der Ventilationsenthusiast.«

»Aufs letzte hin angesehen, also Extrem gegen Extrem, ganz unbedingt. Zu viel Luft ist immer besser als zu wenig. Aber sehen wir von solch äußersten Fällen ab, so geb ich dem Ventilationsfeinde den Vorzug. Er mag ebenso lästig sein wie sein Gegner, ebenso gesundheitsgefährlich oder meinetwegen auch noch mehr, aber er ist nicht so beleidigend. Der Ventilationsenthusiast brüstet sich nämlich beständig mit einem Gefühl unbedingter Superiorität, weil er, seiner Meinung nach, nicht bloß das Gesundheitliche, sondern auch das Sittliche vertritt. Das Sittliche, das Reine. Der, der sämtliche Fenster aufreißt, ist allemal frei, tapfer, heldisch – der, der sie schließt, allemal ein Schwächling, ein Feigling, un lâche. Und das weiß der unglückliche Fensterschließer auch, und weil er es weiß, geht er ängstlich und heimlich vor, so heimlich, daß er mit Vorliebe den Moment abwartet, wo sein Widerpart zu schlafen scheint. Aber dieser Widerpart schläft nicht, und mit jenem nie versagenden Mut, den eben nur die höhere Sittlichkeit gibt, springt er auf, läßt seine Zornader anschwellen und schleudert das Fenster wieder nieder, genau so wie der dicke kleine Herr gestern. Sie können zehn gegen eins wetten, der Antagonist von Zug und Wind ist immer voll Timidität, der Enthusiast aber – und das ist schlimmer – voll Effronterie.«

»Sehr gut«, stimmte der Emeritus ein.

»Aber«, fuhr Gordon fort, »da kommen Forellen, meine gnädigste Frau. Das ist denn doch wichtig genug, um unsere Streitfrage wenigstens momentan ruhen zu lassen. Darf ich Ihnen dieses Prachtexemplar vorlegen? Und zugleich etwas Butter von diesem merkwürdigen Buttervogel hier, hier auf der zweiten Schüssel, gelber als gelb und mit zwei Pfefferkornaugen! Oh, sehen Sie, grotesk bis zum Gruseligen. Zu den schlimmsten Ausschreitungen erregter Künstlerphantasie gehören doch immer *die* der Konditoren und Köche.«

»Was ich mich zuzugestehen gedrungen fühle«, sagte der Langhaarige mit stark wissenschaftlicher Betonung. »Aber, so Sie gestatten, zugleich unter Konstatierung gelegentlicher Ausnahmen. Das deutsche Märchen, über dessen Abstammung zu sprechen uns hier zu weit führen würde ... Darf ich mich Ihnen vorstellen? Eginhard Aus dem Grunde ... das deutsche Märchen kennt von ältester Zeit her ein ideales Pfefferkuchenhaus, ein Pfefferkuchenhaus nur in der Idee. Dies steht fest. Ist es nun eine konditorliche Geschmackssünde, so wird sich die Sache vielleicht präzisieren lassen, *das* leibhaftig vor uns hinzustellen, was bis dahin nur in unserer Vorstellung lebte? Die Beantwortung dieser Frage will mir keineswegs leicht erscheinen, am wenigsten aber unanfechtbar, ob sie nun auf ›nein‹ oder ›ja‹ lauten möge. Was mich persönlich angeht, so bekenn ich offen, daß ich mich in der Weihnachtszeit jedesmal herzlich freue, bei Degebrodt in der Leipziger Straße – dessen Spezialität diese Dinge zu sein scheinen – dem bis vor wenig Jahren nur in der Idee bestehenden Pfefferkuchenhause greifbar zu begegnen. Es unterstützt dergleichen die Phantasie, statt sie zu lähmen. Der unsre Zeit und unsre Kunst entstellende Realismus hat seine Gefahren, aber, wie mir scheinen will, auch sein Recht und seine Vorzüge.«

»Gewiß, gewiß«, sagte Gordon. »Ich revoziere. Wenn man Fisch ißt, darf man ohnehin nicht streiten. Ich habe einen Professor gekannt, der an einer Fischgräte gestorben ist.«

»Die Forelle hat keine Gräten.«

»Aber Flossen. Und doch jedenfalls die Mittelgräte. Nehmen Sie sich in acht, Herr Professor.«

»Sie legen mir einen Titel zu ...«

»Pardon. Ich war der Meinung ... Übrigens find ich diese Harz-Forellen überaus delikat und von einem ganz eigentümlichen Aroma.«

»Forellen sind Forellen.«

»Doch nur etwa so, wie Menschen Menschen sind. Weiße, Schwarze, Privatgelehrte haben einen verschiedenen Geschmack, auch vom anthropophagischen Standpunkt aus, und die Forellen desgleichen. Sie schmecken wirklich verschieden. Ich darf es sagen. Denn wenn ich die Rechnung mache, so hab ich wohl ein Dutzend Arten durchgekostet.«

»Und die schönsten waren?«

»In Deutschland, meine gnädigste Frau, die Felchen im Bodensee – man muß Markgräfler dazu trinken –, und in Italien die Maränen aus dem Lago di Bolsena ... Die bedingungslos schönsten aber hab ich erst ganz vor kurzem in meiner Heimat, will sagen, in der schottischen Heimat meiner Familie kennengelernt.«

»Und das waren?«

»Lachsforellen aus dem Kinroß-See. Maria Stuart saß da gefangen, in einem alten Douglas-Schlosse mitten im See, und wenn sie während dieser Gefangenschaftstage, neben der Liebe von Willy Douglas, eines beiläufig illegitimen, also doppelt verführerischen Sohnes des Hauses, irgend etwas getröstet haben kann, so müssen es die Lachsforellen gewesen sein.«

»Und doch«, unterbrach hier der Emeritus, »wag ich die Behauptung, daß das, was unser Harz und speziell unsre Bode bietet, Ihre Lachsforellen im . . .«

»Kinroß-See.«

»Im Kinroß-See also, um ein beträchtliches überbietet. Nicht auf dem Gebiet der Lachsforelle, nicht Forelle gegen Forelle, wohl aber . . .«

»Nun?«

»Wohl aber Schmerle gegen Forelle.«

»Schmerle?« wiederholte Cécile. »Was ist das? Kennen Sie Schmerlen, Herr von Gordon?«

»O gewiß. Ich entsinne mich ihrer aus meinen Kindertagen her, und bei meiner Anlage zur Gourmandise könnt ich mich allenfalls entschließen, eine Kunst- und Entdeckungsreise zu machen, um das gelobte Land der Schmerlen kennenzulernen. Ist es weit?«

»Nur wenige Stunden.«

»Und nennt sich?«

»Altenbrak; ein großes Dorf an der Bode. Wenn Sie die Partie machen wollen, so haben Sie die Wahl zwischen einem Talweg unten und einem Hochweg oben. Am meisten aber empfiehlt sich's, wie gewöhnlich, das eine zu tun und das andre nicht zu lassen, oder, mit andren Worten, über die Berge hin den Hinweg und an der Bode hin den Rückweg zu machen. Der eine Weg würde Sie bei Jagdschloß Todtenrode, der andre bei Treseburg vorüberführen. Eine sehr empfehlenswerte Partie.«

»Der Sie sich vielleicht anschließen, mein Herr Emeritus, um uns Führer und Berater zu sein.«

»Mit vielem Vergnügen«, fuhr dieser fort. »Und um so lieber, als mir dadurch Gelegenheit wird, einen Mann wiederzusehen, der aufs glücklichste Humor mit Charakter und Naivität mit Lebensklugheit verbindet.«

»Und wer ist dieser Glückliche?«

»Der Altenbraker Präzeptor.«

»Und das bedeutet?«

»Zunächst nichts weiter, als was es besagt, einen Lehrer also. Doch ist nicht jeder Lehrer ein Präzeptor. Die Nomination des meinigen – er ist bereits ein hoher Siebziger – stammt noch aus einer Zeit her, wo man den Dorfschulmeistern, wenn im Dorfe der Pfarrer fehlte, den Extratitel eines Präzeptors beilegte. Wenigstens in unsrer Braunschweiger Gegend. Damit war dann angedeutet, daß der betreffende von einer gewissen höheren Ordnung und sowohl berechtigt wie verpflichtet sei, Sonntag für Sonntag der Gemeinde das Evangelium oder auch eine Predigt aus einem Predigtbuche vorzulesen.«

Cécile, die bis dahin mit der Redseligkeit des über Schmerlen und Schulmeisteroriginale sich verbreitenden alten Emeritus nur wenig einverstanden gewesen war, wurde jetzt plötzlich aufmerksam, denn ein in ihrer Natur liegender mystisch-religiöser Zug, den die Lektüre von Erbauungs- und namentlich von Erweckungsgeschichten noch erheblich gesteigert hatte, ließ sie jedesmal aufhorchen, wenn gewisse Stichworte fielen, die Konventikliges oder Sektiererisches in Aussicht stellten. In vorderster Reihe standen natürlich die Mormonen, und wenn sich auch im gegenwärtigen Augenblicke *so* Gutes und Interessantes kaum erhoffen ließ, so sagte sie doch über den Tisch hin: »Und ein solcher Präzeptor befindet sich in dem Schmerlendorfe?«

»Ja, meine gnädigste Frau. Nur ist zu bedauern, daß der ehemalige Präzeptor nicht mehr Präzeptor ist, vielmehr sein Amt niedergelegt hat. Noch dazu gegen den Wunsch seiner kirchlichen Behörde.«

»So waren es seine hohen Jahre, was den Ausschlag gab?«

»Auch das nicht, meine gnädigste Frau. Das, was den Ausschlag gab, war sein Gewisen.«

»Aber aus einem Manne, wie Sie den Alten geschildert, kann doch kein böses Gewissen gesprochen haben?«

»In gewissem Sinne doch.«

»Oh, da bin ich neugierig. Ist es eine Sache, die sich erzählen läßt?«

»Unbedingt. Und ich erzähle sie doppelt gern, weil sie meinen Altenbraker Freund in einem schönen Lichte zeigt. Ich sprach von seinem bösen Gewissen und mit Recht. Denn das, was wir ein böses Gewissen nennen, ist ja immer ein gutes Gewissen. Es ist das Gute, was sich in uns erhebt und uns bei uns selber verklagt.«

Cécile sah ihn groß an. Aber sie gewahrte bald, daß es absichtslos gesprochen war, und so nickte sie nur freundlich und sagte: »Nun denn.«

»Nun denn, in meinem alten Präzeptor regte sich also plötzlich sein gutes Böses-Gewissen. Und das machte sich so. Predigten- und Evangeliumlesen war ihm vorgeschrieben. Als er aber an die Siebzig kam und die Buchstaben in seinem Predigtbuche, trotz angeschaffter starker Brille, vor seinem Auge zu tanzen und zu verschwimmen anfingen, ließ er sich in dem, was er später seinen Dünkel nannte, hinreißen, alle Bücher zu Hause zu lassen und von der Kanzel herab aus dem Stegreife zu sprechen. Mit anderen Worten, er predigte, tat den Präzeptor ab und zog den Pastor an. Das ging so mehrere Jahre. Mit einem Male aber kam ihm die Vorstellung seines Unrechtes, und daß er in Eitelkeit und Vermessenheit tue, was nicht seines Amtes sei. Alles erschien ihm plötzlich, und nicht ganz mit Unrecht, als Übergriff und Ungesetzlichkeit, und nachdem er das Gefühl eine Zeitlang mit sich herumgetragen, entschied er sich endlich kurz und energisch und ging nach Braunschweig, um sich selber vor einem Hohen Konsistorium zur Anzeige zu bringen.«

»Und was geschah nun?« unterbrach hier St. Arnaud. »Ich fürchte, das Hohe Konsistorium, man kennt dergleichen, wird gerade so klein gewesen sein, wie der Alte groß war.«

»Nein, mein Herr Oberst, es kam doch erfreulicher, und wenn eine Geschichte zwei Helden haben darf, so hat sie die meinige, denn neben meinem Präzeptor stellt sich ebenbürtig mein Konsistorialrat. Der wußte lange schon von dem Übergriff. Aber er wußte zugleich auch, daß die Altenbraker nie so kirchgängerische Leute gewesen waren als von dem Tag an, wo der Präzeptor zum ersten Male den Übergriff gewagt und mit dem unerlaubten Predigen begonnen hatte. Und so stand er denn von seinem Lehnstuhl auf und sagte: ›Mein lieber Rodenstein‹ – das ist nämlich der Name meines Präzeptors – ›mein lieber Rodenstein, Ihre Klage wird nicht angenommen. Gehen Sie ruhig wieder nach Altenbrak und machen Sie's gerad' so, wie Sie's bisher gemacht haben. Und damit Gott befohlen.‹ Und wirklich, der Präzeptor ging auch. Aber wiewohl er sich für so viel Nachsicht und Güte respektvoll bedankt hatte, blieb im stillen doch fest bei seiner Meinung und gab, als er wieder daheim war, seinen Abschied schriftlich ein, der ihm denn auch schließlich in Gnaden erteilt wurde. Seitdem sitzt er, wenn nicht Gäste kommen, einsam auf seiner Burg Rodenstein.«

»Auf seiner Burg Rodenstein?«

»Ja, man darf es so nennen. Jedenfalls nennt er es selber so. Seine Burg Rodenstein ist aber nichts weiter als ein wundervoll auf einem Felsen gelegenes Gasthaus, darin er als ›Rodensteiner‹ haust und wie sein berühmter Namensvetter unter allen Umständen einen guten Trunk und, wenn gewünscht, auch die besten Schmerlen auf den Tisch bringt. Und das ist das Schmerlenland, von dem ich Ihnen sprach: Altenbrak und sein Präzeptor, Burg Rodenstein und der Rodensteiner.«

»Und da müssen wir hin«, sagte Gordon, und Cécile klatschte zustimmend in die Hände. »Da müssen wir hin, um die Streitfrage zwischen Forellen und Schmerlen ein für allemal entscheiden zu können.«

»Und der Herr Emeritus übernimmt die Führung. Er hat bereits zugestimmt. Und auch Herr Eginhard... Oh, pardon...«

»Aus dem Grunde.«

»Und auch Herr Eginhard Aus dem Grunde«, wiederholte Gordon, während er sich gegen den Privatgelehrten verneigte, »wird uns begleiten. Nicht wahr?«

Zwölftes Kapitel

Die Partie nach Altenbrak war für den anderen Morgen verabredet, aber bis dahin war noch eine lange Zeit, und als man aus dem Saal in den Korridor trat, wurde mehrfach die Frage laut, was bei der schwebenden Hitze mit dem »angebrochenen« Nachmittage zu machen sei? Der Privatgelehrte schlug eine Promenade durch das Bodetal vor, drang aber nicht durch.

»Nur nicht Bodetal«, sagte Gordon. »Oder gar dieser ewige Waldkater! Das reine Landhaus an der Heerstraße mit einer Mischluft von Küchenabguß und Pferdeställen. Überall Menschen und Butterpapiere, Krüppel und Ziehharmonika. Nein, nein, ich proponiere Lindenberg.«

»Lindenberg«, entschied St. Arnaud, und Cécile zeigte sich bereit, die Promenade sofort zu beginnen.

»Du solltest dich erst ruhen«, sagte der Oberst. »Es ist heiß, und der Weg wird dich ermüden.«

Aber die schöne Frau, die regelmäßig anderen Sinnes war, wenn St. Arnaud auf ihr Ruhebedürfnis oder gar auf ihre Schwächezustände hinwies, widersprach auch diesmal und versicherte, während sie sich gegen den Privatgelehrten, um dessen

Begleitung sie schon vorher gebeten hatte, verneigte: »bei gutem Gespräche noch niemals müde geworden zu sein.«

Ein Verklärungsschimmer ging über Eginhard, der bei seinem Hange, zu generalisieren, sofort auch Betrachtungen über die Superiorität aristokratischer Lebens- und Bildungsformen anstellte. Zugleich war er fest entschlossen, sich eines so schmeichelhaft in ihn gesetzten Vertrauens würdig zu zeigen, war aber nicht glücklich damit, wie sich gleich bei seinem ersten Versuche herausstellen sollte.

»Miquelscher Privatbesitz, meine Gnädigste«, hob er an, während er auf eine noch innerhalb der Dorfstraße gelegene, von einem herrschaftlichen Garten umgebene Villa zeigte.

»Wessen?« fragte Cécile.

»Dr. Miquels. Ehedem Bürgermeister von Osnabrück, jetzt Oberbürgermeister zu Frankfurt.«

»An der Oder?«

»Nein; am Main.«

»Aber was konnte diesen Herrn veranlassen, von so landschaftlich bevorzugter Stelle her gerade *hier* sich anzukaufen und in diesem einfachen Harzdorfe seine Sommerfrische zu nehmen?«

»Eine wohl aufzuwerfende Frage, deren einzig mögliche Beantwortung mir in der Deutschkaiserlichkeit des Dr. Miquel zu liegen scheint, ein Wort, das, trotz seiner sprachlichen Anfechtbarkeit, den Gedanken genau wiedergibt, den ich Ihnen, meine gnädigste Frau, des ausführlicheren unterbreiten möchte. Darf ich es?«

»Ich bitte recht sehr darum.«

»Nun denn, es darf als historische Tatsache gelten, daß wir Männer besaßen und noch besitzen, in denen das Kaisertum bereits mächtig lebte, bevor es noch da war. Es waren das die Propheten, die jeder großen Erscheinung vorauszugehen pflegen, die Propheten und Täufer.«

»Und zu diesen zählen Sie ...«

»Vor allem auch Dr. Miquel von Frankfurt. In der Tat, er war auch unter denen, in deren Brust der Kaisergedanke von Jugend auf nach Verwirklichung rang. Aber wo war diesem Gedanken am besten eine Verwirklichung zu geben? Wo durft er am ehesten Nahrung finden und Förderung erwarten? Und auf diese Fragen, meine gnädigste Frau, gibt es nur *eine* Antwort: *Hier.* Denn hier, an dieser gesegneten Harzstelle, predigt alles Kaisertum und Kaiserherrlichkeit. Ich spreche nicht von dem ewigen Kyffhäuser, der ohnehin halbthüringisch ist, aber speziell hier, am harzischen Nordrande, gibt jeder Fußbreit Erde wenigstens einen Kaiser heraus. In der Quedlinburger Abteikirche, die Sie, wie mir zu meiner Freude bekannt geworden, durch Ihren Besuch beehrt haben, ruht der erste große Sachsenkaiser, im Magdeburger Dome der noch größere zweite. Sie mit Namen zu behelligen, meine gnädigste Frau, kann mir nicht einfallen. Aber ich bitte, Tatsachen geben zu dürfen. In Harzburg, auf der Burgberg-Höhe – deren Besteigung ich Ihnen empfehlen möchte; Sie finden Esel am Fuße des Berges – stand die Lieblingsburg des zu Kanossa gedemütigten Heinrich, und zu Goslar, in verhältnismäßiger Nähe jener Burgberg-Höhe, haben wir bis diese Stunde die große Kaiserpfalz, die die mächtigsten Herrschergeschlechter, die Träger des ghibellinischen Gedankens in schon vorghibellinischer Zeit, in ihrer Mitte sah. Also Kaiser-Erinnerungen auf Schritt und Tritt. Und hierin, meine gnädigste Frau, seh ich den Grund, der Dr. Miquel, den Mann des Kaisergedankens, in speziell *diese* Gegend zog.«

»Unzweifelhaft. Und Sie sprechen das alles mit solcher Wärme...«

Der Privatgelehrte verneigte sich.

»Mit solcher Wärme, daß ich annehmen möchte, Sie selber seien mit unter den Propheten und Täufern gewesen, und Ihre Studien fänden ihren Gipfelpunkt in einer begeisterten Hingebung an die deutsche Kaisergeschichte.«

»Gewiß, meine gnädigste Frau, wenn schon ich Ihnen offen bekenne, daß der Gang unserer Geschichte nicht *der* war, der er hätte sein sollen.«

»Und was ist es, woran Sie Anstoß nehmen?«

»Das, daß sich der Schwerpunkt verschob. Ein Fehler, der erst in unseren Tagen seine Korrektur erfahren hat. Als die Sachsenkaiser, die wir mit mindestens gleichem Recht auch die Harzkaiser nennen dürften, seitens der deutschen Stämme gekürt wurden, waren wir auf der rechten Spur und hätten, bei dem endlichen aber nur allzu frühen Erlöschen des Geschlechts, den Schwerpunkt deutscher Nation nach Nordosten hin verlegen müssen.«

»Bis an die russische Grenze?«

»Nein, meine Gnädigste, nicht so weit; nach dem Lande zwischen Oder und Elbe.«

»Mit den Hohenzollern an der Spitze?«

»Doch nicht. Nicht damals. Wohl aber, statt ihrer, ein anderes

großes Fürstengeschlecht an der Spitze, das in bereits vorhohen-
zollerscher Zeit das Land zwischen Oder und Elbe beherrschte,
seitdem aber in unbegreiflich undankbarer Weise vergessen oder
doch beiseitegestellt wurde: das Geschlecht der Askanier. Haben
wir doch als einziges Denkmal und Erinnerungszeichen an diese
ruhmreiche Familie nichts als den Askanischen Platz, eine mittelmäßige Lokalität, die täglich viele Tausende passieren, ohne mit
dem Namen derselben auch nur die geringste historische Vorstellung zu verknüpfen.«

Cécile war selbst unter diesen. Aber in Kreisen großgezogen, in
denen aller historischer Notizenkram einen höchst geringen Rang
behauptete, bekannte sie sich lachend zu dieser ihrer Unkenntnis
und sagte: »Sie müssen es leicht nehmen, mein teurer Herr Professor – pardon, daß ich bei diesem Titel verbleibe –, Sie müssen
es leicht nehmen. Es ist nicht jedermanns Sache, gründlich zu
sein. Und nun gar erst wir Frauen. Sie wissen, daß wir jedem
ernsten Studium feind sind. Aber wir haben eine Neigung zu
glücklicher Benutzung des Moments, auch ich, und so dürfen Sie
jederzeit sicher sein, einer dankbaren Schülerin in mir zu begegnen.«

Wieviel daran Ernst war, war ungewiß, aber als desto ge-
wisser konnte das eine gelten, daß Cécile nicht in der Laune war,
den ersten erweiterten Unterricht über Askaniertum auf der
Stelle nehmen zu wollen. Sie sah sich vielmehr, als ob sich's um
eine Hilfstruppe gehandelt hätte, ziemlich ängstlich nach St.
Arnaud und Gordon um, die denn auch, den Emeritus in der
Mitte, in einiger Entfernung folgten.

»Ich bin«, empfing sie die Herankommenden, »ein gut Teil
schneller gegangen als gewöhnlich, und lehrreiche Gespräche
haben mir den Weg gekürzt.«

Aber während sie diese Worte sprach, hielt sie sich an einer
Banklehne, und St. Arnaud sah deutlich, daß sie todmüde war,
gleichviel ob vom Weg oder von der Unterhaltung. Er kam ihr
deshalb zu Hilfe und sagte, während er den Privatgelehrten
lächelnd musterte: »Dein alter Fehler, Cécile! Wenn dich etwas
lebhaft interessiert, Gespräch oder Person, überspannst du deine
Kräfte ... Die Herren werden verzeihen, wenn wir uns, während Sie den Berg ersteigen, diese Bank hier zunutze machen
und auf Ihre Rückkehr warten.«

Gordon und der Emeritus, beide wahrnehmend, wie's stand,
beeilten sich, ihre Zustimmung auszudrücken, und nur Eginhard,
der auf eine Zuhörerin von so viel »feinem Verständnis« nicht

gern verzichten wollte, sprach noch allerlei von dem Belebenden des Doppel-Oxigens, das erfahrungsgemäß in dem Zusammenwirken von Nadel- und Laubholz läge, von denen das Nadelholz auf der Lindenberg-Höhe sowohl durch Larix tenuifolia wie sibirica, das Laubholz aber durch Quercus robur in wahren Prachtexemplaren vertreten sei. Noch weitere Namen sollten folgen. Gordon indes kupierte die Rede ziemlich brüsk und schritt, des Emeritus Arm nehmend, unter einem griechisch-lateinischen Kauderwelsch, in dem Ausdrücke wie Douglasia, Therapeutik, Autopsie wild durcheinander wiederkehrten, an Eginhard vorüber, den sanft ansteigenden Schlängelpfad hinauf.

Der Privatgelehrte seinerseits machte gute Miene zum bösen Spiel und folgte.

*

St. Arnaud und Cécile hatten sich's mittlerweile bequem gemacht. Die Bank war ziemlich primitiv und bestand aus zwei Steinpfeilern und zwei Brettern, von denen eins als Sitz, das andere als Lehne diente. Heidekraut und Epilobium wuchsen umher, und weit vorhängende Tannenzweige bildeten ein Schutzdach gegen die Sonne. Boncœur, der schöne Neufundländer, der sich vom Hotel her auch heute wieder angeschlossen hatte, hatte sich neben einem der Steinpfeiler ins Heidekraut gelegt.

»Wie schön«, sagte Cécile, während ihr Auge die vor ihr ausgebreitete Landschaft überflog.

Und wirklich, es war ein Bild voll eignen Reizes.

Der Abhang, an dem sie saßen, lief, in allmählicher Schrägung, bis an die durch Wärterbuden und Schlagbäume markierte Bahn, an deren anderer Seite die roten Dächer des Dorfes auftauchten, nur hier und da von hohen Pappeln überragt. Aber noch anmutiger war das, was diesseits lag: eine Doppelreihe blühender Hagerosenbüsche, die zwischen einem unmittelbar vor ihnen sich ausdehnenden Kleefeld und zwei nach links und rechts hin gelegenen Kornbreiten die Grenze zogen. Von dem Treiben in der Dorfgasse sah man nichts, aber die Brise trug jeden Ton herüber, und so hörte man denn abwechselnd die Wagen, die die Bodebrücke passierten, und dann wieder das Stampfen einer benachbarten Schneidemühle. Boncœur hatte den Kopf zwischen die Vorderfüße gelegt, und nur dann und wann sah er zu seiner selbstgewählten Herrin auf, als ob er sich wegen seiner Saumseligkeit entschuldigen wolle.

Plötzlich aber sprang er nicht nur auf, sondern mit ein paar großen Sätzen bis in das Kleefeld hinein, freilich nur, um sich hier sofort wieder auf die Hinterfüße zu setzen und ein paar Töne, die halb Geblaff und halb Gewinsel waren, laut werden zu lassen.

»Was ist es?« fragte Cécile, während St. Arnaud nach rechts hin auf einen in Büchsenschußentfernung über den Weg kommenden und im selben Augenblick auch wieder im Unterholz am Bergabhange verschwindenden Hasen zeigte. Boncœur aber, mit seinem Behange hin und her schlagend, sah dem flüchtigen Lampe noch eine Weile nach und nahm dann seinen Platz neben der Bank wieder ein.

»Schlechter Hund«, sagte Cécile, mit ihrer Schuhspitze seinen Kopf krauend.

»Guter Hund«, erwiderte St. Arnaud. »Er zieht einfach deine Liebkosungen einer fruchtlosen Hasenjagd vor. Er ist ritterlich und verständig zugleich, was nicht immer zusammenfällt.«

Cécile lächelte. Solche Huldigungsworte taten ihr wohl, auch wenn sie von St. Arnaud kamen. Dann schwiegen beide wieder und hingen ihren Gedanken nach. Helles, sonnendurchleuchtetes Gewölk zog drüben im Blauen an ihnen vorüber, und ein Volk weißer Tauben schwebte daran hin oder stieg abwechselnd auf und nieder. Unmittelbar am Abhang aber standen Libellen in der Luft, und kleine graue Heuschrecken, die sich in der Morgenkühle von Feld und Wiese her bis an den Waldrand gewagt haben mochten, sprangen jetzt, bei sich steigernder Tagesglut, in die kühle Kleewiese zurück.

Der Oberst nahm Céciles Hand, und die schöne Frau lehnte sich müd und auf Augenblicke wie glücklich an seine Schulter.

In solchem Träumen blieb sie, bis plötzlich an der Bahn entlang die Signale gezogen wurden und von Thale her das scharfe Läuten der Abfahrtsglocke herüberklang. Und siehe da, keine Minute mehr, so vernahm man auch schon den Pfiff der Lokomotive, gleich danach ein Keuchen und Prusten, und nun dampfte der Zug auf wenig hundert Schritt an dem Lindenberge vorüber.

»Er geht nach Berlin«, sagte St. Arnaud. »Willst du mit?«

»Nein, nein.«

Und nun sahen beide wieder der Wagenreihe nach und horchten auf das Echo, das das Gerassel und Geklapper in den Bergen wachrief und fast so klang, als ob immer neue Züge vom Hexentanzplatz her herunterkämen.

Endlich schwieg es, und die frühere Stille lag wieder über der Landschaft. Nur die Brise von Dorf und Fluß her wuchs, und die Kornfelder neigten sich und mit ihnen der rote Mohn, der in ganzen Büscheln zwischen den Halmen stand.

Unwillkürlich machte Cécile die schwankende Bewegung mit, bis sie plötzlich auf ein Bild wies, das der Aufmerksamkeit beider wohl wert war. Von jenseits der Bahn her kamen gelbe Schmetterlinge massenhaft, zu Hunderten und Tausenden herangeschwebt und ließen sich auf dem Kleefeld nieder oder umflogen es von allen Seiten. Einige schwärmten am Waldesrand hin und kamen der Bank so nahe, daß sie fast mit der Hand zu fassen waren.

»Ah, Pierre«, sagte Cécile. »Sieh nur, das bedeutet etwas.«

»O gewiß«, lachte St. Arnaud. »Es bedeutet, daß dir alles huldigen möchte, gestern die Rosenblätter und heute die Schmetterlinge, Boncœurs und Gordons ganz zu geschweigen. Oder glaubst du, daß sie meinetwegen kommen?«

Dreizehntes Kapitel

Alles freute sich auf Altenbrak, und selbst Cécile war schon um acht auf dem großen Balkon, trotzdem der Aufbruch erst um zehn und zehneinhalb erfolgen sollte.

Dieser Aufbruch zu verschiedenen Zeitpunkten hatte darin seinen Grund, daß Cécile, so sehr sie sich erholt hatte, für eine Fußpartie doch nicht ausreichend gekräftigt war, während St. Arnaud, ein leidenschaftlicher Steiger, auf eine Wanderung über die Berge hin nicht gern verzichten wollte. So war man denn übereingekommen, den Marsch in zwei Kolonnen zu machen, von denen die Fußkolonne: St. Arnaud, der Emeritus und der Privatgelehrte, um zehn Uhr vorausmarschieren, die Reiterkolonne: Gordon und Cécile, um zehneinhalb Uhr nachfolgen sollte. Danach wurde denn auch verfahren, und als der Fußtrupp um eine halbe Stunde voraus war, erhoben sich die bis dahin Zurückgebliebenen, um sich, unmittelbar vor dem Hotel, an dem Halteplatze der Wagen und Pferde, beritten zu machen. Gordon, wenig zufrieden mit dem Bestande, den er hier vorfand, unterhandelte gerade mit einem der Vermieter, als Cécile zwischen den Pferden hin ein Paar Esel gewahr wurde, die ganz zuletzt im Schatten einer Platane standen. Sie freute sich sichtlich dieser Wahrnehmung, und mit einer ihr sonst nicht eigenen Lebhaftigkeit die Verhandlungen unterbrechend, sagte sie, während sie nach der Platane hinzeigte: »Da sind Esel, Herr von Gordon. Das ist nun einmal meine Passion: Eselreiten und Ponyfahren. Und wenn Sie nicht Anstand nehmen ...«

»Im Gegenteil, meine gnädigste Frau, man sitzt besser und gemütlicher, und das gefürchtete ›Vom Pferd auf den Esel kommen‹, was bildlich sein Mißliches haben mag, ist mir in natura nie schrecklich gewesen.«

Ein Blick, von dem schwer zu sagen war, ob mehr schmeichelhafte Huld oder naive Kinderfreude darin vorherrschte, belohnte Gordon für seine Bereitwilligkeit, und wenige Minuten später saßen beide bereits plaudernd im Sattel und trotteten, über einen Brückensteg hin, auf eine mit vorjährigem Eichenlaub gefüllte Schlucht zu, die, jenseits der Bode, zu der auf dem Bergrücken entlang laufenden Blankenburger Chaussee hinaufführte. Neben ihnen her ging der Eseljunge, den Esel, auf dem Cécile saß, dann und wann zu beschleunigter Gangart antreibend. Es war ein bildhübscher, zugleich hartgewöhnter Junge, der abwechselnd ging und lief und dem Gespräche, das Gordon und Cécile führten, mit klugem Auge folgte.

Das Laub raschelte, die Sonne spielte durch das Gezweig, und aus dem Walde her vernahm man den Specht und dann und wann auch den Kuckuck. Aber nur langsam und spärlich, und als Gordon zu zählen anfing, rief er nur ein einzig Mal noch.

»Ist euer Harzkuckuck immer so faul?«

»O nein; mal so, mal so. Soll *ich* ihn fragen?«

»Versteht sich.«

»Wieviel Jahre noch?«

Und nun antwortete der Kuckuck, und sein Rufen wollte kein Ende nehmen.

Das schuf eine kleine Verstimmung, denn jeder ist abergläubisch, und um die Verstimmung wieder loszuwerden, sagte jetzt Gordon, das Thema wechselnd: »Eselreiten und Ponyfahren! Sie sprachen so glückstrahlend davon, meine gnädigste Frau. Sind es Kindererinnerungen? Das Ponyfahren läßt es fast vermuten. Aber, pardon, wenn ich in meiner Neugier vielleicht indiskrete Fragen tue.«

»Nicht indiskret. Überhaupt, was ist Diskretion? Wer ihr à tout prix leben will, muß in den Kartäuserorden treten.«

»Der, Gott sei Dank, für Frauen nicht gestiftet wurde.«

»Mutmaßlich, weil seine Begründer klug und weise genug waren, das Unmögliche nicht anzustreben. Aber, Sie fragten mich, ob Kindererinnerungen. Nein, leider nein. Meine Kindertage vergingen ohne das. Aber dann kamen andre Tage, freilich auch halbe Kindertage noch, in denen ich aus der kleinen oberschlesischen Stadt, darin ich geboren und großgezogen war, zum erstenmal in die Welt sah. Und in welche Welt! Jeden Morgen, wenn ich ans Fenster trat, sah ich die ›Jungfrau‹ vor mir und daneben den Mönch und den Eiger. Und am Abend dann das Alpenglühen. Ich vergesse sonst Namen, aber *diese* nicht; diese sind mir in der Seele geblieben, wie die Tage selbst. Schöne, himmlische, glückliche Tage, Tage voll ungetrübter Erinnerungen. Und unter diesen ungetrübten Erinnerungen auch Eselritt und Ponyfahren. Ach, es sind so kleine Dinge, aber die kleinen Dinge gehen über die großen... Und von woher stammt *Ihre* Passion für derlei Kavalkaden?«

»Aus dem Himalaja.«

Bei diesen Worten waren sie aus der Schlucht heraus, und Gordon wollte just abbrechen, um, oben angelangt, des freien Umblicks vom Plateau her voll zu genießen; im selben Moment aber wahrnehmend, daß der Eseljunge, ganz wie benommen, ihn anstarrte, überkam ihn ein Lachen, und er sagte: »Junge, kennst du den Himalaja?«

»Mount-Everest... 27000 Fuß.«

»Wo hast du das her?«

»Nu, das lernen wir.«

»A la bonne heure«, lachte Gordon. »Ja, der preußische Schulmeister... Zu welch erstaunlichen Siegen wird uns *der* noch verhelfen! Und was sagen *Sie* dazu, meine Gnädigste?«

»Nun, zunächst nur das eine, daß der Junge mehr weiß als ich.«

»Lassen Sie's ihm. Preußischer Drill und Gedächtnisballast. Je weniger man davon schleppt, desto besser.«

»Das sagt St. Arnaud auch, wenn er gut gelaunt ist. Aber au fond glaubt er's nicht und empfindet ein beständiges Crèvecœur über all das, was die Herren Präzeptoren, zu deren einem wir jetzt wallfahrten, an mir versäumt haben. St. Arnaud, sag ich, glaubt es nicht, und Sie glauben es auch nicht, Herr von Gordon. Ich habe es wohl bemerkt. Alle Preußen sind so konventionell in Bildungssachen, alle sind ein klein wenig wie der Herr Privatgelehrte...«

»Ja«, stimmte Gordon zu, »das sind sie. Sie heißen nicht sämtlich Eginhard, aber alle sind mehr oder weniger ›Aus dem Grunde‹.«

Danach brach das Gespräch ab, und erst nach einer Weile

nahm es Cécile wieder auf. »Ob wir die Herren noch einholen?« fragte sie. »Die Chaussee läuft hier wie mit einem Lineal gezogen, und doch seh ich niemand.«

*

In der Tat, Cécile sah niemanden und konnte niemand sehen, aber es lag nicht an einer allzu großen Entfernung zwischen ihr und der Avantgarde, sondern einfach daran, daß die drei Herren, denen der Aufstieg doch saurer geworden war, als sie vermutet hatten, Schattens halber in einen wundervollen Waldpfad eingebogen waren, der erst später wieder auf den Hauptweg mündete. St. Arnaud hatte die Mitte zwischen beiden Begleitern genommen und rechnete darauf, die Fehde zwischen dem »braunschweigischen Roß« des Emeritus und dem »askanischen Bären« des Privatgelehrten in kürzester Frist ausbrechen zu sehen, schob aber seinerseits alles, was den Streit unmittelbar hätte heraufbeschwören können, klug und vorsichtig hinaus und begnügte sich damit, den Privatgelehrten über seinen Namen auszuholen. »Irr ich, wenn ich annehme, mein hochverehrter Herr Aus dem Grunde, daß Sie rheinischen oder schweizerischen Ursprungs sind und ähnlich wie die ›Vom Rat‹, ›Aus dem Winkel‹ und ›Auf der Mauer‹ entweder der Kölner Gegend oder aber den Urkantonen entstammen?«

»Doch nicht, mein Herr Oberst. Mein Urgroßvater kam Glaubens halber aus Polen und hieß ursprünglich Genserowsky; noch bis vor kurzem befanden sich in der Berliner Hasenheide Träger dieses alten Namens. Einer der Söhne, mein Großvater, war homo litteratus, zugleich Verfasser einer griechischen Grammatik, und um ganz mit den polnischen Erinnerungen zu brechen, oder vielleicht auch wegen eines dem deutschen Ohre nicht unbedenklichen Namensklanges, ließ er den Genserowsky fallen und nannte sich ›Aus dem Grunde‹. Das einigermaßen Anspruchsvolle darin verkenn ich nicht, aber der Name ist mir überkommen, und so kann es mir persönlich nur obliegen, ihm, nach dem bescheidenen Maße meiner Fähigkeiten, Ehre zu machen.«

»Ein Streben, zu dem ich Sie beglückwünsche.«

»Der Herr Oberst beschämen mich durch so viel Güte. Das aber darf ich heute schon aussprechen, daß ich mich jederzeit vor Zersplitterung und einer damit zusammenhängenden Oberflächlichkeit gehütet habe. Zersplitterung ist der Fluch unserer modernen Bildung. Ich befleißige mich der Konzentration und halte zu dem guten alten Satze ›multum non multa‹. Mein Stolz ist *der*, ein Spezialissimus zu sein, ein Spott- und zugleich Ehrenname, den mir beizulegen dem Chor meiner Gegner beliebte. Der Herr Oberst wissen, welchem Gegenstand meine Studien gelten, und es sind denn auch ebendiese, die mich neuerdings wieder hierher in den Harz und in der letzten Woche nach dem reizenden Gernrode – dessen Besuch ich dem Herrn Obersten empfohlen haben möchte – geführt haben, nach Gernrode, das seinen Namen bekanntlich von einem voraskanischen Markgrafen herleitet, dem Markgrafen Gero.«

»Demselben mutmaßlich, der dreißig Wendenfürsten zu Tische lud, um sie dann zwischen Braten und Dessert abschlachten zu lassen?«

»Von ebendemselben, mein Herr Oberst. Aus welchem Zwischenfall ich übrigens bitten möchte, nicht allzu nachteilige Schlüsse ziehen zu wollen. Markgraf Gero war ein Kind seiner Zeit, genau so wie Karl der Große, dem die summarisch enthaupteten zehntausend Sachsen nie zum Nachteil angerechnet worden sind. Es sind das eben die Männer, die Geschichte machen, die Männer großen Stils, und wer Historie schreiben oder auch nur verstehen will, hat sich in erster Reihe zweier Dinge zu befleißigen: er muß Personen und Taten aus ihrer Zeit heraus zu begreifen und sich vor Sentimentalitäten zu hüten wissen.«

»Gewiß, gewiß«, lachte der Oberst. »Einverstanden mit allem, wobei mir nur ein wenig merkwürdig bleibt, daß die durch Natur und Beruf friedliebendsten Leute von der Welt allemal für ›Kopf-ab‹ sind, während alle Leute von Fach an dreißig abgeschlachteten Wendenfürsten doch einigermaßen Anstoß nehmen. Es muß übrigens ein Gesetz in dieser Erscheinung walten, vielleicht dasselbe, nach dem ganz unbemittelte Personen immer erst geneigt sind, ein Dreißig-Millionen-Vermögen als ein Vermögen überhaupt gelten zu lassen.«

Unter diesem Gespräch, das sich weiterspann, hatten unsere drei Freunde den Punkt erreicht, wo der Waldweg wieder in den Hauptweg einbog, auf dem, im selben Augenblicke fast, wo sie denselben betraten, ein Hauderer oder Personenwagen, mit dem Anhaltiner Wappen am Wagenschlage, vorüberrollte.

»War das nicht der askanische Bär?« fragte St. Arnaud.

»Zu dienen. Und zwar der askanische Bär an einem emeritierten Postwagen aus guter alter Zeit, wo das Herzogtum Anhalt noch eine selbständige Postverwaltung hatte. Die nunmehr längst meistbietend versteigerten Wagen laufen nur noch als Hauderer durchs Land und predigen einen Wechsel der Dinge, der mich in meiner Eigenschaft als Deutscher beglückt, in meiner Spezialeigenschaft als zu Haus Anhalt haltender Berliner aber ebenso betrübt wie verletzt. Denn worin hat speziell Berlin den Ursprung und die Wurzel seiner Kraft? Einfach in dem jetzt hinsterbenden Askaniertum, dem es nicht bloß seinen Wappen-Bären, sondern in gleichem Grade sein Gedeihen und seinen Ruhm verdankt. Und wie lohnt es diesem Askaniertum? Ich hatte schon gestern die Ehre, mich gegen die gnädige Frau darüber aussprechen zu können. Wenn ich sage ›durch Mißachtung‹, so mach ich mich insoweit noch einer erheblichen Beschönigung schuldig, als Haus Anhalt einfach einer gewissen Komik verfallen ist, die sich tagtäglich in den traurigsten Berlinismen Luft macht. Urteilen Sie selbst. Erst vorgestern war es, daß ich in einem diese Frage berührenden ernsten Gespräch der ganz unqualifizierbaren Antwort begegnete: ›Versteht sich, Anhalt-Dessau. Denn wenn wir Dessau nicht hätten, so hätten wir auch nicht den Alten Dessauer, und wenn wir den Alten Dessauer nicht hätten, so hätten wir auch nicht: ›So leben wir!‹‹«

»Ah«, sagte der Oberst, »das waren die zwei Berliner an der Table d'hôte. Dergleichen darf man nicht übelnehmen. Die Berliner sind Spaßmacher und gefallen sich in ironischen Bemerkungen und Zitaten.«

»Und treffen dabei meistens den Nagel auf den Kopf«, sagte der Emeritus hinzu. »Denn sie werden, mein hochverehrter Herr Eginhard, doch nicht allen Ernstes verlangen, daß wir uns im Zeitalter Otto von Bismarcks auch noch für Otto den Faulen oder gar für Otto den Finner interessieren sollen?«

»Doch, mein Herr Emeritus. Zu den schönsten Zierden deutscher Nation zähl ich Loyalität gegen das noch lebende Fürstengeschlecht und unwandelbare Pietät gegen die, die bereits vom Schauplatz abgetreten sind.«

»Eine Forderung, mein hochverehrter Herr Aus dem Grunde, die sich leichter stellen als erfüllen läßt. Andauernde Treue gegen das Alte macht die Treue gegen das Neue nahezu zur Unmöglichkeit; aber unmöglich oder nicht, es ist jedenfalls ein gefährliches Evangelium, das Sie da predigen. Denn was Albrecht dem Bären recht ist, ist Heinrich dem Löwen billig, und doch möcht ich Ihnen nicht anempfehlen, Ihren unentwegten Enthusiasmus für emeritierte Postkutschen – Sie selbst geruhten diesen Ausdruck zu gebrauchen – von Haus Anhalt auf das Haus Welf übertragen zu wollen. Es gibt eben leichte und schwere Pietäten, und die letzteren sind nicht jedermanns Sache, was auch kaum anders sein kann. Und um schließlich auf diesem nur allzu heiklen Gebiet auch noch ein Wort von mir selber zu sagen, so bin ich fester Braunschweiger trotz einem. Aber wenn heute mein Herzog stirbt und morgen ›der Preuß‹ uns annektiert, so bin ich übermorgen loyaler Preuße. Nur keine Prinzipienreiterei, mein hochverehrter Herr Aus dem Grunde. ›Das *Wort* sie sollen lassen stahn‹, *das* ist Recht und Ordnung, *dafür* bin ich da, *das* ist Gewissenssache. Für alles andre aber haben wir die Vernunft. Treue! Man muß die Welt nehmen, wie sie liegt, und danach treu sein.«

»Oder untreu.«

»Meinetwegen.«

Und dabei lächelte der Emeritus mit überlegener Miene.

*

Der so voraufschreitenden Kolonne folgten Gordon und Cécile.

Nach rechts hin, auf Blankenburg zu, lagen weite Wiesen und Ackerflächen, während unmittelbar zur Linken ein Waldschirm von geringer Tiefe stand, der unsere Reisenden von der steil abfallenden Talschlucht und der unten schäumenden Bode trennte. Dann und wann kam eine Lichtung, und mit Hilfe dieser glitt dann der Blick nach der anderen Felsenseite hinüber, auf der ein Gewirr von Spitzen und Zacken und alsbald auch der Hexentanzplatz mit seinem hellgelben, von der Sonne beschienenen Gasthause sichtbar wurde. Juchzer und Zurufe hallten durch den Wald, und dazwischen klang das Echo der Böller- und Büchsenschüsse von der Roßtrappe her.

»Es ist doch ein eigen Ding um die Heimat«, sagte Gordon, »sie sei, wie sie sei. Laß ich mich aufs Vergleichen ein, so ist dies alles nur Spielzeug der Natur, das neben dem Großen verschwindet, was sie draußen in ihren ernsteren Stunden schuf. Und doch geb ich für dieses bescheidene Plateau sechs Himalajapässe hin. Es ist mit all dem Großen draußen, wie wenn man einen Kaiser in Hermelin oder den Papst in pontificalibus sieht; man bewundert und ist benommen, aber wohl wird einem erst wieder, wenn man seiner Mutter Hand nimmt und sie küßt.«

»Sie sprechen das mit so vieler Wärme. Lebt Ihre Mutter noch? Haben Sie sie wiedergefunden?«

»Nein, sie starb in den Jahren, da ich draußen war. Ich habe nichts weiter mehr als zwei Schwestern. Eine war noch ein halbes Kind, als ich Deutschland verließ; aber mit der andern wuchs ich auf; wir harmonierten in allen Stücken, und wenn sich mir meine Wünsche nur einigermaßen erfüllen, so trennen wir uns nicht wieder, wenigstens nicht wieder auf Jahre. Ja, diese Bande sind doch die festesten und überdauern alles andre. Wie manche Nacht, wenn ich in den gestirnten Himmel aufsah, hab ich an Mutter und Schwester gedacht und mir ein Wiedersehen ausgemalt. Nur halb ist es mir in Erfüllung gegangen.«

Cécile schwieg. Sie war klug genug, um die Herzlichkeit solcher Sprache zu verstehen und zu würdigen, aber doch andererseits auch verwöhnte Frau genug, um sich durch ein so betontes Hervorkehren verwandtschaftlicher Empfindungen, und zwar in *diesem* Augenblick und an *ihrer* Seite, wenig geschmeichelt zu fühlen.

»Und wie heißt Ihre Schwester?«

»Klothilde.«

»Klothilde«, wiederholte sie langsam und gedehnt, und Gordon, der heraushören mochte, daß ihr der Name nicht sonderlich gefiel, fuhr deshalb fort: »Ja, Klothilde, meine gnädigste Frau. Sie wägen den Namen und finden ihn etwas schwer. Und Sie haben recht. Ich glaube auch nicht, daß ich fähig sein würde, mich jemals in eine Klothilde zu verlieben. Aber je weniger der Name für eine Braut oder Geliebte paßt, desto mehr für eine Schwester. Er hat etwas Festes, Solides, Zuverlässiges und geht nach dieser Seite hin fast noch über Emilie hinaus. Vielleicht gibt es überhaupt nur einen Namen von ebenbürtiger Solidität.«

»Und der wäre?«

»Mathilde.«

»Ja«, lachte Cécile. »Mathilde! Wirklich. Man hört das Schlüsselbund.«

»Und sieht die Speisekammer. Jedesmal, wenn ich den Namen Mathilde rufen höre, seh ich den Quersack, darin in meiner Mutter Hause die Backpflaumen hingen. Ja, dergleichen ist mehr als Spielerei, die Namen haben eine Bedeutung.«

»Ich wollte, daß Sie recht hätten, es würde mich glücklich machen. Aber was hab ich beispielsweise von meiner musikalischen und sogar heiliggesprochenen Namensschwester? Die Heiligkeit gewiß nicht und auch kaum die Musik.«

So plaudernd, erreichten sie die Stelle, wo der nach Altenbrak abzweigende Weg auf ein weites Elsbruch einbog, hinter dem die bis jetzt von ihnen passierte Waldpartie von neuem aufragte, freilich nicht als Wald mehr, sondern nur noch als Schonung, über deren Kiefern und Kusseln hinweg eine mutmaßlich einen Weg einfassende Doppelreihe weißstämmiger Birken sichtbar wurde. Hart in Front dieser Schonung lagerte, deutlich erkennbar, eine Gruppe hemdärmeliger oder doch in Leinwandjacken gekleideter Personen, aller Wahrscheinlichkeit nach also Holzschläger oder Arbeiter auf Tagelohn. Etwas Leichtes in den Bewegungen jedoch, zumal wenn sich einzelne von ihnen erhoben, zeigte bald, daß es keine Tagelöhner sein konnten.

»Was sind das für Leute da?« fragte Gordon den Jungen. Ehe dieser aber antworten konnte, wurde drüben ein Signalhorn laut, und im selben Augenblick begann ein Hin- und Herlaufen und gleich danach ein Ordnen und Richten. Und nun setzten sich auch unsere zwei Reisenden in Trab und erkannten im Näherkommen, daß es blutjunge Leute waren, Turner in Drillichanzügen, die sich mit bemerkenswerter Raschheit und Gewandtheit in Gliedern formierten. Ganz in Front standen die Spielleute: drei Tambours und ein Hornist, und als die der Aufstellungsseite zunächst reitende Cécile bis auf wenige Schritte heran war, kommandierte der den Trupp führende Vorturner: »Augen links!« und dann »Präsentiert das Gewehr!« Er selbst aber salutierte mit dem Schläger, die Spitze zur Erde senkend, während die drei Tambours den Präsentiermarsch schlugen. Cécile verneigte sich dankend und verlegen, und einen Augenblick später ritten beide (Gordon unter militärischem Gruß) in den Birkenweg ein, der sich, wie man vermutet hatte, durch die Schonung hinzog und an manchen Stellen eine vollkommene Laube bildete.

»War das reizend«, sagte Cécile. »Jugend, Jugend. Und so frisch und glücklich. Und so ritterlich und artig.«

Gordon nickte. »Ja, meine gnädigste Frau, das ist Deutschland, Jung-Deutschland. Und mit Stolz und Freude sehe ich es wieder. Draußen hat man auch dergleichen, aber es ist doch anders. Hier gibt sich alles natürlicher und weniger zurechtgemacht; weniger mise en scène. Gott erhalte uns unsere Jugend.«

Und während er noch so sprach, streiften die Birkenzweige Céciles Gesicht, was ihn zu dem Vorschlag veranlaßte, doch die Plätze zu wechseln.

Aber sie wollte davon nichts hören. »Es ist doch immer ein Streicheln, auch wenn es weh tut. Und dazu diese himmlische

Luft! Ach, ich könnte den ganzen Tag so reiten, und von Müdigkeit wäre keine Spur.«

Endlich hatten sie die Schonung im Rücken und hielten vor einer von einem Plankenzaun eingefaßten und hoch in Gras stehenden Wiese, darauf nichts sichtbar war als in einiger Entfernung drei ziemlich gleich aussehende Häuschen, die totstill und wie verwunschen in der grellen Mittagssonne dalagen. Keine Grille zirpte, kein Rauch stieg auf; um den Zaun herum aber ging in weitem Bogen der Weg, anstatt die Wiese kurz und knapp zu durchschneiden.

»Wie heißt das?« fragte Gordon.

»Todtenrode«, sagte der Junge.

»Nur in Ordnung. Wenn es nicht schon so hieße, so müßt es so getauft werden. Todtenrode! Wohnen Menschen hier? Mutmaßlich Totengräber?«

»Nein, ein Förster.«

Unter solchem Gespräche waren sie bis an die Stelle gekommen, wo die vorerwähnten drei Häuschen standen. Eines derselben, das größte, das etwas von Architektur und Ornament zeigte, war ganz von wildem Wein überwachsen, und Gordon ritt heran, um, so gut es die Lichtblendung gestattete, von außen her in die Fenster hineinzusehen. Keine Gardine war da, kein Vorhang, überhaupt nichts, was auf Bewohnerschaft hätte deuten können, und doch war unverkennbar, daß dies Haus in der Öde sehr bewegte Tage gesehen haben mußte. Polsterbänke zogen sich um paneelierte Wände, dazu Schenktisch und schwere Stühle, während sich in dem Zimmer daneben, das sich bei nur halber Tiefe leichter übersehen ließ, allerlei Möbel aus der Zeit des Empire befanden, darunter ein hellblaues Atlassofa mit drei schmalen Spiegeln über der Lehne.

Cécile sah gleichzeitig mit Gordon in die verblaßte Herrlichkeit hinein, und auch der Junge stellte sich neugierig auf die Zehspitzen.

»Eine Försterei, sagtest du. Das ist aber ein Jagdschloß.«

»Ja, ein Jagdschloß.«

»Und von wem?«

»Von unsrem Herzog.«

»Kommt er oft?«

»Nein. Aber der vorige . . .«

»Ja«, lachte Gordon, »der vorige, *der* kam oft.« Und zu Cécile gewandt, fuhr er fort: »Ich hab ihn noch in Paris gesehen, den guten Herzog, alt geworden, geschnürt und geschminkt und mit Ringellöckchen, eine lächerliche Figur, ebenso der Liebling wie der Spott der Halbweltdamen. Wahrhaftig, wer die Geschichte dieser Duodezfürsten schreiben will, muß bei den fürstlichen Jagdschlössern anfangen. Und nun gar *dies* hier, dies Todtenrode! Der bloße Name hätte mich in einen Tugendpriester verwandeln können. Aber diese Durchläuchtings empfinden anders und sagen umgekehrt: ›Je mehr Tod, je mehr Leben.‹ Erst die Strecke mit dem erlegten Wild, und dann Bacchus, und dann Eros der göttliche Knabe. Zehn gegen eins, daß dies Todtenrode mit zu den bevorzugtesten Tempeln des kleinen Gottes gezählt hat. Ihr Himmlischen, was mag sich alles in diesem Allerheiligsten abgespielt haben an Freud und Leid! Ja, auch an Leid. Denn der Krug geht so lange zu Wasser, bis er bricht, wobei mir übrigens die Serenissimi selbst die weitaus kleinste Sorge machen. Aber was so von Jugend und Unschuld mit in die Brüche geht, was so gemütlich mit hingeopfert wird in dem ewigen Molochdienste ...«

Cécile musterte den Sprecher, der einen Augenblick in der Laune schien, in seiner Philippika fortzufahren; bald aber wahrnehmend, daß er, wie damals vor den Porträts der Fürstabbatissinnen, in seinen Auslassungen um ein gut Teil zu weit gegangen sei, begann er sofort das Thema zu wechseln, was ihm die sich rasch veränderte Szenerie ziemlich leicht machte. Der Weg nämlich, der bis dahin über ein Plateau geführt hatte, senkte sich hinter Todtenrode wieder und mündete bald danach auf eine mittelhoch am Abhange sich hinziehende Chaussee, neben der, in der Tiefe, die diesseits von einem sonnigen Wiesengrunde, jenseits aber von Wald und Schatten eingefaßte Bode hinfloß. Erquickende Kühle drang von unten her bis zur Höhe hinauf, und einzelne Häuser, die zerstreut und lauschig am Flusse hin lagen, berechtigten zu der Annahme, daß man in kürzester Frist am Ziele sein werde.

Gordon wurde nunmehr sehr bald auch der drei voraufmarschierenden Herren ansichtig, die ganz zuletzt einen Richtsteig eingeschlagen haben mußten, und auf sie hinweisend, rief er seiner Begleiterin in beinahe freudiger Aufregung zu: »Da sind sie. Wenn wir uns in Trab setzen, haben wir sie noch vor dem ersten Hause.«

Cécile sah ihn bei diesen Worten verwundert an, aber mit einer Verwunderung, in die sich etwas von Empfindlichkeit mischte. Das war doch naiver als naiv. Er genoß des Vorzugs ihrer Gesellschaft und schien nichtsdestoweniger hocherfreut über die Möglichkeit, im nächsten Augenblick wieder in Nähe des Emeritus oder gar an der Seite des Privatgelehrten sein zu können. Alle Verwunderung und Empfindlichkeit aber verlor sich rasch in dem Komischen der Situation, und sich aufrichtend im Sattel, sagte sie mit beinahe übermütiger Betonung: »Eh bien, eilen wir uns, Herr von Gordon. Vite, vite. Man soll die Gelegenheit beim Schopfe fassen.«

Und im Trabe, während der Junge sich in den Steigbügel hing, ging es bergab.

Eine Minute noch, und man mußte die Voraufmarschierenden eingeholt und das Dorf selbst erreicht haben.

Vierzehntes Kapitel

Aber es war doch anders bestimmt, denn unmittelbar vor dem Dorfeingange wurde Cécile, die dem Flusse zunächst ritt, einer im Grase sitzenden Dame, der Malerin, gewahr.

Wirklich, es war Fräulein Rosa, mitten in der Arbeit vor einer Staffelei, die sie sich aus drei Bohnenstangen mit eingeschlagenen Holznägeln zurechtgezimmert hatte. Die Freude der Künstlerin gab sich, wie die der beiden Ankömmlinge, ganz ungesucht, und den Pinsel ins Gras werfend, aber die Palette immer noch auf dem linken Daumen, sprang sie von ihrem Malerstuhl auf und reichte Cécile die frei gewordene Rechte.

»Willkommen in Altenbrak ... Ach, nun entsinn ich mich ... Die drei Herren ... vor einer Minute erst ... Richtig, das war ja der Herr Oberst und der freundliche alte Emeritus. Und der dritte ... Ja, wer war der dritte?«

»Der Herr Privatgelehrte.«

»Nun, der hätte seine Langweil und sich selbst im Hotel Zehnpfund belassen können. Aber welche Freude, *Sie* wiederzusehen, meine gnädigste Frau. Und Sie, Herr von Gordon. Ach, es war mir zuviel Staub im Tale, zuviel Staub und zuviel Sonntagsgäste. Hexentanzplatz und Roßtrappe sind nur wie Tempelhof und Tivoli, Bier und wieder Bier. Aber hier ist Natur, und die weiß- und braungefleckte Kuh da ... Sehen Sie doch nur, meine gnädigste Frau, wie das liebe Vieh dasteht und sich nicht rührt. Ein wahres Mustermodell. Ich möchte schwören, es habe Gemüt und freue sich mit mir, daß Sie da sind.«

Cécile, als die Malerin endlich schwieg, tat auch ihrerseits ein paar Fragen und versuchte bei der Gelegenheit einen Blick auf die Skizze zu werfen, aber Rosa wollte davon nichts wissen und fuhr fort: »Nein, meine gnädigste Frau, nur nicht gleich wieder Kunst und Kunstgespräche. Was Sie hergeführt hat, hat einen andern Zweck und Namen. Und ich brauche kaum danach zu fragen. Natürlich, der Präzeptor, der alte Murrkopf, der Mann mit der sonoren Baßstimme, Selbstherrscher aller Altenbraker und dabei Landesautorität in Sachen der Schmerle. Täglich bin ich an seinem Tisch – er hält nämlich eine Pension –, und dann setzt er sich zu mir und sagt mir Liebenswürdigkeiten und will mich sogar adoptieren. Aber ich hab ihm gesagt, er müsse mich heiraten, anders tät ich's nicht, ich wolle Schloßfrau werden auf Burg Rodenstein oder kurzweg die Rodensteinerin und den ganzen Tag mit dem Schlüsselbund rasseln.«

»Und Sie wohnen in seiner Pension?«

»Nein, ich ziehe diese Seite des Dorfes vor. Ich wohne hier... das dritte Haus da, gleich hinter dem Staket.«

Und sie wies auf ein reizendes, am Dorfeingange gelegenes Häuschen, in dessen Vorgarten ein paar Stachelbeersträucher standen und Mohn und Porree bunt durcheinander blühten. An dem Staket aber trockneten Netze, während eine Sichel an der alten Linde hing.

»Beneidenswert«, sagte Gordon. »Manchem glückt es, überall ein Idyll zu finden; und wenn er's nicht findet, so schafft er's sich. Ich glaube, Sie gehören zu diesen Glücklichen.«

»Ich glaube es beinah selbst, muß aber jedes persönliche Verdienst in der Sache von mir abweisen. Der Himmel legt einem nicht mehr auf, als man tragen kann. Und ich habe durchaus keine Schultern für das Tragische.«

Cécile schien von diesem scherzhaft hingeworfenen Worte mehr berührt, als sich erwarten ließ. Jedenfalls brach sie rasch ab und sagte: »Das ist ein großes Thema. Und wenn Herr von Gordon und Fräulein Rosa erst ins Philosophieren kommen . . .«

»Dann gibt es kein Ende.«

Cécile nickte zustimmend, und unter einem herzlichen »Au revoir« warf sie das Tier herum und lenkte, von Gordon gefolgt, auf einen breiten Fahrweg ein, in dessen Schatten der Junge zurückgeblieben war.

»Haben wir noch weit bis zum Präzeptor?«

»Noch eine Viertelstunde.«

»Gut denn.«

Und man setzte sich wieder in Trab.

*

Wirklich, es war noch eine Viertelstunde, denn das Haus, das der Alte bewohnte, lag an der entgegengesetzten Seite von Altenbrak. Aber so lang der Weg war, und so ruhebedürftig Cécile sich fühlte, dennoch sprach sie kein Wort von Ermüdung, weil das Bild, das die Dorfstraße gewährte, sie beständig interessierte. Links hin lagen die Häuser und Hütten in der malerischen Einfassung ihrer Gärten, während nach rechts hin, am jenseitigen Ufer der Bode, der Hochwald anstieg, auf dessen Lichtungen das Vieh weidete. Das Geläut der Glocken tönte herüber, und dazwischen klang das Rauschen des über Kieselgeröll hinschäumenden Flusses.

So ging es das Dorf entlang, an Stegen und Brücken vorbei, bis endlich da, wo die Schlucht sich wieder weitete, der Eseljunge nach einem in Mittelhöhe des Felsens eingebauten Häuserkomplex hinaufwies, daran in Riesenbuchstaben auf weißem Schilde stand: »Gasthaus zum Rodenstein.«

»Hier wohnt der Präzeptor.«

Und so hielt man denn.

Und während der Junge die Esel in einem unteren Stallraum unterbrachte, stiegen Gordon und Cécile die Stufen hinan, die zu dem »Rodensteiner« hinaufführten.

※

Auf der obersten Stufe stand bereits St. Arnaud und empfing die Spätlinge mit vieler Freundlichkeit, aber doch zugleich mit einem Anfluge von Spott. »Die Herrschaften«, hob er an, »scheinen auf einen Wettlauf mit dem braunschweigischen Roß, beziehungsweise dem askanischen Bären verzichtet zu haben. Zu meinem lebhaften Bedauern. Im übrigen hab ich aus der mir auferlegten Entbehrung das Beste zu machen gesucht und kenne in diesem Augenblicke nicht nur Albrecht den Bären, sondern auch den Markgrafen Waldemar so genau, daß ich keinem Müllergesellen, und wenn es Jakob Rehbock in Person wäre, raten möchte, mich hinters Licht führen zu wollen. Freilich, ob Herrn von Gordon an einer derartigen Wissenszufuhr in gleicher Weise gelegen gewesen wäre, muß dahingestellt bleiben – hinsichtlich meiner teuren Cécile verbürg ich mich für das Gegenteil. Und nun an die Gewehre! Zehn Minuten haben ausgereicht, mich mit dem Rodensteiner bekanntzumachen, und ich dürste danach, Sie beide dem trefflichen Alten vorzustellen. Unser Freund Eginhard, des Emeritus zu geschweigen, ist zwar eben über ihn her und hat, wenn ich recht gehört habe, vor fünf Minuten den ganzen Markgrafen Otto mit dem Pfeil auf die Sehne seiner Beredsamkeit gelegt. Aber ich hoffe, der Pfeil fliegt schon. Und so denn schnell, eh er zum zweiten Male spannt.«

Unter diesem Geplauder überschritten alle drei die Schwelle des Gasthauses und traten nach Passierung einiger winkliger und ziemlich verräucherter Stuben auf einen halb veranda-, halb balkonartigen Vorbau hinaus, dessen weitvorspringendes Schutzdach in Front auf drei Holzpfeilern ruhte. Nach der Rückseite hin aber lag dasselbe Schutzdach auf einer indigoblauen Wand, an der entlang ein großer, immer mit Essig und Öl und leider auch mit Mostrichbüchsen besetzter Eßtisch stand. In der Mitte desselben erblickte man Eginhard und den Emeritus in allerlebhaftestem Gespräche mit einem Dritten, welcher Dritte niemand anders als der Schloßherr aller dieser Dominien sein konnte: der Präzeptor Rodenstein. Und so war es denn auch.

»Erlauben Sie mir, mein hochverehrter Herr Präzeptor, Ihnen meine Frau vorzustellen. Und hier Herrn von Gordon. Die Tagesaufgabe beider war augenscheinlich, das Unausreichende kavalleristischer Leistungsfähigkeit aufs neue zu beweisen und daneben die Superiorität der alten Garde zu Fuß.«

Der Präzeptor hatte sich von seinem Stuhl erhoben und hieß Cécile willkommen; eine zweite Verbeugung galt Gordon. Er stützte sich all die Zeit über auf ein Weichselrohr mit Elfenbeingriff und gab, als er sich gleich danach wieder an den Eßtisch lehnte (das Stehen wurd ihm schwer), eine bequeme Gelegenheit, ihn in seiner ganzen Erscheinung zu mustern. Er konnte füglich als der Typus eines knorrigen Niedersachsen, eines in Eichenholz geschnitzten Westfalen gelten und vernahm denn auch nichts lieber, als »daß er einen Waldeck-Kopf habe«. Wirklich ließ sich von einer solchen Ähnlichkeit sprechen. Ein Fall, den er vor Jahr und Tag getan, machte, daß er seitdem eines Stockes bedurfte, sonst aber war er verhältnismäßig jung geblieben und glich in der Fülle seines krausen Haares, darin sich nur wenig Grau mischte, mehr einem Fünfziger als einem hohen Siebziger, der er doch war. Sein Bestes aber war sein Organ, und man begriff völlig, daß er mit dieser seiner Stimme vierzig Jahre lang die Altenbraker zusammengehalten und ihnen durch Epistel- und Bibelvorlesung von der Kanzel her den Prediger ersetzt hatte.

Cécile fühlte sich sofort angezogen durch seine Persönlichkeit und sprach ihm unbefangen und liebenswürdig aus, wie sehr sie sich freue, seine Bekanntschaft zu machen. Der Herr Emeritus, in dem er einen warmen Verehrer habe, habe sehr viel Schönes von ihm erzählt, von ihm, von Altenbrak und von den Schmerlen, und sie sehe wohl, daß er nicht zuviel gesagt habe. Denn Altenbrak sei reizend, und was die Schmerlen angehe ...

So würden diese – unterbrach hier der Präzeptor – hinter ihrer Reputation nicht zurückbleiben und die gnädige Frau gewiß zufriedenstellen. Die gnädige Frau möge nur bestimmen, um welche Stunde sie das Diner zu nehmen wünsche. Das Küchendepartement sei natürlich Sache seiner Frau, wenn er sich aber trotz alledem mit einem Vorschlag einmischen dürfe, so möcht er empfehlen: erst die Schmerlen und dann einen Rehrücken aus dem Altenbraker Forst. Denn die Schmerlen allein täten es nicht und gehörten zu den Gerichten, an denen man sich hungrig äße.

Cécile war einverstanden, und nachdem man noch die Frau Präzeptorin und deren Tochter, eine junge Förstersfrau, zu Rate gezogen, wurde festgestellt, daß um fünf Uhr gegessen werden solle. Natürlich auf der Veranda. Die noch dazwischenliegenden zwei Stunden aber solle jeder zu freier Verfügung haben, entweder zu Promenaden an der Bode hin oder aber zu Ruhe und Schlaf.

*

Ja, Ruhe, danach verlangte Cécile, die sich denn auch unverweilt in eine nach einem Gärtchen hinaus gelegene Hinterstube zurückzog, wo die Fenster aufstanden und die kleinen gelben Gardinen im Luftzuge wehten. In Nähe des einen Fensters stand ein bequemes Ledersofa, darauf die total Erschöpfte sich streckte, während die junge, nur zu Besuch und Aushilfe bei den Eltern anwesende Förstersfrau sie mit einem leichten Sommermantel zudeckte.

»Soll ich die Fenster schließen, gnädige Frau?«

»Nein. Es ist gut so, wie's ist. Eine so schöne Luft und doch kein Zug. Aber wenn Sie mir eine Freude machen wollen, so nehmen Sie sich einen Stuhl und setzen sich zu mir. Ich kann doch nicht schlafen und habe nur das Bedürfnis, mich zu ruhen.«

»Ach, das kenn ich.«

»Sie? Wie das? Sie sind noch so jung und sehen so blühend aus, und Ihre Augen lachen so frisch und glücklich. Sie haben gewiß einen guten Mann. Nicht wahr?«

»Ja, den hab ich.«

»Und Kinder?«

»Auch die. Und die sind mein besondres Glück. Aber in drei Jahren drei, das ist doch viel, und wenn das zweite geboren wird, eh das erste noch laufen kann, und wenn dann Krankheit kommt und man den Tag über am Herd und in der Nacht an der Wiege steht und alle Lieder durchsingt und das Kleine doch nicht schlafen will und einem dann die Augen zufallen und man sie mit aller Gewalt wieder aufreißen muß – ach, meine gnädigste Frau, wenn *solche* Tage kommen, da lernt man doch erkennen, was Ruhe heißt und das Bedürfnis danach. Und da hilft keine Jugend und keine Gesundheit. Und bei all meinem Glück hab ich oft bitterlich geweint.«

In diesem Augenblick hörte man von draußen eine Kinderstimme.

»Da ruft eines?«

»Nein, meine gnädigste Frau, meine Kinder sind nicht hier. Die sind im Wald draußen, beim Vater, und die Älteste, die jetzt sieben ist, das heißt sie wird acht zu Michaeli, die muß schon die kleine Mutter sein und die beiden andern in Ordnung halten. Denn die Magd hat in der Küche zu tun und mit Vieh im Stalle. Da muß denn eben alles mit anfassen. Und die gnädige Frau sollten das Kind sehen, wie sie sich in Respekt zu setzen weiß; ja, sie gehorchen ihr besser als mir, denn die Kinder untereinander besinnen sich nicht lang, ob ein Klaps paßt oder nicht. Und mein Mann sagt oft: ›Sieh, Frau, die Trude versteht es besser als du; so mußt du's machen. Du bist zu gut.‹«

»Und das trifft auch wohl zu?«

»Nun, bös bin ich gerade nicht. Aber wer will sagen, daß er zu gut sei? Wenn man so gut ist, wie man nur irgend sein kann, ist man noch immer nicht gut genug. Am wenigsten gegen die Armen. Ach, meine gnädigste Frau, das lernt man im Wald. Wenn man die Not der Menschen sehen will, dann muß man im Walde leben und das arme Volk sehen, das sich ein bißchen Reisig zusammensucht und immer noch in Angst ist, daß sie was mitnehmen, was sie nicht mitnehmen dürfen. Aber ich habe meinem Mann auch gesagt: Tu, was du mußt, aber wenn's sein kann, drück ein Aug' zu, denn die Not ist groß. Und wer den Armen ein Leid tut oder strenger ist, als nötig, der ist wie der Reiche, der nicht ins Himmelreich kommt.«

Cécile nahm die Hände der jungen Frau. »Ihr lieber Mann wird wohl so sein, wie Sie selber sind. Mir ist nicht bang um ihn. Aber wenn er auch anders wäre, Sie werden ihn schon bekehren und für seine Seele sorgen, und er wird das Himmelreich haben, wie Sie selbst, dessen bin ich sicher. In einer guten Ehe muß sich alles ausgleichen und balancieren, und der eine hilft dem andern heraus.«

»Oder reißt ihn auch mit hinein«, lachte die junge Frau.

»Vielleicht, vielleicht... Aber ich denke, die Gnade rechnet mehr unsere Guttat an als unsere Schuld.«

*

Cécile wollte nur ruhn, aber zuletzt war sie doch eingeplaudert worden; ein paar Pfauentauben flogen aufs Fenstersims, und die junge Frau Försterin verließ leise das Zimmer, um auf die Veranda, wo nur noch St. Arnaud und der Präzeptor verblieben waren, zurückzukehren und hier Mitteilung zu machen, daß die gnädige Frau schlafe.

»Das ist gut«, sagte St. Arnaud, »ich sah, daß sie der Ruhe bedurfte. Nun aber, mein Herr Präzeptor, müssen Sie mich mit ihrem ganzen Gewese bekanntmachen. Ich find es nur in der Ordnung, daß man im Publikum überall von Ihrem ›Schloß Rodenstein‹ spricht, denn wirklich, Ihr Gasthaus hängt wie eine Burg am Felsen. Ist es Granit?«

»Porphyr, Herr Oberst.«

»Desto besser, oder wenigstens um eine Stufe vornehmer. Aber vornehmer oder nicht, ich muß das alles sehen, immer vorausgesetzt, daß Ihnen Ihr Fuß ein Umhersteigen gestattet.«

»O gewiß, mein Herr Oberst, wenn Sie nur Geduld mit einem alten Invaliden haben wollen, der ein etwas langsames Tempo hat und immer nur *einen* Schritt macht, wenn andere drei machen.«

»Ganz nach Ihrer Bequemlichkeit. Ich werde Sie doch nicht um etwas bitten und Ihnen zum Dank für die Gewähr auch noch das Tempo vorschreiben wollen. Das wäre doch ein gut Teil zuviel. Aber nun sagen Sie mir zuvörderst, was bedeutet das Tempelchen, das ich da sehe? Hier, gleich links, auf der obersten Spitze?«

»Das ist mein Schmuckstück, mein Belvedere, wohin ich Sie gerade führen möchte. Da tritt der Porphyr am reinsten heraus, und Altenbrak liegt uns zu Füßen. Erlauben der Herr Oberst, daß ich die Tete nehme.«

Bei diesen Worten erhob er sich und schritt, sich auf sein Weichselrohr stützend, auf einen in den Fels gehauenen Zickzackweg zu, der nach dem Aussichtstempelchen hinaufführte. St. Arnaud folgte, schwieg indes, weil er wahrzunehmen glaubte, daß dem alten Herrn nicht bloß das Steigen, sondern auch das Atmen schwer wurde.

Nun aber war man oben und sah in die Landschaft hinaus. Was in der Ferne dämmerte, war mehr oder weniger interesselos; desto freundlicher aber wirkte das ihnen unmittelbar zu Füßen liegende Bild: erst das Gasthaus, das mit seinem Dächergewirr wirklich an eine mittelalterliche ›Burg Rodenstein‹ erinnerte, dann weiter unten der Fluß, über den links abwärts ein schlanker Brückensteg, rechts aufwärts aber eine alte Steinbrücke führte.

»Beneidenswerter, Sie«, sagte der Oberst. »König Polykrates auf seines Daches Zinnen. Und hoffentlich sagen Sie mit ihm: ›Gestehe, daß ich glücklich bin.‹ Ist es nicht so?«

Der Präzeptor wiegte den Kopf hin und her und schwieg, bis er nach einer kleinen Weile sagte: »Nun ja, mein Herr Oberst.«

»Nun ja. Was heißt das? Warum nicht bloß ja? Was fehlt? Ein Mann wie Sie, Liebling fünf Meilen in der Runde, gehalten von der Gemeinde, geschätzt von der Behörde – wie wenige dürfen sich dessen rühmen! Und wenn dann das Jubiläum kommt...«

»Das kommt nicht.«

»Warum nicht?«

»Weil ich den Dienst quittiert habe.«

»Wie das? Aber freilich ... Pardon ... ich entsinne mich, Ihr Freund und Verehrer, der Herr Emeritus, hat uns schon in Thale davon erzählt und auch den Grund genannt, der Sie bestimmte. Gewissensbedenken, um nicht zu sagen: Gewissensbisse.«

Der Alte lächelte. »Nun ja, Gewissensbisse, das auch, aber das alles, offen gestanden, blieb doch bloß die kleinere Hälfte. Die Hauptsache war, ich wollte dem Ehrentag entgehen, demselben Ehrentag, dessen der Herr Oberst eben erwähnte.«

»Dem Jubiläum? Aber weshalb?«

»Weil ich der sogenannten ›Auszeichnung‹ entgehen wollte.«

»Aus Bescheidenheit?«

»Nein, aus Dünkel.«

»Aus Dünkel? Ich bitte Sie, wer geht einer Auszeichnung aus dem Wege?«

»Die wenigsten. Und ich auch nicht. Aber Auszeichnung und Auszeichnung ist ein Unterschied. Ein jeder freut sich seines Lohnes. Gewiß, gewiß. Aber wenn der Lohn kleiner ausfällt, als man ihn verdient hat oder wenigstens verdient zu haben glaubt, dann freut er nicht mehr, dann kränkt er. Und das war meine Lage. Man wollte mir ein Bändchen geben an meinem Jubiläumstage. Nun gut, auch ein Bändchen kann etwas sein; aber *das*, das meiner harrte, war mir doch zu wenig, und so macht ich kurzen

Prozeß und bin ohne Jubiläum, aber, Gott sei Dank, auch ohne Kränkung und Ärger aus dem Dienste geschieden. Ich weiß wohl, daß man nie recht weiß, was man wert ist, aber ich weiß auch, daß es die Menschen in der Regel noch weniger wissen. Und handelt es sich gar um ein armes Dorfschulmeisterlein, nun, so geht alles nach Rubrik und Schablone, wonach ich mich nicht behandeln lassen wollte. Von niemandem, auch nicht von wohlwollenden Vorgesetzten. Und da hab ich demissioniert und dem Affen meiner Eitelkeit sein Zuckerbrot gegeben.«

»Bravo«, sagte der Oberst und reichte dem Alten beide Hände. »Sich ein Genüge tun, ist die beste Dekoration. Im letzten ist man immer nur auf sich und sein eigen Bewußtsein angewiesen, und was andere versäumen, müssen wir für uns selber tun. Das heißt nicht, sich überheben, das heißt bloß die Rechnung in Richtigkeit bringen, und nun erzählen Sie mir von dem Porphyr hier. Ich dachte, der Harz wäre Granit. Aber es ist auch in der Natur so: mitten aus dem allgemeinen Granit wächst mal ein Stück Porphyr heraus. Da heißt es dann, woher kommt er? Aber es ist eine nutzlose Frage. Er ist eben da.«

*

So plauderten sie weiter, und als sie bei fortgesetztem Gespräch über Altenbrak und die Altenbraker endlich den Zickzackweg wieder abwärts stiegen, bemerkten sie Gordon und die beiden älteren Herren, die, von einem Dorfspaziergang heimkehrend, eben aus der Talschlucht nach Burg Rodenstein hinaufkletterten. In ihrer Mitte Rosa. Diese begrüßte jetzt der ihr bis in Front des Hauses entgegengehende St. Arnaud unter gleichzeitigen scherzhaften Vorwürfen über ihre Fahnenflucht aus Hotel Zehnpfund, und als man abermals eine Minute später gemeinschaftlich auf die Veranda trat, sah man, wie schon die Vorbereitungen zum Mittagsmahl getroffen und Tisch und Stühle, der besseren Aussicht halber, bis hart an die Holzpfeiler vorgerückt waren. Weißes Linnen kam und Blumen, zuletzt auch Cécile, noch angerötet vom Schlaf, und ehe weitere zehn Minuten um waren, hatte jeder seinen Platz beim Mahl, an dem teilzunehmen der Präzeptor nach einigem Zögern eingewilligt hatte. Er saß zwischen den beiden Damen und zeigte durch Artigkeit und guten Humor, daß er in seiner Jugend eine gute Schule durchgemacht haben mußte. Cécile war entzückt und flüsterte Rosa zu: »Tout à fait comme il faut!«

Und so war auch das Mahl, das sich gleich mit einer kleinen

Überraschung einleitete. Die Frau Präzeptorin hatte nämlich über die vereinbarten Gänge hinaus auch noch für ein Extra Sorge getragen, für eine Kerbelsuppe, hinsichtlich deren ihr Haushalt ein Renommee hatte.

»Ach, Kerbel«, sagte der Oberst, als der Deckel abgenommen wurde. »Wenn Sie wüßten, meine liebe Frau Präzeptorin, wie Sie's damit getroffen haben! Wenigstens für mich. Meine ganze Jugend steigt dabei wieder vor mir auf. Alle Mittwoch, solang es Kerbel gab, gab es auch Kerbelsuppe, das war wie Amen in der Kirche, Kerbel und dann Reis und Saucischen. Ich denke, daß es mir heute so schmecken soll wie damals... Aber was trinken wir? Cécile, Fräulein Rosa, was soll es sein? Ich gehe bis an die Grenze des Möglichen...«

»Also, so weit mein Weinkeller reicht«, lachte der Präzeptor. »Aber, mein Herr Oberst, der reicht nicht weit. Ein Trarbacher, ein Zeltinger. Mosel, dir leb ich, Mosel, dir sterb ich. Übrigens das Beste, was ich habe...«

»Nein, nein«, unterbrach Cécile. »Nicht Wein, nichts Fremdes. Braunschweiger Landesgebräu. Nicht wahr, Herr von Gordon?«

»Unbedingt«, sagte dieser. »Bei solchen Gelegenheiten muß alles eine Lokalfarbe haben. Also sagen wir: Braunschweiger Mumme.«

So scherzte man weiter, bis man schließlich, auf des Präzeptors Vorschlag, sich für ein einfaches Blankenburger Bier entschied, das denn auch in Deckelkrügen aufgetragen wurde, jeder Krug mit einer blauen Glasurinschrift. Der Oberst las die seine. »›Der Meister hat ein Doppelkinn, Hoch lebe die junge Frau Meisterin‹... Ei, ei, mein fein's Junggesell, wo will das hinaus? Das herkömmliche Balladen-Töchterlein bleibt uns diesmal überraschlicherweise vorenthalten, und die Frau Meisterin muß dafür aushelfen. Ein Glück, daß sie jung ist.«

In diesem Augenblicke kamen die Schmerlen auf einer mit Zitronenscheiben bunt garnierten Schüssel, und da niemand, mit Ausnahme des Emeritus und selbstverständlich auch des Präzeptors, mit dem diffizilen Gerichte Bescheid wußte, so ließ man die beiden anfangen und erging sich, als man ziemlich vorsichtig zu folgen begann, in teils schmeichelhaften, teils despektierlichen Vergleichen. Gordon sprach von »White bait«, woran ihn die Schmerlen erinnern sollten, während ihnen der Oberst einfach eine Mittelstellung zwischen Yklei und Spree-Stint anwies, allerdings im Tone der Entschuldigung hinzusetzend: »Honny soit qui mal y pense.« Rosa aber drang auf vollkommene Revozierung, da sie sich die Poesie der Schmerle nicht rauben lassen wolle, dieses herrlichsten aller Fische, den zu besingen sie keinen Augenblick Anstand nehmen würde, wenn ihr die schnöde Tiermalerei zur Kultivierung der sanglichen Schwesterkunst Zeit gelassen hätte. Aber der Herr Emeritus werde gewiß für sie eintreten. Alle Geistlichen wären bekanntermaßen heimliche Dichter, was auch kaum anders sein könne. Denn wer allsonntäglich unter einem Kanzeldeckel mit der Heiligengeist-Taube stehe, für den müsse auch dichterisch notwendig etwas abfallen.

»Ja, der Emeritus«, riefen alle. »Lied oder Toast. Er mag wählen, aber Verse.«

»Gut. Ich bin es zufrieden«, sagte der Alte. »Doch jeder nach seinen Kräften. Über den Leberreim bin ich nie hinausgekommen. Und weil alle Welt einen Leberreim machen kann, auch Fräulein Rosa, trotz der von ihr abgegebenen Erklärungen, so muß es einfach reihum gehen. Das ist Bedingung.«

»Einverstanden«, sagte Rosa. »Nur muß er streng angefaßt werden, das ist *meine* Bedingung, und wer einen falschen Reim macht, oder ein Wort gebraucht, das gar nicht existiert, der muß Strafe zahlen, oder mit anderen Worten, ein Pfand geben.«

»Und mit Auslösung«, setzte der Privatgelehrte blinzelnd hinzu, der, wie die meisten Pedanten, etwas von einem Faun hatte.

»Mit Auslösung also«, wiederholte St. Arnaud. »Aber vorher lassen wir die Schüssel noch einmal herumgehen. Das gibt uns dann die höhere Weihe. Nun, Herr Emeritus, commençons.«

Und der Emeritus, während er von der Schüssel nahm, rezitierte langsam und bedächtig vor sich hin:

»Am Bache stehn Vergißmeinnicht, und drüben steht die Erle,
Dazwischen blitzt, wie Silberschein, des Baches Kind, die Schmerle.«

»Gut, gut«, sagte Rosa. »Nun aber der Herr Oberst.«
Und dieser, ohne jedes Besinnen, begann sofort:

»Was soll'n mir Aland, Blei und Hecht und andre große Kerle,
Forelle, ja das ist mir recht und doppelt recht die Schmerle.«

»Vorzüglich, vorzüglich. Mein Kompliment, Herr Oberst. Der Emeritus ist geschlagen. Ach das ewig siegreiche Militär, siegreich auf *jedem* Gebiete. In neuester Zeit auch – leider – auf dem der Malerei. Doch das sind trübe Betrachtungen, zu trübe für diese heitere Stunde. Fahren wir also fort. Herr von Gordon, lassen Sie sehen, was Sie draußen in Persien gelernt haben. Die Poesie soll ja da zu Hause sein. Ist es nicht so? Wie hieß er doch? Ah, ja, Firdusi. Nun also.«

Gordon, der eine scherzhafte Fehde zu provozieren wünschte, nahm ohne weiteres »Querlen« als Reimwort und ließ sich, als dies selbstverständlich beanstandet wurde, zu Behauptungen hinreißen, deren äußerste Fragwürdigkeit noch über die seines Reimes hinausging.

»Es gibt keine Querlen«, entschied Rosa. »Was Inkulpat meint, wenn er überhaupt etwas gemeint hat, sind Quirle. Die gibt es. Herr von Gordon, ein Pfand. Und nun Sie, Herr Eginhard. Ich bitte Sie, Sie bei diesem Vornamen, ich möchte fast sagen, im Namen der Poesie, nennen zu dürfen.«

Eginhard begann, während er vor sich hinstarrte, seine Brillengläser zu putzen. Aber mit einem Male lag etwas Leuchtendes um seine Stirn, und er sagte mit einem Anfluge von historischer Würde:

»Der kleinste Fürst im deutschen Reich, das war der Fürst von Werle,
Der kleinste Fisch in Bach und Teich ist immer noch die Schmerle.«

Rosa bestritt sofort wieder, daß es einen Fürsten von Werle gegeben habe, wobei Cécile sekundierte. St. Arnaud aber trat nicht nur für den Privatgelehrten ein, sondern setzte sogar mit vieler Feierlichkeit hinzu, daß er sich einer Mesalliance zwischen einem Werleschen Fürsten und einer anhaltischen Prinzessin entsinne. Darauf brach er ab und wandte sich an Rosa: »Nun aber *Sie,* meine Gnädigste.«

Diese verneigte sich lächelnd und sagte dann: »Ich finde, die Herren haben sich's schwer gemacht, um mir es leicht zu machen. An dem Zunächstliegenden sind wir vorübergegangen. Entscheiden Sie selbst, ob ich recht habe:

»Genug, genug der Reimereien auf Schmerlen oder Schmerle,
Hoch, dreimal, unsre schöne Frau, der Perlen schönste Perle.«

Dabei erhob sie sich und ging auf Cécile zu, um ihr die Hand zu küssen. Diese litt es aber nicht, sondern umarmte sie mit einem Anflug von Verlegenheit, zugleich sichtlich bewegt durch diese Huldigung einer heiteren und liebenswürdigen Natur.

Etwas wie Sentimentalität schien aufkommen zu wollen, der Präzeptor aber, der kein Freund davon war, stellte den früheren Ton schnell wieder her, und unter Vortrag aller möglichen Anekdoten aus seinem eigentümlichen, halb als Kantor und halb als Pastor verbrachten Leben verging das Mahl, das niemand Miene machte, gewaltsam abzukürzen.

Endlich aber erhob man sich, und als man in das Tempelchen hinaufstieg, um bei frischer Luft und freier Aussicht den Kaffee zu nehmen, war die Sonne schon im Niedergehen und hing über den Tannen der Berghöhe. Nun sank sie tiefer und durchglühte die Spitzen der Bäume, die momentan im Feuer zu stehen schienen.

Alles war schweigend in das herrliche Schauspiel vertieft, und man sah erst wieder auf, als zu fröhlichem Sprechen und Lachen, von dem man nicht recht wußte, woher es kam, allerlei Stimmen laut wurden, die das Echo wecken wollten. Aber es antwortete nicht.

Inzwischen waren die vom Dorf her ungesehen und ungekannt Heranziehenden immer näher gekommen, und als sie plötzlich um einen Vorsprung bogen, der sie bis dahin verborgen hatte, bemerkten unsere Freunde, daß es alte Bekannte waren.

»Die Turner«, rief Cécile. »Sie werden uns noch einmal begrüßen wollen.«

Und wirklich schlossen sie sich, als sich der Weg wieder zu verbreitern begann, zu Sektionen zusammen und marschierten in festem Tritt, und während die Tambours schlugen, auf die Stelle zu, wo die schmale, fast zu Füßen von Burg Rodenstein liegende Holzbrücke nach dem anderen Ufer hinüberführte. Drüben aber nahmen sie nicht Aufstellung en ligne, sondern im Halbkreis und stimmten hier, umleuchtet von dem Lichte des hinscheidenden Tages den Scheffelschen Rodensteiner an:

> »Das war der Herr von Rodenstein,
> Der sprach: ›Daß Gott mir helf,
> Gibt's nirgends mehr 'nen Tropfen Wein
> Des Nachts um halber zwölf?
> Raus da, raus da,
> Raus aus dem Haus da,
> Herr Wirt, daß Gott mir helf‹.«

Unsre hoch oben stehenden Freunde horchten weiter, aber es blieb bei dieser Strophe. Die Turner brachen mitten im Singen ab, lachten und lärmten und konnten sich an ihrem endlos wiederholten »Raus da, aus dem Haus da« kein Genüge tun.

Von dem Tempelchen her aber klatschte man jetzt Beifall, und der alte ganz aus dem Häuschen geratene Präzeptor verschwor sich einmal über das andere, ein Faß »Echtes« auflegen und die jungen Leute zu Gaste laden zu wollen.

Aber diese, die den Gesang nur im Anblick der Gasthausinschrift »Zum Rodenstein« improvisiert hatten, begnügten sich, zum Gegengruß ihre Mützen zu schwenken, und marschierten gleich danach in den Wald hinein und auf Treseburg zu.

Eginhard und der Emeritus hatten vor, auf Schloß Rodenstein zu bleiben, um andern Tages einen »überaus lohnenden« Ausflug erst nach Rübeland und dann in weitem Bogen nach Kloster Michelstein hin zu machen, die St. Arnauds ihrerseits aber, und mit ihnen selbstverständlich auch Gordon, waren entschlossen, noch am selben Abende nach Thale zurückzukehren. Ein Blick auf die Bettbestände hatte nämlich der gnädigen Frau schon im Laufe des Nachmittags die nur zu gewisse Gewißheit gegeben, daß von einem Nachtquartier an dieser sonst so reizenden Stelle nicht wohl die Rede sein könne, was denn auch, als man bei Sonnenuntergang von dem Aussichtstempelchen wieder hinunterstieg, St. Arnaud veranlaßte, dem Eseljungen die nötigen Befehle zu Sattlung und raschem Aufbruch zukommen zu lassen, während er für sich persönlich ein Pferd aus den Altenbraker Beständen erbat. »Denn er teile nicht die Passion für Eselreiterei.«

»Dann bitt ich den Herrn Präzeptor«, setzte Cécile mit einer ihr sonst nicht eignen Bestimmtheit hinzu, »den Eseljungen überhaupt ablohnen und statt des einen Pferdes drei beschaffen zu wollen.«

»Ei, ei«, lachte St. Arnaud, einigermaßen überrascht über diese Bestimmtheit, während der kaum minder verwunderte Gordon in Cécile drang, das Bequemere doch nicht ohne Not aufgeben zu wollen.

Aber Cécile blieb fest und sagte: »Darin finden Sie sich nicht zurecht, Herr von Gordon; dazu muß man verheiratet sein. Die Männer sitzen ohnehin auf dem hohen Pferd; schlimm genug; reitet man aber gar noch aus freien Stücken zu Esel neben ihnen her, so sieht es aus wie Gutheißung ihres de haut en bas. Und das darf nicht sein.«

In dieser Weise stritt man noch eine Weile, bis Gordon in einem ihn treffenden Streifblicke zu lesen glaubte: »Tor. Um *deinet*wegen.«

Eine Viertelstunde später erschienen die Pferde; man nahm Abschied und wandte sich auf die Holzbrücke zu, die die Turner vor ihnen passiert hatten. Im Herankommen aber wahrnehmend, daß die Balken- und Bretterlage viel zu schwach sei, durchritt man den Fluß, von dessen anderem Ufer aus alle drei noch einmal nach Burg Rodenstein hinübergrüßten.

Der Weg drüben schlängelte sich zunächst eine Waldhöhe hinauf, bald aber stieg er wieder zur Bode nieder und folgte deren Windungen. Unter den überhängenden Zweigen lag bereits Dämmerung, und minutenlang war nichts Lebendes um sie her sichtbar, bis plötzlich in nur geringer Entfernung von ihnen ein schwarzer Vogel aus dem Waldesschatten hervorhüpfte, wenig scheu, ja beinahe dreist, als wollte er ihnen den Weg sperren. Endlich flog er auf, aber freilich nur, um sich dreißig Schritte weiter abwärts abermals zu setzen und daselbst dasselbe Spiel zu beginnen.

»Eine Schwarzdrossel«, sagte Gordon. »Ein schönes Tier.«

»Aber unheimlich.«

St. Arnaud lachte. »Meine teure Cécile, du greifst vor. Das sind Gefühle, wenn man sich im Walde verirrt hat. Aber dies Stück Romantik wird uns erspart bleiben, ja nicht einmal eine regelrechte Gruselnacht, in der man die Hand nicht vor Augen sieht, steht uns bevor. Sieh nur, da drüben hängt noch das Abendrot, und schon kommt der Mond herauf, als ob er auf Ablösung zöge. Laß die Schwarzdrossel. Sie begleitet uns, weil sie froh ist, Gesellschaft zu finden. Frage nur Herrn von Gordon.«

»Ich möchte doch mehr der gnädigen Frau zustimmen«, sagte dieser. »Alle Vögel, mit alleiniger Ausnahme der Spatzen, exzellieren in etwas eigentümlich Geheimnisvollem und beschäftigen unsere Phantasie mehr als andere Tiere. Wir leben in einer beständigen Scheu vor ihnen, und es gibt eigentlich weniges auf der Welt, was mir so viel Respekt einflößte wie z. B. ein grauer Kakadu; Professoren der Philosophie folgen erst in weiterem Abstand. Und nun gar Storch und Schwalbe! Wer hätte den Mut, einer Schwalbe was zuleide zu tun oder einen Storch aus dem Neste zu schießen?«

»Uh, die Menschen sind Heuchler«, sagte der Oberst. »Heuchler und Pfiffizi zugleich. Sie stellen allemal das in ihren Schutz, was sie nicht brauchen können. Ich habe noch nie von Storchbraten gehört, und die gastrosophischen Versuche mit dem ebenfalls gefeiten Schwan sind bis dato regelmäßig gescheitert. Aber Bekassinen und Krammetsvögel! Sie schmecken viel zu gut, als daß man Veranlassung gehabt hätte, sie heilig zu sprechen.«

Unter solchem Gespräche war man bis an die Treseburger Brücke gekommen und sah auf das am andern Ufer, unmittelbar neben dem Fluß hin, reizend gelegene Gasthaus Zum weißen Hirsch. Einige der hier aufgestellten Tische hatten Windlichter, die meisten aber begnügten sich mit dem hellen Scheine, den der Mond gab.

»Wollen wir hinüber?« fragte der Oberst.

Aber Cécile war dagegen. Der Weg drüben sei doch mutmaßlich derselbe, den sie schon am Vormittage gemacht hätten, und
sie habe keine Sehnsucht noch einmal an Todtenrode vorüber-
zukommen.

»Also diesseits!«

Und damit lenkte St. Arnaud in einen schluchtartigen Weg
ein, der in ziemlicher Steile zu dem zwischen Treseburg und
Thale sich ausdehnenden Plateau hinaufstieg.

Oben war nichts als Gras und Acker, zwischen denen ein
schmaler Weg lief, nur gerade breit genug, um in gleicher Linie
nebeneinander bleiben zu können. Die Schatten aller drei fielen
vorwärts auf den wie Silber blitzenden Weg, und diesen ihren
Schatten ritten sie nach. Meist im Schritt. Die Luft ging kalt, und
Cécile begann zu frösteln, weshalb ihr Gordon ein Plaid reichte,
das er bis dahin über die Kruppe seines Pferdes geschnallt hatte.

»Nimm's nur«, sagte St. Arnaud. »Herr von Gordon wird
dich kunstgerecht damit drapieren; das ist er seinem Clan Gordon schuldig. Und dann haben wir dich als Hochlandserscheinung
zwischen uns. Lady Macbeth oder dergleichen. Nur der Reithut
fällt aus dem Stil.«

Aber Cécile beschränkte sich darauf, zur Eile anzutreiben,
und nicht lange, so war eine Wegkreuzung erreicht, von der aus
man in Entfernung von wenig mehr als fünfzig Schritt eines
Denkmals ansichtig wurde.

»Was ist das?« fragte der Oberst und ritt auf das Denkmal
zu, während Gordon und Cécile langsameren Schritts ihren Weg
fortsetzten.

»Lockt Sie's nicht auch?« fragte Cécile mit einem Anfluge von
Spott und bitterer Laune. »St. Arnaud sieht mich frösteln und
weiß, daß ich die Minuten zähle. Doch was bedeutet es ihm?«

»Und ist doch sonst voll Aufmerksamkeit und Rücksichtnahme.«

»Ja«, sagte sie langsam und gedehnt. Und eine Welt von Ver-
neinung lag in diesem Ja. Gordon aber nahm ihre lässig herab-
hängende Hand und hielt und küßte sie, was sie geschehen ließ.
Dann ritten beide schweigend nebeneinander her, bis sich St. Arnaud ihnen wieder gesellte.

»Was war es?« fragte Cécile.

»Das Denkmal eines alten Oberforstmeisters.«

»Den hier ein Wilddieb erschossen?«

»Nein, weniger sensationell: er starb ruhig in seinem Bett.«

»Und hieß?«

»Pfeil.«

»Ah, Pfeil. Graf Pfeil?«

»Nein«, lachte St. Arnaud, »bloß Pfeil. Die Natur hat mitunter ihre demokratischen Launen. Übrigens war er, aller Bürgerlichkeit ungeachtet, eine große Forst-Autorität, und einer unserer berühmtesten landwirtschaftlichen Sätze rührt von ihm her.«

»Und welcher, wenn ich fragen darf?«

»Daß die Vermählung von Sumpf und Sand unter Umständen eine besonders feine Kultur schaffe. Sumpf an und für sich sei nicht zu gebrauchen und Sand an und für sich auch nicht, aber daß der liebe Gott in seinem notorischen Lieblingslande Mark Brandenburg beide dicht nebeneinandergelegt habe, das sei für ebendiese Mark natürlich auch für die Menschheit eine besondere Gnade gewesen, und die ganze preußische Geschichte sei sozusagen aus diesem Gnadenakt hervorgegangen. Da hast du den berühmten Pfeilschen Agrikultur-Satz, der vielleicht ein bißchen zu geistreich sei. Denn unvermischter Pyritzer Weizacker bleibt schließlich immer das Beste, jedenfalls besser als die Vermählung von Sumpf und Sand. Aber nun Trab, daß wir warm werden und vorwärts kommen.«

Und im Fluge ging es weiter über das Plateau hin, abwechselnd an Bäumen und Felszacken und dann wieder an Kreuzwegen und Wegweisern vorüber. An einem stand: »Nach dem Hexentanzplatz«, und St. Arnaud wies darauf hin und sagte: »Wollen wir einen Konter mitmachen? Oder bist du für Extratouren?«

Es klang übermütig und spöttisch, und sie bog sich bei seiner Annäherung unwillkürlich zur Seite.

Der Oberst aber war in der Laune, sich gehen zu lassen, und fuhr in dem einmal angeschlagenen Tone fort: »Siehe nur, wie das Mondlicht drüben auf die Felsen fällt. Alles spukhaft; lauter groteske Leiber und Physiognomien, und ich möchte wetten, alles was dick ist, heißt Mönch, und alles was dünn ist, heißt Nonne. Wahrhaftig, Herr von Gordon hatte recht, als er den ganzen Harz eine Hexengegend nannte.«

Gleich danach waren sie bis an den Vorsprung gekommen, von dem aus sich der Plateauweg wieder senkte. Die Pferde wollten in gleicher Pace vorwärts, aber ihre Reiter, überrascht von dem Bilde, das sich vor ihnen auftat, strafften unwillkürlich die Zügel. Unten im Tal, von Quedlinburg und der Teufelsmauer her, kam im selben Augenblick klappernd und rasselnd der letzte Zug heran, und das Mondlicht durchleuchtete die weiße Rauchwolke, während vorn zwei Feueraugen blitzten und die Funken der Maschine weit hin ins Feld flogen.

»Die wilde Jagd«, sagte St. Arnaud und nahm die Tete, während Gordon und Cécile folgten.

Sechzehntes Kapitel

Als sich unsere Reiter eine Viertelstunde später dem Hotel näherten, sahen sie deutlich, daß der letzte Zug viele Gäste gebracht haben mußte, denn der große, nach der Parkwiese hinaus gelegene Balkon zeigte noch das bunteste Leben. Alles stand in Licht, und in dem Lichte hin und her bewegten sich die Kellner. Einer trug eine große, hoch aufgebaute Teemaschine, was zweifellos bedeutete, daß Engländer oder Holländer angekommen sein mußten.

»Sieh, Pierre«, sagte Cécile, die sich angesichts dieses lachenden Bildes rasch wieder erheiterte, »das ist hübsch, daß wir noch Leben vorfinden.«

Und gleich danach hielten alle drei vor dem Vorbau, hoben sich aus den Sätteln und traten in das Vestibül. Eine Welt von Koffern und Reisetaschen lag hier bunt durcheinander, und als Cécile die Treppe hinaufstieg, tat ihr die Wärme wohl, die die Gasflammen ausstrahlten.

»Ich denke, wir nehmen den Tee noch gemeinschaftlich auf dem Balkon. Nicht wahr, Herr von Gordon?«

Und wirklich, binnen kürzester Frist saßen unsere Freunde mit unter den Gästen, und zwar an demselben Tisch, an dem sich ihre Bekanntschaft, vor wenig Tagen erst, eingeleitet hatte. Cécile, die sich inzwischen umgekleidet, trug, halb vorsichts-, halb eitelkeitshalber, ein mit Pelz besetztes Jackett, das ihr vortrefflich stand und mit dazu beitrug, sie zum Gegenstand allgemeiner Aufmerksamkeit zu machen. Nichts davon entging ihr, und ihre wohlige Stimmung wuchs bis zu dem Moment hin, wo sie, nach eingenommenem Tee, den nur noch von wenig Gästen besetzten Balkon am Arme St. Arnauds verließ.

*

Es schlug elf vom Dorfe her, als Gordon in sein einfaches, im linken Flügel gelegenes Zimmer trat, um sich's hier, wie seine Gewohnheit war, schon vor dem Schlafengehen in einer Sofaecke bequem zu machen. Er war aber noch viel zu sehr bestürmt und aufgeregt, um sich dieser Bequemlichkeit länger als eine Minute hingeben zu können, und so stand er wieder auf, um zu dem schon offen stehenden Fensterflügel auch noch den zweiten zu öffnen. Unter ihm lag ein mit Levkojen und Reseda besetztes Rondell, und er sog den in einem starken Strom heraufziehenden Duft begierig ein. Alles war still; die Bosketts, die den Gartenstreifen einfaßten, standen in tiefem Schatten, und nur an einer einzigen, dem Zimmer St. Arnauds gegenübergelegenen Stelle zeigte sich der Schatten durch einen Lichtstreifen unterbrochen. Gordon sah darauf hin, als ob er die Geheimnisse der kleinen Welt, die Cécile hieß, aus diesem Lichtstreifen herauslesen wollte. Dann aber überkam ihn ein Lächeln, und er sagte zu sich selbst: »Ich glaube gar, ich werde der Narr meiner eigenen Wissenschaft und verfalle hier in Spektralanalyse. Poor Gordon! Die Sonne mag ihre Geheimnisse herausgeben, aber nicht das Herz. Und am wenigsten ein Frauenherz.«

Unter solchem Selbstgespräch trat er vom Fenster zurück und ließ alles, was der Tag gebracht, noch einmal an seiner Seele vorüberziehen. Wieder vernahm er das heitere Lachen, mit dem sie bei Tisch die Schmerlenreime begleitet hatte, wieder sah er das mondbeschienene Plateau, darauf sie heimritten, hörte wieder das langgedehnte »Ja«, das doch ein kurzes »Nein« war, und fühlte noch einmal den erwidernden Druck ihrer Hand. Und dabei kehrten ihm alle Betrachtungen und Fragen zurück, denen er schon in seinen Zeilen an die Schwester Ausdruck gegeben hatte. »Was ist es mit dieser Frau? So gesellschaftlich geschult und so naiv! Sie will mir gefallen und ist doch ohne rechte Gefallsucht. Alles gibt sich mehr aus Gewohnheit als Koketterie. Sie hat augenscheinlich in der vornehmeren Welt gelebt – vielleicht in einer allervornehmsten – und hat Auszeichnungen und Huldigungen erfahren, aber wenig echte Neigung und noch weniger Liebe. Ja, sie hat ein Verlangen, eine Sehnsucht. Aber welche? Mitunter ist es, als sehne sie sich, von einem Drucke befreit zu werden oder von einer Furcht und innerlichen Qual. Ist ihr St. Arnaud diese Furcht? Ist er ihr eine Qual? Nein; er hat nichts von einem Quälgeist, trotzdem sie heute seine Courtoisie zu bestreiten schien. Aber das sind Stimmungen, und ich habe sie wie heute voll Ablehnung, so auch ebenso voll Dank und Hingebung gegen ihn gesehen. Und *doch* eine Wolke! Sie hat eine Geschichte, oder er, oder beide, und die Vergangenheit wirft nun ihre Schatten.«

In diesem Augenblicke schwand drüben der Lichtstreifen auf dem Boskett.

»Es soll dunkel bleiben.«

Und er schloß das Fenster und suchte die Ruhe.

*

Die kam ihm nicht gleich, aber als sie kam, schlief er fest, und die Sonne war schon an seinem Fenster vorüber, als er aufwachte. Nach der Uhr sehend, sah er, daß der Zeiger bereits auf acht wies, und er sprang nun rasch aus dem Bett.

Seine Toilette war erst halb beendet, als es klopfte.

»Herein.«

Der Portier übergab ihm ein Telegramm, zugleich Entschuldigungen vorbringend. Es sei schon gestern nachmittag gekommen, als die Herrschaften noch auf der Altenbraker Partie gewesen seien. Und nachher sei's vergessen worden. Herr von Gordon möge verzeihen.

Gordon lächelte. Telegramme hatten längst aufgehört, eine besondere Wichtigkeit für ihn zu haben, und so kam es, daß er auch jetzt noch eine Minute vergehen ließ, ehe er den Zettel überhaupt öffnete. Sein Inhalt lautete: »Bremen, 15. Juli. Wegen des neuen Kabels abgeschlossen. Wir erwarten Sie morgen.« Eine Welt widerstreitender Empfindungen drang auf ihn ein, als er auf diese Weise den ihm während der letzten Tage so lieb gewordenen Aufenthalt in Thale so plötzlich abgebrochen sah. Aber das Angenehme, Beruhigende, Zufriedenstellende wog in diesem widerstreitenden Gefühle doch schließlich vor. »Gott sei Dank, ich bin nun aus der Unruhe heraus und vielleicht aus noch Schlimmerem. Wer sich in Gefahr begibt, kommt darin um, und mit unserer Festigkeit und unseren guten Vorsätzen ist nicht viel getan. Eine gnädige Hand muß uns bewahren, von Tag zu Tag, von Stunde zu Stunde. ›Führe uns nicht in Versuchung.‹ Wie wahr, wie wahr. Mein gutes Glück interveniert mal wieder und meint es besser mit mir als ich selbst.«

Und er klingelte.

»Mein Frühstück und meine Rechnung . . . Sind Oberst St. Arnaud und Frau schon auf dem Balkon?«

»Ja, Herr Baron.«

Er ließ sich die Rangerhöhung gefallen und fuhr fort: »Und der nächste Zug nach Hannover?«

»Neun Uhr zwanzig.«

»Ah, da hab ich noch Zeit vollauf.«

Und er hob, als er wieder allein war, den Koffer auf den Ständer und begann zu packen. Die Raschheit, mit der er dabei verfuhr, zeigte den Vielgereisten, und der vom Zimmerkellner mittlerweile gebrachte Kaffee hatte noch eine mittlere Temperatur, als auch alles schon fertig und der ins Schloß gedrückte Koffer samt Schirm und Plaid beiseite geschoben war.

Gordon sah nach der Uhr.

»Neun. Also noch zwanzig Minuten; fünfzehn für mein Frühstück und fünf für den Abschied. Etwas wenig. Aber je weniger, desto besser. Was soll man sich sagen? Abschiedsworte müssen kurz sein, wie Liebeserklärungen. Das Beste hält nicht lange vor und sträubt sich gegen Dauer: der erste Moment ist poetisch, der zweite kaum noch und der dritte gewiß nicht mehr. Und weil man das fühlt und ein schlechtes Gewissen hat, so wird man lügnerisch und heuchelt und übertreibt. Und das mag ich nicht. Ich will mich nicht selbst um die schönen Eindrücke dieser Tage bringen und will gehobenen Herzens und ohne alles Redensartliche von ihr gehen. Ich will mich ihrer erinnern, wie, wie ... Nun wie ... Nun, nur um's Himmels willen nichts von kindischen Vergleichen. Und doch, woran erinnert sie mich? An wen? Oder an welches Bild?«

Und er wiegte den Kopf nachsinnend hin und her. Endlich schien er es gefunden zu haben: »Ja, das ist es. Ich habe mal ein Bild von Queen Mary gesehen – ich weiß nicht mehr genau, wo: war es in Oxford oder in Hampton-Court oder in Edinburgh-Castle. Gleichviel, es war die schottische Königin, meine arme Landsmännin. Etwas Katholisches, etwas Glut und Frömmigkeit und etwas Schuldbewußtsein. Und zugleich ein Etwas im Blick, wie wenn die Schuld noch nicht zu Ende wäre. Ja, daran erinnert sie mich. Und der alte Oberst! Nun! der könnte den Bothwell aus dem Stegreif spielen. Wahr und wahrhaftig. Ob er irgendeinen Darnley hat in die Luft fliegen lassen? Es wäre leichtsinnig, sich für das Gegenteil verbürgen zu wollen. Aber weg mit solchen Pulverfaßreminiszenzen. Ich will hier mit etwas Heiterem abschließen.«

Und unter solchem Selbstgespräch trat er noch einmal ans offene Fenster und sah über die zunächst gelegene kleine Gartenanlage fort in das Flachland hinaus, an dessen äußerstem Rande die Türme von Quedlinburg aufragten. Er blieb eine Minute lang im Anblick derselben und nahm dann Hut und Stock, um sich bei den St. Arnauds zu verabschieden. Aber diese waren nicht mehr auf dem Balkon, sondern promenierten bereits im

Park unten und schritten eben auf ihre Lieblingsbank zu, die, von Flieder und Goldregen halb überwölbt, den Blick auf den Bahnhof frei hatte.

»Bitte«, wandte er sich an den Oberkellner, »lassen Sie meine Sachen hinüberschaffen.«

Und nun ging er auf die Bank zu, wo St. Arnaud und Cécile mittlerweile Platz genommen hatten. Boncœur war mit da, lag aber diesmal nicht zur Seite, sondern in Front, in vollem Sonnenschein. Als er Gordon kommen sah, hob er einen Augenblick den Kopf, ohne sich im übrigen zu rühren.

»Ah, Herr von Gordon«, sagte der Oberst. »So spät. Ich dachte, Sie wären ein Frühauf. Meine Frau hat Ihnen in den letzten zehn Minuten mindestens ebenso viele Krankheiten angedichtet. Ich wette, sie schwärmte schon in der Vorstellung einer allerchristlichsten Krankenpflege.«

»Der ich mich nun rasch und undankbar entziehe.«

»Wie das?«

»Ein eben erhaltenes Telegramm ruft mich fort, und ich komme, mich zu verabschieden.«

Gordon sah, wie Cécile sich verfärbte. Sie bezwang sich aber, warf mit dem Schirm ein paar Steinchen in die Luft und sagte: »Sie lieben Überraschungen, Herr von Gordon.«

»Nein, meine gnädigste Frau, nicht Überraschungen. Erst seit einer Stunde weiß ich davon, und es lag mir daran, über das, was nun sein muß, so schnell wie möglich hinwegzukommen. Was sag ich Ihnen noch? Ich werde diese Tage nie vergessen und würde mich glücklich schätzen, sie früher oder später, sei's hier oder in Berlin oder irgend sonst wo in der Welt, wiederkehren zu sehen.«

Cécile sah vor sich hin, und eine peinliche Stille folgte, bis St. Arnaud artig, aber nüchtern erwiderte: »Worin sich unsere Wünsche begegnen.«

In diesem Augenblicke läutete die Glocke drüben zum zweiten Male.

»Das gilt mir. Adieu, meine gnädigste Frau. Au revoir, Herr Oberst.«

Und Gordon, den Hut lüftend, ging auf den Bahnhof zu, der nur durch eine hohe Hecke von der Parkwiese getrennt war. Vor einem der hier eingeschnittenen Durchgänge blieb er noch einmal stehen, verneigte sich und grüßte militärisch hinüber. Der Oberst erwiderte den Gruß in gleicher Weise, während Cécile dreimal mit dem Taschentuch winkte.

Keine Minute mehr, und der Pfiff der Lokomotive schrillte durch die Luft. Boncœur aber sprang auf und legte seinen Kopf in den Schoß der schönen Frau. Dabei schien er sagen zu wollen: »Laß ihn ziehen; ich bleibe dir und – bin treuer als er.«

Siebzehntes Kapitel

Gordon war allein im Kupee und nahm einen Rückwärtsplatz, um so lange wie möglich einen Blick auf die Berge zu haben, zu deren Füßen er so glückliche Tage verbracht hatte. Hundert Bilder, während er so hinstarrte, zogen an ihm vorüber, und inmitten jedes einzelnen stand die schöne Frau. Gedanken, Betrachtungen kamen und gingen, und auch der Abschiedsmoment stellte sich ihm wieder vor die Seele.

»Dieser Abschied«, sprach er vor sich hin, »ich wollt ihn abkürzen, um nicht in armselige Redensarten zu verfallen, und doch war mein letztes Wort nichts andres. ›Auf Wiedersehen!‹ Alles Phrase, Lüge. Denn wie steht es damit in Wahrheit? Ich will sie *nicht* wiedersehen, ich *darf* sie nicht wiedersehen; ich will nicht Verwirrungen in ihr und mein Leben tragen.«

Er wechselte den Platz, weil die just eine starke Biegung machende Bahn ihm den Blick auf die Berge hin entzog. Dann aber fuhr er in seiner Betrachtung fort: »Ich will sie nicht wiedersehen, so sag ich mir. Aber schließlich, warum nicht? Sind Verwirrungen denn unausbleiblich? Lady Windham in Delhi war nicht älter als Cécile, und ich selbst war um fünf Jahre jünger als heut, und doch waren wir Freunde. Niemals in den nun zurückliegenden Tagen hab ich mir im Umgange mit der liebenswürdigen Lady mißtraut und ihr selbst noch weniger. Also warum kein Wiedersehen mit Cécile? Warum nicht Freundschaft? Was in einer indischen Garnisonstadt möglich war, muß noch viel möglicher sein innerhalb der Zerstreuungen einer großen Residenz. Sind doch Einsamkeit und Langeweile so recht eigentlich die Gevatterinnen, die die Liebestorheit aus der Taufe heben.«

Er warf die Zigarette fort, lehnte sich zurück und wiederholte: »Warum nicht wiedersehen?« Aber er konnte weder Ruhe noch Trost aus dieser Frage schöpfen. »Ach, daß ich von der Frage nicht loskomme, das ist eben das Mißliche, das gibt die Vorwegentscheidung. Ich entsinne mich eines Rechtsanwalts, der mir einmal beim Schoppen erzählte: ›Wenn wer zu mir kommt und im Eintreten schon anhebt, ›Ich habe da was geschrieben und wollte nur noch von ungefähr anfragen, ob vielleicht *eine* Stelle . . .‹ so ruf ich ihm schon von weitem zu: ›Streichen Sie die Stelle! Sie würden mich nicht fragen, wenn Sie nicht ein schlechtes Gewissen hätten.‹ Und daß ich immer wieder frage: ›Warum nicht Freundschaft?‹ das ist *mein* schlechtes Gewissen, das beweist mir, daß es nicht geht, und daß ich den Gedanken daran fallen lassen muß. Cécile lebt nicht für Kränzchen und ›Flora‹-Konzerte, so viel steht fest; ob die Natur sie so schuf, oder ob das Leben sie so bildete, gilt gleich. Möglich, ja wahrscheinlich, daß sie sich zeitweilig nach Idyll und Herzensgüte sehnt, aber sie schätzt instinktiv einen jeden nach seinen Mitteln und Gaben, und ich wäre der Lächerlichkeit verfallen, wenn ich meinen Ton ihr gegenüber plötzlich auf Kunstausstellung und Tagesneuigkeiten oder gar auf den vorlesenden Freund stellen wollte. Was sie von mir erwartet, sind Umwerbungen, Dienste, Huldigungen. Und Huldigungen sind wie Phosphorhölzer: eine zufällige Friktion, und der Brand ist da.«

Solche Betrachtungen begleiteten ihn und kamen ihm während seines Bremer Aufenthalts allabendlich wieder, wenn er nach den Geschäften und Mühen des Tages seinen Spaziergang am Bollwerk hin machte. Seine Vorsätze blieben dieselben, aber freilich seine Neigungen auch, und als er eines Tages, wo diese Neigungen mal wieder stärker als die Vorsätze gewesen waren, in seine Wohnung heimkehrte, schob er ein Tischchen an die Balkontür seines nach dem Flusse hin gelegenen Zimmers und setzte sich, um an Cécile zu schreiben.

Es war eine kostbare Nacht, kein Lüftchen ging, und auf den vorüberflutenden Strom fielen die Quai- und Straßenlichter; die Mondsichel stand über dem Rathaus; immer stiller wurde die Stadt, und nur vom Hafen her hörte man noch singen und den Pfiff eines Dampfers, der sich, unter Benutzung der Flut, zur Abfahrt rüstete.

Rasch flog Gordons Feder über die Seiten hin, und die weiche Stimmung, die draußen herrschte, bemächtigte sich auch seiner und fand in dem, was er schrieb, einen Ausdruck.

*

Die Verhandlungen in Bremen währten länger, als erwartet, und kamen erst zum Abschluß, als eine nach den friesischen Inseln hin unternommene Reise die bis dahin bezweifelte Durchführbarkeit des Unternehmens bewiesen hatte. Gordon lernte bei der Gelegenheit Sylt und Föhr kennen, auch Norderney, woselbst er emsig nach den St. Arnauds forschte, die – dessen entsann er sich – den Plan gehabt hatten, ihre Sommertour auf Norderney zu beschließen. Er ging aber vergeblich die Fremdenliste durch und war endlich froh, die Insel, der er seine Mißstimmung entgelten ließ, nach zweitägigem Aufenthalt wieder verlassen zu können.

Anfang August war er in Berlin, wo, neben amtlichen und finanziellen Vorbereitungen, auch allerlei das Technische betreffende Bestellungen und Kontrakte zu machen waren. Er bezog eine schon Ende Mai, kurz vor seiner Reise nach Thale, gemietete Wohnung in der Lennéstraße, wohin er auch alle Briefe zu richten angeordnet hatte. Leider fand er nichts vor, weder in der Wohnung noch auf der Post, oder doch nicht das, woran ihm am meisten gelegen war. Eine schlechte Laune stellte sich ein, aber glücklicherweise nicht auf lange.

»Tor, der ich bin, und immer nur mit meinen Wünschen rechne. Man braucht kein Menschenkenner zu sein, um zu wissen, daß Cécile keine passionierte Briefschreiberin ist. Wäre sie das, so wäre sie nicht sie selbst. Briefeschreiben ist wie Wetterleuchten; da verblitzt sich alles, und das Gewitter zieht nicht herauf. Aber Frauen wie Cécile vergegenständlichen sich nichts und haben gar nicht den Drang, sich innerlich von irgend was zu befreien, auch nicht von dem, was sie quält. Im Gegenteil, sie brüten darüber und überladen sich mit Gefühl, bis dann mit einem Male der Funken überspringt. Aber sie schreiben nicht, sie schreiben nicht.«

Er schob, während er so sprach, den Sofatisch beiseite und begann auszupacken. Unter den ersten Sachen war auch eine Schreibmappe, deren Deckel eine Photographie zeigte, das Bild seiner Schwester. In der Stimmung, in der er war, sah er sich's an und sagte: »Klothilde. Wie gut sie aussieht. Aber sie taugt auch nichts. Es muß über drei Wochen her sein, daß ich an sie geschrieben. Und bis heute keine Antwort, trotzdem das Thema nichts zu wünschen übrig ließ. Denn über was schrieben Frauen lieber als über eine andere Frau, und noch dazu, wenn sie merken, daß man sich für diese andere interessiert. Und doch kein Wort. Ist ein Brief verlorengegangen? Unsinn, Briefe gehen nicht verloren. Nun, es wird sich aufklären. Vielleicht liegt mein langes Skriptum irgendwo in Liegnitz, während Fräulein Schwester noch in der Welt herumfährt.«

In diesem Augenblicke klopfte es.

»Herein.«

Der Eintretende war ein Großindustrieller, Vorstand einer Fabrik für Maschinenwesen und Kabeldrähte, dem Gordons Ankunft von Bremen her telegraphiert worden war, und der nicht säumen wollte, sich ihm vorzustellen. Gordon entschuldigte sich wegen der überall im Zimmer herrschenden Unordnung und bat den Fremden, einen eleganten Herrn von augenscheinlich weltmännischen Allüren, in einem der Fauteuils Platz zu nehmen. Der Fremde lehnte jedoch mit vieler Verbindlichkeit ab und lud seinerseits Gordon ein, ihn nach seiner Charlottenburger Villa hinaus begleiten und daselbst sein Gast sein zu wollen; sein Wagen halte bereits vor der Tür, und was Geschäftliches zu sprechen sei, lasse sich unterwegs verhandeln. »Wir haben dann den Abend für ein Gespräch mit den Damen.« Seine Frau, so schloß er, die passioniert für Nilquellen und Kongobecken sei, freue sich ungemein, einen so weitgereisten Herrn kennenzulernen, und wenn es Afrika nicht sein könnte, so werde sie sich auch mit Persien und Indien zufrieden geben.

Gordon fühlte sich durch die ganze Sprechweise sehr angeheimelt und nahm an.

*

Der Abend in Charlottenburg war entzückend gewesen, und Gordon hatte sich wieder überzeugt, »wie klein die Welt sei«. Gemeinschaftliche Freunde waren entdeckt worden in Bremen, England, New York und zuletzt auch in Berlin selbst. Auch den Obersten von St. Arnaud kannte man; er habe eine schöne Frau, die schon einmal verheiratet gewesen sei – sehr hoch hinauf –, und habe eines Duells halber den Abschied nehmen müssen. Unter solchem Geplauder war der Abend vergangen, und erst lange nach Mitternacht hatte Gordon, in einem Mischzustande von Müdigkeit und Angeheitertsein, seinen Heimweg angetreten.

Nun war es Morgen, und er erschrak fast, als er in sein Wohnzimmer trat und sich hier umsah. Alles lag noch gerade so da, wie's gestern, als der Besuch kam, gelegen hatte: Wäsche, zerstreut über die Stühle hin, Überzieher und Fracks an Schrankecken und Fensterriegel gehängt, und der Koffer selbst halb aufgeklappt zwischen Tür und Ofen. Am buntesten aber sah es auf dem Sofatisch aus, wo Nagelscheren und Haarbürsten, Eau de Cologneflaschen und Krawatten ein Chaos bildeten, aus dessen Zentrum ein rotes Fes und als Überraschung ein Markt-Asternbukett aufragte, das die Wirtin, vielleicht um sich ihres Mieters fester zu versichern, mit beinah komischer Sorgfalt in eine blaue Glasvase mit Silberrand hineingestellt hatte. Nirgends ein Zollbreit Platz. Zu dem allen kam in ebendiesem Augenblick auch noch der Kaffee; Gordon nahm schnell eine Schale voll und setzte dann das Tablett auf den Bücherschrank.

»Und nun sollt ich wohl«, hob er an, »in diesem Chaos Ordnung stiften. Aber ich war so lange nicht in Berlin, wenigstens nicht mit Muße, daß ich ein Recht habe, mich als einen Fremden anzusehen. Und für einen Fremden ist es immer das erste, daß er sich ein Kissen aufs Fensterbrett legt und die Häuser und Menschen ansieht.«

Und damit trat er wirklich ans Fenster und sah hinaus.

»Aber Häuser und Menschen in der Lennéstraße! Da hätt ich mir freilich einen anderen Stadtteil und vor allem ein anderes Visavis suchen müssen. Alles ist so still und verkehrslos hier, als ob es eine Privatstraße wäre mit einem Schlagbaum rechts und links. Sei's drum; man muß die Feste nehmen, wie sie fallen, und die Straßen auch. Im übrigen wird sich schon was finden, das der Betrachtung aus der Vogelperspektive wert wäre. Das an der Ecke da, das muß der Schneckenberg sein – Erinnerung aus meinen Collègetagen her –, und wenn ich Glück habe, seh ich auch noch ein Stück von dem Schaperschen Goethe. Wahrhaftig, da blitzt so was zwischen den Bäumen; – au fond sind Bäume besser als Häuser, und ein bißchen Publikum wird sich auch noch einstellen. Wo Bänke stehen, stehen auch Menschen in Sicht. Als ich Berlin Ende Mai passierte, schien der Tiergarten, speziell hier herum, aus lauter roten Kopftüchern und blauweißen Kinderwagen zu bestehen, und wenn erst die Mittagssonne wieder brennt, werden auch die roten Kopftücher wieder da sein. Und vielleicht auch die zugehörige Soldateska. Bis dahin muß ich mich mit dem Schlangenungetüm begnügen, das da, zehn Ellen lang, im Grase liegt. Ah, jetzt blitzt der Strahl über den Rasen hin.«

Er sah noch eine Weile dem Spritzen zu, freute sich, wie sich das Sonnenlicht in den Tropfen brach, und gab dann seinen Fensterplatz wieder auf, um endlich Ordnung zu schaffen. Rüstig ging er ans Werk und mußte lachen, als der Kleiderschrank bei jeder Berührung seiner Holzriegel quietschte. »Noch ganz die alte Zeit. So quietschten sie früher auch. Aber Berlin wird Weltstadt.«

Und während er so sprach, flogen die Kästen auf und zu, bis,

nach Ablauf einer Stunde, nicht bloß die Stiefel aller Arten und
Grade blank aufmarschiert in einer Ecke standen, sondern auch
die Bürsten und sonstigen Reinigungsapparate des zivilisierten
Menschen ihren richtigen Platz gefunden hatten.

Er ruhte sich einen Augenblick und machte dann Toilette.

»Wohin? Alte Freunde besuchen, die vielleicht keine mehr
sind? Immer mißlich. Also neue, das heißt mit andern Worten
die St. Arnauds. Denn andre hab ich nicht. Aber sind sie da?
Daß ich sie vor acht Tagen auf der langweiligen Insel nicht finden konnte, beweist nicht, daß sie zurück sein müssen. Sie können sich statt für Norderney mindestens ebensogut für Helgoland
oder Scheveningen entschieden haben. Eins ist wie das andre.
Aber mit oder ohne Chance, jedenfalls kann ich einen Versuch
machen.«

Und er nahm Hut und Stock, um in der St. Arnaudschen Wohnung vorzusprechen.

*

Diese war auf dem Hafenplatze, so daß der einzuschlagende
Weg erst durch ein Stück Königgrätzer Straße, demnächst aber
über den Potsdamer Platz führte, der auch heute wieder wegen
Kanalisation und Herstellung eines Inselperrons unpassierbar
war. Wenigstens in seiner Mitte. So mußte Gordon denn an der
Peripherie hin sein Heil versuchen, was ihn freilich nur in neue
Wirrnisse brachte. Denn es war gerade Markt heute, der, wie
gewöhnlich an dieser Stelle, zwischen Straßendamm und Häu-
serfront abgehalten wurde. Hier saßen die Marktfrauen in einer
Art Defilee »gekeilt in drangvoll fürchterliche Enge«, durch
welche Gordon nun hindurch mußte. Wirklich, das war nichts
Leichtes, aber so schwer es war, so vergnüglich war es auch, und
auf die Gefahr hin, überrannt zu werden, blieb er stehen und
musterte die Szenerie. Weithin standen die Himbeertienen am
Trottoir entlang, nur unterbrochen durch hohe, kiepenartige
Körbe, daraus die Besinge blauschwarz und zum Zeichen ihrer
Frische noch mit einem Anfluge von Flaum hervorlugten. In
Front aber, und zwar als besondere Prachtstücke, prangten un-
förmige verspätete Riesenerdbeeren auf Schachtel- und Kisten-
deckeln, und dazwischen lagen Kornblumen und Mohn in ganzen Bündeln, auch Goldlack und Vergißmeinnicht, samt langen
Bastfäden, um, wenn es gewünscht werden sollte, die Blumen in
einen Strauß zusammenzubinden. Alles primitiv, aber entzük-

kend in seiner Heiterkeit und Farbe. Gordon war ganz hingenommen davon, und erst, als er sich satt gesehen und ein paar kräftige Atemzüge getan hatte, ging er weiter, um, an der Köthenerstraßen-Ecke rechts einbiegend, auf den Hafenplatz zuzuschreiten.

»Sie werden in dem Diebitschen Hause wohnen. Etwas Alhambra, das paßt ganz zu meiner schönen Cécile. Wahrhaftig, sie hat die Mandelaugen und den tief melancholischen Niederschlag irgendeiner Zoë oder Zuleika. Nur der Oberst, bei allem Respekt vor ihm, stammt nicht von den Abenceragen ab; am wenigsten ist er der poetische letzte von ihnen. Wenn ich ihn à tout prix in jenen maurischen Gegenden unterbringen soll, so ist er entweder Abdel-Kader in Person oder ein Rifpirat von der marokkanischen Küste.«

Während er noch so vor sich hin plauderte, stand er vor dem St. Arnaudschen Hause, das aber, wie die Nummer jetzt auswies, nicht das Haus mit der Alhambrakuppel, sondern ein benachbartes von kaum minderer Eleganz war, wie gleich sein Eintritt ihm zeigen sollte. Die Stufen waren mit Teppich, das Geländer mit Plüsch belegt, während die buntbemalten Flurfenster ein mattes Licht gaben. Eine Treppe hoch angekommen, las er: »Oberst von St. Arnaud.«

Er klingelte. Niemand aber kam.

»Also noch verreist. Ich will's aber doch noch einmal versuchen. Solange die Herrschaften nicht da sind, sitzen die Dienerschaften auf den Ohren.«

Und er klingelte wieder.

Wirklich, ein hübsches Mädchen kam, eine Jungfer, etwas verlegen. Sie schien in einer intimen Unterhaltung gestört worden zu sein oder doch mindestens in ihrer Toilette.

»Die gnädige Frau schon zurück?«

»Erst heut über acht Tage.«

»Von Norderney?«

»Nein. Von dem Gut.«

»Ah, von dem Gut«, sagte Gordon, als ob er wisse, daß ein solches existiere. Dann ging er wieder, nachdem er sein Bedauern ausgesprochen hatte, die Herrschaften verfehlt zu haben.

»Also noch auf dem Gut. Das will sagen: auf dem Gute der *Frau*. Denn Obersten haben keine Güter. Es gibt zwar Dotationen, aber die kommen erst später, wenn sie überhaupt kommen.«

Und damit trat er wieder auf den Platz hinaus.

Achtzehntes Kapitel

Erst in einer Woche sollte Cécile von dem Gute zurückkehren. Das erschien Gordon eine lange Zeit, und die Tage wollten kein Ende nehmen, noch weniger die Abende, was ihm Veranlassung gab, es mit dem Theater zu versuchen. Aber er empfand wieder ganz die Wahrheit dessen, was ihm einst ein Freund über Theater und Theaterbesuch gesagt hatte: »Man muß *oft* hingehen, um Vergnügen daran zu finden; wer selten hinkommt, leidet unter der Unwahrheit dessen, was er sieht.« Er gab also den Theaterbesuch wieder auf, vielleicht rascher, als recht und billig war, und mußte es schließlich noch als ein besonderes Glück ansehen, in dem ihm nahe gelegenen Hotel du Parc einen ihm zusagenden Platz für Unterbringung seiner Abende zu finden. Er saß hier oft halbe Stunden lang und länger in dem schmalen Glaspavillon und las entweder die Zeitungen oder plauderte mit dem Wirt.

Eines Abends traf er in ebendiesem Glaspavillon auch die beiden Berliner wieder, die vom Hotel Zehnpfund her ihm noch gut in der Erinnerung waren, und er würde sicherlich nicht versäumt haben, sie zu begrüßen, wenn sie nicht in Begleitung ihrer Damen gewesen wären, die, nachdem ihnen ganz ersichtlich Gordons Name zugetuschelt worden war, sofort Anstandsgesichter aufsetzten und jeden Versuch ihrer Ehemänner zu Fortführung einer unbefangenen oder gar heiter ungenierten Unterhaltung energisch ablehnten. In dieser gekünstelten Würde verharrten sie denn auch bis zuletzt und brachen, nachdem sie sich gegen den sie begleitenden und ihnen bekannten Wirt nur im letzten Moment noch mit verstecktem Lächeln verbeugt hatten, unter entsprechender Pomphaftigkeit auf.

»Kannten Sie die Herrschaften?« fragte Gordon. »Ich war im Juni mit ihnen in Thale zusammen; das heißt mit den beiden Herren. Da waren sie ganz anders: etwas laut, etwas sonderbar, so berlinisch.«

»Ja«, lachte der Wirt. »Das ist immer so. Richtige Berliner gibt es eigentlich nur noch draußen und auf Reisen. Zu Hause sind sie ganz vernünftig.«

»Besonders, wenn die Frauen dabei sind.«

»Ja, dann besonders.«

*

Zwei Tage später war die Zeit um, wo die St. Arnauds zurück sein wollten, und Gordon zählte jetzt die Stunden, um am Hafenplatz wieder vorzusprechen. Er bezwang sich aber und ließ abermals vier Tage vergehen, eh er sich anschickte, seinen Antrittsbesuch zu machen.

Diesmal nahm er seinen Weg am Wrangelbrunnen und der Matthäikirche vorbei, welchen Umweg er nur der längeren Vorfreude halber wählte.

»Nun aber ist es Zeit.« Und damit bog er vom Schöneberger Ufer her links ein und passierte gleich danach die kleine, hier noch aus älterer Zeit her den Verkehr nach dem Hafenplatz hin vermittelnde Dreh- und Gitterbrücke. Schon von fern her sah er nach der Beletage hinauf und nahm nicht ohne Sorge wahr, daß die zusammengesteckten Gardinen nach wie vor die ganze Fensterbreite verdeckten. Als er aber die Treppe hinaufstieg und den letzten Absatz derselben glücklich erreicht hatte, ließ ihm die den Türrahmen einfassende Laubgirlande keinen Zweifel mehr, daß die Herrschaften zurückgekehrt sein müßten. Oben angekommen, fuhr er mit leiser Hand über das schon halb trockene Laub hin und sagte, wie wenn er an dem Raschelton die Zeit gemessen habe: »Drei Tage.«

Nun erst zog er die Glocke. Dasselbe nach Wesen und Sprechart oberschlesische Mädchen erschien wieder, das ihm schon bei seinem ersten Besuche geöffnet hatte, diesmal mit bemerkenswerter Raschheit. Er nannte seinen Namen, und einen Augenblick später kam Antwort: »Die gnädige Frau lasse bitten.«

Gordon folgte den Korridor entlang bis an den sogenannten Berliner Saal, an dessen Schwelle Cécile bereits stand und ihn begrüßte. Sie sah frischer und jugendlicher aus als in Thale, welchen Eindruck ein helles Sommerkostüm noch steigerte. Gordon war wie betroffen, und einer fast ans Sentimentale streifenden Empfindung hingegeben, nahm er ihre Hand und küßte sie mit Devotion.

»Herzlich willkommen«, sagte sie. »Und vor allem schönen Dank für Ihren Brief; er hat mir so wohlgetan. Und wie liebenswürdig, daß Sie Wort halten und unserer gedenken.«

Gordon erwiderte, daß er vor zehn Tagen schon nachgefragt habe.

»Susanne hat uns davon erzählt. Und die Beschreibung, die sie machte, war so gut, daß St. Arnaud und ich gleich auf Sie rieten. Aber nun vor allem Pardon, daß ich Sie nicht in unseren Glanzräumen empfange. Wir sind noch wie zu Gast bei uns selbst und beschränken uns auf ein paar Hinterzimmer. Ein Glück, daß wir wenigstens einen leidlich repräsentablen Gartenbalkon haben. Übrigens finden Sie Besuch. Erlauben Sie, daß ich voraufgehe.«

Gordon verneigte sich, und einen Augenblick später traten beide nach Passierung eines schon im Seitenflügel gelegenen und mit Philodendrons und anderen Blattpflanzen fast überfüllten Raumes auf einen Vorbau hinaus, der, aus Stein aufgeführt, mehr einem nach vorn hin offenen Zimmer als einem Balkon glich. Eiserne Stühle samt Tisch und Etagere standen umher, während auf einer mit Kissen belegten Gartenbank ein alter Herr mit schneeweißem Haar saß, der sich, als er Gordons gewahr wurde, von seinem Platz erhob.

»Erlauben mir die Herren, Sie miteinander bekannt zu machen: Herr von Leslie-Gordon, Herr Hofprediger Dr. Dörffel. Aber nun, wenn ich bitten darf, placieren wir uns. Der Stuhl in der Ecke da ... wahrscheinlich verstaubt ... aber gleichviel, helfen Sie sich, so gut es geht. Und nun, Herr von Gordon, bitt' ich, Ihnen ein Glas von diesem Montefiascone einschenken zu dürfen. Oder der Herr Hofprediger übernimmt es vielleicht; er hat ruhige Nerven und eine sichere Hand, während ich immer noch das Fingerzittern habe; Meer- und Gebirgsluft haben mir gleichmäßig die Hilfe versagt. Aber nichts von solch unerfreulichen Dingen. Ihr Wohl, Herr von Gordon.«

»Und das Ihre, meine gnädige Frau.«

Cécile dankte. »Erinnern Sie sich noch des Tages, wo wir das letzte Mal so zusammensaßen?«

»Oh, wie könnt ich des Tages je vergessen.«

Und er begann nun den Reim zu zitieren, worin Rosa von der »Perlen schönster Perle« gesprochen hatte.

Cécile ließ ihn aber nicht aussprechen und sagte: »Nein, Herr von Gordon, Sie dürfen mich nicht in Verlegenheit bringen und am wenigsten hier vor meinem väterlichen Freunde. Ja, die Schmerlen und der Rodensteiner. Und als dann die Turner aufmarschierten! Es war so reizend. Aber das Reizendste von allem ist doch, daß wir in diesem Augenblicke darüber sprechen und den Herrn Hofprediger nicht nur in unsere gemeinschaftlichen glücklichen Erinnerungen einweihen, sondern auch auf Verständnis rechnen können. Denn er hat selber ein gut harzisch Herz und ist ein Quedlinburger, wenn ich nicht irre.«

»Nein, meine gnädigste Frau, nur ein Halberstädter.«

»Nur, nur«, lachte Gordon. »Jedenfalls beneid ich den Herrn Hofprediger um seine Geburtsstätte.«

»Zuletzt ist jeder Platz gerade gut genug, um darauf geboren zu werden.«

»Gewiß. Aber doch der eine vor dem andern. Und wenn ich Lübeck gewählt oder Wismar oder Stralsund, weil ich die Hansa-Passion habe. Gleich nach der Hansa aber kommt der Strich von Halberstadt bis Goslar. Und als drittes erst kommt Thüringen.«

Der Hofprediger reichte Gordon die Hand und sagte: »Darauf müssen wir noch eigens anstoßen: erst Hansa, dann Harz und dann Thüringen. Mir aus der Seele gesprochen, trotzdem es fast sakrilegisch ist. Denn ein richtiger lutherischer Geistlicher muß eigentlich auch zur Luther-Gegend halten.«

»Gewiß, zur Luther-Gegend, die die Dioskuren von Weimar uns gleich noch als Zugabe bringt. Aber der Harz hat nun mal meine ganz besonderen Sympathien, und ich liebe jedes harzische Lied und jede harzische Sage, von Buko von Halberstadt an bis zu des Pfarrers Tochter . . .«

». . . von Taubenhayn«, ergänzte der Hofprediger. Aber im selben Augenblicke wahrnehmend, daß Cécile, wie bei jedem unpersönlich bleibenden Gespräche, voll wachsender Abspannung dreinsah, brach er rasch ab oder mühte sich wenigstens, auf etwas Näherliegendes einzulenken. »Ja, der Harz!« fuhr er fort. »Wir sind ganz d'accord, Herr von Gordon. Und nun gar mein liebes altes Halberstadt, von dem ich mit dem König von Thule singen möchte, ›es ging ihm nichts darüber‹ – so sehr häng ich daran. Und doch, wenn ich mich umtun und einen Fleck Erde nennen sollte, der vielleicht angetan wär, ihm in meinem Herzen den Rang streitig zu machen, so wär es unser gutes Berlin. Und worin den Rang streitig macht? Just in dem, was ihm am meisten abgesprochen wird, in landschaftlicher Schönheit. Bitte, treten Sie heran, Herr von Gordon, hier an diese Brüstung, und dann urteilen Sie selbst. Wenn Sie den ganzen Harz auf den Kopf stellen, so fällt, so schön er ist, kein Stück Erde heraus wie *das* hier.«

Und wirklich, er durfte so sprechen, denn was sich da, vom ersten Herbste kaum angeflogen, zu Füßen des Balkons ausbreitete, war eine Art Föderativstaat von Gärten, zwanzig oder mehr, die, durch niedrige, kaum sichtbare Heckenzäune voneinander getrennt, ein einziges großes Blumenkarree bildeten: Astern in allen Farben, aus denen Rondells von Canna idica emporblühten. Die Mittagssonne blitzte dazwischen, und auf einer ihnen gegenübergelegenen Veranda standen Damen im Gespräch und fütterten Tauben, die von einem Nachbarhofe her auf die jenseitige Balkonbrüstung geflogen waren.

»Insel der Seligen«, sagte Gordon vor sich hin und bedauerte doch schon im selben Augenblicke, das Wort gesprochen zu haben, weil er wahrnahm, wie peinlich Cécile davon berührt wurde. Doch es ging vorüber, und sich rasch wieder in ihre gute Laune zurückfindend, sagte sie: »Wissen Sie, daß ich all die Zeit über an den alten Emeritus und den Professor mit dem sonderbaren Namen gedacht habe. Braunschweig oder Anhalt war das ewige Thema. War es nicht so? Und nun ist Harz oder Thüringen das erste Gespräch, das ich Sie führen höre. Nein, mein Herr Professor ›Aus dem Grunde‹, zu dem Behufe wollen wir uns nicht wiedergesehen haben.«

Gordon versprach feierlichst Besserung, fragte nach dem Obersten und zuletzt auch nach Rosa, und ob Nachrichten von ihr eingetroffen seien, was bejaht wurde. Dann erhob er sich, verneigte sich mit vieler Artigkeit gegen den Hofprediger und empfahl sich, während Cécile nach dem Diener klingelte.

*

»Nun«, fragte Cécile, »welchen Eindruck haben Sie von ihm empfangen?«

»Einen guten.«

»Ohne Einschränkung?«

»Fast. Er ist klug und gewandt und, wie ich glaube, von untadliger Gesinnung.«

»Aber?«

»Er hat, so lebhaft und sanguinisch er ist, einen eigensinnigen Zug um den Mund und ist mutmaßlich fixer Ideen fähig. Ich fürchte, wenn er sich etwas in den Kopf gesetzt hat, so will er auch mit dem Kopf durch die Wand. Das Schottische spukt noch in ihm nach. Alle Schotten sind hartköpfig.«

»Ich habe ihn umgekehrt immer nachgiebig gefunden und überaus leicht zu behandeln.«

»Ja, alltags und in kleinen Dingen.«

Cécile schwieg sichtlich verstimmt, weshalb der Hofprediger einlenkend fortfuhr: »Im übrigen, meine gnädigste Frau, dürfen Sie Bemerkungen wie diese nicht ernsthafter nehmen, als sie gemacht werden. Alles, was ich gesagt habe, sind Sentiments und Mutmaßungen. Ich bin Hofprediger, aber nicht Prophet, auch nicht einmal von den kleinen. Und wenn ich recht hätte? Was bedeutet Eigensinn? Unser Leben ist voller Fallgruben, und wer in die des Eigensinns fällt, fällt noch immer nicht sonderlich tief. Da gibt es ganz andere. Herr von Gordon, wenn mich nicht alles täuscht, ist ein Mann von Grundsätzen und doch zugleich frei von Langweil und Pedanterie. Man erkennt unschwer den Mann, der die Welt gesehen und die kleinen Vorurteile hinter sich geworfen hat. So recht eine Bekanntschaft, wie Sie sie brauchen. Denn es bleibt bei meinem alten Satze: Sie verbringen Ihr Leben einsamer, als Sie sollten.«

»Im Gegenteil, nicht einsam genug. Was sich Gesellschaft nennt, ist mir alles Erdenkliche, nur kein Trost und keine Freude.«

»Weil die Gesellschaft, die sich Ihnen bietet, hinter Ihren Ansprüchen zurückbleibt. Sie lächeln, aber es ist so, meine gnädigste Frau. Was Sie brauchen, sind unbefangene Menschen: Menschen, die die Sprache zum Ausplaudern, nicht aber zum Kaschieren der Dinge haben. Und zu diesen Unbefangenen zählt Herr von Gordon. So wenigstens ist der Eindruck, den ich von ihm empfangen habe. Pflegen Sie seine Bekanntschaft, und er wird Ihnen das Licht und die Freude geben, die Sie so schmerzlich vermissen.«

Sie schüttelte den Kopf.

Er aber nahm teilnehmend ihre Hand und sagte: »Was ist es wieder, meine liebe gnädigste Frau? Sie müssen diese Melancholie von sich abtun. Es gehört nicht zu den Machtmitteln unserer Kirche, den Himmel aufzuschließen und seligzusprechen. Aber so wir nur den rechten Glauben haben, so trägt unser Heiland unsere Schuld. Diese freudige Gewißheit haben wir, und Sie dürfen sich nicht mit Vorstellungen quälen, die darauf aus sind, diese Gewißheit immer wieder in Frage zu stellen. Ich weiß wohl, was diesen Ihren beständigen Zweifeln zugrunde liegt, es ist das, daß Sie, vor Tausenden, in Ihrem Herzen demütig sind. Und diese Demut soll Ihnen bleiben. Aber es ist doch zweierlei: die Demut vor Gott und die Demut vor den Menschen. In unserer Demut vor Gott können wir nie zu weit gehen, aber in unserer Demut vor den Menschen können wir mehr tun, als nötig. Und Sie tun es. Es ist freilich ein schöner Zug und ein sicheres Kennzeichen edlerer Naturen, andere besser zu glauben als sich selbst, aber wenn wir diesem Zuge zu sehr nachhängen, so verfallen wir in Irrtümer und schaffen weit über uns selbst hinaus allerlei Schädigungen und Nachteile. Damit sprech ich dem Hochmute nicht das Wort. Wie könnt ich auch? Ist doch Hochmut das recht eigentlich Böse, die Wurzel alles Übels, fast noch mehr als der Geiz, und hat denn auch die Engel zu Fall gebracht. Aber zwischen Hochmut und Demut steht ein drittes, dem das Leben gehört, und das ist einfach der Mut.«

Er hatte sich erhoben, und beide waren an die Balkonbrüstung getreten, von der aus sie jetzt die stille, vor ihnen ausgebreitete Blumenwelt überblickten. Eine Weile schwiegen sie. Dann sagte Cécile: »Mut! Vielleicht hätt ich ihn, wenn ich nicht in trüben Ahnungen steckte. Die mir jetzt zurückliegenden glücklichen Tage, welchem Umstande verdanke ich sie? Doch nur dem, daß *er*, den Ihre Güte mir zum Freunde geben möchte, sieben Jahre lang draußen in der Welt war und ein Fremder in seiner eigenen Heimat geworden ist. Er weiß nichts von der Tragödie, die den Namen St. Arnauds trägt, und weiß noch weniger von dem, was zu dieser Tragödie geführt hat. Aber auf wie lange noch? Er wird sich rasch hier wieder einleben, alte Beziehungen anknüpfen, und eines Tages wird er alles wissen. Und an demselben Tage...«

Sie brach hier ab und schien einen Augenblick zu schwanken, ob sie weitersprechen solle. Dann aber fuhr sie voll wachsender Erregung fort: »Ja, mein Freund, er wird eines Tages alles wissen, und an demselben Tage wird auch der heitere Traum, den ich träumen soll, zerronnen sein. Und, daß ich es sagen muß, ein Glück, *wenn* er zerrinnt. Denn wenn er jemals Gestalt gewönne...«

»Dann? Was dann, meine gnädigste Frau?«

»Dann wäre jeder Tag ein Bangen und eine Gefahr. Denn es verfolgt mich ein Bild, das ich nicht wegschaffen kann aus meiner Seele. Hören Sie. Wir gingen, als wir noch in Thale waren, St. Arnaud und ich und Herr von Gordon, eines Spätnachmittags an der Bode hin und plauderten und bückten uns und pflückten Blumen, bis mich plötzlich ein glühroter Schein blendete. Und als ich aufsah, sah ich, daß es die niedergehende Sonne war, deren Glut durch eine drüben am andern Ufer stehende Blutbuche fiel. Und in *der* Glut stand Gordon und war wie davon übergossen. Und sehen Sie, das ist das Bild, von dem ich fühle, daß es mir eine Vorbedeutung war und wenn nicht eine Vorbedeutung, so doch zum mindesten eine Warnung. Ach, mein Freund, suchen wir ihn nicht zu halten: wir halten ihn nicht zu seinem und meinem Glück. Sie sind der einzige, der es wohl mit mir meint, der einzige, der reinen Herzens ist, und ich beschwöre Sie, helfen Sie mir alles in die rechten Wege bringen, und, vor allem, beten Sie mir das Grauen fort, das auf meiner Seele liegt.

Sie sind ein Diener Gottes, und Ihr Gebet muß Erhörung finden.«

Sie war unter diesen Worten in ein nervöses Fliegen und Zittern verfallen, und der Hofprediger, der wohl wußte, daß ihr, wenn diese hysterischen Paroxismen kamen, einzig und allein durch ein Ab- und Überleiten auf andere Dinge hin und, wenn auch *das* nicht half, lediglich durch eine fast rücksichtslose Herbheit zu helfen war, sagte, während er sie bis an ihren Platz zurückführte: »Dieser Überschwang der Gefühle, meine gnädigste Frau, das ist recht eigentlich der böse Feind in Ihrer Seele, vor dem Sie sich hüten müssen. Das ist nicht Ihr guter Engel, das ist Ihr Dämon. Überschwenglichkeiten, die sich ins Religiöse kleiden, ohne religiös zu sein, haben keine Geltung vor Gott, ja, nicht einmal vor dem Papste. Wovon ich mich selbst einmal überzeugen durfte.«

Der nüchterne Ton, in dem er dies sagte, machte sie stutzen, aber eine gute Wirkung, an der die Neugier einigen Anteil haben mochte, war doch für den sie scharf beobachtenden Hofprediger unverkennbar, und so nahm er denn aufs neue herzlich und zutunlich ihre Hand und wiederholte: »Ja, meine gnädigste Frau, nicht einmal vor dem Papste, wovon ich mich selbst einmal überzeugen konnte. Vielleicht erinnern Sie sich, daß ich Hauslehrer und dann Reisebegleiter bei dem jungen Grafen Medem war und mit ihm nach Rom ging. Als wir daselbst eines Tages zu Schiff nach Terracina wollten, traf es sich, daß auch der Papst, der alte Gregor XVI., dieselbe Reise machte, damals schon ein hoher Siebziger. Ich seh ihn noch, wie er über die Schiffbrücke kam und, umgeben von seinen Dienerschaften, auf ein Zeltdach zuschritt, das man eben in der Nähe des Steuers für ihn aufstellte. Kaum aber, daß er sich hier placiert hatte, so drängte sich auch schon eine die Fahrt mitmachende Frau durch alle Dienerschaften hindurch, warf sich vor ihm nieder und umfaßte seine Knie. Sie war augenscheinlich aus der Campagna nach der Stadt gekommen und rief jetzt, unter fortwährenden heftigen Selbstanklagen, die Vergebung des Heiligen Vaters an. Der ließ sie denn auch eine Weile gewähren, als es aber andauerte, trat er zuletzt an den Schiffsrand und sagte kalt und abwehrend: ›Una entusiasta‹.«

Cécile starrte verwirrt und verstimmt vor sich hin, war aber doch sichtlich aus dem Bann ihrer Ängste heraus, und so durfte denn der Hofprediger in einem mit jedem Augenblicke freundlicher werdenden Tone fortfahren: »Und nun zürnen Sie mir nicht, meine gnädigste Frau, wegen eines Mangels an Rücksichtnahme. Kenn ich doch Ihren beweglichen und im letzten auch gesunden Sinn und weiß deshalb, Sie werden sich endgültig aufrichten an dieser Geschichte. Die Heilslehren existieren und sollen uns Brot und Wein des Lebens sein. Aber sie sind nicht ein Schlagwasser oder Riechsalz, um uns in jedem beliebigen Momente plötzlich aus unserer Ohnmacht aufzuwecken. Es gibt auf diesem Gebiete nichts Plötzliches, sondern nur ein Allmähliches; auch die geistige Genesung ist ein stilles Wachsen, und je tiefer Sie sich mit dem Glauben an den Erlösertod Jesu Christi durchdringen, desto sicherer und fester wird in Ihnen der Frieden der Seele sein.«

Neunzehntes Kapitel

Während der Hofprediger mit Cécile dies Gespräch führte, schlenderte Gordon am andern Kanalufer auf seine Wohnung zu, bog aber, als er auf diesem Rückwege die Pfeiler der die Straße kreuzenden Eisenbahnbrücke passiert hatte, zunächst nach links hin in einen wenig belebten Weg ein, um hier, am Potsdamer Bahndamm entlang, ungehindert seinen Gedanken nachhängen zu können. Ahnungslos hinsichtlich des Stimmungsumschlages, der sich, nachdem er den Balkon verlassen, im Gemüte seiner Freundin vollzogen hatte, war das ihn beherrschende Gefühl lediglich ein freudiges Staunen über die vorgefundene Wandlung zum Guten und Gesunden hin. Ja, die Cécile seiner Thalenser Tage war eine schöne, trotz aller Melancholie beständig nach Huldigungen ausschauende Dame gewesen, während die Cécile von heut eine heitere, lichtvolle Frau war, vor der der Roman seiner Phantasie ziemlich schnell zu verblassen begann.

»Was bleibt übrig? Ich glaube jetzt klar zu sehen. Sie war sehr schön und sehr verwöhnt, und als der Prinz, auf den mit Sicherheit gerechnet wurde, nicht kommen wollte, nahm sie den Obersten. Und ein Jahr später war sie nervös, und zwei Jahre später war sie melancholisch. Natürlich, ein alter Oberst ist immer zum Melancholischwerden. Aber das ist auch alles. Und schließlich haben wir nichts als eine Frau, die, wie tausend andere, nicht glücklich und auch nicht unglücklich ist.«

Unter solchem Selbstgespräch war er bis an die Bülowstraße gekommen und wollte sich eben unter Benutzung derselben in weitem Bogen wieder zurück nach dem Tiergarten schlängeln, als er in einiger Entfernung eines Begräbniszuges gewahr wurde, der nach dem Matthäikirchhof hinaus wollte. Der gelbe, mit Kränzen überdeckte Sarg stand auf einem offenen Wagen, in dessen Front ein schmales, silbernes Kreuz beständig hin und her schwankte. Hinter dem Wagen kamen Kutschen und hinter den Kutschen ein ansehnliches Trauergefolge. Gordon wäre gern ausgewichen, aber der gehabten Anwandlung sich schämend, blieb er und ließ den Zug an sich vorbeipassieren. »Es ist nicht gut, die Augen gegen derlei Dinge zu schließen, am wenigsten, wenn man eben Luftschlösser baut. Der Mensch lebt, um seine Pflicht zu tun und zu sterben. Und das zweite beständig gegenwärtig zu haben, erleichtert einem das erste.«

*

Gordon wuchs sich rasch wieder in Berlin ein und war nur verwundert, nach wie vor keinen Brief aus Liegnitz eintreffen zu sehen, auch nicht, als er die saumselige Schwester gemahnt hatte. Seine Verwunderung aber war nicht gleichbedeutend mit Verstimmung; vielmehr gestand er sich, alles in allem nie glücklichere Tage verlebt zu haben. Auch nicht in Thale. Wenn es sein konnte, sprach er täglich bei seiner Freundin vor und erneuerte dabei die freundlichen, gleich bei seinem ersten Besuche gehabten Eindrücke. Was ihn einzig und allein störte, war das, daß er sie nie allein fand. Mitte September traf Céciles jüngere Schwester auf Besuch ein und wurde ihm als »meine Schwester Kathinka« vorgestellt. Bei diesem Vornamen blieb es. Sie war um mehrere Jahre jünger und ebenfalls sehr schön, aber ganz oberflächlich und augenscheinlich mehr nach Verhältnissen als nach Huldigungen ausblickend. Cécile wußte davon und schien erleichtert, als die Schwester wieder abreiste. Der Besuch hatte nur wenig über eine Woche gedauert und war niemandem zu rechter Befriedigung gewesen. Auch Gordon nicht. Desto größere Freude hatte dieser, als er eines Tages Rosa traf und von ihr erfuhr, daß sie verhältnismäßig häufig im St. Arnaudschen Hause vorspreche, weshalb es eigentlich verwunderlich sei, sich bis dahin noch nicht getroffen zu haben. Das müsse sich aber ändern, womit niemand einverstandener war als Gordon selbst. Und zu dieser Änderung kam es denn auch; man sah sich öfter, und erschien bei diesen Begegnungen auch noch der in der benachbarten Linkstraße wohnende Hofprediger, so steigerte sich der von Rosas Anwesenheit beinah unzertrennliche Frohsinn, und vom Harz und seinen Umgebungen schwärmend, erging man sich in Erinnerungen an Roßtrappe, Hotel Zehnpfund und Altenbrak. Der Oberst war selten da, so selten, daß Gordon sich entwöhnte, nach ihm zu fragen. »Er ist im Klub«, hieß es einmal über das andere. Der Klub aber, um den sich's handelte, war kein militärischer, sondern ein Haute-Finance-Klub, in dem Billard, Skat und L'hombre mit beinah wissenschaftlichem Ernst gespielt wurde. Nur die Points hatten eine ganz unwissenschaftliche Höhe.

Neben Rosa war es der alte Hofprediger, der, wenn man gemeinschaftlich heimging, über diese kleineren oder größeren Inkorrektheiten Aufklärung gab, meistens vorsichtig und zurückhaltend, aber doch immer noch deutlich genug, um Gordon einsehen zu lassen, daß er es mit seinem in seinem langen Skriptum an die Schwester im halben Übermute gebrauchten »Jeu-Oberst« richtiger, als er damals annehmen konnte, getroffen habe. Teilnahme mit Cécile war, wenn er derlei Dinge hörte, jedesmal sein erstes und ganz aufrichtiges Gefühl, aber eine nur zu begreifliche Selbstsucht sorgte gleichzeitig dafür, daß dies Gefühl nicht andauerte. St. Arnaud war nicht da, das war doch schließlich die Hauptsache, das gab den Ausschlag, und weder seine Blicke noch seine spöttischen Bemerkungen konnten das Glück ihres Beisammenseins stören.

Ja, diese Septembertage waren voll der heitersten Anregungen, und Briefchen in Vers und Prosa, die von seiten Gordons beinah jeden Morgen an Cécile gerichtet wurden, sei's, um sie zu begrüßen oder ihr etwas Schmeichelhaftes zu sagen, steigerten begreiflicherweise das Glück dieser Tage. St. Arnaud seinerseits gewöhnte sich daran, diese Billettdoux auf dem Frühstückstische liegen zu sehen, und leistete sehr bald darauf Verzicht, von solcher »Mondscheinpoesie« weitere Notiz zu nehmen. Er lachte nur und bewunderte, »wozu der Mensch alles Zeit habe«; Cécile selbst, voll Mißtrauen in ihre Rechtschreibung, antwortete nur selten, wobei sie sich zurückhaltender und ängstlicher als nötig zeigte, da Gordon bereits weit genug gediehen war, um in einer mangelhaften Orthographie, wenn solche sich wirklich offenbart haben sollte, nur den Beweis immer neuer Tugenden und Vorzüge zu finden.

Zwanzigstes Kapitel

So waren vier Wochen vergangen, als Gordon an einem der letzten Septembertage eine Karte folgenden Inhalts erhielt: »Oberst von St. Arnaud und Frau geben sich die Ehre, Herrn von Leslie-Gordon zum 4. Oktober zu einem Mittagessen einzuladen. Fünf Uhr. Im Überrock. U. A. w. g.«

Gordon nahm an und war nicht ohne Neugier, bei dieser Gelegenheit den St. Arnaudschen Kreis näher kennenzulernen. Was er, außer dem Hofprediger, bis dahin gesehen hatte, war nichts Hervorragendes gewesen, ziemlich sonderbare Leute, die sich allenfalls durch Namen und gesellschaftlich sichere Haltung, aber wenig durch Klugheit und fast noch weniger durch Liebenswürdigkeit ausgezeichnet hatten. Beinahe alle waren Frondeurs, Träger einer Opposition quand même, die sich gegen Armee und Ministerium und gelegentlich auch gegen das Hohenzollerntum selbst richtete. St. Arnaud duldete diesen Ton, ohne persönlich mit einzustimmen, aber daß er ihn überhaupt zuließ, war für Gordon ein Beweis mehr, daß es keine Durchschnitts-Duellaffäre gewesen sein konnte, was den Obersten veranlaßt oder vielleicht auch gezwungen hatte, den Dienst zu quittieren. Etwas Besonderes mußte hinzugekommen sein.

Und nun war der 4. Oktober da.

Gordon, so pünktlich er erschien, fand alle Geladenen, unter denen der Hofprediger leider fehlte, schon vor und wurde, nachdem er Cécile begrüßt und ein paar Worte an diese gerichtet hatte, dem ihm noch unbekannten größeren Bruchteile der Gesellschaft vorgestellt. Der erste, dem Range nach, war General von Rossow, ein hochschultriger Herr mit dünnem Schnurr- und noch dünnerem Knebelbart, dazu braunem Teint und roten vorstehenden Backenknochen; nach Rossow folgte: von Kraczinski, Kriegsministerialoberst und polnisch-katholisch, Geheimrat Hedemeyer, hager, spitznasig und süffisant, Sanitätsrat Wandelstern, fanatischer Anti-Schweninger, und Frau Baronin von Snatterlöw. Gordon verneigte sich nach allen Seiten hin, bis er Rosas gewahr wurde, der er sich nunmehr rasch näherte. »Wir sind hoffentlich Nachbarn . . .« – »Geb es Gott.« Und nun trat er wieder an Cécile heran, um sich wegen einiger ihm vorgeworfener Unklarheiten in seinem gestrigen Morgenbillett, so gut es ging, zu verantworten.

»Ich habe die schlechte Gewohnheit«, schloß er, »in Andeutungen zu sprechen und auf Dinge hinzuweisen, die von zehn kaum einer kennt, also auch nicht versteht.«

Sie lachte. »Wie gütig Sie sind, über den eigentlichen Grund so leicht hinwegzugehen und gegen sich selbst den Ankläger zu machen. Sie wissen am besten, daß ich nichts weiß. Und nun bin ich zu alt zum Lernen. Nicht wahr, viel zu alt?«

In diesem Augenblicke wurden die Flügeltüren geöffnet, und Gordon brach ab, weil er sah, daß General von Rossow auf Cécile zukam, um ihr den Arm zu bieten. Kaczinski, Hedemeyer, Wandelstern und einige andere folgten mit und ohne Dame.

Die Plätze waren so gelegt, daß Gordon seinen Platz zwischen der Baronin und Rosa hatte.

»Gerettet«, flüsterte diese.

»Gerichtet«, antwortete er mit einem Seitenblick auf die Baronin, eine hochbusige Dame von neunundvierzig, mit Ringellöckchen und Adlernase, die sich, ärgerlich über das Geflüster zwischen Gordon und Rosa, mit Ostentation von Gordon ab- und ihrem anderen Tischnachbar zuwandte. Sie nannte das »ihre Revanche nehmen«.

Die Revanche war aber nicht von Dauer, und ehe noch das Tablett mit dem Tokaier herumgereicht wurde, setzte sie, wie das ihre Gewohnheit war, bereits höchst energisch ein und sagte mit einer ans Männliche grenzenden Altstimme: »Sie waren in Persien, Herr von Gordon. Man spricht jetzt so viel von persischer Zivilisation, namentlich seit den umfangreichen Übersetzungen Baron Schacks – jetzt Graf Schack –, eines Vetters meines verstorbenen Mannes. Ich kann mir aber nicht denken, daß diese Zivilisation viel bedeute, da persische Minister hier im Königlichen Schlosse, wenn auch freilich durch kulturelle Gebräuche dazu veranlaßt, eine ganze Reihe von Hämmeln eigenhändig geschlachtet und die Schlachtmesser an den Gardinen abgewischt haben.«

»Ich halte das für Übertreibungen, Frau Baronin.«

»Sehr mit Unrecht, mein Herr von Gordon. Ich hasse Übertreibungen, und was ich sage, ist offiziell. Übrigens mißverstehen Sie mich nicht. Ich gehöre nicht zu der Gruppe devotest ersterbender Leute, die königliche Schloßgardinen ein für allemal als ein Heiligtum ansehen. Im Gegenteil, ich hasse mißverstandene Loyalitäten. Ein freier Sinn ist das allein Dienliche, wie das allein Ziemliche. Servilismus und niedrige Gesinnung sind in meinen Augen unwürdig und hassenswert. Ein für allemal. Aber Anstand und Sitte stehen mir hoch, und blutige Messer an hellblauen Atlasgardinen abwischen, gleichviel ob dieses Horreur in königlichen Schlössern stattfindet oder nicht, ist ein Roheitsakt, den ich beinah unsittlich nennen möchte, jedenfalls unsittlicher als manches, was dafür angesehen wird. Denn auf keinem Gebiete gehen die Meinungen so weit auseinander, als gerad' auf diesem. Ich werde mich durch Sätze wie diese keinen Verkennungen Ihrerseits aussetzen, denn ich spreche zu einem Manne, der die Wandelbarkeit moralischer Anschauungen, wie sie Rasse, Bodenbeschaffenheit und Klima mit sich führen, in hundertfältiger Abstufung persönlich erfahren hat. Irr ich hierin, oder bin ich umgekehrt Ihrer Zustimmung sicher?«

»Vollkommen«, sagte Gordon, nahm aber doch die Pause, die der eben bei der Baronin erscheinende Turbot ihm gönnte, wahr, um Rosa zuzuflüstern: »Emanzipiertes Vollblut. Furchtbar.«

An der anderen Seite des Tisches wurden statt der Steinbutte Forellen präsentiert, und Cécile, die sich auf einen Augenblick von ihrem zweiten Nachbarn, dem beständig ironisierenden Geheimrat, freizumachen wußte, sagte zu Gordon über den Tisch hin: »Aber von den Forellen müssen Sie nehmen, Herr von Gordon. Es sind ja halbe Reminiszenzen an Altenbrak. ›Denn von der Forelle bis zur Schmerle‹, so wenigstens versicherte uns der alte Emeritus, ›ist nur ein Schritt‹.«

Rosa, der dieser Zuspruch mitgegolten hatte, nickte. General von Rossow aber griff das Wort auf und bemerkte mit krähender Kommandostimme: »Nur *ein* Schritt, sagen Sie, meine gnädigste Frau. Nun gut. Aber, pardon, es gibt große und kleine Schritte, und dieser Schritt ist einfach ein Riesenschritt. Ich war letztes Jahr in Harzburg: unerhörte Preise, Staub und Wind und natürlich auch Schmerlen. Ein erbärmlicher Genuß, der nur noch von seiner Unbequemlichkeit und Mühsal übertroffen wird. Es kommt gleich nach den Artischocken, ebenso langweilig und ebenso fruchtlos. Und um diesen fragwürdigen Genuß zu haben, war ich bei vierundzwanzig Grad Reaumur auf den Burgberg hinaufgestiegen.«

»Und ließen sich die Schmerlen im Freien servieren«, lachte St. Arnaud. »Im Freien und vielleicht sogar an der großen Säule mit der berühmt gewordenen Inschrift: ›Nach Kanossa gehen wir *nicht*.‹ Aber wir gehen *doch*.«

»Und gehen auch noch weiter«, fiel der Geheimrat ein, der (schon unter Mühler »kaltgestellt«) den bald darauf ausbrechenden Kulturkampf als Pamphletist begleitet, seine Wiederanstellung jedoch trotz andauernder Falk-Umschmeichlung nicht durchgesetzt hatte. »Ja, noch weiter.« Und dabei hob er seine goldene

Brille, mit der Absicht, sie zu putzen, wie das seine Gewohnheit war, wenn er einen heftigen Ausfall plante. Die Götter aber widerstritten diesem Versuche, denn der linke Brillenhaken hatte sich in einem Löckchen seiner blonden Perücke verfitzt und wollte nicht nachgeben. Unter glücklicheren und namentlich gesicherteren Toupet-Verhältnissen würd er nun freilich, aller Widerhaarigkeit zum Trotz, mit jener »Energie« vorgegangen sein, die sieben Jahre lang sein Programm und den Inhalt seiner Pamphlete gebildet hatte; dieser Sicherheit aber entbehrend, sah er sich auch *hier* gezwungen, den Verhältnissen Rechnung zu tragen und auf ein rücksichtsloses Vorgehen zu verzichten, das ihn an seiner empfindlichsten Stelle bloßgestellt haben würde. Schließlich indes war das Häkchen aus dem Toupet heraus, und mit einer Ruhe, die den Mann von Welt zeigte, nahm er seinen Satz wieder auf und sagte: »Ja, meine Herrschaften, und gehen auch noch weiter. Das heißt also bis nach Rom. Es sind dies die natürlichen Folgen der Prinzipienlosigkeit oder, was dasselbe sagen will, einer Politik von heut auf morgen, des Gesetzmachens ad hoc. Ich hasse das.«

Die Baronin, die sich in dieser Wendung zitiert glaubte, klatschte mit ihren zwei Zeigefingern Beifall.

»Ich hasse das«, wiederholte der Geheimrat, während er sich gegen die Snatterlöw verbeugte, »mehr noch, ich verachte das. Wir sind kein Volk, das seiner Natur und Geschichte nach einen Dalai-Lama ertragen kann, und doch haben wir ihn. Wir haben einen Dalai-Lama, dessen Schöpfungen – um nicht zu sagen Hervorbringungen – wir mit einer Art Inbrunst anbeten. Rund heraus, wir schwelgen in einem unausgesetzten Götzen- und Opferdienst. Und was wir am willfährigsten opfern, das ist die freie Meinung, trotzdem keiner unter uns Älteren ist, der nicht mit Herwegh für den ›Flügelschlag der freien Seele‹ geschwärmt hätte. Wie gut das klingt! Aber haben wir diesen Flügelschlag? Haben wir diese freie Seele? Nein, und wieder nein. Wir sind weiter davon ab denn je. Was wir haben, heißt Omnipotenz. Nicht die des Staates, die nicht nur hinzunehmen, die sogar zu rühmen, ja, die das einzig Richtige wäre – nein, wir haben die Omnipotenz eines einzelnen. Ich nenne keinen Namen. Aber so viel bleibt: Übergriffe sind zu verzeichnen, Übergriffe nach allen Seiten hin, und so viel Übergriffe, so viel Fehlgriffe. Freilich wer diesen Dingen, direkt oder indirekt, durch Jahrzehnte hin nahegestanden hat, der sah es kommen, dem blutete seit langem das Herz über ein System des Feilschens und kleiner Behandlung großer Fragen. Und wo die Wurzel? Womit begann es? Es begann, als man, Arnims kluge Worte mißachtend, einen Hochverräter aus ihm stempeln wollte, bloß weil ein Brief und ein Rohrstuhl fehlte. Was aber fehlte, war kein Brief und kein Rohrstuhl, sondern einfach Unterwerfung. Daran gebricht es. Arnim hatte den Mut seiner Meinung, das war alles, das war sein Verbrechen, das allein. Aber wenn es erst dahin gekommen ist, meine Herren, daß jede freie Meinung im Lande Preußen Hochverrat bedeutet, so sind wir alle Hochverräter, alle samt und sonders. Ein Wunder, daß Falk mit einem blauen Auge davongekommen ist, er, der einzige, der den Blick für die Notlage des Landes hatte, der einzige, der retten konnte. Nach Kanossa gehen wir *nicht*! O nein, wir gehen nicht, aber wir laufen, wir rennen und jagen dem Ziele zu und überliefern einer beliebigen und beständig wechselnden Tagesfrage zuliebe die große Lebensfrage des Staats an unseren Todfeind. Die große Lebensfrage des Staats aber ist unsere protestantische Freiheit, die Freiheit der Geister!«

Die Baronin war hingerissen und steigerte sich bis zu Kußhändchen. »Ihr Wohl, Herr Geheimrat! Ihr Wohl, und die Freiheit der Geister!«

Einige der zunächst Sitzenden schlossen sich an, und sehr wahrscheinlich, daß sich ein allgemeiner Toast daraus entwickelt hätte, wenn nicht der alte General ziemlich unvermittelt dazwischengefahren wäre. Der Beginn seiner Rede verfiel zwar dem Schicksal, überhört zu werden, aber mehr ärgerlich als verlegen darüber, nahm er schließlich seine ganze Stimmkraft zusammen und ruhte nicht eher, als bis er sich mit Gewalt Gehör verschafft hatte: »Sie sprechen da von der Freiheit der Geister, mein lieber Hedemeyer. Nun ja, meinetwegen. Aber machen wir nicht mehr davon, als es wert ist. Wir sind unter uns«, ein Blick streifte Gordon, »ich *hoffe* sagen zu können, wir sind unter uns, und so dürfen wir uns auch gestehen, die protestantische Freiheit der Geister ist eine Redensart.«

»Erlauben Sie...« warf Hedemeyer dazwischen.

»Ich bitte Sie, mich nicht unterbrechen zu wollen«, fuhr der alte General mit überlegener Miene fort. »Sie haben gesprochen, jetzt spreche *ich*. Ihr verflossener Falk, ich nenn ihn mit Vorbedacht *Ihren* Falk, hat es gut gemeint, darüber kann kein Zweifel sein. Aber pourquoi tant de bruit pour une omelette..«

Alles lachte, denn es traf sich, daß eine dicht mit Omeletteschnitten garnierte Gemüseschüssel in ebendiesem Augenblicke dem General präsentiert wurde.

Dieser, sonst überaus empfindlich gegen derartige Zwischenfälle, nahm diesmal die ziemlich lang andauernde Heiterkeit mit gutem Humor auf und wiederholte, während er eine der Schnitten triumphierend in die Höhe hielt: »Pour une omelette . . . Ja, wie viele Menschen, mein lieber Hedemeyer, glauben Sie denn bei dieser sogenannten Kanossa-Frage wirklich interessiert? Sehr viele sind es nicht. Dafür bürge ich Ihnen. Auf Ehre. Manches sieht man denn doch auch, ohne gerade zum Kultus zu gehören oder, pardon, gehört zu haben. Berlin hat dreißig protestantische Kirchen, und in jeder finden sich allsonntäglich ein paar hundert Menschen zusammen; ein paar mehr oder weniger, darauf kommt es nicht an. In der Melonenkirche habe ich einmal fünfe gezählt, und wenn es sehr kalt ist, sind es noch weniger. Und das, mein lieber Hedemeyer, ist genau das, was ich die protestantische Freiheit der Geister nenne. Wir können in die Kirche gehen und *nicht* in die Kirche gehen und jeder auf seine Fasson selig werden. Ja, meine Freunde, so war es immer im Lande Preußen, und so wird es auch bleiben, trotz allem Kanossa-Gerede. Das Interesse hält immer gleichen Schritt mit der Angst, und Angst ist noch nicht da. Jedenfalls ist es keine Frage, daran die Welt hängt oder auch nur der Staat. Der hängt an was ganz anderem. ›Die Welt ruht nicht sicherer auf den Schultern des Atlas, als der preußische Staat auf den Schultern seiner Armee . . .‹, so lautete das friderizianische Wort, und *das* ist die Frage, worauf es ankommt. Da, meine Herrschaften, liegt Tod und Leben. Der Unteroffizier, der Gefreite, *die* haben eine Bedeutung, nicht der Küster und der Schulmeister; der Stabsoffizier hat eine Bedeutung, nicht der Konsistorialrat. Und nun sehen Sie sich um, wie man anitzo verfährt, und unter welchen Mißgriffen und Schädigungen man zur Besetzung maßgebendster Stellen schreitet. Ich meine vom Generalmajor aufwärts. Alles, was sich dabei ›höherer Gesichtspunkt‹ nennt, ist Dummheit oder Verranntheit oder Willkür. Und in manchen Fällen auch einfach Klüngel und Clique.«

»Sie meinen . . .«

»Einfach das Kabinett. Ich habe keine Veranlassung, damit zurückzuhalten und aus meinem Herzen eine Mördergrube zu machen. Ich meine das Kabinett, das sich's zur Aufgabe zu stellen scheint, mit den Traditionen der Armee zu brechen. Wenn ich von der Armee spreche, sprech ich selbstverständlich von der friderizianischen Armee. Was uns heutzutage fehlt, und was wir brauchen wie das liebe Brot, das sind alte Familien und alte Namen aus den Stammprovinzen. Aber nicht Fremde . . .«

Kraczinski, der zwei Brüder in der russischen und einen dritten in der österreichischen Armee hatte, lächelte mit kriegsministerieller Überlegenheit vor sich hin, von Rossow aber fuhr fort: »Der Chef, trotz altem livländischen Adel, der hingehen mag, ist, von meinem Standpunkt aus, ein homo novus, der der unglückseligen Anschauung von der geistigen Bedeutung der Offiziere huldigt. Alles Unsinn. Wissen und Talent ruinieren nur, weil sie bloß den Dünkel großziehen. Derlei Allotria sind gut für Professoren, Advokaten und Zungendrescher, überhaupt für alle die, die sich jetzt Parlamentarier nennen. Aber was soll das dem Staat? Der verlangt anderes. Auf die Gesinnung kommt es an, auf das Gefühl der Zusammengehörigkeit mit dem Stammlande, das nur die haben, die schon mit am Cremmer-Damm und bei Ketzer-Angermünde waren. Aber das wird jetzt übersehen, übersehen in einer mir ganz unbegreiflichen Weise. Denn die höhere Disziplin ist lediglich eine Frage der Loyalität. Und das wissen auch die Hohenzollern. Aber weil sie nicht gerne dreinreden und allzu bescheiden sind und immer glauben, die Herren vom grünen Tisch – und die Armee hat *auch* ihren grünen Tisch – müßten es besser wissen, so lassen sie sich bereden und betimpeln. Ein erbärmlicher Zustand. Und daß es nicht zu ändern ist, das ist das Schlimmste. Napoleon konnte nicht alle Schlachten selber schlagen, und die Hohenzollern können nicht allerpersönlichst in alle Winkel der Verwaltung hineingucken. Da liegt es, mein lieber Geheimrat. Da, nur da. Kanossa hin, Kanossa her. Preßfreiheit, Redefreiheit, Gewissensfreiheit, alles Unsinn, alles Ballast, von dem wir eher zu viel als zu wenig haben.«

Cécile sah verlegen vor sich nieder. Sie kannte längst diese vom Ärger diktierte Beredsamkeit, die sie bei früheren Gelegenheiten immer nur als überflüssig, aber nicht als sonderlich störend empfunden hatte. Heute peinigte sie's, weil sie sah, was in Gordons Seele beim Anhören dieser Renommistereien vorging. Auch St. Arnaud empfand so, weshalb er es für ratsam hielt, sich der Situation zu bemächtigen und in geschickter Anknüpfung an die Rossowschen Worte »von der Bedeutung alter Familien« auf die Gordons überzugehen, die seit dem Dreißigjährigen Kriege, jedenfalls aber seit dem Schillerschen »Wallenstein« uns als unser eigenstes Eigentum angehören. Oberst Gordon, Kommandant von Eger, zähle zu den besten Figuren im ganzen Stück, und er glaube sagen zu können, die Tugenden desselben fänden sich in dem neuen Freunde seines Hauses vereinigt. Er trinke deshalb auf das Wohl seines lieben Gastes, des Herrn von Gordon.

Gordon, der wohl wußte, daß rasches Erwidern die beste, jedenfalls aber die leichteste Form des Dankes sei, nahm unmittelbar nach diesem Toaste das Wort und bat, nachdem er in einer scherzhaft durchgeführten Antithese den »Obersten St. Arnaud des 4. Oktober« dem »General St. Arnaud des 2. Dezember« gegenübergestellt und in Cécile die Lichtgestalt, die den Unterschied zwischen beiden besiegte, gefeiert hatte, das Wohl der liebenswürdigen Wirte proponieren zu dürfen.

Sein Trinkspruch war vorzüglich aufgenommen worden, am enthusiastischsten von der Baronin, die bei dieser Gelegenheit selbstverständlich nicht ermangelte, von ihrer im vorigen Sommer in Ragaz stattgehabten Promenadenbegegnung mit der Kaiserin Eugenie zu sprechen, »einer Frau, die, wenn sie, statt ihres Polisson von Gatten, das Heft in Händen gehabt hätte, Frankreich ganz anders regiert, jedenfalls aber männlicher verteidigt und höchstwahrscheinlich gerettet haben würde«.

Bald darauf wurde die Tafel aufgehoben, und als sich, nach abermals einer Minute, die gesamte Herrenwelt, mit Ausnahme des bei den Damen verbliebenen St. Arnaud, in das Rauchzimmer zurückgezogen hatte, nahm von Rossow – der vor gerade dreißig Jahren als Hauptmann im Alexander-Regiment einen schwach besuchten Kasino-Vortrag über den »2. Dezember« gehalten hatte – noch einmal in der St. Arnaud-Frage das Wort und sagte, während er den dritten ihm präsentierten Chartreuse mit einer an Grazie grenzenden Raschheit niederstürzte: »Was übrigens, mein werter Herr von Gordon, Ihre Gegenüberstellung oder meinetwegen auch Ihre Parallele betrifft, nun ja, der damalige St. Arnaud und der gegenwärtige, sie lassen sich, wenn's sein muß, vergleichen, und so viel konzedier ich Ihnen ohne weiteres, daß mit dem unseren *auch* schlecht Kirschenpflücken ist. Auch der unsere, wenn ich ihn recht beurteile, hat ein tiefes Überzeugtsein von der Gleichgültigkeit des Einzelindividuums, und daß er das Jeu liebt, wie sein berühmter Namensvetter, werden Sie mutmaßlich ebenfalls wissen. Aber der napoleonische, der anno 51 die ganze Geschichte gemacht hat, war ihm denn doch um einiges über. Ein Deubelskerl, sag ich Ihnen. Und dabei filou comme-il-faut. Unsere schöne Cécile, was Sie freilich nicht wissen konnten, läßt sich denn auch in Anbetracht all dieser Umstände nicht gern an die Namensvetterschaft erinnern; St. Arnaud selbst aber ist stolz darauf. Und kann auch. Wenn wir unruhige Zeiten kriegen – und man kann nie wissen –, so wächst er sich vielleicht noch in was hinein.

Talent hat er. Sehen Sie nur das Faunengesicht, mit dem er zu dem arrondierten kleinen Fräulein spricht. Malerin, nicht wahr? Wie heißt sie doch?«

»Fräulein Rosa Hexel.«

»Mit einem x?«

»Ja, Herr General.«

»Na, das paßt ja. Nur keine Spielverderberei. Da kommt übrigens das Tablett noch mal. Chartreuse. Den kann ich Ihnen empfehlen.«

*

Um neun Uhr brach man auf. Alles drängte sich im Korridor, und Cécile fragte die Malerin, ob der Diener eine Droschke holen solle? Rosa dankte jedoch: Herr von Gordon werde sie bis an den Platz begleiten, und dort finde sie Pferdebahn.

Unten bot ihr Gordon denn auch den Arm und sagte: »Wirklich nur bis an den Platz? Und nur bis an die Pferdebahn?«

»O nicht doch«, lachte Rosa. »Was Sie nur denken? So leicht kommen Sie nicht davon. Sie müssen mich bis nach Hause bringen, Engel-Ufer, und ich schenke Ihnen keinen Schritt. Aber sahen Sie nicht die Gesichter, als ich bloß Ihren Namen nannte? Der Geheimrat hob den Kopf, wie wenn er eine Fährte suche. Man muß es den Schandmäulern nicht zu leicht machen. Und das sind sie samt und sonders, die ganze Gesellschaft.«

»Ich fürchte, daß Sie recht haben. Aber doch alles in allem nicht übel, nicht dumm.«

»Und auch nicht uninteressant.«

»Nein, auch nicht uninteressant. Und au fond doch wieder. Es sieht alles nach was aus und klingt leidlich. Aber was ist es am Ende? Chronique scandaleuse, Malicen, Absetzen einiger Bitterkeiten. Und dann hat jeder sein elendes Steckenpferd. Der Klügste bleibt immer St. Arnaud selbst: er steht drüber und lacht. Aber dieser alte General! Ich verstehe nichts von Politik und noch weniger von Armee, wer mir aber ernsthaft versichern will, daß ein kluger General Müller allemal eine Landeskalamität und neben einem Hampel von Hampelshausen nie zu nennen sei, wer mir *das* ernsthaft versichern will, mit dem bin ich fertig, und wenn ich ihn trotz alledem interessant finden soll, so bin ich zwar dazu bereit, aber frag mich nur nicht, wie.«

»Schau, schau, Fräulein Rosa, das sprüht ja wie ein pot à feu.«

»Der ich auch bin. Und wenn ich nun gar erst von diesem

Geheimrat rede, da sprüh ich nicht bloß, da zisch ich wie eine Schlange, versteht sich: Feuerwerksschlange.«

»Und doch war vieles richtig, was er sagte.«

»Vielleicht; vielleicht auch nicht. Ich verstehe nichts davon. Aber unehrlich war es jedenfalls. Er ist ein schlechter Kerl, frivol, zynisch; und kein Frauenzimmer, und wenn es die keusche Susanne wäre, kann eine Minute lang mit ihm zusammen sein, ohne sich einer Unpassendheit ausgesetzt zu sehen. Er versteht unter ›protestantischer Freiheit‹ die Freiheiten, die er sich nimmt, und deren sind viele, jedenfalls genug. Sein ganzer Liberalismus ist Libertinage, weiter nichts. Ein wahres Glück, daß man ihn beiseitegeschoben hat. Er schreibt jetzt, natürlich pseudonym, an einer neuen Broschüre. Daß er unterhaltlich ist, will ich nicht bestreiten, aber St. Arnaud könnte was Besseres tun, als ihn auszuzeichnen und ihn neben unsere schöne Cécile zu setzen. Ich hoffe, sie duldet ihn nur. Aber auch das ist schon zu viel. Er sollte zum Islam übertreten und Afrikareisender werden. Da gehört er hin. Und irgend so was passiert ihm auch noch.«

Gordon lachte. »Bravo, Fräulein Rosa. Fehlt von den Gästen eigentlich nur noch die Snatterlöw.«

»Über die zu sprechen ich mich hüten werde. Haben Sie doch, mein werter Herr von Gordon, in aller Intimität zwei Stunden lang neben ihr gesessen, und ich sah wohl, wie sie jedesmal Ihren Arm nahm und ihn zustimmend drückte. Sie hat überhaupt etwas von einer Massagedoktorin.«

»Und Cécile?«

»Ach, die arme Frau! Es wird wohl auch nicht alles sein, wie's sein sollte. Schönheit ist eine Gefahr von Jugend auf; nicht als ob ich aus Erfahrung spräche, dafür ist gesorgt. Aber sie ist lieb und gut und viel zu schade. Gebe Gott, daß es ein gutes Ende nimmt.«

Einundzwanzigstes Kapitel

Es war spät geworden, und der Wächter patrouillierte schon durch die Lennéstraße hin, als Gordon wieder vor seiner Wohnung anlangte. Rosa hatte den ganzen Weg über fast unausgesetzt gesprochen, am meisten über St. Arnaud, auf den sie wiederholt und mit einer gewissen Teilnahme zurückgekommen war. »Er läßt viel zu wünschen übrig, und ich möcht ihn nicht zum Feind und fast ebensowenig zum Freunde haben; aber trotz alledem ist er immer noch der Beste, weil der Ehrlichste. Natürlich seine arme Frau ausgenommen. Erst gestern wurde bei Grolmans von ihm gesprochen, und wenn auch nicht gerade mit Respekt, so doch mindestens mit Bedauern. Es war ein Unglück, daß er den Dienst quittieren mußte. Blieb er in der Armee, so war alles gut oder konnt es wieder werden. Jetzt ist er verbittert, befehdet, was er früher vergöttert hat, und sitzt auf der Bank, wo die Spötter sitzen. Und das ist eine schlimme Bank. Er war ganz Soldat und ging darin auf. Nun hat er nichts zu tun und steht im Tattersall umher oder besucht den Klub, ja, fast läßt sich sagen, er lebe da. Vor Tisch liest er Zeitungen, nach Tisch spielt er Whist oder Billard; das klingt sehr harmlos, aber, wie Sie vielleicht wissen werden, es geht um Summen, die für unsereins ein Vermögen bedeuten.«

Gordon folgte jedem Wort und fragte nach *dem*, was ihn selbstverständlich am meisten interessieren mußte: nach dem Verhältnis und der Lebensweise des Ehepaares untereinander. Aber was er als Antwort darauf hörte, war im wesentlichen nur eine Bestätigung dessen, was er schon während der Harzer Sommertage beobachtet hatte. »Ja«, schloß Rosa, »sein Verhältnis zu Cécile, da hab ich kein gutes Wort für ihn. Mitunter freilich hat er seinen Tag der Rücksichten und Aufmerksamkeiten, und man könnte dann beinahe glauben, er liebe sie. Aber was heißt Liebe bei Naturen wie St. Arnaud? Und *wenn* es Liebe wäre, wenn wir's so nennen wollen, nun so liebt er sie, weil sie sein ist, aus Rechthaberei, Dünkel und Eigensinn, und weil er den Stolz hat, eine schöne Frau zu besitzen. In Wahrheit ist er ein alter Garçon geblieben, voll Egoismus und Launen, viel launenhafter als Cécile selbst. Die Ärmste hat ihr Herz erst neulich darüber zu mir ausgeschüttet. ›Er hält‹, sagte sie, ›viertelstundenlang meine Hand und erschöpft sich in Schönheiten gegen mich, und gleich danach geht er ohne Gruß und Abschied von mir und hat auf drei Tage vergessen, daß er eine Frau hat.‹«

Das und viel anderes noch ging Gordon im Kopfe herum, als er wieder in seiner Wohnung war; vor allem aber klang ihm *das* im Ohr, was Rosa gleich zu Beginn ihrer Unterhaltung gesagt hatte: »Gebe Gott, daß es ein gutes Ende nimmt.«

*

Zu guter Zeit war er auf und bei seinem Kaffee, schob aber die Zeitungen, die die Wirtin gebracht hatte, zurück. Alles Behagen unerachtet, war er in keiner Lesestimmung und beschäftigte sich nach wie vor mit dem, was ihm der gestrige Tag gebracht hatte. Die Fenster standen auf, und er sah hinaus auf den Tiergarten. Ein feiner, von der Morgensonne durchleuchteter Nebel zog über die Baumspitzen hin, die trotz der schon vorgerückten Jahreszeit kaum ein welkes Blatt zeigten; denn am Tage vorher war es windig gewesen, und das wenige, was sich bis dahin von gelbem und rotem Laube mit eingemischt hatte, lag jetzt unter den Bäumen und bildete Muster auf dem Rasenteppich. Dann und wann fuhr ein Wasserkarren langsam durch die Straße: sonst alles still, so still, daß Gordon es hörte, wenn die Kastanien aufschlugen und aus der Schale platzten.

Ein immer wachsendes Wohlgefühl überkam ihn. »Ich glaube, ich bin so glücklich, weil ich wieder in der Heimat bin. Wo war ich nicht alles? Aber solche Momente hat man nur daheim.«

Als er sich wieder zurückwandte, vernahm er deutlich, daß draußen auf dem Korridor gesprochen wurde. »Der Herr muß unterschreiben.« Und gleich danach trat der Briefträger ein. Er brachte Karten und Geschäftsanzeigen; der eingeschriebene Brief aber, über dessen Empfang quittiert werden mußte, war der langerwartete von Schwester Klothilde.

»Nun endlich.«

Gordon setzte sich in den Schaukelstuhl am Fenster, um hier con amore zu lesen.

»Mein lieber Roby. Deinen zweiten Brief, in dem Du Dich über mein Schweigen beklagst, erhielt ich gleichzeitig mit dem ersten. Ich fand beide hier vor, als ich vorgestern abend von meinen Weltfahrten nach meinem lieben Liegnitz zurückkehrte. Dein Brief aus Thale war mir selbstverständlich nach Johannesbad und, weil er mich dort nicht mehr traf, nach Partenkirchen hin nachgeschickt worden. An letzterem Orte kam er früher an als wir (*wir* heißt Kramstas und ich), was die Partenkirchner Post veranlaßte, Deinen Brief nach Liegnitz zurückzuschicken. Da hat er zwei Monate lang gelagert. Du siehst, ich bin außer Schuld.

Eine Welt von Dingen habe ich, seitdem Du hier warst, erlebt: die junge Kramsta hat sich mit einem Offizier verlobt, Helene Rothkirch ist Hofdame bei der Prinzessin Alexandrine geworden, und der alte Zedlitz hat sich wieder verheiratet. Und nun erst die jetzt zurückliegende Reise mit ihren hundert Bekanntschaften und Eindrücken! Aber ich werde mich hüten, Dir von Berchtesgaden und dem Watzmann eine lange Beschreibung zu machen, einmal, weil Dir achttausend Fuß nicht viel bedeuten können, und zweitens, weil ich annehme, daß junge Kavaliere, die sich nach einer schönen Angebeteten erkundigen, lieber von dieser Angebeteten als vom Watzmann hören wollen.«

Gordon lachte. »Ganz Klothilde. Und wie recht sie hat.«

»... Also die St. Arnauds. Nun, wir kennen sie hier recht gut, oder doch wenigstens die Vorgänge, die seinerzeit viel von sich reden machten. Es war nicht gerade das Beste, wobei Dich das eine trösten mag, daß es alles in allem auch nicht das Schlimmste war.

St. Arnaud war Oberstleutnant in der Garde, brillanter Soldat und unverheiratet, was immer empfiehlt. Man versprach sich etwas von ihm. Es sind jetzt gerade vier Jahre, daß er in Oberschlesien Oberst und Regimentskommandeur wurde. Den Namen der Garnison hab ich vergessen; übrigens auch ohne jede Bedeutung für das, was kommt. Er nahm Wohnung in dem Hause der verwitweten Frau von Zacha, richtiger: Woronesch von Zacha, in deren bloßem Namen schon, wie Dir nicht entgehen wird, eine ganze slawische Welt harmonisch zusammenklingt. Frau von Zacha war eine berühmte Schönheit gewesen; ihre Tochter Cécile war es *noch*. Jedenfalls fand es der Oberst und verlobte sich mit ihr. Vielleicht auch, daß er sich in dem Nest, das ihm die Residenz ersetzen sollte, bloß langweilte. Gleichviel. Drei Tage nach der Verlobung empfing er einen Brief, worin ihm Oberstleutnant von Dzialinski, der älteste Stabsoffizier, seitens des Offizierskorps und als Vertreter desselben die Mitteilung machte, daß diese Verlobung nicht wohl angänglich sei. Daraus entstand eine Szene, die mit einem Duell endete. Dzialinski wurde durch die Brust geschossen und starb vor Ablauf von vierundzwanzig Stunden. Das Kriegsgericht verurteilte St. Arnaud zu neun Monaten Festung, wobei, neben seiner früheren Beliebtheit, auch die Tatsache mit in Rechnung gestellt wurde, daß er provoziert worden war. Provoziert, so gerechtfertigt die Haltung Dzialinskis und des gesamten Offizierkorps gewesen sein mochte.«

Gordon legte den Brief aus der Hand und wiederholte: »So gerechtfertigt diese Handlung gewesen sein mochte. Warum? Wodurch? Aber was frag ich? Klothilde wird mir die Antwort nicht schuldig bleiben.«

Und er las weiter.

»Und hier ist nun die Stelle, mein lieber Robert, wo Herr von St. Arnaud zurück- und Frau von St. Arnaud in den Vordergrund tritt. Was lag vor, daß das Offizierskorps gegen seinen eigenen Obersten Front machen mußte? Cécile war eine Dame von zweifelhaftem oder, um milder und rücksichtsvoller zu sprechen, von eigenartigem Ruf. Als sie kaum siebzehn war, sah sie der alte Fürst von Welfen-Echingen und ernannte sie bald danach, und zwar nach wenig schwierigen Verhandlungen mit Frau von Zacha, zur Vorleserin seiner Gemahlin, der Fürstin. Die Fürstin war an derartige ›Ernennungen‹ gewöhnt, erhob also keinen Widerspruch. So kam Cécile nach Schloß Cyrillenort, lebte sich ein, begleitete das fürstliche Paar auf seinen Reisen, war mit demselben in der Schweiz und Italien, las am Teetisch vor (aber selten) und blieb im Schloß, als die alte Fürstin gestorben war. Nicht sehr viel später schied auch der Fürst selbst aus dieser Zeitlichkeit und hinterließ dem schönen Teefräulein ein oberschlesisches Gut, zugleich mit der Bestimmung, daß es ihr freistehen solle, Schloß Cyrillenort noch ein Jahr lang zu bewohnen. Es lag dem schönen Fräulein aber fern, aus diesem ihr bewilligten ›Witwenjahr‹ irgendwelchen Nutzen ziehen oder sich überhaupt unbequem machen zu wollen, und erst als Prinz Bernhard, der Neffe, zugleich Erbe des verstorbenen Fürsten, auch seinerseits den Wunsch äußerte, ›daß sie Schloß Cyrillenort *nicht* verlassen möge‹, gab sie diesem Wunsche nach und blieb. Prinz Bernhard kam von Zeit zu Zeit zu Besuch, dann öfter und öfter, und als das ›Trauerjahr‹ um war, zog er von Schloß Beauregard, das er bis dahin bewohnt hatte, nach dem Hauptsitz und Stammschloß der Familie hinüber. Sonst blieb alles beim alten; nichts änderte sich, auch nicht in den Ausflügen und Reisen, die nur weiter gingen und bis Algier und Madeira hin ausgedehnt wurden. Denn wenn der alte Fürst alt gewesen war, so war der junge krank. Er starb schon das Jahr darauf, und man erwartete nunmehr allgemein, daß die schöne Cécile dem von ihr protegierten Kammerherrn von Schluckmann (der, nach Ableben des alten Fürsten, als Hofmarschall in die Dienste des jungen eingetreten war) die Hand zum Bunde, zum Ehebunde reichen würde. Dieser Schritt unterblieb aber – aus Gründen, die nur gemutmaßt werden –, und die schöne Frau kehrte jetzt, wie sie's schon unmittelbar nach dem Tode des alten Fürsten beabsichtigt hatte, zu Mutter und Geschwistern zurück, von denen sie sich mit Jubel empfangen sah. Eine verhältnismäßig glänzende Wohnung wurde genommen, und in dieser Wohnung war es, daß St. Arnaud zwei Jahre später die still und zurückgezogen lebende Cécile (damals noch katholisch) kennenlernte. Sie soll inzwischen übergetreten sein; einer euerer beliebtesten Hofprediger wird dabei genannt.

Da hast Du die St. Arnaud-Geschichte, hinsichtlich deren ich Dich nur noch herzlich und inständig bitten möchte, von Deiner durchgängerischen Gewohnheit ausnahmsweise mal ablassen und das Kind nicht gleich mit dem Bade verschütten zu wollen. Als Leslie-Gordon kennst Du natürlich Deinen Schiller und wälzst hoffentlich mit ihm, als ob es sich um Wallenstein in Person handle, die größere Schuldhälfte ›den unglückseligen Gestirnen‹ zu. Wirklich, mein Lieber, an solchen unglückseligen Gestirnen hat es im Leben dieser schönen Frau nicht gefehlt. Ihre frühesten Jugendjahre haben alles an ihr versäumt, und wenn es auch nicht unglückliche Jahre waren (vielleicht im Gegenteil), so waren es doch nicht Jahre, die feste Fundamente legen und Grundsätze befestigen konnten. Eva Lewinski, die, wie Du Dich vielleicht entsinnst, lange bei den Hohenlohes in Oberschlesien war und ihre Kinderjahre mit Cécile verlebt hat, hat mir versprochen, alles aufzuschreiben, was sie von jener Zeit her weiß. Ich schließe diesen Brief erst, wenn ich Evas Zeilen habe ... Diesen Augenblick kommen sie. Lebe wohl! Elsy ist in Görlitz bei der Großtante, daher kein Gruß von ihr. In herzlicher Liebe

Deine

Klothilde.«

Zweiundzwanzigstes Kapitel

Gordon war in der höchsten Erregung. Einzelnes, was er in der Charlottenburger Villa, gleich nach seinem Eintreffen in Berlin, und dann gestern wieder aus dem Munde des alten Generals gehört hatte, hatte freilich nicht viel Gutes in Sicht gestellt, aber dieser Schlag ging doch über das Erwartete hinaus. Fürstengeliebte, Favoritin in duplo, Erbschaftsstück von Onkel und Neffe! Und dazwischen der Kammerherr – ein Schatten, der sich schließlich gesträubt hatte, sich zum Ehemann zu verdichten.

Er warf den Brief fort und erhob sich, um in hastigen Schritten im Zimmer auf und ab zu gehen. Dann aber trat er an das zweite, bis dahin geschlossene Fenster und riß auch hier beide Flügel auf, denn es war ihm, als ob er ersticken solle.

Der eingelegte Zettel von Eva Lewinski (nur ein halber, engbekritzelter Briefbogen) war auf den Teppich gefallen. Er nahm ihn jetzt wieder auf und sagte: »Besser alles in einem. Lieber die ganze Dosis auf einmal als tropfenweise. Und wer weiß, vielleicht ist auch etwas von Trost und Linderung darin.«

Und er setzte sich wieder und las.

»An alles andere, meine liebe Klothilde, hätt ich eher gedacht als daran, daß ich noch einmal in die Lage kommen könnte, von der Familie Zacha zu plaudern. Und zu Dir! Nun, wir waren Nachbarn, und solange der alte Zacha lebte, der übrigens nicht alt war, ein mittlerer Vierziger, ging es hoch her. Er war ein Betriebsdirektor bei den Hohenlohes, verstand nichts und tat nichts (was noch ein Glück war), gab aber die besten Frühstücke. Kavalier, schöner Mann und Anekdotenerzähler, war er allgemein beliebt, freilich noch mehr verschuldet, trotzdem er ein hohes Gehalt hatte. Plötzlich starb er, was man so sterben nennt; die Verlegenheiten waren zu groß geworden. Das »Wie« seines Todes wurde vertuscht.

Ich sehe noch die Frau von Zacha, wie sie dem Sarge folgte, tief in Trauer und angestaunt von der gesamten Männerwelt. Denn Frau von Zacha, damals erst dreißig, war noch schöner als Cécile. Diese mochte zwölf sein, als der Vater starb, aber sie wirkte schon wie eine Dame; darauf hielt die Mutter, die wohl von Anfang an ihre Pläne mit ihr hatte. Verwöhntes Kind, aber träumerisch und märchenhaft, so daß jeder, der sie sah, sie für eine Fee in Trauer halten mußte.

Kurz nach dem Tode des Vaters ging es. Die junge Herzogin auf Schloß Rauden, die sich für die schöne Witwe mit ihren drei Kindern interessierte, gab und half. Aber die Wirtschaft war zu toll, und so zog sie zuletzt ihre Hand von Zachas ab. Alles, was diesen blieb, beschränkte sich auf eine kleine Pension. An Erziehung war nicht zu denken. Frau von Zacha lachte, wenn sie hörte, daß ihre Töchter doch etwas lernen müßten. Sie selbst hatte sich dessen entschlagen und sich trotzdem sehr wohlgefühlt, bis zum Hinscheiden ihres Mannes gewiß und nachher kaum minder. Es stand fest für sie, daß eine junge schöne Dame nur dazu da sei, zu gefallen, und zu diesem Zwecke sei wenig wisssen besser als viel. Und so lernten sie nichts.

Oft mußten wir lachen über den Grad von Nichtbildung, worin Mutter und Töchter wetteiferten. Alle Quartal kam ihre Pension. Dann gaben sie Festlichkeiten und schafften neue Rüschen und Bänder an, auch wohl Kleider, aber immer noch Trauerkleider, weil die Mutter wußte, daß ihr Schwarz am besten stände. Vielleicht auch, weil sie gehört hatte, daß Königinwitwen die Trauer nie ablegen.

Sie hatte ganz verschrobene Ideen und war abwechselnd unendlich hoch und unendlich niedrig. Sie sprach mit der Herzogin auf einem Gleichheitsfuß; am liebsten aber unterhielt sie sich mit einer alten Waschfrau, die in unserem Hause wohnte. War dann das Geld vertan, was keine Woche dauerte, so hatten sie zwölf Wochen lang nichts. Es wurde dann geborgt oder von Obst aus dem Garten gelebt, und wenn auch das nicht da war, so gab es ›Pilzchen‹. Aber glaube nur nicht, daß ›Pilzchen‹ wirklich Pilze gewesen wären. Pilzchen waren große Rosinen, in welche von unten her halbe Mandelstücke gesteckt wurden. Das war mühevoll genug, und mit Anfertigung davon verbrachte Frau von Zacha den ganzen Vormittag, um die Götterspeise dann mittags auf den Tisch zu bringen. Inmitten des Schüsselchens aber lag, um auch das nicht zu verschweigen, eine besonders große Rosine, die nicht nur den ihr zuständigen Mandelfuß hatte, sondern auch noch von zwei horizontalliegenden und ebenfalls aus Mandelkern geschnittenen Speilerchen kreuzartig durchstochen war. An den vier Spitzen dieser Speilerchen saßen dann ebenso viele kleine Korinthen und stellten das morceau de resistance her, das in der Sprache der Zachas ›le Roi Champignon‹ hieß. Eine Bezeichnung, von der die Leute sagten, daß sich sowohl der Witz wie das damalige Französisch der Familie darin erschöpft habe.

Dies, meine liebe Klothilde, sind meine persönlichen Erlebnisse: Kindererlebnisse. Was dann weiter kam, weißt Du besser als ich. Wie immer.

Deine

Eva L.«

Gordon hielt den Zettel in der Hand und zitterte. Dann aber war es mit eins, als ob er seine Ruhe wiedergefunden habe. »Ja, das entwaffnet! Großgezogen ohne Vorbild und ohne Schule und nichts gelernt, als sich im Spiegel zu sehen und eine Schleife zu stecken. Und nie zu Haus, wenn eine Rechnung erschien. Und doch tagaus und tagein am Fenster und in beständiger Erwartung des Prinzen, der vorfahren würde, um Kathinka zu holen oder vielleicht auch Lysinka, trotzdem beide noch Kinder waren. Aber was tut das? Prinzen sind fürs Extreme. Vielleicht nimmt er auch die Mutter. Alles gleich, wenn er nur überhaupt kommt und überhaupt wen nimmt. Sie gönnen sich's untereinander. Er ist ja generös, und dann können sie weiterspielen. Ja, spielen, spielen; das ist die Hauptsache. Nur kein Ernst, nicht einmal im Essen. Ach, wer schön ist und immer in Trauer geht und ›Pilzchen‹ ißt, der ist für die Fürstengeliebte wie geschaffen. Arme Cécile! Sie hat sich dies Leben nicht ausgesucht, sie war darin geboren, sie kannte es nicht anders, und als der Langerwartete kam, nach dem man vielleicht schon bei Lebzeiten des Vaters ausgeschaut hatte, da hat sie nicht nein gesagt. Woher sollte sie dies ›Nein‹ auch nehmen? Ich wette, sie hat nicht einmal an die Möglichkeit gedacht, daß man auch ›nein‹ sagen könne; die Mutter hätte sie für närrisch gehalten und sie sich selber auch.«

Er drehte den Zettel noch immer zwischen den Fingern, zupfte daran und knipste gegen Rand und Ecken, alles, ohne zu wissen, was er tat. Endlich erhob er sich und sah auf die Baumwipfel hinüber, die jetzt in vollem Morgenlichte lagen.

»Die Nebel drüben sind fort, aber ich stecke darin, tiefer, als ob ich auf dem Watzmann wär. Und ist man erst im Nebel, so ist man auch schon bald in der Irre. Que faire? Soll ich den Entrüsteten spielen oder ihr sagen: ›Bitte, meine Gnädigste, schicken Sie den Hofprediger fort, *ich* bin gekommen, um Ihre Beichte zu hören.‹ Und dann zum Schluß: ›Ei, ei, meine Tochter.‹ Oder soll ich ihr von Bußübungen sprechen? Oder von den zehn Geboten? Oder vom höheren sittlichen Standpunkt? Oder gar von der verletzten Weiblichkeit? Ich habe nicht Lust, mich unsterblich zu blamieren und Zeuge zu sein, daß sie lächelt und klingelt und ihrer Zofe zuruft: ›Bitte, leuchten Sie dem Herrn!‹«

Er trat, als er so sprach, vom Fenster an die Spiegelkonsole, wo neben Uhr und Notizbuch auch sein Zigarrenetui lag. »Ich werde mir eine Gleichmuts-Havanna anzünden und die eine Wolke mit der anderen vertreiben. Similia similibus. Colonel Taylor pflegte zu sagen: ›alle Weisheit stecke im Tabak‹. Und ich glaube fast, er hatte recht. Ich werde meine Besuche bei den St. Arnauds ruhig fortsetzen und mir gar keinen Plan machen, sondern alles dem Augenblicke überlassen. Ich glaube wirklich, das ist das Beste: sie freundlich ansehen und mit ihr plaudern wie zuvor, als wüßt ich nichts, und als wäre nichts vorgefallen ... Und am Ende, was ist denn auch vorgefallen? Was kümmert mich Serenissimus und sein Teefräulein? Oder Serenissimus II.? Oder gar der Kammerherr und Hofmarschall? Ach, wenn ich jetzt an Jagdschloß Todtenrode zurückdenke ... Deshalb schrak sie zusammen und wandte sich ab, als wir in die gespenstischen Fenster guckten. Und schon vorher, in Quedlinburg, als ich über die Schönheitsgalerien und die Gräfin Aurora so tapfer perorierte, schon *damals* war es dasselbe. Nun klärt sich alles ... Arme schöne Frau!«

Er wollte nichts tun, in seinem Benehmen nichts ändern, und doch ließ er drei Tage vergehen, ohne bei den St. Arnauds vorzusprechen.

Endlich, den vierten Tag, nahm er sich ein Herz.

Es war inzwischen herbstlich und windig geworden, und die Blätter tanzten vor ihm her, als er über den Hafenplatz ging. Er warf einen Blick hinauf und sah, daß überall, ganz wie damals, bei seinem ersten vergeblichen Besuche, die Holzjalousien herabgelassen waren. Nur in St. Arnauds Zimmer standen die Fensterflügel weit auf, und die Gardinen wehten im Winde.

»Wieder im Tattersall oder im Klub. Nie zu Haus. Es scheint wirklich, daß er sie manchen Tag keine Stunde sieht, und Rosa mag recht mit ihrer Mutmaßung haben, daß seine Liebe, wenn überhaupt vorhanden, von ganz eigner Art sei. Jedenfalls wird sie dieser Art nicht froh, soviel steht fest, soviel seh ich. Und beinahe, wenn ich zurückdenke, hab ich ihr eigen Geständnis davon. Und kann es anders sein? Die Liebe lebt nicht von totgeschossenen Dzialinskis – vielleicht gerade davon am wenigsten –, sie lebt von liebenswürdigen Kleinigkeiten, und wer sich eines Frauenherzens dauernd versichern will, der muß immer neu darum werben, der muß die Reihe der Aufmerksamkeiten allstündlich wie einen Rosenkranz abbeten. Und ist er fertig damit, so muß er von neuem anfangen. Immer da sein, immer sich betätigen, darauf kommt es an. Alles andere bedeutet nichts. Ein Armband zum Geburtstag – und wenn es ein Kohinur wäre – oder ein Nerz- oder Zobelpelz zu Weihnachten, das ist zu wenig für dreihundertfünfundsechzig Tage. Wozu läßt der Himmel so viel Blumen blühen? Wozu gibt es Radbuketts von Veilchen und Rosen? Wozu lebt Felix und Sarotti? So denkt jede junge Frau, wobei mir zu meinem Schrecken einfällt, daß ich *auch* ohne Bukett und ohne Bonbonniere bin. Also nicht besser als St. Arnaud. Und *er* ist doch bloß ein Ehemann.«

Unter solchen Selbstgesprächen war er bis an das Haus gekommen, dessen Tür sich im selben Augenblick öffnete, wie wenn sein Erscheinen von der Portierloge her bereits bemerkt worden wäre. Wirklich, ein kleines Mädchen sah neugierig durch das Guckfenster und schien auf seinen Gruß zu warten. Er nickte denn auch und stieg die Treppe hinauf.

Gleich auf dem ersten Absatz traf er den von Cécile kommenden Geheimrat: »Ah, Herr von Gordon«, grüßte dieser.

»Les beaux esprits se rencontrent. Die Gnädigste fühlt sich un-
wohl: leider, oder auch nicht leider; je nachdem, wie man's nehmen will. Sie wissen, es ist ihr ewig Weh und Ach...«

Und er lachte, während er unter nochmaliger legerer Hutlüf-
tung an Gordon vorüberging.

Dieser war von der Begegnung aufs unangenehmste berührt,
und um so unangenehmer, als ihm an dem Dinertage nicht entgangen war, daß Cécile viel Entgegenkommen für ihren geheim-
rätlichen Tischnachbar gehabt hatte. Sein frivoler Witz machte
sie lachen, und was seine kaum die nötigsten Schranken inne-
haltende Dreistigkeit anging, von der Rosa gesprochen hatte, so
hatte Gordon gerade lange genug gelebt, um zu wissen, daß die
Dreisten die Vorhand haben.

Und nun war er die Treppe hinauf und zog die Klingel.

»Die gnädige Frau wird sehr erfreut sein«, empfing ihn die
Jungfer und meldete: »Herr von Gordon.«

»Ah, sehr willkommen.«

Cécile war wirklich leidend, hatte den Lieblingsplatz auf dem
Balkon aber nicht aufgegeben. Die kleine Bank mit den zwei
Kissen war fortgeräumt, und statt ihrer stand eine Chaiselongue
da, darauf die Kranke ruhte, den Oberkörper mit einem Schal,
die Füße mit einer Reisedecke zugedeckt, in die das Wappen der
St. Arnauds oder vielleicht auch das der Woronesch von Zacha
eingestickt war. Auf einem Tischchen daneben stand ein phiolen-
artiges Fläschchen samt Wasser und Zuckerschale.

Gordon, als er sie so sah, war tiefbewegt, vergaß alles und
wollte Worte der Teilnahme sprechen. Sie ließ es aber nicht zu,
nahm vielmehr ihrerseits das Wort und sagte, während sie sich
mit Anstrengung an dem Rückenkissen höher hinaufrückte: »So
spät erst. Ich habe Sie früher erwartet, Herr von Gordon...
Hat unser kleines Diner so wenig Gnade vor Ihren Augen gefunden? Aber setzen Sie sich. Dort unten steht noch ein Stuhl.
Werfen Sie das Tuch beiseit; oder nein, geben Sie's her, ich will
es noch über den Schal decken. Denn offen gestanden, mich
friert.«

»Und doch haben Sie sich hier ins Freie gebettet, als ob wir
Juli statt Oktober hätten.«

»Ja, der Geheimrat, der eben hier war, war derselben Meinung und tadelte mich, ja, drang in dem ihm eigenen Tone
darauf, mich persönlich umbetten zu wollen.«

»Ein Ton, den ich höre. C'est le ton, qui fait la musique.«

»Freilich. Und bei niemandem mehr als bei dem Geheimrat.

Und doch amüsiert er mich: ich gestehe es, wenn auch vielleicht wenig zu meinem Ruhm. Man hört so viel Langweiliges, und er ist immer so pikant. Aber warum ich hier in dieser Oktoberfrische liege, das macht, daß ich einfach keine Wahl habe. Denn laß ich mich in die Vorderzimmer bringen, so hab ich, so hoch sie sind, keine Luft, und so kommt es denn, daß ich das Frösteln und schlimmstenfalls selbst ein Erkältungsfieber vorziehe. Von zwei Übeln wähle das kleinere. Nun aber fort mit dem ganzen Thema. Nichts ist langweiliger als Krankheitsgeschichten, wenn nicht zwei zusammenkommen, die sich untereinander überbieten. Und zu diesem Rettungsmittel werden Sie nicht greifen wollen. Erzählen Sie mir also lieber von Rosa. Wissen Sie, daß ich schon eifersüchtig war? Immer sprachen Sie leise miteinander, wie wenn Sie Geheimnisse hätten, und als der alte General seinen letzten Trumpf ausspielte, gab es ein verständnisvolles Hände-drücken. Oh, mir ist nichts entgangen. Und dann zuletzt noch das Chaperonnieren bis an die Pferdebahn. Nun, das klingt freilich ebenso harmlos wie nah, ist aber doch schließlich ein ziemlich weiter Begriff und reicht, wenn es sein muß, bis an das Engelufer. Beiläufig, wie kann man am Engelufer wohnen, eine Künstlerin und eine Dame.«

»Ach, Sie haben leicht spotten, meine gnädigste Frau. Wissen Sie doch am besten, wie's liegt. Rosa! Mit Rosa könnte man um den Äquator fahren, und man landete genau so, wie man einge-stiegen. Ich habe sie bis an ihre Wohnung geführt, und wir haben eine Welt besprochen und bewitzelt. Und doch, wenn ich statt ihrer selbst eines ihrer Bilder unterm Arm gehabt hätte, so wär es dasselbe gewesen. Um es kurz zu sagen: ihr Charmantsein ist ohne Charme, und ich kenne Frauen, deren zustimmendes Schweigen mir mehr bedeutet als Rosas witzigstes Wort.«

Cécile lächelte und verschmähte es, sich das Ansehen zu geben, als ob sie Sinn und Ziel seiner Worte nicht verstanden habe. Zugleich aber schüttelte sie den Kopf und sagte: »Sie werden besser tun, mir von meinen Tropfen zu geben. Da, das Fläsch-chen. Es ist ohnehin schon über die Zeit. Aber zählen Sie richtig und bedenken Sie, welch ein kostbares Leben auf dem Spiele steht. Es ist Digitalis, Fingerhut. Entsinnen Sie sich noch der Stunden, als wir von Thale nach Altenbrak hinüberritten? Da stand es in roten Büscheln um uns her, kurz vor dem Birkenweg, wo sich die Turner gelagert hatten und dann aufsprangen und vor uns präsentierten.«

»Vor *Ihnen*, Cécile . . .«

»Ja«, fuhr diese fort, ohne der Unterbrechung zu achten, »damals glaubte ich nicht, daß der Fingerhut für mich blüht. Seit gestern aber ist mir auch noch eine Herzkrankheit in aller Form und Feierlichkeit zudiktiert worden, als ob ich des Elends nicht schon genug hätte. Fünf Tropfen, bitte; nicht mehr. Und nun etwas Wasser.«

Gordon gab ihr das Glas.

»Es schmeckt nicht viel besser als der Tod . . . Nun aber setzen Sie sich wieder und erzählen Sie mir von Ihrer eigentlichen Tischnachbarin. Interessante Frau, die Baronin? Nicht wahr? Und so distinguiert!«

»Jedenfalls mehr dezidiert als distinguiert. Den Zweifel, diesen Ursprung oder Sprößling aller Bescheidenheit, haben die Götter beispielsweise nicht in ihre Brust gelegt; dafür aber den Haß, wenigstens den redensartlichen. Gott, was haßte diese Frau nicht alles! Und dazu welch ein Appetit! Und jedes dritte Gericht ihr ›Leibgericht‹; pardon, sie brauchte wirklich diesen Ausdruck. Ach, Cécile, wie kommen Sie zu diesem Mannweib, zu solcher Amazone, Sie, die Sie ganz Weiblichkeit sind und . . .?«

»Und Schwäche. Sprechen Sie's nur aus. Und nun elend und krank dazu!«

»Nein, nein«, fuhr Gordon in immer wärmer und leidenschaftlicher werdendem Tone fort. »Nein, nein; nicht krank. Sie dürfen nicht krank sein. Und diese dummen Tropfen; weg damit samt der ganzen Doktorensippe. Das brüstet sich mit Ergründung von Leib und Seele, schafft immer neue Wissenschaften, in denen man sich vor ›Psyche‹ nicht retten kann, und kennt nicht mal das Abc der Seele. Verkennung und Irrtum, wohin ich sehe. Ach, meine teure Cécile, Sie haben sich hier in bittere Kälte gebettet, um freier atmen zu können. Aber was Ihnen fehlt, das ist nicht Luft, das ist Licht, Freiheit, Freude. Sie sind eingeschnürt und eingezwängt, deshalb wird Ihnen das Atmen schwer, deshalb tut Ihnen das Herz weh, und dies eingezwängte Herz, das heilen Sie nicht mit totem Fingerhutkraut. Sie müßten es wieder blühen sehen, rot und lebendig wie damals, als wir über die Felsen ritten und der helle Sonnenschein um uns her lag. Und dann abends das Mondlicht, das auf das einsame Denkmal am Wege fiel. Unvergeßlicher Tag und unvergeßliche Stunde.«

Sie sog jedes Wort begierig ein, aber in ihrem Auge, darin es von Glück und Freude leuchtete, lag doch zugleich auch ein Ausdruck ängstlicher Sorge. Denn ihr Herz und ihr Wille befehdeten einander, und je gewissenhafter und ehrlicher das war, was sie wollte, desto mehr erschrak sie vor allem, was diesen ihren Willen ins Schwanken bringen konnte. Sie hatte sich gegen sich selbst zu verteidigen, und so sagte sie denn: »Oh, nicht so, lieber Freund. Sehen Sie die roten Flecke hier? Ich fühle wenigstens, wie sie brennen. Glauben Sie mir, ich bin wirklich krank. Aber, wenn ich auch gesund wäre, Sie dürfen diese Sprache nicht führen. Um meinetwegen nicht und auch um *Ihretwegen* nicht.«

Es war ersichtlich, daß er diese Worte nicht recht zu deuten verstand, und so wiederholte sie denn: »Ja, auch um Ihretwegen nicht. Denn diese Sprache, soviel sie bedeuten will, ist doch nur Alltagssprache, Sprache, darin ich jeden Ton und jede kleinste Nuance kenne. *Das* wenigstens hab ich gelernt, *darin* wenigstens hab ich eine Schule gehabt. So spricht herkömmlich ein Mann von Welt zu einer Frau von Welt, und es fehlen nur noch die Herabsetzungen und Verkleinerungen – ich sage nicht, wessen – und die versteckten Anklagen – ich sage nicht, gegen wen –, um das Herkömmliche dieser Sprache vollkommen zu machen. Ein Glück für mich, daß Ihr Taktgefühl mich vor diesem Äußersten wenigstens zu bewahren wußte.«

Sie schob, als sie so sprach, sich abermals aufrichtend, den Schal zurück und setzte dann in wieder freundlicher werdendem Tone hinzu: »Nein, Herr von Gordon, nicht so. Bleiben Sie mir, was Sie waren. Ich finde Sie so verändert und frage vergebens nach der Ursache. Aber was es auch sein möge, machen Sie mir mein Leben leicht, anstatt es mir schwer zu machen, stehen Sie mir bei, helfen Sie mir in allem, was ich soll und muß, und täuschen Sie nicht das Vertrauen oder – wozu soll ich es verschweigen? – das herzliche Gefühl, das ich Ihnen von Anfang an entgegenbrachte.«

Gordon schien antworten zu wollen, aber sie wies nur auf die Karaffe, zum Zeichen, daß sie zu trinken wünsche, trank auch wirklich und fuhr dann aufatmend fort: »Es drückt mich mancherlei. Sie haben gesehen, wie wir leben; es ist so viel Spott um mich her: Spott, den ich nicht mag, und den ich oft nicht einmal verstehe. Denn die großen Fragen interessieren mich nicht, und ich nehme das Leben, auch jetzt noch, am liebsten als ein Bilderbuch, um darin zu blättern. Über Land fahren und an einer Waldecke sitzen, zusehen, wie das Korn geschnitten wird und die Kinder die Mohnblumen pflücken, oder auch wohl selber hingehen und einen Kranz flechten und dabei mit kleinen Leuten von kleinen Dingen reden: einer Geiß, die verlorenging, oder von einem Sohn, der wiederkam, das ist meine Welt, und ich bin glücklich gewesen, solang ich darin leben konnte. Dann, ich war noch ein halbes Kind, wurd ich aus dieser Welt herausgerissen, um in die große Welt gestellt zu werden, und ich habe mich, solang es galt, auch *ihrer* Freuden gefreut und an ihren Torheiten und Verirrungen teilgenommen. Aber jetzt, jetzt sehne ich mich wieder zurück; ich will nicht sagen, in ›kleine Verhältnisse‹ – die würd ich nicht ertragen können –, aber doch zurück nach Stille, nach Idyll und Frieden und, gönnen Sie mir, es auszusprechen, auch nach Unschuld. Ich habe Schuld genug gesehen. Und wenn ich auch durch all mein Leben hin in Eitelkeit befangen geblieben bin und der Huldigungen nicht entbehren kann, die meiner Eitelkeit Nahrung geben, so will ich doch, ja Freund, ich *will* es, daß diesen Huldigungen eine bestimmte Grenze gegeben werde. Das habe ich geschworen – fragen Sie nicht, wann und bei welcher Gelegenheit –, und ich will diesen Schwur halten, und wenn ich darüber sterben sollte. Forschen Sie nicht weiter. Es ist hier mehr Tragödie zu Haus als Sie wissen. Und nun verlassen Sie mich, ich bitte Sie. Der Arzt kann jeden Augenblick kommen, und ich möchte nicht, daß mein Puls ihm verriete, wie sehr ich seine Vorschriften mißachtet habe.«

Vierundzwanzigstes Kapitel

In großer Bewegung hatte Gordon Cécile verlassen, und erst auf dem Heimweg kam er wieder zur Besinnung und überdachte sein Benehmen. Er hatte sich wirklich dem Augenblick überlassen und war, als er sie krank und schmerzlich-resigniert sah, nur voll herzlicher Teilnahme gewesen. Aber dies Gefühl reiner Teilnahme hatte nicht angedauert. Aller Krankheit und Resignation unerachtet, oder vielleicht auch gesteigert dadurch, war etwas Bestrickendes um sie her gewesen, und diesem Zauber aufs neue hingegeben, war er schließlich doch in eine Sprache verfallen, die zu mäßigen oder gar schweigen zu heißen er nach dem Inhalt von Klothildes Briefe nicht mehr für geboten gehalten hatte. Worte waren gesprochen, Andeutungen gemacht worden, die vor einer Woche noch unmöglich gewesen wären. »Ja«, schloß er seine rückblickende Betrachtung, »so war es, *so* verlief es. Und dann antwortete sie so dringend wie nie zuvor und zugleich so demütig wie immer.«

Unter solchem Selbstgespräche war er bis an das Tiergarten-Hotel und gleich danach bis in die unmittelbare Nähe der

Lennéstraße gekommen. Aber zu Hause, zwischen Alltagsmöbeln und bei nichts Besserem als zwei Schweizerlandschaften in Öldruck, die schon unter gewöhnlichen Verhältnissen eine Qual für ihn waren, sich einzupferchen, widerstand ihm heute doppelt, und so ging er an seiner Wohnung vorüber und auf eine Bank zu, die, trotzdem die Oktobersonne einladend darauf schien, unbesetzt war.

Er lehnte sich, den Arm aufstützend, in eine der Ecken und sann und rechnete, bis allmählich eine Bilderreihe, darin es auch an grotesken Gestalten nicht fehlte, die Reihe seiner Gedanken ablöste. Vorauf erschien die schöne Frau von Zacha, ganz in Krepp mit großen schwarzen Jettperlen dreimal um Brust und Hals und an den Perlen ein Kruzifix bis auf den Gürtel. Und dann sah er Cécile, wie sie die Straße hinaufsah. Und dann kamen die, auf die sie wartete: erst ein Alter in Jagdjoppe, rüstig und jovial und mit grauem Backenbart, englisch gestutzt und geschnitten, und dann ein Junger in Reisekostüm, fein und durchsichtig und hüstelnd, und dann ein Dritter in Uniform, mit hohen Schultern und Gold am Kragen. Und er mußte lachen und sagte: »Marinelli. Ja, kleiner Fürsten Hofmarschall ... Und in *der* Welt hat sie gelebt. Traurig genug. Aber was beweist es? Soll ich daraus herleiten, daß sie mir eine Komödie vorgespielt, und daß alles nichts gewesen sei wie der Jargon einer schönen Frau, die sich unbefriedigt fühlt und die langen öden Stunden ihres Daseins mit einer Liebesintrige kürzen möchte. Nein. Wenn dies Lug und Trug ist, dann ist alles Lüge, dann bin ich entweder unfähig, wahr von unwahr zu unterscheiden, oder die Kunst der Verstellung hat in den sieben Jahren meiner Abwesenheit wahre Riesenschritte gemacht, solche, daß ich mit meiner schwachen Erkenntnis nicht mehr folgen kann.«

Er wollte sich losmachen von diesen und ähnlichen Betrachtungen, aber es brodelte weiter in seiner Seele. »Die Welt ist eine Welt der Gegensätze, draußen und drinnen, und wohin das Auge fällt, überall Licht und Schatten. Die dankbarsten Menschen überschlagen sich plötzlich in Undank, und die Frommen, mit dem seligen Hiob an der Spitze, murren wider Gott und seine Gebote. Was hat nicht alles Platz in einem Menschenherzen? Alles verträgt sich; man rückt mit gut und bös ein bißchen zusammen, und wer heute sittlich ist und morgen frivol, kann heute gerade so ehrlich sein wie morgen. Klothilde hatte recht, als sie mich ermahnte, das Kind nicht mit dem Bade zu verschütten. Und was sagte Rosa: ›Die arme Frau!‹ Sie muß also doch Züge herausgefunden haben, die Teilnahme verdienen. Und das sagt viel. Denn die Weiber sind untereinander am strengsten und wo sie pardonieren, da muß Grund für Gnade sein.«

In diesem Augenblick kam eine Spreewaldsamme mit einem Kinderwagen und nahm neben ihm Platz. Er sah nach ihr hin, aber die gewulsteten Hüften samt dem Ausdruck von Stupidität und Sinnlichkeit waren ihm in der Stimmung, in der er sich befand, geradezu widerwärtig, und so stand er – übrigens zu sichtlicher Verwunderung seiner Bankgenossin – rasch auf, um weiter in die Parkanlagen hineinzugehen.

Als er nach einer Stunde müd und abgespannt nach Hause kam, übergab ihm der Portier einen Brief und ein Telegramm. Der Brief war von Cécile, so viel sah er an der Aufschrift, und die Frage, woher die Depesche komme, war ihm deshalb, momentan wenigstens, gleichgültig. Er stieg hastig in seine Wohnung hinauf, um zu lesen; oben aber überkam ihn eine Furcht. Endlich erbrach er den Brief. Er lautete: »Lieber Freund. Es geht nicht so weiter. Seit dem Tage, wo wir das kleine Diner hatten, sind Sie verändert: verändert in Ihrem Tone gegen mich. Ich sprach es Ihnen schon aus und wiederhole, daß ich darauf verzichte, nach dem Grunde zu forschen. Aber was der Grund auch sei, fragen Sie sich, ob Sie den Willen und die Kraft haben, sich zu dem Tone zurückzufinden, den Sie früher anschlugen, und der mich so glücklich machte. Prüfen Sie sich, und wenn Sie antworten müssen ›Nein‹, dann lassen Sie das Gespräch, das wir eben geführt haben, das letzte gewesen sein. Es gilt Ihr und mein Glück. Die zitternde Handschrift wird Ihnen sagen, wie mir ums Herz ist, das in allen Stücken nicht will, wie's soll. Aber ich beschwöre Sie: Trennung, oder das Schlimmere bricht herein. Über kurz oder lang würde Sie der Beruf, den Sie gewählt, doch wieder in die Welt hinausgeführt haben – greifen Sie dem vor. Ich vergesse Sie nicht. Wie könnt ich auch! Immer die Ihrige

Cécile.«

Er war bewegt, am bewegtesten durch das rückhaltlose Geständnis ihrer Neigung. Aber er ersah eben daraus auch den ganzen Ernst dessen, was sie nebenher noch schrieb; sie hätte sich sonst zu solchen Geständnissen nicht hinreißen lassen.

»Ob ich den Willen und die Kraft habe, fragt sie. Nun, den Willen: ja. Aber nicht die Kraft. Vielleicht, weil auch der Wille nicht *der* ist, der er sein sollte. Woher sollt ich ihn auch nehmen? Ich kann hier nicht leben und an ihrem Hause Tag um Tag gleichgültig vorübergehen, als wüßt ich nicht, wer hinter den herabgelassenen Rouleaus seine Tage vertrauert. Und so hab ich denn *beides* nicht, nicht die Kraft und nicht den Willen.«

Als er so sprach, überflog er noch einmal die letzten Zeilen und griff dann erst nach dem Telegramm. Es kam aus Bremen und enthielt die kurze Weisung, herüberzukommen, weil sich dem Unternehmen seitens der dänischen Regierung neue Schwierigkeiten in den Weg gestellt hätten.

»Ohne den Brief wäre mir das Telegramm ein Greuel gewesen, jetzt ist es mir ein Fingerzeig, wie damals der Befehl, der mich aus Thale wegrief. Nur daß die Situation von heute pressanter und das Glück im Unglück ersichtlicher ist. Es bleibt ewig wahr, man soll nicht mit dem Feuer spielen. Trivialer Satz. Aber die trivialsten Sätze sind immer die wahrsten. Und so denn also Rückzug! Er wird mir leichter, als ich's vor einer Stunde noch gedacht hätte, denn alles, was gut und verständig in mir ist, stimmt mit ein und kommt mir zu Hilfe. Sich düpieren lassen oder Spielzeug einer Weiberlaune zu sein, widersteht mir. Aber hier ist nichts von dem allen, nicht Düpierung, nicht Weiberlaune, nicht Spiel. Arme Cécile. Dir ist die höhere Moral nicht an der Wiege gesungen worden, und Oberschlesien mit Adelsanspruch und Adelsarmut war keine Schule dafür. Nur zu wahr. Aber es war ein guter Fond in ihr, ein ästhetisches Element, etwas angeboren Feinfühliges, das sie gelehrt hat, echt von unecht und Recht von Unrecht zu unterscheiden. Etwas aus der Zeit, wo die ›Pilzchen‹ mit dem Roi Champignon auf dem Tisch standen, ist ihr freilich geblieben und wird ihr bleiben, aber sie will aus dem alten Menschen heraus, aufrichtig und ehrlich, und sie daran hindern zu wollen, wäre niedrig und geradezu schlecht. Also weg, fort! Leben heißt Hoffnungen begraben.«

Er sprach es in gutem Glauben vor sich hin. Aber plötzlich besann er sich und lächelte: »Hoffnungen – ideales Wort, das für meine Wünsche, wie sie nun mal sind oder doch waren, nicht recht passen will. Aber müssen denn Hoffnungen immer ideal sein, immer weiß wie die Lilien auf dem Felde? Nein, sie können auch Farbe haben, rot wie der Fingerhut, der oben auf den Bergen stand. Aber weiß oder rot: weg, weg!«

Und er klingelte nach der Wirtin und gab Orders für seine Abreise.

Den andern Morgen war er in Bremen und nahm Wohnung in Hillmanns Hotel, einem entzückenden Gasthause, das er schon aus früheren Aufenthalten kannte. Die Fenster in seinem Zimmer standen auf, und er sah abwechselnd über die die Vorstadt von der Altstadt trennende Esplanade hin in die buntbelebte Sögestraße hinein und dann wieder unmittelbar auf eine neben der ganzen Hotelfront hinlaufende, mit Kies bestreute Rampe, darauf die Gäste saßen und eben ihren Frühkaffee nahmen. Denn es war noch milde Luft, und die mächtigen Bäume des benachbarten Wallgangs bildeten einen Schirm, der die ganze Rampe zu einer windgeschützten Stelle machte. Hier wollt er auch sitzen, und als er sich umgekleidet hatte, stieg er treppab und nahm an einem der Tische Platz. Das Treiben, das vorüberwogte: Rollwagen, die nach dem Hafen fuhren, Mägde, die zu Markt, und Kinder, die zur Schule gingen, alles tat ihm wohl und gab ihm ein stilles Behagen wieder, das er seit dem Tage, wo Klothildes Brief eintraf, nicht mehr gekannt hatte. Dabei sah er Cécile beständig vor sich, die, wie ein hinschwindendes Nebelbild, ihn aus weiter Ferne her zu grüßen und doch zugleich auch abzuwehren schien. Das war die rechte Stimmung, und er ließ sich Papier und Schreibzeug bringen und schrieb:

»Hochverehrte gnädigste Frau, liebe, teure Freundin! Als ich gestern nachmittag Ihre Zeilen empfing, empfing ich auch ein Telegramm, das mich hierher berief. Es hätte mich noch vierundzwanzig Stunden vorher unglücklich gemacht, jetzt war es mir willkommen und half mir, wie schon einmal, über Schwanken und Kämpfe fort.

Ich soll mich zurückfinden in den Ton unserer glücklichen Tage, so schrieben Sie mir gestern. Mit Ihnen am selben Orte, dieselbe Luft atmend, würd ich es nie gekonnt haben; aber in dieser Trennung werd ich es können oder es lernen, weil ich es lernen muß. Es ist noch früh am Tag, und ich habe noch niemand aus dem Kreise meiner Auftraggeber gesprochen, aber wenn sich mir erfüllt, was ich von Herzen wünsche, so brechen alle Verhandlungen ab, die mich an diese Küste fesseln, und an ihre Stelle treten wieder Missionen, die mich aufs neue weit in die Welt und in die Fremde hinausführen. Denn in der Fremde nehmen wir, zurückblickend, das Bild für die Wirklichkeit, und die Sehnsucht, die sonst uns quälen würde, wird unser Glück. Über lang oder kurz hoff ich wieder über die Schneepässe des

Himalaja zu gehen; überall aber, und je höher hinauf, desto mehr werd ich der zurückliegenden schönen Tage gedenken, an Quedlinburg und Altenbrak und das Denkmal auf der Klippe... Träume nur und Visionen, aber man nimmt seinen Trost, wie und wo man ihn findet. Liebe, teure Freundin, Ihr innigst ergebener Leslie-Gordon.«

Gordon sah einer Antwort entgegen; aber sie kam nicht, was ihn anfangs halb beunruhigte, halb verstimmte. Die geschäftlichen Verhandlungen indes, die den Oktober über andauerten und ihn zu Vermessungen und sonstigen Feststellungen erst nach Schleswig und dann hoch hinauf bis an den Limfjord führten, ließen eine Kopfhängerei nicht aufkommen. Erinnerungen erfüllten sein Herz, aber jedes leidenschaftliche Gefühl schien begraben, und er freute sich der Wendung, die diese Lebensbegegnung, deren Gefahren er wohl einsah, schließlich genommen hatte.

So war seine Stimmung, als er ganz unerwartet die Weisung erhielt, abermals nach Berlin zurückzukehren. Er erschrak fast, aber die Verhältnisse gestatteten ihm keine Wahl, und an einem grauen Novembernachmittag, dessen Nebel sich in dem Augenblicke, wo der Zug hielt, zu einem Landregen verdichtete, traf er in Berlin ein und stieg in dem Hôtel du Parc ab, in demselben Hotel also, darin er während seines Septemberaufenthaltes täglich verkehrte und seinen Mittagstisch genommen hatte.

Das Zimmer, das ihm angewiesen wurde, lag eine Treppe hoch, nach der Bellevuestraße hinaus und hatte den Blick auf das von Bäumen umstellte Podium, auf dem er ehedem, wenn er vom Hafenplatze kam, manch glückliche Stunde verplaudert hatte. Das lag nun zurück, und auch die Szenerie war nicht mehr dieselbe. Die Kastanienbäume, die damals, wenn auch schon angegilbt, noch in vollem Laube gestanden hatten, zeigten jetzt ein kahles Gezweig, und vom Dach her, just an der Stelle, wo man den ganzen sommerlichen Tisch- und Stühlevorrat übereinandergetürmt hatte, fiel der Regen in ganzen Kaskaden auf das Podium nieder.

Gordon überkam ein Frösteln.

»Hoffentlich ist das nicht die Signatur meiner Berliner Tage. Das würde wenig versprechen. Aber am Ende, was kann man von einem Novembernachmittag erwarten! ›Some days *must* be dark and dreary‹ ich weiß nicht, sagte es Tennyson oder Longfellow, jedenfalls einer von beiden, und wenn etliche Tage ›dunkel und traurig‹ sein *müssen*, nun denn, warum nicht dieser?

Ein Feuer im Ofen und eine Tasse Kaffee werden übrigens die Situation um ein erhebliches verbessern.«

Er zog die Klingel, gab seine Orders und tat einige Fragen an den Kellner.

»Was gibt es im Theater?«

»Störenfried.«

»Etwas antik. Und im Opernhause?«

»Tannhäuser.«

»Haben Sie Billetts?«

»Ja, Parkett und ersten Rang. Niemann singt und die Voggenhuber.«

»Gut. Ersten Rang. Deponieren Sie's beim Portier.«

*

Kurz vor sieben hielt die Droschke vor dem Opernhause, und der allezeit bereitstehende Wagenschlagöffner sagte mit der ihm eigenen und bei Glatteis und trockenem Wetter immer gleichklingenden Fürsorge: »Nehmen Sie sich in acht.«

Gordon freute sich des voll und glänzend besetzten Hauses und ließ von seinem Umschauhalten erst ab, als der Taktstock sich erhob und die Ouvertüre begann. Er kannte jeden Ton und folgte mit Verständnis und Freudigkeit, bis er plötzlich in einer ihm gegenüberliegenden Loge Céciles gewahr wurde. Sie saß vorn an der Brüstung, neben ihr der Geheimrat, der ihr, während der Fächer sie halb verdeckte, kleine Bemerkungen zuflüsterte, wobei beider Köpfe sich berührten. So wenigstens schien es Gordon. Und nun ging der Vorhang auf. Aber er sah und hörte nichts mehr und starrte nur, während er Kinn und Mund in seine linke Hand vergrub, nach der Loge hinüber, ganz und gar seiner Eifersucht hingegeben und von einem prickelnden Verlangen erfüllt, lieber zu viel als zu wenig zu sehen. Es schien aber, daß beide dem Spiele nicht nur oberflächlich, sondern aufmerksam und mit einem gewissen Ernste folgten, und nur dann immer, wenn eine leere Stelle kam, beugte sich der eine zum anderen und sprach abwechselnd ein kurzes Wort, das von seiten Céciles meistens mit einem Lächeln, von seiten des Geheimrats aber Mal auf Mal mit einem komisch gravitätischen Kopfnicken beantwortet wurde.

Gordon litt Höllenqualen, und über seine Rache brütend, war er nur darüber im Zweifel, ob er sich im gegebenen Moment (und der Moment *mußte* sich geben) lieber als »Böses Gewissen«

oder als »Mephisto« gerieren sollte. Natürlich entschied er sich für das letztere. Spott und superiore Witzelei waren der allein richtige Ton, und als ihm dies feststand, fiel zum erstenmal der Vorhang.

Drüben aber leerte sich die Loge, darin nur Cécile mit ihrem Hausfreunde zurückblieb.

Und nun stürmte Gordon hinüber, um sich der gnädigen Frau vorzustellen.

Der Geheimrat hatte sein Glas genommen und musterte den Vorhang. Als er sich eben wieder wandte, vielleicht um seiner Freundin und Nachbarin eine kunstkritische Bemerkung über Arion und noch wahrscheinlicher über die badelustige Nereidengruppe zuzuflüstern, sah er den inzwischen eingetretenen Nebenbuhler, der, mit halbem Gruß ihn streifend, sich eben gegen Cécile verneigte.

»Welches Glück für mich, meine gnädigste Frau«, begann Gordon in seinem spitzesten Tone, »Sie schon heut und an dieser Stelle begrüßen zu dürfen. Ich hatte vor, mich Ihnen morgen im Laufe des Tages zu präsentieren. Aber es trifft sich günstiger für mich. Darf ich mich nach Ihrem Befinden erkundigen?«

Cécile zitterte vor Erregung und fand in dem Krampf, der ihr die Sprache zu rauben drohte, nichts als die mit höchster Anstrengung gesprochenen Worte: »Die Herren kennen einander? Geheimrat Hedemeyer ... Herr von Gordon.«

»Hatte bereits die Ehre«, sagte Gordon, während er sich auf einem der frei gewordenen Plätze niederließ. Gleich danach aber, sich leger auf eine Seitenlehne stützend, fuhr er im Tone forcierter guter Laune fort: »Ein volles Haus, meine Gnädigste, jedenfalls voller, als man bei einer Oper glauben sollte, die nun schon dreißig Jahre spielt und jeder auswendig kennt. Es muß der Stoff sein oder die glänzende Besetzung. Ich vermute, Niemann. Er ist doch der geborene Tannhäuser, und kein anderer reicht da heran. Wenigstens nicht auf der Bühne. Für mich sind es Auffrischungen aus Tagen her, in denen ich noch des Vorzugs genoß, mit der silbernen Gardelitze, deren sich, einigermaßen überraschlich, auch das Regiment ›Eisenbahn‹ erfreut, hier sitzen zu dürfen, halb als Kunstenthusiast, halb als militärisches Hausornament. Übrigens empfange ich den Eindruck, als ob Kamerad Hülsen immer noch seine Gnadensonne über Gerechte und Ungerechte scheinen lasse. Sehen Sie da drüben, meine Gnädigste! Die reine Levée en masse, wie gewöhnlich mit Regiment Alexander an der Tete.«

Cécile hörte den spöttischen Ton nur halb heraus, desto deutlicher der Geheimrat, der dann auch, ersichtlich um den draußen in der Welt von »Europens übertünchter Höflichkeit« frei gewordenen »Kanadier« zu markieren – mit der ihm eigenen Ironie replizierte; »Sie waren nur sieben Jahr fort, Herr von Gordon? Ich dachte, länger.«

Gordon, der den Wert einer gelungenen maliziösen Bemerkung auch dann noch zu schätzen wußte, wenn sich die Spitze derselben gegen ihn selber richtete, fand sich momentan in eine leichte, gute Stimmung zurück und antwortete: »Zu dienen, mein Herr Geheimrat; leider nur sieben Jahre, weshalb ich vorhabe, die Zahl baldmöglichst zu verdoppeln, und zwar um meiner weiteren Ausbildung willen. Natürlich Charakterausbildung. Glückt es, so hoff ich einen richtigen Naturmenschen zu erzielen, an dem nichts Falsches ist, auch nicht einmal äußerlich. Aber ich sehe, die Loge fängt an, ihre früheren Insassen wieder aufzunehmen und mich an den Rückzug zu mahnen. Ich darf mich doch der gnädigen Frau recht bald in Ihrer Wohnung vorstellen?«

»Zu jeder Zeit, Herr von Gordon«, sagte Cécile. »Lassen Sie mich nicht länger warten, als Ihre geschäftlichen Obliegenheiten es fordern. Ich bin so begierig, von Ihnen zu hören.«

All das wurd in Hast und Verlegenheit gesprochen, und sie wußte kaum, was sie sagte. Gordon aber empfahl sich und ging in seine Loge zurück.

In dieser angekommen, gab er sich das Ansehen, als ob er dem zweiten Akt mit ganz besonderem Interesse folge, und wirklich nahm ihn der Wartburgsaal und das Erscheinen der Sänger eine Weile gefangen. Aber nicht auf lang, und als er wieder hinübersah, sah er, daß Cécile die Loge verließ und der Geheimrat ihr folgte.

Das war mehr, als er ertragen konnte; tollste Bilder schossen in ihm auf und jagten sich, und ein Schwindel ergriff ihn. Als er es mühsam überwunden, sah er nach der Uhr: »Halb neun. Spät, aber nicht *zu* spät. Und sie sagte ja: ›Zu jeder Zeit willkommen‹.«

Und damit erhob er sich, um dem flüchtigen Paare zu folgen. Fand er sie, schlimm genug, fand er sie *nicht* . . . Er mocht es nicht ausdenken.

»Ah, Herr von Gordon«, sagte die Jungfer, als der zu so später Stunde noch Vorsprechende mit aller Kraft – vielleicht um sein schlechtes Gewissen zu betäuben – die Klingel gezogen hatte.

»Treff ich die gnädige Frau?«

»Ja. Sie war im Theater, ist aber eben zurück. Die Herrschaften werden sehr erfreut sein.«

»Auch der Herr Oberst zugegen?«

»Nein, der Herr Geheimrat.«

Gordon wurde gemeldet, und ehe noch die Antwort da war, daß er willkommen sei, trat er bereits ein.

Cécile und der Geheimrat waren gleichmäßig frappiert, und das spöttische Lächeln des letzteren schien ausdrücken zu wollen: »Etwas stark«.

Gordon sah es sehr wohl, ging aber drüber hin und sagte, während er Cécile die Hand küßte: »Verzeihung, meine gnädige Frau, daß ich von Ihrer Erlaubnis einen so schnellen Gebrauch mache. Aber, offen gestanden, im selben Augenblicke, wo Sie die Loge verließen, war mein Interesse hin und nur noch der Wunsch lebendig, den Abend an Ihrer Seite verplaudern zu dürfen. Als Antrittsvisite keine ganz passende Zeit. Indessen Ihr freundliches Wort . . . Und so verzeihen Sie denn die späte Stunde.«

Cécile hatte sich inzwischen gesammelt und sagte mit einer Ruhe, die deutlich zeigte, daß ihr unter diesem unerhörten Benehmen ihr Selbstbewußtsein zurückzukehren beginne: »Lassen Sie mich Ihnen wiederholen, Herr von Gordon, daß Sie zu jeder Zeit willkommen sind. Und die späte Stunde, von der Sie sprechen . . . Nun, ich entsinne mich eines Plauderabends mit dem Hofprediger, wo Sie später kamen. Auch aus dem Theater. Es war ein ›Don Juan‹-Abend, und Sie hatten den Schluß abgewartet.«

»Ganz recht, meine gnädigste Frau. Man will immer gern wissen, was aus dem Don Juan wird.«

»Und aus dem Masetto«, setzte Hedemeyer hinzu, während er sich von dem Fauteuil, auf dem er eben erst Platz genommen hatte, wieder erhob.

»Aber Sie wollen doch nicht schon aufbrechen, mein lieber Geheimrat«, unterbrach ihn Cécile, der in diesem Augenblick ihre ganze Verlegenheit zurückkehrte. »Schon jetzt, schon vor dem Tee. Nein, das dürfen Sie mir nicht antun und Herrn von Gordon nicht, der ein gutes Gespräch liebt. Und was hat er an dem, was ich ihm sage? Nein, nein, Sie müssen bleiben.« Und sie zog die Glocke ... »Den Tee, Marie ... Hören Sie doch, lieber Freund, wie draußen der Regen fällt. Ich erwarte noch den Hofprediger, er hat es mir zugesagt. Noch einmal also, Sie bleiben.«

Aber der Geheimrat war unerbittlich und sagte: »Meine gnädigste Frau, der Klub und die L'hombrepartie warten auf mich. Und wenn es auch anders läge, man soll nie vergessen, daß man nicht allein auf der Welt ist. Es wär ein Unrecht, Herrn von Gordon so benachteiligen zu wollen. Er hat viele Wochen hindurch Ihre Unterhaltung entbehren müssen und Sie der seinigen; nun bringt er Ihnen eine Welt von Neuigkeiten, und ich bin nicht indiskret genug, bei diesen Mitteilungen stören zu wollen. Wenn Sie gestatten, sprech ich morgen wieder vor. Vorläufig darf ich vielleicht dem Herrn Obersten einen herzlichen Empfehl bringen. Auch von Ihnen, Herr von Gordon?«

Gordon begnügte sich damit, sich kalt und förmlich gegen den Geheimrat zu verneigen, der, inzwischen an Cécile herangetreten, ihre Hand an seine Lippen führte. »Wie gerne wär ich geblieben. Aber es ist gegen meine Grundsätze. Nennen Sie mir nicht den Hofprediger: Hofprediger stören nie. Wer berufsmäßig Beichte hört, steht über der Indiskretion. Übrigens ist er noch nicht da. Bis morgen also, bis morgen.« Und er ging. Im selben Augenblick brachte Marie den Tee. Sie wollte den Tisch arrangieren, aber Cécile, die das, was in ihr vorging, nicht länger zurückdämmen konnte, sagte: »Lassen Sie, Marie«, und wandte sich dann rasch und mit vor Erregung und fast vor Zorn zitternder Stimme gegen Gordon: »Ich bin indigniert über Sie, Herr von Gordon. Was bezwecken Sie? Was haben Sie vor?«

»Und Sie fragen?«

»Ja, noch einmal: was haben Sie vor? Was bezwecken Sie? Sprechen Sie mir nicht von Ihrer Neigung. Eine Neigung äußert sich nicht in solchem Affront. Und in welchem Lichte müssen Sie dem Geheimrat erschienen sein.«

»Jedenfalls in keinem zweifelhafteren als er mir. Lassen Sie das meine Sorge sein.«

»Aber in welchem Lichte lassen Sie *mich* vor ihm erscheinen. Und Sie begreifen, mein Herr von Gordon, daß *das* meine Sorge ist. Ich habe Sie für einen Kavalier genommen oder, da Sie das Englische so lieben, für einen Gentleman und sehe nun, daß ich mich schwer und bitter in Ihnen getäuscht habe. Schon Ihr Besuch in der Loge war eine Beleidigung; nicht Ihr Erscheinen an sich, aber der Ton, der Ihnen beliebte, die Blicke, die Sie für gut fanden. Ich habe Sie verwöhnt und mein Herz vor Ihnen ausgeschüttet, ich habe mich angeklagt und erniedrigt, aber anstatt mich hochherzig aufzurichten, scheinen Sie zu fordern, daß ich immer kleiner vor Ihrer Größe werde. Meiner Tugenden sind nicht viele, Gott sei's geklagt, aber *eine* darf ich mir unter Ihrer eigenen Zustimmung vielleicht zuschreiben, und nun zwingen Sie mich, dies einzige, was ich habe, mein bißchen Demut, in Hochmut und Prahlerei zu verkehren. Aber Sie lassen mir keine Wahl. Und so hören Sie denn, ich bin nicht schutzlos. Ich beschwöre Sie, zwingen Sie mich nicht, diesen Schutz anzurufen: es wäre Ihr und mein Verderben. Und nun sagen Sie, was soll werden? Wo steckt Ihr Titel für all dies? Was hab ich gefehlt, um dieses Äußerste zu verdienen? Erklären Sie sich.«

»Erklären, Cécile! Das Rätsel ist leicht gelöst: ich bin eifersüchtig.«

»Eifersüchtig. Und das sprechen Sie so hin, wie wenn Eifersucht Ihr gutes und verbrieftes Recht wäre, wie wenn es Ihnen zustände, mein Tun zu bestimmen und meine Schritte zu kontrollieren. Haben Sie dies Recht? Sie haben es *nicht*. Aber *wenn* Sie's hätten: eine vornehme Gesinnung verleugnet sich auch in der Eifersucht nicht; ich weiß das, ich habe davon erfahren. Sie konnten Schlimmeres tun, als Sie getan haben, aber nichts Kleineres und nichts Unwürdigeres.«

»Nichts Unwürdigeres! Und was ist es denn, was ich getan habe? Was sich erklärt, ist auch verzeihlich. Cécile, Sie sind strenger gegen mich, als Sie sollten; haben Sie Mitleid mit mir. Sie wissen, wie's mit mir steht, wie's mit mir stand vom ersten Augenblick an. Aber ich bezwang mich. Dann kam der Tag, an dem ich Ihnen alles bekannte. Sie wiesen mich zurück, beschworen mich, Ihren Frieden nicht zu stören. Ich gehorchte, mied Sie, ging. Und der erste Tag, der mich nach langen Wochen und – Gott ist mein Zeuge! – durch einen baren Zufall wieder in Ihre Nähe führt, was zeigt er mir? Sie wissen es. Sie wissen es, daß dieser spitze, hämische Herr von Anfang an mein Widerpart war, mein Gegner, der ein Recht zu haben glaubt, sich über mich und meine Neigung zu mokieren. Und eben er, er mir vis-à-vis in der Loge, sicherer und süffisanter denn je zuvor, und neben ihm meine vergötterte Cécile, lachend und heiter hinter ihrem Fächer und sich ihm zubeugend, als könne sie's nicht abwarten, immer mehr von seinen Frivolitäten einzusaugen, von all dem süßen Gift, darin er Meister ist. Ach, Cécile, meine Resignation war aufrichtig und ehrlich, ich schwör es Ihnen; ich kam nicht wieder, um Ihre Ruhe zu stören, aber einen andern bevorzugt sehen und so, so, *das* war mehr, als ich ertragen konnte. Das war zu viel.«

All das wurde gesprochen, während beide heftig erregt über den Teppich hinschritten; das Flämmchen unter dem Wasserkessel brannte weiter, und der Dampf stieg in kleinen Säulen zwischen den beiden Bronzelampen in die Höh'. Alles war Frieden um sie her, und Cécile nahm jetzt seine Hand und sagte: »Setzen wir uns, vielleicht daß wir dann ruhigere Worte finden ... Sie suchen es alles an der falschen Stelle. Nicht meine Haltung im Theater ist schuld und nicht mein Lachen oder mein Fächer, und am wenigsten der arme Geheimrat, der mich amüsiert, aber mir ungefährlich ist, ach, daß Sie wüßten, wie sehr. Nein, mein Freund, was schuld ist an Ihrer Eifersucht oder doch zum mindesten an der allem Herkömmlichen hohnsprechenden Form, in die Sie Ihre Eifersucht kleiden, das ist ein anderes. *Sie* sind nicht eifersüchtig aus Eifersucht; Eifersucht ist etwas Verbindliches, Eifersucht schmeichelt uns; *Sie* aber sind eifersüchtig aus Überheblichkeit und Sittenrichterei. Da liegt es. Sie haben eines schönen Tages die Lebensgeschichte des armen Fräuleins von Zacha gehört, und diese Lebensgeschichte können Sie nicht mehr vergessen. Sie schweigen, und ich sehe daraus, daß ich's getroffen habe. Nun, diese Lebensgeschichte, so wenigstens glauben Sie, gibt Ihnen ein Anrecht auf einen freieren Ton, ein Anrecht auf Forderungen und Rücksichtslosigkeiten und hat Sie veranlaßt, an diesem Abend einen doppelten Einbruch zu versuchen: *jetzt* in meinen Salon und schon vorher in meine Loge ... Nein, unterbrechen Sie mich nicht ... ich will alles sagen, auch das Schlimmste. Nun denn, die Gesellschaft hat mich in den Bann getan, ich seh es und fühl es, und so leb ich denn von der Gnade derer, die meinem Hause die Ehre antun. Und jeden Tag kann diese Gnade zurückgezogen werden, selbst von Leuten wie Rossow und der Baronin. Ich habe nicht den Anspruch, den andre haben. Ich will ihn aber *wieder* haben, und als ich – *auch* ein unvergeßlicher Tag – heimlich und voll Entsetzen in das Haus schlich, wo der erschossene Dzialinski lag und mich mit seinen Totenaugen ansah, als ob er sagen wollte: ›*Du* bist schuld‹, da hab ich's mir in meine Seele hineingeschworen, nun, Sie wissen, *was*. Und ob ich in der Welt Eitelkeiten stecke, heut und immerdar, *eines* dank ich der neuen Lehre: das Gefühl der Pflicht. Und wo dies Gefühl ist, ist auch die Kraft. Und nun sprechen Sie; jetzt will ich hören. Aber sagen Sie mir Freundliches, das mich tröstet und versöhnt und mich wieder an Ihr gutes Herz und Ihre gute Gesinnung glauben macht und mir Ihr Bild wiederherstellt. Sprechen Sie ...«

Gordon sah vor sich hin, und um seinen Mund war ein Zucken und Zittern, als ob die Worte, die sie so warm und wahr gesprochen, doch eines Eindrucks auf ihn nicht verfehlt hätten. Aber im selben Augenblicke trat das Bild wieder vor seine Seele, davon er, vor wenigen Stunden erst, Zeuge gewesen war, und verletzt von seiner Eitelkeit, gequält von dem Gedanken, ein bloßes Spielzeug in Weiberhänden, ein Opfer alleralltäglichster List und Laune zu sein, fiel er in sein kaum beschwichtigtes Mißtrauen und schlimmer in den Ton bittren Spottes zurück.

»Sie sind so beredt, Cécile«, sprach er vor sich hin. »Ich wußte nicht, daß Sie *so* gut zu sprechen verstehen.«

»Und doch ist es nicht lange, seit ich Ihnen Ähnliches und mit gleicher Eindringlichkeit sagen mußte. Schlimm genug, daß mir Ihr Wiedererscheinen eine Wiederholung nicht ersparte. Was Sie Beredsamkeit nennen, nenn ich einfach ein Herz.«

»Und ich habe diesem Herzen geglaubt!«

»Sie *haben* ihm geglaubt. Also in diesem Augenblicke *nicht* mehr! Und was glauben Sie *jetzt*? Was glauben Sie *noch*?«

»Daß wir uns beide getäuscht haben ... Wir bleiben unsrer Natur getreu, das ist unsre einzige Treue ... *Sie* gehören dem Augenblick an und wechseln mit ihm. Und wer den Augenblick hat ...«

Er brach ab, verbeugte sich und verließ das Zimmer, ohne weiter ein Wort des Abschieds oder der Versöhnung gesprochen zu haben. Im Vorzimmer schoß er, mit allen Zeichen äußerster Erregung, an Dörffel vorüber, der einen Augenblick später in den Salon eintrat.

Als Cécile seiner ansichtig wurde, stürzte sie dem väterlichen Freund entgegen und beschwor ihn unter Tränen um seinen Beistand und seine Hilfe.

Siebenundzwanzigstes Kapitel

Cécile kam spät zum Frühstück, und St. Arnaud, das Zeitungsblatt aus der Hand legend, sah auf den ersten Blick, daß sie wenig geschlafen und viel geweint hatte. Sie begrüßten sich und wechselten dann einige gleichgültige Worte. Gleich danach nahm

St. Arnaud die Zeitung wieder auf und schien lesen zu wollen. Aber er kam nicht weit, warf das Blatt fort und sagte, während er die Tasse beiseiteschob: »Was ist das mit Gordon?«

»Nichts.«

»Nichts! Wenn es nichts wäre, so fragte ich nicht, und du wärst nicht verwacht und verweint. Also heraus mit der Sprache. Was hat er gesagt? Oder was hat er geschrieben? Er schrieb in einem fort. Ewige Briefe.«

»Willst du sie lesen?«

»Unsinn. Ich kenne Liebesbriefe; die besten kriegt man nie zu sehen, und was dann bleibt, ist gut für nichts. Übrigens sind mir seine Beteuerungen und vielleicht auch Bedauerungen absolut gleichgültig, aber nicht sein Auftreten vor Zeugen, nicht sein Benehmen in Gegenwart anderer. Er hat dich beleidigt. Der Hauptsache nach weiß ich, was geschehen ist; Hedemeyer hat mir gestern im Klub davon erzählt, und ich will nur die Bestätigung aus deinem Munde. Das in der Loge mochte gehen, aber dich bis hierher verfolgen: unerhört! Als ob er den Rächer seiner Ehre zu spielen hätte.«

»Sprich dich nicht in den Zorn hinein, Pierre. Du willst von mir hören, was geschehen ist, und ich sehe, du weißt alles. Ich habe nichts mehr hinzuzusetzen.«

»Doch, doch. Die Hauptsache fehlt noch. All dergleichen hat eine Vorgeschichte und fällt nicht vom Himmel. Am wenigsten vom Himmel. Gordon ist ein Mann von Familie, von Welt und Urteil, und ein solcher Mann handelt nicht ins Unbestimmte hinein. Er befragt die Situation. Und diese Situation will ich wissen, will ich kennenlernen. Schildre sie mir; ich denke, daß du sie mir schildern *kannst,* und zwar ohne sonderliche Verlegenheiten und Verschweigungen. Ein paar Ungenauigkeiten mögen mit drunterlaufen, meinetwegen; ich ereifre mich nicht um Bagatellen. Im übrigen – ich gestatte mir, das vorläufig anzunehmen – kann nichts vorgekommen sein, was das Licht des Tages oder meine Mitwissenschaft zu scheuen hätte. Denn man fordert mich nicht heraus, niemand, am wenigsten meine Frau, die, soviel ich weiß, eine Vorstellung davon hat, daß ich nicht der Mann der Unentschiedenheiten und Ängstlichkeiten bin. Aber du kannst das uralte Frau Eva-Spiel, das Spiel der Hinhaltungen und In-Sichtstellungen über das rechte Maß hinaus gespielt haben, gerad unklug und unvorsichtig genug, um mißverstanden zu werden. Liegt es so, so werd ich meine schöne Cécile bitten, in Zukunft etwas vorsichtiger zu sein. Liegt es aber anders, bist du dir keines Entgegenkommens bewußt, keines Entgegenkommens, das ihm zu *solchem* Eklat und Hausfriedensbruch auch nur einen Schimmer von Recht gegeben hätte, so liegt eine Beleidigung vor, die nicht nur dich trifft, sondern vor allem auch *mich*. Und ich habe nicht gelernt, Effronterien geduldig hinzunehmen. Über diesen Punkt verlang ich Auskunft, offen und unumwunden.«

Cécile schwieg. Aber wahrnehmend, daß es vergeblich sein würde, ihn durch halbe Worte von seinem Vorhaben abbringen zu wollen, sagte sie: »Was ich zu sagen habe, ist kurz. In Thale waren wir unter deinen Augen, und kein Wort ist gesprochen worden, das sich nicht gleichzeitig an alle Welt, an dich, an den Emeritus, an Rosa gerichtet hätte.«

St. Arnaud wiegte den Kopf und lächelte, während Cécile, die des Heimrittes von Altenbrak gedenken mochte, nicht ohne Verlegenheit vor sich hinblickte.

»*Dann*«, fuhr sie fort, »sahen wir uns hier. Es blieb, wie's gewesen. Er war voll Rücksicht und Aufmerksamkeiten, und nichts geschah, was den Respekt gegen mich auch nur einen Augenblick verleugnet hätte. Seine Konversation war leicht und gefällig, mitunter übermütig, aber trotz dieses Anflugs von Übermut hört ich aus jedem Wort eine große Zuneigung heraus: ein Gefühl, das mir wohltat und mich beglückte. So waren seine Worte; so waren auch seine Briefe.«

»Laß die Briefe.«

»Du darfst mich nicht unterbrechen. Ich sage, so waren auch seine Briefe. Dann kam das kleine Diner, wo wir Rossow und die Baronin zu Tisch hatten, und von dem Augenblick an war er ein andrer. Die Hergänge jenes Tages können ihn nicht umgestimmt haben, aber unmittelbar danach müssen Dinge zu seiner Kenntnis gekommen sein – ich brauche dir nicht zu sagen, welche –, die sein Auftreten und seinen Ton veränderten.«

»Erbärmlich. Eine Infamie.«

»Nein, Pierre.«

»Gut. Weiter.«

»Ich empfand auf der Stelle diese Veränderung und wies in einem Gespräch, darin ich mich ihm offen gab und zugleich Scherz und Ernst zu mischen suchte, darauf hin, daß er diesen veränderten Ton nicht anschlagen dürfe, weder als Mann von Ehre noch als Mann von Welt, und ich hatte den Eindruck, daß er mir selber zustimmte. Wenigstens entsprach dem sein unmittelbares Tun. Er verabschiedete sich in ein paar Zeilen und verließ Berlin. Erst gestern ist er zurückgekehrt. Das andere weißt du. Du mußt es als einen Anfall nehmen.«

»Ich versteh, als einen Anfall von Eifersucht. In der Tat, er geriert sich, als ob er legitimste Rechte geltend zu machen hätte; Prätension über Prätension. Aber, mein Herr von Gordon, Sie sind in der falschen Rolle.«

Dabei schoß sein Auge heftige Blicke, denn er war an seiner empfindlichsten, wenn nicht an seiner *einzig* empfindlichen Stelle getroffen, in seinem Stolz. Nicht das Liebesabenteuer als solches weckte seinen Groll gegen Gordon, sondern der Gedanke, daß die Furcht vor *ihm*, dem Manne der Determiniertheiten, nicht abschreckender gewirkt hatte. Gefürchtet zu sein, einzuschüchtern, die Superiorität, die der Mut gibt, in jedem Augenblicke fühlbar zu machen, das war recht eigentlich seine Passion. Und dieser Durchschnitts-Gordon, dieser verflossene preußische Pionierleutnant, dieser Kabelmann und internationale Drahtzieher, *der* hatte geglaubt, über ihn weg sein Spiel spielen zu können. Dieser Anmaßliche . . .

Cécile las in seiner Seele, und Angst und Sorge vor dem, was jetzt mutmaßlich kommen mußte, befiel sie. Sie nahm deshalb seine Hand, mit der er auf dem Tischtuch in nervöser Unruhe hin und her fuhr, und sagte: »Pierre, versprich mir eins.«

»Was?«

». . . Dich nicht zu Gewaltsamkeiten fortreißen zu lassen. Alles was geschehen ist, ist natürlich und, weil natürlich, auch verzeihlich. Es ist keine Beleidigung darin, wenigstens keine gewollte Beleidigung.«

»Ich werde nicht mehr tun, als nötig, aber auch nicht weniger. An dieser Zusage mußt du dir genügen lassen.«

Bei diesen Worten erhob er sich von seinem Platze, ging in sein Arbeitszimmer und nahm hier, wie wenn er vorhabe, sich's bequem zu machen, zunächst eine Zigarre. Dann schritt er ein paarmal auf dem türkischen Teppich auf und ab, setzte sich an seinen Schreibtisch und malte langsam und mit sorglicher Handschrift die Adresse: »Sr. Hochwohlgeboren, Herrn von Leslie-Gordon . . .«

»Aber wo?« unterbrach er sich, während er auf einen Augenblick die Feder wieder aus der Hand legte. »Nun, er wird sich ja finden lassen . . . Wozu haben wir Zeitungen und die Rubrik ›Angekommene Fremde‹. Unterschlagen wird er sich doch nicht haben.«

Und nun schob er das Kuvert zurück, nahm einen Briefbogen mit Wappen und Initiale und schrieb:

»Über den Doppelbesuch, den Sie, mein Herr von Gordon, gestern abend der Frau von St. Arnaud erst in der Loge, dann in der Wohnung derselben abgestattet haben, bin ich unterrichtet worden, übrigens *nicht* durch Frau von St. Arnaud selbst, die vielmehr – wie mir gestattet sein mag, in pflichtschuldiger Berücksichtigung Ihrer Gefühle hinzuzusetzen – in einem eben mit mir gehabten Gespräche nicht Ihre Anklägerin, sondern Ihre Verteidigerin gemacht hat. Aber gerade diese Verteidigung richtet Sie. Daß Sie, mein Herr von Gordon, unmittelbar vor Ihrer Abreise von Berlin einen Ton anschlagen und ein Spiel gespielt haben, das Sie besser nicht gespielt hätten, verzeih ich Ihnen. Ich finde mich darin zurecht, denn ich kenne die Welt. Daß Sie dies Spiel aber trotz Abmahnung und Bitte wiederholten und vor allem, *wie* Sie's wiederholten, *das,* mein Herr von Gordon, ist unverzeihlich. Frau von St. Arnaud, als sie rückhaltlos ihr Herz vor Ihnen offenbarte, begab sich dadurch in Ihren Schutz, und einer Frau diesen Schutz zu versagen, ist unritterlich und *ehrlos.* Dies habe ich Ihnen, mein Herr von Gordon, aussprechen wollen und gewärtige durch General von Rossow das Weitere.

von St. Arnaud.«

Achtundzwanzigstes Kapitel

Gordon saß in dem Glaspavillon des Hotels, als St. Arnauds Brief eintraf. Er las und verzog keine Miene. Daß sich etwas derart vorbereiten würde, war ihm von dem Augenblick an wahrscheinlich, wo der Geheimrat, um in den Klub zu gehen, den Salon Céciles verlassen hatte. Das Wahrscheinliche war nun da. Nichts von Furcht überkam ihn, und wenn etwas davon ihn angewandelt hätte, so würd ihn der unendlich hochmütige Ton des Briefes dieser Anwandlung rasch wieder entrissen haben. War er doch selber ein Trotzkopf und von einem Selbstgefühle, das dem seines Gegners unter Umständen die Spitze bieten konnte. »Gemach, mein Herr Oberst; Sie halten nicht vor Ihrer Front, und ich bin nicht Ihr jüngster Leutnant. Oder glauben Sie, daß ich devotest um Entschuldigung bitten und mich vor Ihnen klein machen soll, bloß weil Sie das Totschießen als Geschäft betreiben. Sie täuschen sich. Ich hab auch eine feste Hand und den ersten Schuß dazu, wenn die Gesetze der Ehre noch dieselben

sind. Der Ehre. Was sich nicht alles so nennt! Nun, sei's drum...
Aber wen schick ich an Rossow? Ich werde nach der Villa hinaus-
fahren... Der Bruder der jungen Frau...«

*

Die Dinge regelten sich in der Tat innerhalb weniger Stunden,
und weil beiden Parteien daran lag, allerlei Weiterungen und
Hemmnisse vermieden zu sehen, wie sie nicht wohl ausbleiben
konnten, wenn Cécile davon erfuhr, so kam man überein, an
demselben Abende noch den Dresdner Schnellzug benutzen und
am andern Morgen in einem in der Nähe des Großen Gartens
gelegenen Wäldchen den Handel ausfechten zu wollen.

*

Cécile, so gut sie St. Arnauds ungestümen Charakter kannte,
gewärtigte keinen unmittelbaren Zusammenstoß und war deshalb nur verstimmt, aber nicht eigentlich geängstigt, als sie den
andern Morgen hörte, der Oberst, dessen Unregelmäßigkeiten
sie kannte, sei tags vorher nicht nach Hause gekommen.

»Er ist der Mann der Exzentrizitäten. Was wird vorgekommen sein? Ein Sport, eine Klublaune, vielleicht ein Wettritt
neben dem Eisenbahnzuge her. Und dann Nachtquartier in einer
Dorfschenke mit der Devise: ›Je schlechter, je besser‹.«

Sie nahm ein Buch zur Hand und versuchte zu lesen. Aber es
ging nicht, und als auch ein Gespräch mit dem Papagei versagte,
zog sie sich in ihr Schlafzimmer zurück, um hier früher als sonst
Toilette zu machen.

»Ich will zu Rosa. Freilich am Ende der Welt. Aber seit Wochen hab ich ihr einen Besuch versprochen, und ich sehne mich
nach einem guten Menschen.«

In ihrem Schlafzimmer war ein eleganter Kamin, vor dem die
Jungfer sich eben beschäftigte. Diese warf Kohlen und Tann-
äpfel auf und suchte mit einem kleinen Blasebalg das halb aus-
gegangene Feuer wieder anzufachen.

»Ah, das ist gut, Marie. Mach es uns warm; ich friere. Du
könntest mir noch den Schal bringen.«

Während dieser Worte ging draußen die Klingel, und Cécile
hörte, wie des Obersten Diener ein längeres Gespräch hatte.

»Sieh, was es ist!«

Marie ging und kam mit einem Brief zurück, der eben abgegeben war. Er trug nur die Aufschrift: »Frau von St. Arnaud, Hafenplatz 7a.« Und Cécile sah, daß es Gordons Handschrift war.

»Geh, Marie . . . nein, bleib.«

Und mit zitternder Hand riß sie das Kuvert auf und las.

»Verzeihung, gnädigste Frau, Verzeihung, liebe Freundin! Ich hatte wohl unrecht, nein, ich hatte *gewiß* unrecht. Aber der Sinn war mir gestört, und so kam es, wie es kam. Ein berühmter Weiser – ich weiß nicht, alter oder neuer Zeit – soll einmal gesagt haben: ›wir glaubten und vertrauten nicht genug, und das sei der Quell all unseres Unglücks und Elends.‹ Und ich fühle jetzt, daß er recht hat. Ich hätte, statt Zweifel zu hegen und Eifersucht großzuziehen, Ihnen vertrauen und der Stimme meines Herzens rückhaltlos gehorchen sollen. Daß ich es unterließ, ist meine Schuld. Ich werde Sie nicht wiedersehen, *nie*, was auch kommen mag. Sehen Sie mich allezeit so, wie ich war, ehe die Trübung kam. Immer der Ihre. Wieder *ganz* der Ihre.

v. G.«

Das Blatt entglitt ihrer Hand, und ein heftiges Schluchzen folgte.

Marie sprang herzu, ließ die halb Ohnmächtige in den Fauteuil nieder und griff nach dem Kölnischen Wasser, das auf dem Kaminsims stand. Aber Cécile richtete sich mit Anstrengung wieder auf und sagte: »Laß. Es geht vorüber. Weißt du, Marie . . . Herr von Gordon . . .«

»Jesus, Maria, gnädige Frau . . .«

»Da. Lies. Das sind seine letzten Worte.«

Und die Jungfer bückte sich nach dem auf den Kaminteppich gefallenen Brief, um ihn Cécile zurückzugeben. Aber diese schüttelte nur den Kopf und sagte, während sie nach der Konsoluhr zeigte: »Merk die Minute . . . Er ist erschossen . . . *jetzt*.«

Neunundzwanzigstes Kapitel

Am anderen Morgen brachten alle Zeitungen folgende gleichlautende Notiz:

»Wie wir aus Dresden erfahren, hat gestern um neun Uhr früh, in der Nähe des Großen Gartens, ein Duell zwischen dem Obersten a. D. von St. Arnaud und dem früher ebenfalls der preußischen Armee zugehörigen Zivilingenieur von Leslie-Gordon stattgefunden. Herr von Leslie-Gordon fiel, während von St. Arnaud nur leicht an der linken Seite verwundet wurde. Herr von Gordon wird, einer letztwilligen Verfügung entsprechend, nach Liegnitz, wo zwei seiner Schwestern leben, übergeführt werden. Herr von St. Arnaud hat Sachsen unmittelbar nach dem Rencontre verlassen. Über die Veranlassung zu dem Duell verlautet nichts Bestimmtes, da die Sekundanten jede Auskunft verweigern.«

*

Vier Tage danach traf unter der Adresse der Frau von St. Arnaud nachstehender Brief in Berlin ein:

»*Mentone*, den 4. Dezember. Meine liebe Cécile! Was geschehen ist, wirst Du mittlerweile durch Rossow erfahren haben, und über meinen persönlichen Verbleib gibt Dir der Poststempel Auskunft. Ich habe hier im Hotel Bauer (es findet sich überall dieser Name) Wohnung genommen und genieße der Ruhe nach all den Vorkommnissen und unruhigen Bewegungen der nun zurückliegenden Woche. Selbst von einer gewissen Herzensbewegung darf ich sprechen, zu der ich mich, *Dir* gegenüber, gern bekenne. Der Ausgang der Sache machte doch einen Eindruck auf mich, und so bot ich ihm die Hand zur Versöhnung. Aber er wies sie zurück. Eine Minute später war er nicht mehr.

Ich hoffe, daß Du das Geschehene nimmst, wie's genommen werden muß. ›Tu l'as voulu, George Dandin‹. Sein Benehmen war ein Affront gegen Dich und mich, und er hätte mich besser kennen müssen. Übrigens bin ich seinem Mute Gerechtigkeit schuldig und mehr noch seiner unsentimentalen Entschlossenheit, die mir beinah imponiert hat. Denn er *wollte* mich treffen, und seine Kugel, die mir die Rippen streifte, ging nur zwei Finger breit zu weit rechts. Sonst wär ich da, wo er jetzt ist. Daß Du mit ein paar Herzensfasern an ihm hingst, weiß ich und war mir recht – eine junge Frau braucht dergleichen. Aber nimm das Ganze nicht tragischer, als nötig: die Welt ist kein Treibhaus für überzarte Gefühle.

Daß ich mich den Langweiligkeiten einer abermaligen Prozessierung entzogen habe, wirst Du natürlich finden. Ich werde mit nächstem sechzig und fühle keinen Beruf in mir, abermals ein Jahr lang (oder vielleicht noch länger) um den Julius-Turm spazieren zu gehen. So zog ich denn die Riviera vor.

Empfiehl mich Rossow. Er hat sich in der ganzen Affäre brillant benommen und teilte nach seinen Verhandlungen mit Gordon ganz meine Meinung über diesen. Gordon täuschte durch glatte Formen; anfangs auch mich. Im Grunde seines Herzens war er hochmütig und eingebildet, wie die meisten dieser Herren. Er überschätzte sich, weil ihm das Weltfahren zu Kopfe gestiegen war, und mißachtete die gesellschaftlichen Scheidungen, die wir diesseits des großen Wassers, vorläufig wenigstens noch, haben.

Wenn Deine Gesundheit es zuläßt, erwart ich Dich spätestens in nächster Woche. Die Luft hier ist entzückend, keine Spur von Winter, alles noch in Blüte oder schon wieder in Blüte. Komm also. Der Pflicht der Abschiedsbesuche sind wir ja, Gott sei Dank, überhoben; jede Situation hat ihre Meriten. Im übrigen wird es gut sein, wenn Dich Marie begleitet, die hier, was ihr den Abschied von Fritz vielleicht erleichtert, das Katholische näher und bequemer hat als in Berlin. Au revoir! Dein St. Arnaud.«

*

Drei Tage nach Eintreffen dieses Briefes richtete der Hofprediger Dörffel das folgende Schreiben an den Obersten von St. Arnaud:

»Mein Herr Oberst. Es liegt mir die Pflicht ob, Sie von dem am 4. dieses erfolgten Ableben Ihrer Gemahlin in Kenntnis zu setzen und mich dabei der mir seitens derselben gewordenen schriftlichen Aufträge zu entledigen.

Ich bitte, zunächst chronologisch berichten zu dürfen.

Ihre Frau Gemahlin war schwer leidend seit dem Tage, wo die Zeitungsnachricht eintraf; sie wollte niemand sehen, folgte widerwillig den Anordnungen des Arztes und sah von den Bekannten nur Fräulein Rosa und mich. Ich sprach täglich vor, in der Regel in den Mittagsstunden. Vorgestern, bei meinem Erscheinen, fand ich die Jungfer in Tränen und erfuhr, die gnädige Frau sei tot.

Als ich in das Zimmer trat, sah ich, was geschehen.

Frau von St. Arnaud lag auf dem Sofa, ein Batisttuch über Kinn und Mund. Es war mir nicht zweifelhaft, auf welche Weise sie sich den Tod gegeben; ihre Linke hielt das kleine Kreuz mit dem Christuskopf, das sie beständig trug. Der Ausdruck ihrer Züge war der Ausdruck derer, die dieser Zeitlichkeit müde sind. Auf dem Tische neben ihr lag ihr Gebetbuch, in das sie, zusammengeknifft und nach Art eines Lesezeichens, einen an mich adressierten Brief gelegt hatte. Dieser Brief, das Beichtgeheimnis eines demütigen Herzens, ist mir unendlich wertvoll, weshalb ich bitte, den Inhalt desselben Ihnen, mein Herr Oberst, nur abschriftlich und nur in seinem sachlichen Teile mitteilen zu dürfen. Es heißt in diesem Letzten Willen:

›Ich wünsche nach Cyrillenort übergeführt und auf dem dortigen Gemeindekirchhofe, zur Linken der fürstlichen Grabkapelle, beigesetzt zu werden. Ich will der Stelle wenigstens nahe sein, wo *die* ruhen, die in reichem Maße mir *das* gaben, was mir die Welt verweigerte: Liebe und Freundschaft und um der Liebe willen auch Achtung ... Vornehmheit und Herzensgüte sind nicht alles, aber sie sind *viel*.

Mein Vermögen erhält meine Mutter, mein Gut St. Arnaud. Nach seinem Tode fällt es an die fürstliche Familie zurück.

Über die Dinge, die mich täglich umgaben, bitt ich St. Arnaud, Verfügung treffen zu wollen und bestimme meinerseits nur noch, daß die Konsoluhr und der türkische Schal an Marie, das Gebetbuch mit den Aquarellinitialen an Rosa, das Opalkreuz aber, das mir beistehen soll bis zuletzt, an *Sie*, mein väterlicher Freund, fallen soll. Ihre hundertfach erprobte Milde wird nicht Anstoß daran nehmen, daß es ein katholisches Kreuz ist, und auch daran nicht, daß ich, eine Konvertitin, meine letzten Gebete an ebendies Kreuz und aus einem katholischen Herzen heraus gerichtet habe. Jede Kirche hat reiche Gaben, und auch der Ihrigen verdank ich viel; die aber, darin ich geboren und großgezogen wurde, macht uns das Sterben leichter und bettet uns sanfter.‹

So, mein Herr Oberst, die Bestimmungen der gnädigen Frau, denen ich meinerseits nur noch hinzuzufügen habe, daß in Gemäßheit derselben verfahren werden und heute nacht noch, und zwar von mir persönlich begleitet, der Kondukt nach Cyrillenort stattfinden wird. Dort werden wir die Tote morgen um die zehnte Stunde zur Ruhe bestatten. Die Vorbereitungen dazu sind bereits getroffen.

Der Friede Gottes aber, der über alle Vernunft ist, sei mit uns allen.«

DIE POGGENPUHLS

Die Poggenpuhls – eine Frau Majorin von Poggenpuhl mit ihren drei Töchtern Therese, Sophie und Manon – wohnten seit ihrer vor sieben Jahren erfolgten Übersiedlung von Pommersch-Stargard nach Berlin in einem gerade um jene Zeit fertig gewordenen, also noch ziemlich mauerfeuchten Neubau der Großgörschenstraße, einem Eckhause, das einem braven und behäbigen Manne, dem ehemaligen Maurerpolier, jetzigen Rentier August Nottebohm gehörte. Diese Großgörschenstraßen-Wohnung war seitens der Poggenpuhlschen Familie nicht zum wenigsten um des kriegsgeschichtlichen Namens der Straße, zugleich aber auch um der sogenannten »wundervollen Aussicht« willen gewählt worden, die von den Vorderfenstern aus auf die Grabdenkmäler und Erbbegräbnisse des Matthäikirchhofs, von den Hinterfenstern aus auf einige zur Kulmstraße gehörige Rückfronten ging, an deren einer man, in abwechselnd roten und blauen Riesenbuchstaben, die Worte »Schulzes Bonbonfabrik« lesen konnte. Möglich, ja sogar wahrscheinlich, daß nicht jedem mit dieser eigentümlichen Doppelaussicht gedient gewesen wäre; der Frau von Poggenpuhl aber, einer geborenen Pütter – aus einer angesehenen, aber armen Predigerfamilie stammend – paßte jede der beiden Aussichten gleich gut, die Frontaussicht, weil die etwas sentimental angelegte Dame gern vom Sterben sprach, die Rückfrontaussicht auf die Kulmstraße aber, weil sie beständig an Husten litt und aller Sparsamkeit ungeachtet zu gutem Teile von Gerstenbonbons und Brustkaramellen lebte. Jedesmal, wenn Besuch kam, wurde denn auch von den großen Vorzügen dieser Wohnung gesprochen, deren einziger wirklicher Vorzug in ihrer großen Billigkeit und in der vor mehreren Jahren schon durch Rentier Nottebohm gemachten Zusicherung bestand, daß die Frau Majorin nie gesteigert werden würde. »Nein, Frau Majorin«, so etwa hatte sich Nottebohm damals geäußert, »was dieses angeht, so können Frau Majorin ganz ruhig sein und die Fräuleins auch. Gott, wenn ich so alles bedenke . . . verzeihen Frau Majorin, das Manonchen war ja noch ein Quack, als Sie damals, zu Michaeli, hier einzogen . . . un als Sie dann Neujahr runterkamen und die erste Miete brachten und alles noch leer stand von wegen der nassen Wände, was aber ein Unsinn is, da sagte ich zu meiner Frau, denn wir hatten es damals noch nich: ›Line‹, sagte ich, ›das is Handgeld und bringt uns Glück.‹ Und hat auch wirklich. Denn von dasselbe Vierteljahr an war nie was leer, un immer reputierliche Leute – das muß ich sagen ... Und dann, Frau Majorin, wie werd ich denn grade bei Ihnen mit so was anfangen ... ich meine mit das Steigern. Ich war ja doch auch mit dabei; Donnerwetter, es war eine ganz verfluchte Geschichte. Hier sitzt mir noch die Kugel; aber der Doktor sagt: sie würde schon mal rausfallen und dann hätt ich ein Andenken.«

Und damit schloß Nottebohm eine Rede, wie er sie länger nie gehalten und wie sie die gute Frau Majorin nie freundlicheren Ohres gehört hatte. Das mit dem »dabei gewesen sein« aber bezog sich auf Gravelotte, wo Major von Poggenpuhl, spät gegen Abend, als die pommersche Division herankam, an der Spitze seines Bataillons, in dem auch Nottebohm stand, ehrenvoll gefallen war. Er, der Major, hinterließ nichts als einen guten alten Namen und drei blanke Krönungstaler, die man in seinem Portemonnaie fand und später seiner Witwe behändigte. Diese drei Krönungstaler waren, wie das Erbe der Familie, so selbstverständlich auch der Stolz derselben, und als sechzehn Jahre später die erst etliche Monate nach dem Tode des Vaters geborene jüngste Tochter Manon konfirmiert werden sollte, waren aus den drei Krönungstalern – die bis dahin zu konservieren keine Kleinigkeit gewesen war – drei Broschen angefertigt und an die drei Töchter zur Erinnerung an diesen Einsegnungstag überreicht worden. Alles unter geistlicher Mitwirkung und Beihilfe. Denn Generalsuperintendant Schwarz, der die Familie liebte, war am Abend des Konfirmationstages in die Poggenpuhlsche Wohnung gekommen und hatte hier die in Gegenwart einiger alter Kameraden und Freunde stattfindende Broschenüberreichung fast zu einer kirchlichen Zeremonie, jedenfalls aber zu einer Feier erhoben, die sogar dem etwas groben und gegen die »Adelspackage« stark eingenommenen Portier Nebelung imponiert und ihn, wenn auch nicht geradezu bekehrt, so doch den wohlwollenden Gesinnungen seines Haus- und Brotherrn Nottebohm um etwas näher geführt hatte.

Wie sich von selbst versteht, war auch die Poggenpuhlsche Wohnungseinrichtung ein Ausdruck der Verhältnisse, darin die Familie nun mal lebte; von Plüschmöbeln existierte nichts und von Teppichen nur ein kleiner Schmiedeberger, der mit schwarzen, etwas angefusselten Wollfransen vor dem Sofa der zunächst am Korridor gelegenen und schon deshalb als Empfangssalon dienenden »guten Stube« lag. Entsprechend diesem Teppiche waren auch die schmalen, hier und dort gestopften Gardinen: alles aber war sehr sauber und ordentlich gehalten, und ein mutmaßlich aus einem alten märkischen Herrenhause herstammender, ganz vor kurzem erst auf einer Auktion erstandener, weißlakkierter Pfeilerspiegel mit eingelegter Goldleiste lieh der ärmlichen Einrichtung trotz ihres Zusammengesuchtseins oder vielleicht auch um dessen willen etwas von einer erlöschenden, aber doch immerhin mal dagewesenen Feudalität.

Über dem Sofa derselben »guten Stube« hing ein großes Ölbildnis (Kniestück) des Rittmeisters von Poggenpuhl vom Sohrschen Husarenregiment, der 1813 bei Großgörschen ein Carré gesprengt und dafür den Pour le mérite erhalten hatte – der einzige Poggenpuhl, der je in der Kavallerie gestanden. Das halb wohlwollende, halb martialische Gesicht des Rittmeisters sah auf eine flache Glasschale hernieder, drin im Sommer Aurikeln und ein Vergißmeinnichtkranz, im Winter Visitenkarten zu liegen pflegten. An der andern Wand aber, genau dem Rittmeister gegenüber, stand ein Schreibtisch mit einem kleinen erhöhten Mittelbau, drauf, um bei Besuchen eine Art Gastlichkeit üben zu können, eine halbe Flasche Kapwein mit Likörgläschen thronte, beides, Flasche wie Gläschen, auf einem goldgeränderten Teller, der beständig klapperte.

Neben dieser »guten Stube« lag die einfensterige Wohnstube, daran sich nach hinten zu das sogenannte »Berliner Zimmer« anschloß, ein bloßer Durchgang, wenn auch im übrigen geräumig, an dessen Längswand drei Betten standen, nur drei, trotzdem es eine viergliedrige Familie war. Die vierte Lagerstätte, von mehr ambulantem Charakter, war ein mit Rohr überflochtenes Sofagestell, drauf sich, wochenweis wechselnd, eine der zwei jüngeren Schwestern einzurichten hatte.

Hinter diesem »Berliner Saal« (Nottebohm selbst hatte den Grundriß dazu entworfen) lag die Küche mitsamt dem Hängeboden. Hier hauste das alte Dienstmädchen Friederike, eine treue Seele, die noch den gnädigen Herrn gekannt und als Vertraute der Frau Majorin alles Glück und Unglück des Hauses und zuletzt auch die Übersiedelung von Stargard nach Berlin mit durchgemacht hatte.

So wohnten die Poggenpuhls und gaben der Welt den Beweis, daß man auch in ganz kleinen Verhältnissen, wenn man nur die rechte Gesinnung und dann freilich auch die nötige Geschicklichkeit mitbringe, zufrieden und beinahe standesgemäß leben könne, was selbst von Portier Nebelung, allerdings unter Kopfschütteln und mit einigem Widerstreben, zugegeben wurde. Sämtliche Poggenpuhls – die Mutter freilich weniger – besaßen die schöne

Gabe, nie zu klagen, waren lebensklug und rechneten gut, ohne daß sich bei diesem Rechnen etwas störend Berechnendes gezeigt hätte.

Darin waren sich die drei Schwestern gleich, trotzdem ihre sonstigen Charaktere sehr verschieden waren.

Therese, schon dreißig, konnte (was denn auch redlich geschah) auf den ersten Blick für unpraktisch gelten und schien von allerhand kleinen Künsten eigentlich nur die eine, sich in einem Schaukelstuhle gefällig zu wiegen, gelernt zu haben; in Wirklichkeit aber war sie gerade so lebensklug wie die beiden jüngeren Schwestern und bebaute nur ein sehr andres Feld. Es war ihr, das stand ihr fest, ihrer ganzen Natur nach die Aufgabe zugefallen, die Poggenpuhlsche Fahne hochzuhalten und sich mehr, als es durch die Schwestern geschah, in die Welt, in die die Poggenpuhls nun mal gehörten, einzureihen. In den Generals- und Ministerfamilien der Behren- und Wilhelmstraße war sie denn auch heimisch und erzielte hier allemal große Zustimmung und Erfolge, wenn sie beim Tee von ihren jüngeren Schwestern und deren Erlebnissen in der »seinwollenden Aristokratie« spöttisch lächelnd berichtete. Selbst der alte Kommandierende, der, im ganzen genommen, längst aufgehört hatte, sich durch irgend etwas Irdisches noch besonders imponieren zu lassen, kam dann in eine vergnüglich liebenswürdige Heiterkeit, und der der Generalsfamilie befreundete, schräg gegenüber wohnende Unterstaatssekretär, trotzdem er selber von allerneuestem Adel war (oder vielleicht auch ebendeshalb), zeigte sich dann jedesmal hingerissen von der feinen Malice des armen, aber standesbewußten Fräuleins. Eine weitere Folge dieser gesellschaftlichen Triumphe war es, daß Therese, wenn es irgend etwas zu bitten gab, auch tatsächlich bitten durfte, wobei sie, wie bemerkt werden muß, nie für sich selbst, oder doch klug abwägend immer nur um solche Dinge petitionierte, die man mühelos gewähren konnte, was dann dem Gewährenden eine ganz spezielle Befriedigung gewährte.

So war Therese von Poggenpuhl.

Sehr anders erwiesen sich die beiden jüngeren Schwestern, die den Verhältnissen und der modernen Welt sich anbequemend, bei ihrem Tun sozusagen in Kompagnie gingen.

Sophie, die zweite, war die Hauptstütze der Familie, weil sie das besaß, was die Poggenpuhls bis dahin nicht ausgezeichnet hatte: Talente. Möglich, daß diese Talente bei günstigeren Lebensverhältnissen einigermaßen zweifelvoll angesehen und mehr oder weniger als »unstandesgemäß« empfunden worden wären;

bei der bedrückten Lage jedoch, in der sich die Poggenpuhls befanden, waren diese natürlichen Gaben Tag für Tag ein Glück und Segen für die Familie. Selbst Therese gab dies in ihren ruhigeren Momenten zu. Sophie – auch äußerlich von den Schwestern verschieden, sie hatte ein freundliches Pudelgesicht mit Löckchen – konnte eigentlich alles; sie war musikalisch, zeichnete, malte, dichtete zu Geburtstagen und Polterabenden und konnte einen Hasen spicken; aber alles dies, soviel es war, hätte für die Familie doch nur die halbe Bedeutung gehabt, wenn nicht neben ihr her noch die jüngste Schwester gewesen wäre, Manon, das Nesthäkchen.

Manon, jetzt siebzehn, war, im Gegensatz zu Sophie, ganz ohne Begabung, besaß aber dafür die Gabe, sich überall beliebt zu machen, vor allem in Bankierhäusern, unter denen sie die nicht-christlichen bevorzugte, so namentlich das hochangesehene Haus Bartenstein. Bei dem Kindersegen der Mehrzahl dieser Häuser war nie Mangel an angehenden Backfischen, die mit den Anfängen irgendeiner Kunst oder Wissenschaft bekannt gemacht werden sollten, und ein über die verschiedensten Disziplinen angestrengtes längeres oder kürzeres Gespräch endete regelmäßig mit der leicht hingeworfenen Bemerkung Manons: »Ich halte es für möglich, daß meine Schwester Sophie da aushelfen kann«, eine Bemerkung, die sie gern machen durfte, weil Sophie tatsächlich vor nichts erschrak, nicht einmal vor Physik und Spektralanalyse.

So war die Rollenverteilung im Hause Poggenpuhl, aus der sich, wie schon angedeutet, allerlei finanzielle Vorteile herausstellten, Vorteile, die zuzeiten nicht unbeträchtlich über die kleine Pension hinauswuchsen, die den eisernen Einnahmebestand der Familie bildete. Sämtliche drei junge Damen vergaben sich dabei nicht das geringste, waren vielmehr (besonders die zwei jüngeren) ebenso leichtlebig, wie dankbar, vermieden es taktvoll, in geschmacklose Huldigungen oder gar in Schmeichelei zu verfallen, und standen überall in Achtung und Ansehen, weil ihr Tun, und das war die Hauptsache, von einer großen persönlichen Selbstlosigkeit begleitet war. Sie brauchten wenig, wußten sich, zumal auf dem Gebiete der Toilette – was aber ein gefälliges Erscheinen nicht hinderte – mit einem Minimum zu behelfen und lebten in ihren Gedanken und Hoffnungen eigentlich nur für die »zwei Jungens«, ihre Brüder, Wendelin und Leo, von denen jener schon ein älterer Premier über dreißig, dieser ein junger Dachs von kaum zweiundzwanzig war. Beide, wie sich das von selbst verstand, waren in das hinterpommersche, neuerdings übrigens nach Westpreußen verlegte Regiment eingetreten, drin schon ihr Vater seine Laufbahn begonnen und am denkwürdigen 18. August in Ruhm und Ehre beschlossen hatte.

Diesen Ruhm der Familie womöglich noch zu steigern, war das, was die schwesterliche Trias mit allen Mitteln anstrebte.

Hinsichtlich Wendelins, der ihrem eigenen Bemühen in allen Stücken entgegenkam, besonders auch darin, daß er zu sparen verstand, hinsichtlich dieses älteren Bruders unterlag das Erreichen höchster Ziele kaum einem Zweifel. Er war klug, nüchtern, ehrgeizig, und soviel durch Aufhorchen in dem militärexzellenzlichen Hause zur Kenntnis Theresens gekommen war, konnte sich's bei Wendelin eigentlich nur noch darum handeln, ob er demnächst in das Kriegsministerium oder in den Generalstab abkommandiert werden würde. Nicht so glücklich stand es mit Leo, der, weniger beanlagt als der ältere Bruder, nur der »Schneidigkeit« zustrebte. Zwei Duelle, von denen das eine einem Gerichtsreferendarius einen Schuß durch beide Backen und den Verlust etlicher Oberzähne eingetragen hatte, schienen ein rasches Sichnähern an sein Schneidigkeitsideal zu verbürgen und hätten ebensogut wie Wendelins Talente zu großen Hoffnungen berechtigen dürfen, wenn nicht das Gespenst der Entlassung wegen beständig anwachsender Schulden immer nebenher geschritten wäre. Leo, der Liebling aller, war zugleich das Angstkind, und immer wieder zu helfen und ihn vor einer Katastrophe zu bewahren, darauf war alles Dichten und Trachten gerichtet. Kein Opfer erschien zu groß, und wenn die Mutter auch gelegentlich den Kopf schüttelte, für die Töchter unterlag es keinem Zweifel, daß Leo, »wenn es nur möglich war, ihn bis zu dem entsprechenden Zeitpunkt zu halten«, die nächste große Russenschlacht, das Zorndorf der Zukunft, durch entscheidendes Eingreifen gewinnen würde.

»Aber er ist ja nicht Garde du Corps«, sagte die Mama.

»Nein. Aber das ist auch gleichgültig. Die nächste Schlacht bei Zorndorf wird durch Infanterie gewonnen werden.«

Zweites Kapitel

Es war ein Wintertag, der dritte Januar.

Eben kam Friederike von ihrem regelmäßigen Morgeneinkauf zurück, einen Korb mit Frühstückssemmeln in der einen, einen

Topf mit Milch in der anderen Hand, beides, Semmeln und Milch, aus dem Keller gegenüber. Die Finger, trotz wollener Handschuhe, waren ihr bei der Kälte klamm geworden, und so nahm sie denn beim Eintreten in ihre Küche den Teekessel aus dem Kochloch und wärmte sich an der Glut. Aber nicht lange, denn sie hatte sich, weil sie gegen Morgen noch einmal eingeschlafen war, um eine halbe Stunde verspätet, was natürlich wieder eingebracht werden mußte.

So machte sie sich denn eifrig an ihre vom Brett genommene Kaffeemühle, schüttete, so daß sie nachher nur noch aufzugießen brauchte, das braune Pulver in den Beutel und ging nun, nachdem sie schließlich noch den Teekessel wieder in die Glut gestellt hatte, mit ihrem Holzkorb (dessen Boden übrigens jeden Augenblick herauszufallen drohte) nach vorn, um da das einfensterige Wohnzimmer zu heizen. Hier kniete sie vor dem Ofen nieder und baute Holz und Preßkohlen so kunstgerecht auf, daß es nur eines einzigen Schwefelholzes, allerdings unter Zutat eines aus Zeitungspapier zusammengedrehten Zopfes bedurfte, den künstlichen Bau in Brand zu setzen.

Keine halbe Minute verging, so begann es im Ofen auch wirklich zu knacken und zu knistern, und als Friederike nun wußte, daß es brennen würde, stand sie von ihrem Ofenplatz wieder auf, um sich ihrer zweiten Morgenaufgabe, dem Staubabwischen, zu unterziehen. Hierbei, weil das, was sie leistete, die drei Fräuleins doch nie zufriedenstellte, verfuhr sie, so gewissenhaft sie sonst war, ziemlich obenhin und beschränkte sich darauf, eine über dem Sofa hängende Bilderreihe, die Leo, trotzdem es Zeitgenossen waren, die »Ahnengalerie des Hauses Poggenpuhl« zu nennen pflegte, leidlich blank zu putzen. Drei oder vier dieser Bilder waren Photographien in Kabinettformat; die älteren aber gehörten noch der Daguerreotypzeit an und waren so verblichen, daß sie nur bei besonders günstiger Beleuchtung noch auf ihren Kunstwert hin geprüft werden konnten.

Aber diese »Ahnengalerie« war doch nicht alles, was hier hing. Unmittelbar über ihr präsentierte sich noch ein Ölbild von einigem Umfang, eine Kunstschöpfung dritten oder vierten Randes, die den historisch bedeutendsten Moment aus dem Leben der Familie darstellte. Das meiste, was man darauf sehen konnte, war freilich nur Pulverqualm, aber inmitten desselben erkannte man doch ziemlich deutlich noch eine Kirche samt Kirchhof, auf welch letzterem ein verzweifelter Nachtkampf zu toben schien. Es war der Überfall von Hochkirch, die Österreicher bestens

»ajustiert«, die armen Preußen in einem pitoyablen Bekleidungs-
zustande. Ganz in Front aber stand ein älterer Offizier in Unter-
kleid und Weste, von Stiefeln keine Rede, dafür ein Gewehr in
der Hand. Dieser Alte war Major Balthasar von Poggenpuhl,
der den Kirchhof eine halbe Stunde hielt, bis er mit unter den
Toten lag. Eben dieses Bild, wohl in Würdigung seines Familienaffektionswertes, war denn auch in einen breiten und stattlichen
Barockrahmen gefaßt, während die bloß unter Glas gebrachten
Lichtbilder nichts als eine Goldborte zeigten.

Alle Mitglieder der Familie, selbst der in Kunstsachen etwas
skeptische Leo mit einbegriffen, übertrugen ihre Pietät gegen den
»Hochkircher« – wie der Hochkirch-Major zur Unterscheidung
von vielen andern Majors der Familie genannt wurde – auch auf
die bildliche Darstellung seiner ruhmreichen Aktion, und nur
Friederike, sosehr sie den Familienkultus mitmachte, stand mit
dem alten, halb angekleideten Helden auf einer Art Kriegsfuß.
Es hatte dies einfach darin seinen Grund, daß ihr oblag, mit
ihrem alten, wie Spinnweb aussehenden Staublappen doch mindestens jeden dritten Tag einmal über den überall Berg und Tal
zeigenden Barockrahmen hinzufahren, bei welcher Gelegenheit
dann das Bild, wenn auch nicht geradezu regelmäßig, so doch
sehr, sehr oft von der Wand herabglitt und über die Lehne weg
auf das Sofa fiel. Es wurde dann jedesmal beiseite gestellt und
nach dem Frühstück wieder eingegipst, was alles indessen nicht
recht half und auch nicht helfen konnte. Denn die ganze Wandstelle war schon zu schadhaft, und über ein kleines, so brach der
eingegipste Nagel wieder aus, und das Bild glitt herab.

»Gott«, sagte Friederike, »daß er da so gestanden hat, nu ja,
das war ja vielleicht ganz gut. Aber nu so gemalen, ... es sitzt
nich und sitzt nich.«

Und nachdem sie dies Selbstgespräch geführt und die Ofentür,
was immer das letzte war, wieder fest zugeschraubt hatte, tat
sie Handfeger und Wischtuch wieder in den Holzkorb und trat
leise durch die lange Schlafstube hin ihren Rückzug in die Küche
an. Es war aber nicht mehr nötig, dabei so vorsichtig zu sein,
denn alle vier Damen waren bereits wach, und Manon hatte
sogar den einen nach dem Hof hinausführenden Fensterflügel
halb aufgemacht, davon ausgehend, daß vier Grad unter Null
immer noch besser seien als eine vierschläfrige Nacht- und Stu-
benluft.

Keine Viertelstunde mehr, so kam der Kaffee. Die Damen
saßen schon vorn in der warmen Stube, die Majorin auf dem

Sofa, Therese in ihrem Schaukelstuhl, während Manon, einen Handwerkszeugkasten vor sich, ebendiesen Kasten nach einem etwas längeren Nagel, und zwar für den alten, wieder herabgefallenen »Hochkircher« durchsuchte.

»Friederike«, sagte die Majorin, »du solltest dich mit dem Bilde doch etwas mehr in acht nehmen.«

»Ach, Frau Majorin, ich tu es ja, ich rühr ihn ja beinah nicht an; aber er sitzt immer so wacklig ... Gott, Manonchen, wenn Sie doch bloß mal einen recht langen fänden, oder noch besser, wenn Sie mal so 'nen richtigen Haken einschlagen könnten. In acht nehmen! Gott, ich denke ja immer dran, aber wenn er denn so mit einmal rutscht, krieg ich doch immer wieder 'nen Schreck. Un is mir dann immer, als ob er vielleicht seine Ruhe nicht hätte.«

»Ach, Friederike, rede doch nicht so dummes Zeug«, sagte Therese halb ärgerlich. »*Der*, gerade der. Als ob der seine Ruhe nicht hätte! Was das nur heißen soll! Ich sage dir, *der* hat seine Ruhe. Wenn nur jeder seine Ruhe so hätte. Gut Gewissen ist das beste Ruhekissen. Das weißt du doch auch. Und das gute Gewissen, na, das hat er ... Aber wo hast du nur wieder die Semmeln her? Die sehen ja wieder aus wie erschrocken, viel erschrockener als du. Ich mag nicht die Budikersemmeln. Warum gehst du nicht zu dem jungen Karchow, das ist doch ein richtiger Bäcker.«

Es war dies eine zwischen dem Mädchen und dem Fräulein jeden dritten Tag wiederkehrende Meinungsverschiedenheit, und Friederike, die vollkommene Redefreiheit hatte, würde auch heute nicht geschwiegen und ihren alten Satz, ›daß man es mit den Kellerleuten nicht verderben dürfte‹, tapfer verteidigt haben, wenn es nicht in diesem Augenblick draußen geklopft hätte. »Der Briefträger«, riefen alle drei Schwestern, und gleich danach erschien auch Friederike wieder im Zimmer und brachte die Postsachen: ein Zeitungsblatt unter Kreuzband, eine Holz- und Torfanzeige und einen richtigen Brief. Die Holz- und Torfanzeige flog gleich aufs Ofenblech, das an Sophie adressierte Zeitungsblatt, das wahrscheinlich eine Rezension einiger ihrer eben ausgestellten Aquarellbilder enthielt, wurde beiseite geschoben, und nur der Brief erregte allgemeine Freude. »Von Leo!« riefen die Schwestern und reichten den Brief der Mutter. Diese gab ihn aber an Therese zurück und sagte: »Lies du, Therese. Ein so guter Junge. Aber ich kriege immer einen Schreck. Immer will er was. Und nun ist eben erst Weihnachten gewesen und Neujahr und die Miete ...«

»Ach, Mutter, du ängstigst dich immer gleich so. Man sieht doch, daß du keine Soldatentochter bist.«

»Nein, bin ich nicht. Und ist auch recht gut so. Wer sollte sonst das bißchen zusammenhalten?«

»Wir.«

»Ach, ihr! ... Aber nun lies, Therese. Mir schlägt ordentlich das Herz.«

»... Liebe Mama! Weihnachten war es nichts. Urlaub hätt mir das Regiment vielleicht gegeben, aber das Reisegeld! Sie reden immer so viel jetzt von billigen Fahrpreisen, aber ich finde sie viel zu hoch, ganz unnatürlich hoch. Und da Wendelin auch sagte, ›'s geht nich, Leo‹, so ging es nicht, und ich habe unten bei Schlächtermeister Funke, meinem Wirte, wie ihr wißt, die Weihnachtsbescherung mit angesehen. Alles war sehr gerührt, auch Funke. Man sollte es nicht für möglich halten. Denn gerade in der Weihnachtszeit wurde immer geschlachtet, und ich konnte das Gequietsche der armen Biester mitunter gar nicht mehr mit anhören, und Funke immer in Person dabei. Und nun doch gerührt. Übrigens war die frische Wurst und besonders der Preßkopf ganz vorzüglich. In bezug auf Verpflegung bleibt hier in Thorn überhaupt nichts zu wünschen übrig, nur der Geist darbt und das Herz darbt. Überhaupt scheint darben mein Los. Ach, Mutter, warum bist du keine geborene Bleichröder? ...«

»Empörend«, unterbrach hier Therese ihre Vorlesung. »Wir haben schon Manon mit ihren ewigen Bartensteins, und nun fängt Leo auch noch an.«

»Daß wir Bartensteins haben, ist ganz gut. Lies lieber weiter.«

»... Also Heilig Abend war es nichts. Indessen das Jahr hat auch noch andere große Tage. Der größte aber ist der 4. Januar, wo meine gute Alte, geborene Pütter, geboren wurde. Dieser Tag ist übermorgen, und ich werde gestiefelt und gespornt antreten, um meine Glückwünsche persönlich überbringen zu können.«

»Nicht zu glauben. Weihnachten kein Geld und zwei Tage nach Neujahr, wo doch die vielen Rechnungen kommen, will er die teure Reise machen.«

»Es wird sich ja wohl alles aufklären, Mama«, sagte Manon. »Und mutmaßlich noch in diesem Briefe. Höre nur weiter.«

»... Es geschehen nämlich immer noch Zeichen und Wunder, und mitunter ist es mir, als ob der Unglauben und alle solche häßlichen Zeiterscheinungen abgewirtschaftet hätten. Auch der Adel kommt wieder obenauf, und ganz zuoberst der arme Adel, das heißt also die Poggenpuhls. Denn daß wir diesen in einer Art von Vollendung, oder sag ich Reinkultur, darstellen, darüber kann kein Zweifel sein. Aber zur Sache, wie die Parlamentarier sagen. Und so vernimm denn, am Silvesterabend noch ein Bettler – allerdings ein glücklicher, denn wir brachten es im Kasino bis auf sieben Bowlen in Großformat – und am 1. Januar früh ein Gott, ein Krösus. Krösus ist nämlich immer das Höchste, was man auch Klimax nennt. Schon um zehn klopft es, ich reiße mich aus meinem Morgentraum und empfinde einen gewissen bleiernen Zustand, aber nicht auf lange. Denn wer stand vor mir? Octavio? Nein, nicht Octavio. Wir wollen ihn heute lieber Wendelin nennen. Und was er sagte, war das Folgende: ›Leo‹, sagte er, ›du hast Glück. Geldschiff angekommen.‹

›Für mich?‹ frag ich.

›Nein, für dich nicht, wenigstens nicht unmittelbar. Aber doch für mich. Das Militärwochenblatt hat mir heute früh das Honorar geschickt.‹

›Viel?‹ unterbrach ich ihn wieder in höchster Erregung.

›Das Militärwochenblatt schickt immer viel‹, antwortete er ruhig und legte dabei drei Zwanzigmarkscheine vor mich hin. Ich, geblendet, als ob es nicht Scheine, sondern das reine pure Gold wäre, will mich blindlings und dankbar auf ihn losstürzen, aber er wehrt mich vornehm ab und sagt nur: ›Alles deine, Leo; aber nicht zum Verkneipen. Übermorgen früh reist du nach Berlin.«

»Der gute Wendelin! Er schickt ihn dir, weil er weiß, daß er dein Liebling ist«, unterbrach hier Manon und streichelte der Mama die Hände. Therese aber las weiter: »›. . . Vier Uhr nachmittags bist du da, benimmst dich nett und hilfst am andern Morgen den Geburtstag mitfeiern. Nach Kaisers Geburtstag kommt Mamas Geburtstag. Das ist Poggenpuhlscher Katechismus. Und nun zieh dich an und geh eine Stunde spazieren. Denn du stehst da wie Silvester in seiner letzten Stunde.‹ Unter diesen Worten verließ er mich wie ein Fürst. Und ich werde tun, wie er befohlen hat, und Dienstag nachmittag bei Euch eintreffen. Vier Uhr. Tout à vous ma Reine mère. Dein glücklicher, verdrehter, wohlaffektionierter Leo I.«

Die beiden jüngeren Schwestern klatschten in die Hände, ja selbst Therese, soviel sie an diesem Übermut auszusetzen hatte, freute sich des Besuchs. Nur die Mutter sagte: »Ja, da soll ich mich nun freuen. Aber kann ich mich freuen? Herkommen wird er ja wohl gerade mit dem Geld, aber wenn er hier ist, müssen wir ihm doch ein paar gute Tage machen, und wenn er auch bescheiden in seinen Ansprüchen ist, so muß er doch den dritten Tag wieder zurück und dafür müssen wir aufkommen.«

»Sprich doch nicht immer davon«, sagte Therese.

»Ja, Therese, du denkst immer, ein Livreediener wird dir eine Kassette bringen mit der Aufschrift ›dem tapferen Hause Poggenpuhl‹, aber das sind alles Märchengeschichten, und der Mann am Schalter, der die Fahrkarten verkauft, ist eine unerbittliche Wirklichkeit.«

»Ach, Mama«, sagte Sophie, »damit mußt du dir die Vorfreude nicht verderben. Es geschehen noch Zeichen und Wunder, so hat er geschrieben, und wenn sie nicht geschehen, so laß ich mir auf meine letzten Bilder einen Vorschuß geben, und wenn auch das nicht geht, so . . .«

»Nun, so haben wir immer noch die Zuckerdose«, warf Manon ein.

»Ja, die soll jedesmal aushelfen. Aber mit einemmal ist sie doch weg.«

»Was schließlich auch nichts täte«, fuhr Manon beschwichtigend fort. »Dann schenken uns Bartensteins eine neue; Frau Bartenstein sagte mir noch neulich: ›Liebe Manon, haben Sie denn gar keinen Wunsch?‹ Ja, Mama, so liegt es, Gott sei Dank, und ich bin nur traurig, daß ich heute abend, wenn Leo kaum angekommen ist, auf die Polterabendprobe muß. Aber am Ende könnt ich ihn mitnehmen. Ich habe schon lange meine Gedanken darüber und möchte mich verwetten, daß Flora sich aufrichtig freuen würde.«

»Du vergißt immer, daß er des Königs Rock trägt.«

»Ach, Therese, das ist ja kleinlich und altmodisch und ganz überholt. Unser Kronprinz ist Kronprinz und trägt auch des Königs Rock, und wenn er noch nicht bei Bartensteins war, so war er doch wo anders. Aber ebenso.«

»Nun, wir werden ja sehen«, sagte Therese, die zwar kritisch zu den Bartensteins stand, aber schließlich auch froh war, daß sie existierten.

Drittes Kapitel

Der nächste Tag kam. Als es am Nachmittag schon dämmerte, hielt eine Droschke vor dem Hause, und Mutter und Töchter sahen alsbald vom Fenster aus, wie Friederike nach vergnüg-

licher Begrüßung mit Leo den kleinen Offizierskoffer vom Kut-
scherbock nahm und an Agnes Nebelung vorbei – die, weil sie
den Leutnant gern sehen wollte, dicht neben dem Trottoir Aufstellung genommen –, auf die Haustür zuschritt. Leo folgte.
Schon auf der von den Schwestern en échelon besetzten Treppe
wurden Küsse gewechselt, oben aber stand die Mama. »Tag,
meine gute Alte«, und nun wieder ein Kuß. Allerhand konfuse
Sätze, die gar nicht paßten, flogen hin und her, und nun trat Leo
von der guten Stube her in das einfensterige Wohnzimmer, legte
Paletot und Säbel ab, zupfte vor dem Spiegel seinen etwas 'rauf-
gerutschten Waffenrock zurecht und sagte, während er sich mit
einem strammen Ruck vom Spiegel her umdrehte: »Na, Kinder,
da wär ich mal wieder. Wie findet ihr mich?«

»Oh, wundervoll.«

»Danke schön. So was tut immer wohl, wenn's auch nicht
wahr ist; man kann beinahe sagen, es erquickt. Aber apropos,
Erquickung. Trotz der frischen Luft, ich bin kolossal durstig;
seit sieben Stunden nichts als eine Sardellensemmel; wenn ihr ein
Glas Bier hättet.«

»Gewiß, gewiß. Friederike kann ein Seidel echtes holen.«

»Nein, nein, nichts holen. Und wozu? Wasser tut's auch«, und
er stürzte mit einem Zug ein Glas Wasser hinunter, das ihm
Mama gereicht hatte. »Brr. Aber gut.«

»Du bist so hastig«, sagte Manon. »Das bekommt dir nicht.
Ich denke, du trinkst nun erst eine Tasse Kaffee. Wir haben jetzt
halb fünf. Und um sieben dann einen Imbiß.«

»Sehr gut, Manon, sehr gut. Nur die Reihenfolge läßt sich
vielleicht ändern. Das Wasser hab ich intus; nehme ich nun auch
noch gleich den Kaffee, so gibt das zuviel Flüssigkeit, nutzlose
Magenerweiterung, also so gut wie Schwächung. Und man
braucht seine Kräfte, oder, sagen wir, das Vaterland braucht sie.«

»Du meinst also . . .«

»Ich möchte mir zu meinen erlauben: Umkehr der Wissenschaft; erst Imbiß, dann Kaffee. Denn wenn mein Durst groß
war, mein Hunger kommt gleich danach. In sieben Stunden . . .«

»Das hast du ja schon gesagt.«

»Ja, Wahrheiten drängen sich immer wieder auf. Nun sagt,
was habt ihr?«

»Eine Ente.«

»Kapital.«

»Aber sie hängt noch oben am Bodenfenster und ist auch noch
alles dran und drin. Also eine Sache von zwei Stunden . . .«

»Etwas lange.«

»... Doch ich glaube, ich weiß Rat. Wir nehmen die Leber heraus, und in einer Viertelstunde hast du sie gebraten auf dem Teller. Willst du sie mit Apfel oder Zwiebel?«

»Mit beiden. Nur nichts ablehnen, wenn es der Anstand nicht absolut erfordert.«

»Du kennst also doch Fälle«, sagte Therese.

»Natürlich kenn ich Fälle, natürlich. Aber nun sage mir, liebe Alte, wie geht es dir eigentlich? Immer noch Schmerzen hier herum?«

»Ja, Leo, jede Nacht.«

»Weiß der Himmel, daß die Doktors auch gar nichts können. Sieh hier meinen Zeigefinger, neulich umgeknickt, das heißt, 's ist schon ein Vierteljahr, und immer dieselbe Schwäche. Vielleicht muß ich den Abschied nehmen.«

»Ach, rede doch nicht so«, unterbrach Therese. »Die Poggenpuhls nehmen nicht den Abschied.«

»Dann kriegen sie ihn.«

»Sie kriegen ihn auch nicht. Der da« – und sie wies auf den ›Hochkircher‹ – »ist unvergessen und der Sohrsche auch und Papa auch. Der Kaiser weiß, was er an uns hat.«

»Ja, Therese, was hat er an uns?«

»Er hat unsre Gesinnung und die Gewißheit der Treue bis auf den letzten Blutstropfen.«

»Nun ja, ja, das hat er ... Aber sage, Mutter, hast du denn schon böten lassen?«

»Böten?«

»Ja, böten. Böten ist pusten und besprechen oder so was wie mit Sympathie. Das hilft immer. Wir haben da eine alte Pohlsche, sowie die lospustet, ist es weg ... Apropos, ist denn noch Weihnachtsmarkt?«

»Ich glaube, er ist noch oder wenigstens ein bißchen.«

»Ein paar Buden werden ja wohl noch stehen und da müssen wir hin, Kinder. ›Herr Jraf, *einen* Dreier‹, so was Klassisches will ich mal wieder hören. Und dann gehen wir zu Helms und trinken Grog oder Schokolade mit Schlagsahne und dann in die Reichshallen.«

»Oh, das ist ein glücklicher Einfall«, sagte Manon. »Nicht wahr, Sophie? Du bist so still; sprich doch auch ... Für Therese wird es wohl nicht passen, sie wird die Reichshallen nicht vornehm genug finden. Aber zwei Schwestern ist auch genug, und ich freue mich herzlich. Nur mußt du's so einrichten, daß wir etwa um neun bei Bartensteins sind oder doch nicht viel später. Ja, Leo, bis in die Voßstraße mußt du uns dann bringen.«

»Gern. Aber wozu? Was ist denn da los?«

»Polterabendprobe. Seraphine Schweriner, eine Kusine von Flora, verheiratet sich in vierzehn Tagen, und da haben wir seit Weihnachten immer Proben. Ich spiele mit, sogar zweimal, erst Quirlmädchen, dann Slowake mit Mausefallen; ich soll reizend aussehen.«

»Natürlich.«

»Und Sophie hat ein Transparent gemalt und den Prolog gedichtet. Aber sie will ihn nicht sprechen.«

»Das mußt du dann am Ende auch noch.«

»Vielleicht; aber jedenfalls nicht gern. Prolog ist immer zu langweilig. Jeder ist immer froh, wenn es damit vorbei ist. Aber ob ja oder nein, davon sprechen wir unterwegs, vorausgesetzt, daß sich unterwegs überhaupt ein Gespräch führen läßt. Denn man muß jetzt sehr aufpassen; es ist abends immer so neblig. Überhaupt, Berliner Luft . . .«

»Ach, rede doch nicht so was, Manon. Berlin hat die feinste Luft von der Welt. Ich kann dir sagen, daß ich froh bin, mal wieder ein bißchen drin herumschnuppern zu können. Nebel; Nebel ist ganz egal, Nebel ist was Äußerliches, und alles Äußerliche bedeutet nichts. Innen steckt es, innen lebt die schaffende Gewalt, immer frisch, froh und frei; – ›fromm‹ schenk ich dir, verzeih, Therese . . . Gott, unser Nest da, das hat die reinste Luft, immer Ostwind und dergleichen, und wer nicht fest auf der Bost ist«, und er gab sich einen Schlag auf die Brust, »der hat eine Lungenentzündung weg, er weiß nicht wie. Also wir haben die reinste Luft, keine Frage. Und doch sag ich euch, immer stikkig, immer eng, immer klein. Wenn der Oberst niest, hört es der Posten vorm Gewehr und präsentiert. Greulich. Wenn nicht das bißchen Jeu wäre und die paar Judenmädchen . . .«

»Aber Leo . . .«

»Oder die paar Christenmädchen; bloß die Jüdinnen sind hübscher.«

»Ihr müßt aber doch geistige Beschäftigung haben?«

»I bewahre. Dazu ist gar keine Zeit. Ich überschlage bloß dann und wann meine Schulden und rechne und rechne, wie ich wohl 'rauskomme. Das ist meine geistige Beschäftigung, ganz ernsthaft, beinahe schon wissenschaftlich.«

»Gott, Leo«, sagte die Mutter und sah ihn ängstlich an. »Gewiß bist du bloß deshalb gekommen. Ist es denn wieder viel?«

»Viel, Mutter? Viel ist es nie. Viel kann es überhaupt nie sein. Denn so dumm ist keiner. Viel, das fehlte auch noch. Aber wenig ist es, und bei allem Glück, das es so wenig ist, ist das doch auch gerade wieder das Ärgerlichste, ja das Allerärgerlichste. Denn man sagt sich: ›Gott, es ist so wenig, dafür kann man ja gar nichts gehabt haben‹ und hat auch nicht, und dann kommt erst das andre, daß man's, trotzdem es so wenig ist, doch nicht begleichen kann. Keiner, der einem hilft, keine Seele. Wenn ich mir da die andern ansehe! Jeder hat einen Onkel . . .«

»Oh, den haben wir auch«, unterbrach Sophie. »Und Onkel Eberhard ist ein Ehrenmann . . .«

»Zugestanden. Aber Onkel Eberhard, so gut er ist, er legitimiert sich nicht als Onkel oder wenigstens nicht genug. Und dann, Kinder, wer keinen Onkel hat, der hat doch wenigstens einen Großvater oder einen Paten oder eine Stiftsdame. Stiftsdame ist das beste. Die glauben alles, jede Geschichte, die man ihnen vorerzählt, und wenn sie auch selber nicht viel haben, so geben sie doch alles, ihr Letztes.«

»Ach, Leo, rede doch nicht so. Sie können doch nicht alles geben.«

»Alles, sag ich. Denn was eine richtige Stiftsdame ist, die kann auch alles geben, weil sie gar nichts braucht. Sie hat Wohnung und Fisch und Wild, und die Puthühner laufen im Hof herum, und die Tauben sitzen auf dem Dach, und in dem großen Gemüsegarten, den sie natürlich selber besorgen – denn sie haben ja nichts zu tun –, da steht immer irgendwo ein Kohlrabi oder eine Mohrrübe, und in der Küche ist immer Feuer, weil sie frei Holz haben. Und deshalb, ja, ich muß es noch einmal sagen, deshalb können sie alles geben, weil sie alles haben und nichts brauchen.«

»Aber sie müssen sich doch kleiden.«

»Kleiden? I bewahre. Die kleiden sich nicht. Sie haben ein Kleid, und das dauert dreißig Jahre. Sie ziehen sich bloß an; natürlich, denn auf Eva im Paradiese sind sie nicht eingerichtet . . . Aber da kommt ja die Leber; riecht köstlich, delikat. Und nun, Kinder, wollen wir teilen: Mutter Mittelstück, weil das das weichste ist, Therese rechte Spitze, ich linke Spitze, Sophie und Manon . . .«

»Ach, Leo, mach doch keine Komödie. Du weißt ja doch, daß du das Ganze kriegst. So warst du immer, du willst dich nett machen, wo du nicht beim Worte genommen wirst.«

»Gib hier nicht Aufschlüsse über meinen Charakter, Sophie,

gib mir lieber eine Semmel zu der Leber, sie ist sonst zu fett. Und mit der Verwandtschaft hab ich doch recht; keine Stiftsdame, keine Muhme, keine Base, keine Tante, kaum eine Kusine, wenigstens keine richtige – man möchte rasend werden, sagt Mephisto irgendwo. Kennst du Mephisto, Mutter?«

»Natürlich kenn ich ihn. Ihr Poggenpuhls denkt immer, ihr habt die Weisheit allein und alles wie durch Inspiration. Denn von der Schule her habt ihr doch eigentlich gar nichts. Und nun gar *du*, Leo. Wenn ich an deine Zensuren denke. Mit Wendelin war das was andres. Aber warum? Weil er ins Püttersche schlägt.«

»Ach, Mutter, du bist schon die beste; wenn wir dich nicht hätten! Und ich glaube auch beinahe, daß uns die Pütters über sind. Bloß in einem sind sie uns ganz gleich, sie haben auch nichts, und das ist mein Schmerz. Ach, Mama, nirgends Geld, nirgends Rückendeckung, und dazu jung und ein Leutnant; – eine ganz verdeubelte Geschichte. Und dabei hab ich euch aufgefordert, mit zu Helms zu kommen und dann in die Reichshallen.«

»Er ist unverbesserlich«, lachte Sophie. »Was soll das nun wieder! Erstens bist du unser Gast, der nichts als die Honneurs zu machen braucht. Und das Ritterliche wirst du doch wohl für uns übrig haben.«

»Gott, Mädels, seid ihr gut. Und so aufgeklärt und begreift, daß es nicht anders sein kann, und ich bleibe in eurer Liebe und Achtung. Das hoffe ich wenigstens, sonst würde ich es nicht annehmen. Und nun, denk ich, gehen wir. Mama, du kommst doch mit?«

»Nein, Leo. Eine Person mehr macht schon immer was aus. Und dann mein Mantel, wenn wir in einem Lokal sitzen, ist auch nicht mehr gut genug.«

»Ach, das ist ja gleich, Mutter.«

»Und dann hab ich so leicht das Reißen hier, und man weiß nie, welchen Platz man kriegt und ob es nicht gerade zieht. Und wenn ich den Zug kriege, dann krieg ich auch meinen Rheumatismus und muß ins Bett. Und wenn ich den Rheumatismus nicht kriege, dann krieg ich meine Kolik, und das ist noch schrecklicher.«

Leo, der den Weihnachtsmarkt und Helms und die Reichshallen wirklich besucht und sich dann schließlich vor dem Bartensteinschen Hause von den beiden jüngeren Schwestern, die er bis dahin begleitet, verabschiedet hatte, war bald nach neun wieder zu Haus, wo er nun, so ging wenigstens sein Plan, mit der Mutter und Therese weidlich plaudern und über seine Berliner Eindrücke berichten wollte, denn er gehörte zu den Glücklichen, die, sowie sie den Fuß auf die Straße setzen, immer was erleben oder sich wenigstens einbilden, was erlebt zu haben. Er traf es daheim aber anders als erwartet: Therese war in die Stadt gegangen, um noch ein paar Kleinigkeiten für den Geburtstagstisch der Mama zu kaufen, und diese selbst, wie er von Friederike gleich auf dem Korridor erfuhr, war schon zu Bett. »Hm«, brummte er und schickte sich, weil ihm nichts andres übrig blieb, eben zu stillem Meditieren in einer Sofaecke an, als die Mama ihm sagen ließ, er solle nur an ihr Bett kommen und ihr was erzählen. Das war ihm denn allerdings erheblich lieber, als, wie er sich ausdrückte, »unter Betrachtung seines Innern« auf Therese zu warten.

»Ist dir schlecht, Mama?«

»Nein, Leo, schlecht eigentlich nicht. Ich habe mich nur hingelegt, weil ich morgen doch ein bißchen bei Kräften sein will. Nimm dir einen Stuhl und rücke 'ran und dann hole die Lampe, daß ich dich immer vor mir habe. Denn du hast ein gutes Poggenpuhlsches Gesicht, und wenn dann was kommt, was nicht stimmt, so kann ich es dir immer gleich ansehen und mir meinen Vers danach machen.«

»Ach, Mama, du denkst immer, ich mache Flausen; aber es ist nicht so schlimm damit. Ich habe nicht mal Talent dazu; ich übertreibe bloß ein bißchen.«

»Ist schon recht. Und du warst auch immer mein Liebling, und die andern haben es dir auch gegönnt. Aber du bist so leichtsinnig und denkst immer, ›es wird sich schon finden‹. Und sieh, das ängstigt mich. Was finden! Wie soll sich denn was finden, wo soll es denn herkommen? Es ist ja doch eigentlich ein Wunder, daß es noch immer so gegangen ist.«

»Ja, Mutter, das ist es ja gerade; da steckt ja gerade die Hoffnung, und ich muß beinahe sagen die Zuversicht. Wenn das Wunder gestern war, warum soll es nicht auch heute sein oder morgen oder übermorgen.«

»Das klingt ganz gut, aber es ist doch nicht richtig. Sich zu

Wunder und Gnade so stellen, als ob alles so sein müßte, das verdrießt den, der all die Gnade gibt, und er versagt sie zuletzt. Was Gott von uns verlangt, das ist nicht bloß so hinnehmen und dafür danken – und oft oberflächlich genug –, er will auch, daß wir uns die Gnadenschaft verdienen oder wenigstens uns ihrer würdig zeigen und immer im Auge haben, nicht was so vielleicht durch Wunderwege geschehen *kann*, sondern was nach Vernunft und Rechnung und Wahrscheinlichkeit geschehen *muß*. Und auf solchem Rechnen steht dann ein Segen.«

»Ach, Mama, ich rechne ja immerzu.«

»Ja, du rechnest immerzu, freilich, aber du rechnest *nachher*, statt *vorher*. Du rechnest, wenn es zu spät ist, wenn du bis über den Kopf drin steckst, und dann willst du dich herausrechnen und rechnest dich bloß immer tiefer hinein. Was dir nicht paßt, das siehst du nicht, willst du nicht sehen, und was dir schmeichelt und gefällt, daraus machst du Wahrscheinlichkeiten. Die Menschen haben so viel für uns getan, auch für dich, und nun mein ich, heißt es: ›Hilf dir selber‹. Immer bloß ›wir sind ja die Poggenpuhls‹, damit machen wir uns bloß bedrücklich, und zuletzt sind wir Querulanten, was ich doch nicht erleben möchte.«

»Davon sind wir weitab, Mama.«

»Nicht so weit, wie du denkst. Onkel Eberhard, der ein sehr feiner und sehr gütiger Mann ist, ich muß ihn wirklich einen echten Edelmann nennen, wird allmählich auch reserviert und ungeduldig. Er sagt es nicht gerade heraus, weil er eben gütig ist, aber es steht doch leise zwischen den Zeilen.«

»Ja, der Onkel, der alte Streitpunkt. Ich bitte dich, Mama, er tut aber doch auch wirklich zu wenig und alles so bloß um Gottes willen, und er müßte doch eigentlich denken: ›*Ich* habe meine Zeit gehabt, nun sind die andern dran.‹ Er gibt wohl dann und wann, gewiß, aber was er so auf dem Familienaltar opfert, steht in keinem rechten Verhältnis, weder zu seinen Einnahmen, noch zu seinen Ermahnungen. Er könnte sich kürzer fassen und mehr geben. Hat er doch ein riesiges Glück gehabt und sitzt nun über ein Dutzend Jahre schon in der Wolle, oder, wie manche sagen, in einer guten Assiette.«

»Daß du nicht davon abzubringen bist und nicht wissen willst, wie's mit dem Onkel eigentlich liegt. Er hat die reiche Witwe geheiratet und wohnt in einem Schloß, und wenn seine Frau den Prinzen Albrecht oder einen von den Carolaths einladen will, dann ist das ein großes Wesen, und der halbe niederschlesische Adel sitzt dann mit zu Tisch und es sieht dann aus, als gäbe Onkel Eberhard das Fest. Aber *er* gibt es nicht, *sie* gibt es; er gibt nur den Namen dazu her und auch das kaum, denn viele, wenn sie hinter dem Rücken der Tante sprechen, nennen sie noch immer bei dem Namen ihres ersten Mannes. Der war schlesisch und ein sehr vornehmer Mann, vornehmer als die Poggenpuhls... das müßt ihr euch nun schon gefallen lassen, daß es noch Vornehmere gibt... Ich sage dir, so gut sie ist, sie hält ihn trotzdem knapp, und er hat nicht viel mehr als seine Generalspension, von der er noch alte Schulden bezahlen muß...«

»... Alte Schulden! Siehst du, Mama, da sagst du's nun selbst. Auch *der* also. Und ist doch General geworden und hat nun eine reiche Frau...«

»... Wovon er alte Schulden bezahlen muß«, wiederholte die Mama, ohne seiner Zwischenrede weiter zu achten. »Und da bleibt ihm nur ein Taschengeld.«

»Aber ein gutes...«

»Vielleicht, oder sagen wir gewiß. Und wenn er trotzdem damit zu Rate hält, so liegt es wohl auch daran, daß er dir mißtraut, oder, wenn nicht er, daß die Frau dir mißtraut, und daß deren Einfluß ihn bestimmt.«

»Das ist es ja eben, was einen ärgert, dieser unwürdige Weibereinfluß. Und dann, Mama, von *mir* will ich am Ende nicht reden, ich bin vielleicht enfant perdu; meinetwegen. Aber Wendelin, dieser Musterknabe, wenn ich meinen Herrn Bruder so nennen darf, an dem müßte er doch wenigstens seine Freude haben und sogar die Frau Tante. Da liegt doch die Knauserei ganz deutlich zutage.«

»Spricht Wendelin ebenso?«

»Nein. Der nicht, der braucht es auch nicht. Wendelin, der das Talent hat, bei seiner Wasserkaraffe sich Herr von ungezählten Welten zu fühlen, Wendelin macht auch *so* seinen Weg. Aber auch für ihn ist doch ein Unterschied. Es ist nun mal was andres, ob man seinen Weg spielend macht oder in ewiger Askese. Die mit Askese haben meistens einen Knacks weg; – sie werden berühmt oder können es wenigstens werden, aber auch wenn sie berühmt sind, wirken sie meistens wie kleine Schulmeister. Möglich, daß Wendelin eine Ausnahme macht.«

»Glaubst du denn überhaupt und mit einer Art von Zuversicht, daß etwas Höheres aus ihm werden wird?«

»Gewiß, Mutter. Kein halbes Jahr, so kommt er in den Generalstab. Was er über Skobeleff geschrieben, hat Aufsehen gemacht. Und dann noch ein Jahr oder zwei, dann schicken sie ihn nach Petersburg, und da heiratet er, so nehme ich vorläufig an, eine Yussupoff oder eine Dolgorucka; die haben alle wenigstens zehntausend Seelen und Bergwerke mit Diamanten. Was meinst du dazu? Kein übler Blick in die Zukunft. Zugegeben, nicht wahr? Aber wenn der Onkel anders wäre oder meinetwegen auch die Tante – doch von *der* können wir es nicht verlangen, denn sie ist bloß angeheiratet und war eine ›Bourgeoise‹, was immer schlimm ist; *du* bist doch wenigstens eine ›Bürgerliche‹ – ja, dann wäre er schon da, dann wär er schon in Petersburg und ich wäre schon attachiert und ginge mit in den Kaukasus oder nach Merw oder nach Samarkand, und all das unterbleibt oder vertagt sich wenigstens grausamerweise, bloß weil kein Vorspann da ist, weil die Goldfüchse fehlen.«

»Gott, Leo, wenn man dich so hört, so sollte man glauben, du könntest alles haben, wenn sich bloß der Wind ein bißchen drehen wollte. Phantasien, Pläne, so warst du schon als kleiner Junge.«

»Ja, Mutter, so muß man auch sein, wenigstens unsereiner. Wer was hat, nun ja, der kann das Leben so nehmen, wie's wirklich ist, der kann das sein, was sie jetzt einen Realisten nennen; wer aber nichts hat, wer immer in einer Wüste Sahara lebt, der kann ohne Fata Morgana mit Palmen und Odalisken und all dergleichen gar nicht existieren. Fata Morgana, sag ich. Wenn es dann, wenn man näher kommt, auch nichts ist, so hat man doch eine Stunde lang gelebt und gehofft und hat wieder Courage gekriegt und watet gemütlich weiter durch den Sand. Und so sind denn die Bilder, die so trügerisch und unwirklich vor uns gaukeln, doch eigentlich ein Glück.«

»Ja, die Jugend kann das und darf es auch vielleicht. Und ich will dir noch mehr zugeben: wer immer hoffen kann, und die Hoffnung ist oft besser als die Erfüllung, der hat sein Teil Freude weg. Aber trotzdem, du hoffst zu viel und arbeitest zu wenig.«

»Ich arbeite wenig, das ist richtig, und ich will es nicht loben. Aber ich habe einen heiteren Sinn, und das ist schließlich besser als alles Arbeiten. Heiterkeit zieht an, Heiterkeit ist wie ein Magnet, und da denk ich, ich kriege doch auch noch was.«

»Nun, ich will es dir wünschen. Und jetzt geh in die Küche und sage Friederike, daß sie dir was zum Abendbrot bringt.«

Fünftes Kapitel

Leo war es zufrieden, denn er hatte wirklich Hunger. Die Enten-
leber zu Mittag war nicht viel gewesen und die Tasse Schokolade
bei Helms noch weniger.

Er ging also hinaus und traf Friederike, die vor einer Küchen-
lampe saß und, ein an den Fuß der Lampe gestelltes Tintenfaß
dicht vor sich, in ihrem Wirtschaftsbuch aufschrieb. Der aus Holz
geschnitzte Federhalter, den sie nachsinnend zwischen Daumen
und Zeigefinger hielt, war noch ganz neu (wohl ein Weihnachtsgeschenk) und schloß nach oben hin mit einem Adler ab, der aber
auch eine Taube sein konnte. Soviel sich bei dem herrschenden
Halbdunkel erkennen ließ, war in der Küche rundum alles in
guter Ordnung und Sauberkeit, wenn auch nicht gerade blitzblank; blitzblank war nur der in seinem Kochloch stehende Teekessel, dessen Tüllendeckel beständig klapperte. Denn immer
kochendes Wasser zur Verfügung zu haben, war ein eigentüm-
licher, zugleich klug erwogener Luxus der Poggenpuhlschen
Familie, die sich dadurch instandgesetzt sah, jederzeit eine bescheidene Gastlichkeit üben zu können. Diese betätigte sich dann
in verschiedenem. Obenan, fast schon als Spezialität, stand eine
mit Hilfe von gerösteten Semmelscheiben und einer Muskatnuß-
prise rasch herzustellende Kraftbrühe von französischem Namen,
in deren Anfertigung jeder einzelne so sehr exzellierte, daß selbst
Flora, wenn sie abends zu einer Plauderstunde mit herankam,
unter freundlicher Ablehnung von »Aufschnitt« und dergleichen,
darum zu bitten pflegte. Was auch klug war.

»Ja, Friederike«, sagte jetzt Leo, als er, einen Küchenstuhl
heranrückend, sich über die Lehne desselben beugte, »Mama
schickt mich zu dir und hat sogar von Abendbrot gesprochen.
Wie steht es eigentlich damit? Ich habe Hunger und danke Gott
für alles. Und dir auch.«

»Ja, junger Herr, viel is es nich.«

»Na, was denn?«

»Nun, eine Boulette von gestern mittag und ein paar eingelegte Heringe mit Dill und Gurkenscheiben. Und dann noch ein
Edamer. Aber von dem Edamer is bloß noch sehr wenig. Und
dann kann ich Ihnen vielleicht noch einen Tee aufgießen. Das
Wasser bullert ja noch.«

»Nein, Friederike, Tee nicht. Was soll man damit? Aber das
andre ist gut, und ich werde gleich hier bleiben, gleich hier in der
Küche. Mama ist müd und angegriffen, und du kannst mir dann

auch was von den Mädchen erzählen. Sie schreiben mir immer, Manon immer vier Seiten, aber es steht nicht viel drin. Wie geht es denn eigentlich?«

»Ja, junger Herr, wie soll es gehn? Fräulein Therese, na, da wissen Sie ja Bescheid; ... aber ich will am Ende nichts gesagt haben. Und dann Sophiechen. Nu, das Sophiechen ist ein Pracht-stück. Und Manonchen ist immer fidel, das muß wahr sein.«

»Und hält es mit den reichen Bankiers, und das ist auch klug und weise. Bankiers, das sind eigentlich die einzigen Menschen, mit denen man umgehen sollte, bloß schade, daß sie fast alle vom Alten Bund sind.«

»Ja, junger Herr, so is es, und ich habe es ihr auch schon ge-sagt; aber da sagte sie: ›Ja, Friederike, wenn man so was will, dann darf man nicht viel aussuchen, dann muß man's nehmen, wie's fällt.‹«

»Sehr vernünftig, ein kluges Mädchen; gefällt mir außer-ordentlich und ist mir auch ganz recht. Ich bin nämlich auch so 'n bißchen mit drin, hab auch angebändelt, schöne schwarze Per-son, Taille so, und Augen, na, Friederike, ich sag dir, Augen, die reinen Mandelaugen und eigentlich alles schon wie Harem. Kennst du Harem?«

»Natürlich kenn ich Harem. Das ist das, wo die Türken ihre Frauen drin haben und keine Fenster als bloß ganz kleine Löcher, wo sie nur mal heimlich rausgucken können.«

»Richtig. Und so wie bei den Türken, oder doch beinahe so, so sieht meine auch aus.«

»Aber wird es denn gehen, junger Herr? Wird es denn die Familie zugeben?«

»Welche? Meine oder ihre?«

»Na, ich meine die Poggenpuhls.«

»Das ist mir egal, Friederike. Und dann, ... sieh, so dumm sind die Poggenpuhls auch nicht, wenn es nur recht viel ist, sind sie ganz zufrieden und geben alles zu.«

»Is es denn viel?«

»Ja, das weiß ich selber noch nicht. Und dann sind diese Orientalen so gräßlich vorsichtig und machen immer Ehekon-trakte, wo man nichts kriegt, wenn man nicht gleich ein halbes Dutzend herzaubert. Und so schnell geht es doch nicht.«

»Ach, Leochen, Sie werden schon ...«

»Ja, Friederike, das sagst du so; die Spiele der Natur sind aber merkwürdig, und wenn dann welche geboren werden, kleine, reizende Engelchen, denn wenn sie ganz klein sind, sind sie immer Engelchen, dann sterben sie, und sieh, dann sitzt man wieder da und hat alle Mühe umsonst gehabt.«

»Ja, ja, so was kommt vor. Na, aber sind Sie denn schon eins miteinander?«

»I Gott bewahre, sie weiß eigentlich kein Sterbenswort, und ich sage das auch bloß alles so, weil einem immer das Messer an der Kehle sitzt, und da malt man sich denn so was aus und tröstet sich und denkt, ›mal wirst du doch wohl 'rauskommen aus all dem Elend‹ . . . Aber Friederike, du könntest mir doch eigentlich einen Tee machen, das heißt, wenn noch ein bißchen Rum da ist.«

»Nein, Leochen, Rum is nich mehr da; bloß noch ein Gilka.«

»Hm, das paßt eigentlich nicht recht. Aber am Ende, warum nicht? Eintun kann ich ihn freilich nicht, aber so nebenher ist er ganz gut zu brauchen. Und nach dem Hering ist mir doch so 'n bißchen durstig geworden. Und was ich dir von der schönen schwarzen Jüdin gesagt habe, darüber mußt du reinen Mund halten und darfst davon nicht sprechen, nicht zur Mutter und auch nicht zu den Schwestern, wenigstens nicht zu Therese. Zu Manon kannst du schon eher etwas sagen, die ist ja schon so gut wie mit dabei, mit ihren ewigen Bartensteins, wo sie mich auch immer hin haben will. Der Alte soll übrigens sehr reich sein, und ich weiß auch noch nicht, was ich tue. Man ist dann mit einemmal 'raus, und das ist doch die Hauptsache. Wenn es aber nichts wird, na, dann Friederike, dann müssen die Schwarzen 'ran, das heißt die richtigen Schwarzen, die wirklichen, dann muß ich nach Afrika.«

»Gott, Leochen! Davon hab ich ja gerade dieser Tage gelesen. Du meine Güte, die machen ja alles tot und schneiden uns armen Christenmenschen die Hälse ab.«

»Das tun sie hier auch; überall dasselbe.«

»Und so viel wilde Tiere, Schlangen und Krokodile, daß man bei all der Hitze nich mal baden kann.«

»Ja, das ist richtig. Aber dafür hat man auch alles frei, und wenn man einen Elefanten schießt, da hat man gleich Elfenbein so viel man will und kann sich ein Billard machen lassen. Und glaube mir, so was Freies, das hat schließlich auch sein Gutes. Hast du mal von Schuldhaft gehört? Natürlich hast du. Nu sieh, so was wie Schuldhaft gibt es da gar nicht, weil es keine Schulden und keine Wechsel gibt und keine Zinsen und keinen Wucher, und wenn ich in Bukoba bin – das ist so 'n Ort zweiter Klasse, also so wie Potsdam –, da kann sich's treffen, daß mir der Äquator, von dem du wohl schon gelesen haben wirst und der so seine guten fünftausend Meilen lang ist, daß mir der gerade über den Leib läuft.«

»Um Gottes willen . . .«

»Und so was ist hier ganz unmöglich, und deshalb will ich auch hin, wenn sich hier nicht bald was findet.«

»Gott, junger Herr, dann doch lieber . . .«

»Gewiß, Friederike, viel lieber. Und all das Poggenpuhlsche, wovon Therese so viel Lärm macht . . . Aber, alle Wetter, dabei fällt mir ein, wo steckt denn nur eigentlich Therese? Sie wollte ja, wie du sagtest, bloß in die Stadt, um noch zu Mamas Geburtstag was einzukaufen . . . Gott, Geburtstag. Sage, Friederike, da muß ich am Ende doch wohl auch was anschaffen; die alte Frau glaubt sonst, ich denke bloß immer an mich. Also was meinst du, was kann ich ihr wohl schenken, was braucht sie?«

»Gott, junger Herr, die gnädige Frau braucht ja eigentlich alles.«

»Alles? Das ist mir zu viel, das geht nicht, das ist über meinen Etat. Und zurück muß ich doch auch noch wieder, und es reicht schon nicht . . . Aber du hast ja vorhin von einem Edamer gesprochen. Is noch was da?«

»Versteht sich.«

»Nun gut. Aber zunächst wollen wir das mit dem Geburtstagsgeschenk abmachen. Freilich, zurück muß ich, das bleibt das erste.«

»Ja, junger Herr, wieviel wollen Sie denn wohl anlegen?«

»Wollen? Eine Million. Aber können, Friederike, können, da sitzt es, da hapert es. Über, über . . . na, ich will lieber keine Summe nennen; nur bloß was Nettes, was Sinniges muß es sein.«

»Nu, ich denke mir eine Primel.«

»Gut, Primel. Primel paßt ganz vorzüglich. Primel oder Primula veris, das ist nämlich der lateinische Name, heißt so viel wie Frühlingsanfang, und Mutter wird siebenundfünfzig. Und sieh, das ist das, was ich sinnig nenne.«

»Und dann, junger Herr, vielleicht noch eine Tüte mit Mehlweißchen; die ißt sie für ihr Leben gern. Aber knusprige, nicht solche, die sich so ziehen wie Leder.«

»Auch gut. Also Primel und Mehlweißchen, knusprig und alle weiß bestreut. Aber es ist schon so spät; ich glaube, man kriegt keine mehr.«

»Nein, heute nicht mehr; ich besorge sie aber morgen früh. Vor neun wird ja doch nich aufgebaut, denn es muß doch erst überall warm sein und auch alles ein bißchen in Ordnung.«

Unter diesen Worten begann Friederike die herumstehenden Teller und Gläser abzuräumen und setzte dafür den halben Edamer, der eigentlich nur noch eine rote Schale war, auf den Tisch. Aber das tat nichts. Leo hatte schon sein kleines Taschenmesser, weil ihm das am handlichsten war, herausgenommen und schabte damit die guten Stellen mit vieler Geschicklichkeit heraus, immer versichernd, daß, wenn man noch was fände, wo eigentlich nichts mehr zu finden sei, das sei jedesmal das Beste, und darin läge auch was Sinniges. »Ja, Friederike, so muß man leben, immer so die kleinen Freuden aufpicken, bis das große Glück kommt...«

»Ja, wenn es bloß kommt...«

»Und wenn es nicht kommt, dann hat man wenigstens die kleinen Glücke gehabt.«

Und dabei setzte er den ausgehöhlten Edamer auf seinen linken Zeigefinger und drehte ihn erst langsam und dann immer rascher herum, wie einen kleinen Halbglobus.

»Sieh, das hier oben, das ist die Nordhälfte. Und hier unten, wo gar nichts ist, da liegt Afrika.«

Sechstes Kapitel

Leo war in der guten Stube untergebracht worden und schlief hier unbequem aber fest auf dem kleinen Rohrsofa, das für gewöhnlich in der Schlafstube stand. Er wurde nur einen Augenblick wach, als Friederike kam, um einzuheizen, fiel aber rasch wieder in einen ruhigen Morgenschlaf zurück, als er nebenan in der einfensterigen Wohnstube das Knacken und Knistern des Holzes und bald darauf das Klappern der Ofentür hörte.

Gegen halb neun erst kam Manon, um ihn zu wecken. »Aufstehn, Leo; es ist höchste Zeit. Wir können Mama nicht länger im Bett halten.« Und nun sprang er auf und machte mit soldatischer Schnelligkeit seine Toilette. Der Pfeilerspiegel über der Konsole präsentierte sich dabei stattlich genug, alles übrige aber war desto primitiver: ein Küchenstuhl mit Waschbecken und Handtuch, ein Glas und eine Wasserkaraffe. Was er sonst noch brauchte, nahm er aus seinem Koffer.

»Guten Morgen, meine Damen«, mit diesen Worten trat er bei den Schwestern ein und gab jeder einen Kuß. Es war schon recht hübsch warm in dem kleinen Zimmer. Auf einem alten Klavier lagen und standen die für die Mama bestimmten Geschenke noch wirr und ungeordnet umher, denn sie sollten, wie selbstverständlich, nicht hier, sondern in der guten Stube, die noch erst instandzusetzen war, aufgebaut werden. Das geschah denn auch, und nun hatte man über alles einen Überblick: eine Morgenhaube, zwei Paar Zwirnhandschuhe und ein Paar Filzschuhe. Von Friederike war eine Erika gestiftet, zwischen den zwei Filzschuhen stand Leos Primel und die Tüte, Leo selbst aber riß noch rasch ein Blatt aus seinem Notizbuch, um ein paar Zeilen aufzuschreiben, und schob diese dann zwischen die beiden blaßlilafarbenen Primelblüten. »Ein Bild meines Glücks«, sagte er zu der neben ihm stehenden Sophie; »zwei Blüten und blaßlila.« Nun endlich konnte auch die schon ungeduldig werdende Mutter aus ihrer Schlafstube befreit und an den Geburtstagstisch geführt werden. Leo und die zwei jüngeren Schwestern küßten ihr die Hand, während sich Therese mit einem Backenkuß begnügte. »Gott, Kinder, so vielerlei«, sagte die gute alte Dame. »Und wie ausgesucht. Ja, die Filzschuhe haben mir gefehlt; ich hab es immer so kalt. Und die Primel und noch dazu mit einem Spruch.« Und sie nahm den Zettel und las: »›Eine Primel, von Deinem...‹ Ja, ja, Leo, das bist du; du hast das Wort nicht ausgeschrieben, aber das war auch nicht nötig. Na, der liebe Gott meint es ja gut mit uns allen, und vielleicht hilft er dir auch noch.«

»Natürlich, Mutter«, sagte Therese, »du darfst ihn nicht so herabstimmen. Er muß sein Selbstgefühl behalten und sich sagen, daß ein Pommerscher von Adel immer seinen Platz findet. Ich bin guten Muts.«

»Und übernimmst auch Bürgschaft?«

»Nein Leo; Bürgschaft übernimmst du selbst. Und wenn du sie richtig übernimmst, wie es einem Poggenpuhl geziemt und worin dir Wendelin ein Vorbild sein kann, so wirst du gute Tage haben. Wir haben einen Stern im Wappen.«

»Ich wollte, ich hätte erst einen auf der Achselklappe.«

»Kommt Zeit, kommt Rat. Aber nun nimm Mamas Arm und führe sie.«

*

Man blieb wohl eine Stunde beim Kaffee. Leo hatte von seinem Thorner Leben zu berichten, am meisten von seinen Besuchen auf dem Lande, sowohl bei den deutschen wie bei den polnischen Edelleuten.

»Und macht ihr bei diesen moralische Eroberungen?« fragte Therese. »Gewinnt ihr Terrain?«

»Terrain? Ich bitte dich, Therese, wir sind froh, wenn wir im Skat gewinnen. Aber auch damit hat's gute Wege. Diese Polen, ich sage dir, das sind verdammt pfiffige Kerle, lauter Schlauberger . . .«

»Du hast so viel berlinische Ausdrücke, Leo.«

»Hab ich. Und weil man nie genug davon haben kann, denk ich, wir brechen sobald wie möglich auf und gehen in die Stadt auf weitere Suche. Wer Augen und Ohren hat, findet immer was. Ich möchte mal wieder eine Litfaßsäule studieren. ›Wer dreihundert Mark sparen will‹, oder die ›Goldene Hundertzehn‹, oder ›Mittel gegen den Bandwurm‹. Ich lese so was ungeheuer gern. Wer kommt mit? Wer hat Zeit und Lust?«

Therese schwieg und wandte sich ab.

»Hm, Therese läßt mich im Stich, und Sophie hat die Wirtschaft. Aber Manon, auf dich, denk ich, ist Verlaß. Wir sehen uns das Rezonvillepanorama an – so was verstehn die Franzosen – und sind um zwölf Unter den Linden und sehen die Wache aufziehen mit voller Musik, und wenn wir Glück haben, steht der alte Kaiser am Fenster und grüßt uns. Oder wir können's uns wenigstens einbilden.«

Unter diesen Worten hatten sich Leo und Manon erhoben.

»Kommt nicht zu spät; zwei Uhr«, mahnte Sophie, was denn auch versprochen wurde.

*

Leo und Manon hielten Zeit, und Punkt zwei ging man zu Tisch. Es war in der guten Stube gedeckt, in der Mitte eine Torte, links und rechts die Erika und die Primel. Der Sohrsche sah aus seinem Rahmen herab und lächelte.

Gleich nach der Suppe wurde der Glasteller mit der kleinen Repräsentationsweinflasche von dem Schreibtisch heruntergenommen und vor Leo hingestellt, der mit vieler Würde bemerkte: »Wenn dies *mir* gilt, so muß ich es zurückweisen; wenn es aber wegen Mamas Geburtstag ist, auf deren Wohl wir trinken müssen, so kann es stehen bleiben.«

Und während noch darüber parlamentiert und Leos Widerstand beseitigt wurde, kam Friederike und brachte die Ente.

»Wovon willst du?« fragte Sophie.

»Keule, wenn ich bitten darf. Ich finde nämlich, wer um die

Keule bittet, fährt immer am besten. Es macht jedesmal einen guten, weil bescheidenen Eindruck, und zweitens läßt einen das Bindestück nicht leicht im Stich. Außerdem ist die reine Quantitätsfrage doch auch nicht zu verachten.«

Er tat sich denn auch bene; alles war ihm zu willen, und dann brachte er seinen Toast aus auf das Wohl der Mutter. Diese mußte trinken, die Mädchen aber stießen nur mit dem Knöchel ihres Zeigefingers an.

»Es ist doch wahr, zu Hause schmeckt es immer am besten. Solche mütterliche Ente krieg ich in ganz Thorn nicht. Und diese Füllung, noch dazu zweierlei, hier Maronen und hier Pudding mit Rosinen. Kinder, ich glaube beinahe, es ist alles Verstellung bei euch; ich glaube, ihr habt was, ihr seid gar nicht so arm.«

»Ach, Leo, sage nur so was nicht, sprich nicht so was; das ängstigt mich immer. Du bist imstande, dir wirklich so was einzubilden . . .«

»Nein, nein, ich weiß ja Bescheid. Ich dachte nur zufällig an etwas, was ich mal in einer Zeitung gelesen habe, eine Geschichte von einer alten Frau, die ein ganzes Vermögen, ich will nicht sagen wo, eingenäht hatte. Und dann dacht ich auch an Onkel Eberhard, an unsern Onkelgeneral, und daß er doch eigentlich . . .«

In diesem Augenblicke ging draußen die Klingel, und Friederike trat ein, um den Herrn General zu melden.

»Lupus in fabula.« Aber ehe Leo noch das Wort aussprechen konnte, stand der Onkel schon in der Tür, legte den Finger halb dienstlich an die Schläfe und sagte: »Habe die Ehre, Frau Schwägerin.«

Die Mädchen eilten ihm entgegen, Leo natürlich desgleichen; als aber auch die alte Frau sich erheben wollte, versagten ihr die Kräfte, so sehr war sie bewegt von der Güte ihres Schwagers, für den sie immer eine besondere Liebe und Verehrung gehabt hatte.

»Sitzen bleiben, meine liebe Albertine. Das kommt von den zu jugendlichen Bewegungen. Bringe dir auch Grüße von meiner Frau . . . Und daß ich den Leo hier treffe! Wetter, Junge, du siehst brillant aus und wundervoll genährt. Freilich, freilich . . .« und er wies auf die Ente.

»An der du dich beteiligen mußt«, sagte Manon.

Und der Onkel rückte auch wirklich ein, band sich, was er selbst als altmodisch bezeichnete, eine Serviette vor und machte sich mit vielem Behagen daran, einen Flügel abzuknaupeln.

»Delikat. Es ist übrigens bekannt, was wirklich Gutes kriegt man nur in den kleinen Haushaltungen. Und warum? In einem kleinen Haushalt kocht man noch mit Liebe. Ja, meine liebe Albertine, mit Liebe; das ist nun mal die Hauptsache.«

»Du bist immer so gut, Eberhard, immer der alte. Und wenn es dir schmeckt ... Aber sage vor allem, was führt dich her? In Winterszeit nach Berlin.«

»Ja, Albertine, was führt mich her! Ich könnte sagen dein Geburtstag. Aber du würdest es vielleicht nicht glauben, und da ist es doch wohl besser, daß ich gleich mit der Wahrheit herausrücke. Geschäftliches führt mich her, Hypotheken, Abschreibungen und auf der Bank allerlei Sachen. Eigentlich langweilig. Aber doch auch wieder interessant ...«

»Sehr, sehr«, seufzte Leo und wollte dies weiter ausführen. Therese aber hob den Finger, um ihm Schweigen anzudeuten.

»... Und«, fuhr der Onkelgeneral fort, »da die Reise nun mal nötig war, habe ich mir natürlich diesen vierten Januar ausgesucht, um meiner lieben Frau Schwägerin gratulieren zu können.«

»Und du wirst bei uns wohnen«, sagte die Majorin. »Wir können dir nicht viel bieten, aber wir haben doch die Aussicht auf den Matthäi ...«

»Ich weiß, Albertine«, sagte der General. »Alles sehr schön. Aber offen gestanden, ich ziehe den Potsdamer Platz vor, weil da das meiste Leben ist. Und Leben ist nun mal das Beste, was eine große Stadt hat. Das fehlt uns in Adamsdorf. Ich bin also wieder im ›Fürstenhof‹ abgestiegen, bin da schon bekannt, und wahrhaftig, es sieht beinahe so aus, als freuten sich alle, wenn ich komme.«

»Wird auch wohl so sein.«

»Und wenn ich mich da morgens ins Fenster lege, links und rechts ein Sofakissen unterm Arm, und die frische Winterluft kommt so vom Hall'schen Tor her – was ich mir wohl gönnen kann, weil ich dran gewöhnt bin, denn von unsrer alten Koppe herunter pustet es noch ganz anders – und ich habe dann so Café Bellevue und Josty vor mir, Josty mit dem Glasvorbau, wo sie schon von früh an sitzen und Zeitungen lesen, und die Pferdebahnen und Omnibusse kommen von allen Seiten heran, und es sieht aus, als ob sie jeden Augenblick ineinander fahren wollten, und Blumenmädchen dazwischen – aber es sind eigentlich Stelzfüße –, und in all dem Lärm und Wirrwarr werden dann mit einemmal Extrablätter ausgerufen, so wie Feuerruf in alten

Zeiten und mit einer Unkenstimme, als wäre wenigstens die Welt untergegangen – ja, Kinder, wenn ich das so vor mir habe, da wird mir wohl, da weiß ich, daß ich mal wieder unter Menschen bin, und darauf mag ich nicht gern verzichten.«

Leo nickte stumm.

»Also verzeih, Albertine, wenn ich ablehne. Bequemer gelegen ist der ›Fürstenhof‹ auch. Aber zusammen sein wollen wir doch. Jetzt ist es drei. Was machen wir heute? Kroll! Gut, das ginge. Da wird doch wohl eine Weihnachtsvorstellung sein, Schneewittchen oder Aschenbrödel; Aschenbrödel ist besser. In Schneewittchen haben wir den gläsernen Sarg. Und ich bin im ganzen genommen nicht für Särge, bin überhaupt mehr für heitere Ideenverbindungen.«

»Ja, Onkel«, sagte Leo, »da wäre vielleicht ein Theater das Beste. Sie geben heute die ›Quitzows‹ an zwei Stellen: im Schauspielhause die richtigen Quitzows und am Moritzplatz die parodierten. Wast meinst du zu den Quitzows am Moritzplatz?«

»Nein, Leo, das geht nicht, so gern ich sonst dergleichen sehe. Man ist doch seinem Namen auch was schuldig. Sieh, die Poggenpuhls waren in Pommern so ziemlich dasselbe, was die Quitzows in der Mark waren, und da, mein ich, verlangt es der Korpsgeist, daß wir uns eine Parodie der Sache nicht so ganz gemütlich mit ansehn.«

Therese erhob sich, um dem Onkel einen Kuß zu geben. »Es ist mir immer eine Genugtuung, Onkel, solcher Gesinnung zu begegnen. Leo verflacht sich mit jedem Tag mehr. Und warum, weil er dem goldenen Kalbe nachjagt.«

»Ja«, sagte Leo, »das tu ich. Wenn es nur was hülfe.«

»Wird schon«, tröstete die sofort an Flora denkende Manon.

»Aber wozu das?« fuhr Leo fort. »Das liegt ja alles weitab. Vorläufig sind wir noch bei den Quitzows, bei den richtigen und den falschen. Die falschen sind abgelehnt, also ...«

»... die richtigen«, ergänzte der General. »Die richtigen im Schauspielhause; da wollen wir hin. Und hinterher in ein Lokal, um da noch unsern kleinen Schwatz zu haben und, so gut es geht, festzustellen, was es denn eigentlich mit dem Stück auf sich hat. Es soll ein sehr gutes Stück sein, auch schon darin, daß es beiden Parteien gerecht wird, was doch immer eine schwere Sache bleibt. Aber, so viel hab ich schon gehört, der Dietrich von Quitzow soll interessanter sein als der Kurfürst. Natürlich; das ist immer so. Wer mit dem Eisenhandschuh auf den Tisch schlägt, ist immer interessanter als der, der bloß eine Nachmittagspredigt hält. Damit kommt man nicht weit. Ich denke mir den Dietrich so, wie etwa den Götz von Berlichingen, der vor dem Kaiser nicht erschrak und den Heilbronner Rat verhöhnte. Das war immer meine Lieblingsszene. Billetts werden wir doch wohl kriegen, meinetwegen auch mit Aufschlag. Wenn man Poggenpuhl heißt, muß man für einen alten Kameraden von ehedem was übrig haben.«

»Ein Glück, Eberhard«, sagte die Majorin, »daß die Wände keine Ohren haben. So seid ihr Adligen. Und ihr Poggenpuhls, ... na, ich weiß ja, ihr seid immer noch von den besten. Aber auch ihr! Alles habt ihr von den Hohenzollern, und sowie die Standesfrage kommt, steht ihr gegen sie.«

»Hast recht, Albertine. So sind wir. Aber es hat nicht viel auf sich damit. Wenn es gilt, sind wir doch immer wieder da. Da nebenan hängt der ›Hochkircher‹, nach wie vor ohne Rock, was ihn aber ehrt, und ich möchte beinahe sagen, was ihn kleidet, und hier – und er wies auf das Bild über dem Sofa –, hier hängt der Sohrsche, und euer guter Vater, mein Bruder Alfred, nun, der liegt bei Gravelotte. Das sind unsre Taten, die sprechen. Aber wenn stille Tage sind, so wie jetzt, dann sticht uns wieder der Hafer und wir freuen uns der alten Zeiten, wo's noch kein Kriegsministerium und keine blauen Briefe gab und wo man selber Krieg führte. Man soll es wohl eigentlich nicht sagen, und ich sag es auch nur so hin, aber eigentlich muß es damals hübscher gewesen sein. Die Bürger brauten das Bernauer und das Cottbusser Bier, und wir tranken es aus. Und so mit allem. Es war alles forscher und fideler als jetzt und eigentlich für die Bürger auch. Noch keine Konkurrenz. Nicht wahr, Leo?«

»Na, ob, Onkel. Alles viel schneidiger. Vielleicht kommt es noch mal wieder.«

»Glaub ich auch. Nur nicht bei uns. Wir sind nicht mehr dran. Was jetzt so aussieht, ist bloß noch Aufflackern ... Aber nun Schlachtplan für heute abend. Ich will zunächst in meinen ›Fürstenhof‹ und ein paar Zeilen an meine Frau schreiben, und um sechseinhalb seid ihr bei mir. Schwägerin, du auch.«

»Nein, Eberhard. Für mich ist es nichts mehr, ich habe das Reißen und bleibe lieber zu Hause. Wenn ihr alle fort seid, will ich erst das Tageblatt lesen und dann den Abendsegen. Oder Friederike soll ihn lesen. Sie wundert sich schon, daß wir seit Silvester so wie die Heiden gelebt haben.«

Man hatte Billetts erhalten, gute Plätze, vierte Parkettreihe. Mitterwurzer, der gerade zum Gastspiel in Berlin war, gab den Dietrich von Quitzow, und gleich die Szene mit Wend von Ilenburg, Akt zwei, schlug mächtig ein. In der bald darauffolgenden Zwischenpause wandte sich der immer erregter gewordene Onkelgeneral an die rechts neben ihm sitzende Therese und sagte: »Merkwürdig, ganz wie Bismarck. Und dabei beide, so spielt der Zufall, wie Wand an Wand geboren; ich glaube, von Schönhausen bis Quitzövel kann man mit einer Windbüchse schießen, oder ein Landbriefträger läuft es in einem Vormittag. Wunderbare Gegend, diese Gegend da; Langobardenland. Ja, wo's mal sitzt, da sitzt es. Was meinst du, Leo?«

Leo hätte gern geantwortet, aber so frei weg er sonst war, er genierte sich doch einigermaßen, weil er sah, daß man auf den Reihen vor und hinter ihm bereits die Köpfe zusammensteckte und tuschelte. Der Onkel sah es auch, nahm's aber nicht übel und dachte nur: ›Kenn ich; berlinische Zimperei.‹

Bald gegen zehn war die Vorstellung aus, und nach kurzer Beratung an einer etwas zugigen Ecke beschloß man, möglichst in der Nähe zu bleiben und in einem in der Charlottenstraße gelegenen Theaterrestaurant zu soupieren. Man fand hier alles so ziemlich besetzt, kam aber doch noch unter und traf nach Überfliegung der Speisekarte rasch die Wahl. Alle waren für Seezunge, mit Ausnahme von Therese, die sich für Makkaroni mit Tomaten erklärte. Gleich danach wurden ohne weiteres fünf Seidel wie ebensoviele Selbstverständlichkeiten vor sie hin gepflanzt, und erst als diese Seidel schon halb geleert waren, erschien auch das Bestellte, was dem schon ziemlich nervös gewordenen alten General sein Gleichgewicht wiedergab. Er rückte nun seinen Teller etwas näher an sich heran, tröpfelte Zitronensaft auf die knusprige Panierung und sagte, während er gleich den ersten Bissen kennermäßig würdigte: »Ja, Berlin wird Weltstadt. Aber was mehr sagen will, es wird auch Seestadt. Sie reden ja schon von einem großen Hafen, ich glaube, da bei Tegel herum – und ich kann wohl sagen, diese Seezunge schmeckt, als ob wir den Hafen schon hätten oder als ob wir hier mindestens in Wilkens Keller in Hamburg säßen. Es sind das noch so Erinnerungen an Achtundvierzig her, wo ich ein blutjunger Leutnant war, so wie Leo jetzt, nur schmalere Gage.«

»Kann ich mir kaum denken, Onkel.«

»Nun, wir wollen das fallen lassen; so was wird leicht persönlich, und im Persönlichen liegen immer die Keime zu Streitigkeiten. Aber Kunst, Kunst, darüber läßt sich reden; Kunst ist immer friedlich. Sagt, Kinder, was war das eigentlich mit dem Berliner Jargon in dem Stück? Schon gleich als die Straußberger kamen und der Torwart nach ihnen auslugte, ging es damit los. Und das alles so um 1411 herum.«

»Ich denke mir«, sagte Therese, »der Dichter, ein Mann von Familie, wird doch wohl seine Studien dazu gemacht haben. Vielleicht, daß er Wendungen und Ausdrücke, die dich verwundern, in alten Magistratsakten gefunden hat.«

»Ach, Kind, das Berlinische, das da gesprochen wird, das ist noch keine hundert Jahre alt und manches noch keine zwanzig. Aber es mag wohl schwer sein. Am besten hat mir die polnische Gräfin gefallen, ich glaube Barbara mit Namen, eine schöne Person, das muß wahr sein. Auf dem Zettel stand: ›Natürliche Tochter König Jagellos von Polen.‹ Will ich gern glauben; sie hatte so was, Augen wie Kohlen. Und dieser Dietrich; alle Wetter, muß *der* verwöhnt gewesen sein, um solche polnische Königstochter *so* abfallen zu lassen. Ich kenne nur wenig Fälle derart, vielleicht den mit Karl dem Zwölften und der Aurora von Königsmark. Aber dieser Fall ist eigentlich keiner. Denn das mit Karl dem Zwölften lag doch noch wieder anders; das hatte einen Haken . . .«

»Einen Haken? Welchen, Onkel?«

»Ach, Manonchen, das ist nichts für junge Damen. Und hier so öffentlich . . .«

»Dann sag es mir ins Ohr.«

»Geht auch nicht. Sieh, das sind so Finessen, auf die man warten muß, bis man sie zufällig mal aufpickt, sagen wir auf einem Einwickelbogen oder auf einem alten Zeitungsblatt, da, wo die Gerichtssitzungen oder die historischen Miszellen stehn. Denn nach meinen Erfahrungen umschließt die sogenannte Makulatur einen ganz bedeutenden Geschichtsfond, mehr als manche Geschichtsbücher. Ich würde mich dabei vielleicht auf Leo berufen, wenn er nicht mit seinem Kneifer beständig nach dem eleganten jungen Herrn da drüben hinüberlorgnettierte; da drüben am zweiten Tisch von uns. Und nun grüßt er auch noch.«

Wirklich, Leo war während der letzten Minuten ziemlich unaufmerksam gewesen, und jetzt erhob er sich von seinem Platz und ging auf den jungen Herrn zu, von dem der Onkel eben gesprochen. Es war unschwer zu sehen, daß beide gleichmäßig verwundert waren, sich hier zu finden, und nachdem sie, wie's schien, ein paar orientierende Fragen ausgetauscht hatten, führte Leo den hier so unerwartet Wiedergefundenen an den Poggenpuhlschen Tisch und sagte: »Lieber Onkel, erlaube mir, daß ich dir Herrn von Klessentin vorstelle. Alter Kamerad von mir, noch von den Kadetten her . . . Meine drei Schwestern . . .«

Herr von Klessentin, sehr gewandt und von typischer Leutnantshaltung, verbeugte sich gegen den General und die jungen Damen und bemerkte dann, daß er sich des Herrn Generals, der mal zum Besuch draußen in Lichterfelde gewesen sei, sehr wohl noch erinnere.

»Trifft zu, Herr von Klessentin. Ich war öfter draußen, mußte doch dann und wann nach dem Rechten sehn.« Und dabei wies er auf Leo. »Hat freilich nicht viel geholfen. Aber wollen Sie nicht bei uns einrücken? Dies ist der beste Tisch hier, etwas abgetrennt von den übrigen, und kein Zug.«

Klessentin verbeugte sich, holte sein Seidel und nahm den Platz zwischen dem General und Therese.

»Wir haben uns hier seßhaft gemacht«, fuhr der General fort, »weil es so nahe beim Theater ist . . . Sie waren drüben auch zugegen . . .«

»Zu Befehl, Herr General.«

». . . und ich möchte beinahe wetten, Sie links im Parkett bemerkt zu haben, sechste oder siebente Reihe.«

»Bedaure, Herr General; ich war dem Aktionsfeld um ein gut Teil näher . . .«

»Weiter vor?«

»Ja, Herr General. Auf der Bühne selbst.«

Alle (Leo mit eingeschlossen) fuhren neugierig, aber doch auch ein wenig schreckhaft zusammen, und man war froh, als der Onkel in einem heitern Tone sagte: »Da hat man Sie zu beglückwünschen, Herr von Klessentin. Hinter den Kulissen; à la bonne heure, so gut trifft es nicht jeder. Aber andrerseits, Pardon, bin ich doch auch wieder erstaunt, etwas Derartiges unter der jetzigen Verwaltung – die, soviel ich weiß, auf sittliche Strenge hält – sich überhaupt ermöglichen zu sehen. Oder sind es persönliche Beziehungen zum Graf Hochbergschen Hause?«

»Leider nicht, Herr General. Es handelt sich auch nicht um besondere, mich auszeichnende persönliche Beziehungen. Ich bin nämlich einfach Bühnenmitglied. Der Dietrich Schwalbe, dessen Sie sich vielleicht aus dem letzten Akt her entsinnen – auf dem Zettel steht Bannerträger; richtiger wäre vielleicht ›Quitzowscher Milchbruder‹ gewesen, aber diese Bezeichnung unterließ man wohl aus Delikatesse – dieser Dietrich Schwalbe bin ich.«

Therese bog ein wenig nach links hin aus, während die beiden jüngeren Mädchen noch mehr aufhorchten als vorher und auf den wiedergefundenen Freund ihres Bruders mit einem rasch sich steigernden Interesse blickten. Leo selbst schien immer noch etwas unsicher und war froh, als der Onkel mit großer Jovialität fortfuhr: »Freut mich, Herr von Klessentin. Man kann seinem König an jeder Stelle dienen; nur auf die Treue des Dienstes kommt es an . . .«

Klessentin verbeugte sich.

»Aber was mich überrascht, ich habe den Zettel wenigstens dreimal durchstudiert und bin Ihrem Namen nicht begegnet . . .«

»Er fehlt auch, Herr General. Auf dem Zettel heiße ich einfach Herr Manfred, nach meinem Vornamen. Es ist das so Sitte. Manfred ist mein nom de guerre.«

»Nom de guerre«, lachte der Alte. »Vorzüglich. Ein Klessentin tritt aus der Armee und wird Schauspieler, und im selben Augenblick, wo er dem Kriegshandwerk entsagt, kriegt er einen nom de guerre. Ein Glück dabei, daß Sie solchen hübschen Vornamen hatten. Aber so hübsch er ist, ich möchte doch fragen dürfen, können nicht durch solche poetisch-historischen Vornamen allerlei Komplikationen entstehen, können Sie nicht beispielsweise gerade mit Manfred in eine gewisse Verlegenheit geraten?«

»Ich mag die Möglichkeit nicht geradezu bestreiten, Herr General. Aber wenn ich die ganze lange Reihe der Rollen und Stücke durchnehme, so kann ich mir, was speziell meinen Namen angeht, eine solche Komplikation doch nur für *den* Fall denken, daß ich den Lord Byronschen Manfred zu spielen hätte. Dann würd es freilich auf dem Zettel heißen müssen: ›Manfred . . . Herr Manfred‹, was – so viel muß ich zugeben – das Publikum einigermaßen stutzig machen und eine momentane Verwirrung heraufbeschwören könnte.«

»Versteh, versteh. Eine Verwirrung übrigens, aus der Sie nichtsdestoweniger einen Ausweg finden würden.«

»Ich glaube dies bejahen zu dürfen, immer für den Fall, daß ich überhaupt in die hier angedeutete Lage kommen sollte. Das ist aber so gut wie ausgeschlossen, weil ganz außerhalb meiner Sphäre.«

»Sie sind dessen sicher?«

»Vollkommen, Herr General. Der Lord Byronsche Manfred . . .«

»Und dann, Pardon, Herr von Klessentin, der ältere Bruder in der ›Braut von Messina‹, ... der, wenn mir recht ist, etwas weniger schuldbelastete ...«

»....Zu Befehl, Herr General. Aber, Verzeihung, das ist eigentlich ein Don Manuel.«

»Ah, richtig, richtig. Don Manuel, Don Manfred, oder auch bloß Manfred, das ist mir durcheinander gelaufen ... Und Sie meinen, dieser Manfred, also wahrscheinlich auch dieser Manuel, beide Rollen, wie Sie sich ausdrücken, lägen ganz außerhalb Ihrer Sphäre.«

»Gewiß, Herr General. Der Byronsche Manfred ist eine Pyramidalrolle, groß, erhaben wie Lord Byron selbst, während ich durchaus auf einer Anfängerstufe stehe.«

»Das ändert sich. Das ist überall dasselbe. Heute Fähnrich und nach vierzig Jahren General; kommt Zeit, kommt Rat.«

»Wollte Gott, daß es so läge, Herr General. Aber es liegt anders. Ich bin nun mal in der Bühnenlaufbahn drin und muß jetzt dabei bleiben, ein ewiges Umsatteln macht einen schlechten Eindruck. Aber es ist mir, gerade seit ich dabei bin, ganz klar geworden, daß ›Herr Manfred‹ kein großer Künstlername werden wird ... Es ist möglich oder wenigstens sehr wünschenswert, daß ich über kurz oder lang eine sogenannte gute Partie machen werde, nach welchem Ereignis ich keinen Augenblick zögern würde, mich von der Bühne wieder zurückzuziehen. Ich bin eigentlich gern Schauspieler, ja, ich könnte beinahe sagen mit Passion; aber trotzdem, ... eine Tiergartenvilla mit einem Delphinbrunnen, der immer plätschert und den Rasen bewässert...«

»Eine solche Villa, mein lieber Klessentin, würden Sie vorziehen. Das ist das, was ich eine gesunde Reaktion nenne. Gott gebe seinen Segen dazu. Ja, Park mit Reh und Wasserfall und mit alten Platanen, im Herbst goldgelb – das hat es mir auch angetan. Aber solange Sie nun noch mitmachen, ist da nicht ein Avancement möglich?«

»Schwerlich, Herr General.«

»... Und wenn nicht – verzeihen Sie meine Neugier, aber ich interessiere mich für all dergleichen – also wenn nicht, in welchem Rollenfache hat man Sie denn eigentlich zu suchen? Wenn ich wieder auf meinem Gute sitze und nehme die Zeitung und lese: Morgen Mittwoch: ›Wilhelm Tell‹, so will ich, nachdem ich das Vergnügen Ihrer Bekanntschaft gehabt habe – denn Sie gefallen mir außerordentlich, Herr von Klessentin; verzeihen Sie, daß ich Ihnen das so ohne weiteres sage –, so will ich doch wis-

sen, wo ich Sie im ›Tell‹ unterzubringen habe; für den Atting-
haus sind Sie zu jung und für den Geßler nicht dämonisch genug;
aber vielleicht Rudenz.«

»Sie greifen immer noch um etliche Stufen zu hoch, Herr
General. Es gibt allerdings ein paar Ausnahmefälle, so zum Beispiel heute abend, wo ich mich als Quitzowscher Bannerträger
von dem eigentlichen Gros um ein geringes abheben durfte; im
ganzen aber dürfen mich der Herr General immer nur da suchen,
wo Sie Gruppen und Rubriken finden: Erster Bürger, zweiter
Mörder, dritter Pappenheimer; so sind mir die Würfel gefallen.
Speziell im ›Tell‹ bin ich natürlich mit auf dem Rütli und habe
da den Mondregenbogen und dann später das Alpenglühen dicht
hinter mir. Trotzdem – ich habe bis jetzt immer nur den Meier
von Sarnen und ein einziges Mal auch den Auf der Mauer gespielt, und ich darf hinzusetzen, mein Ehrgeiz versteigt sich
überhaupt nicht höher als bis zu Rösselmann. Ein schwacher
Aufstieg. Aber um Ihnen nichts zu verschweigen, man verletzt
auch schon durch ein so bescheidenes Avancement andrer Inter-
essen. Und so viel liegt mir wieder nicht dran.«

»Bravo, bravo. Ganz mein Fall. Nur nicht andre beiseite
schieben, nur nicht über Leichen.«

»Und dann, Herr General, wie man mit Recht sagt, daß auch
die kleinen Existenzen ihre großen Momente haben, so ganz besonders auch beim Theater. Da ist beinahe keiner unter den mir
gleichgestellten Kollegen, der sich nicht sagte: ›Ja, dieser Matkowsky! Dieser Matkowsky spielt den Mortimer und den Prinzen in Calderons ,Leben ein Traum‘, und er spielt beide gut, sehr
gut; aber den Frießhardt, das ist, Verzeihung, der Kriegsknecht,
der vor Geßlers Hut Wache steht, oder den Deveroux, der den
Wallenstein mit der Partisane niederstößt, oder die Hexe im
,Faust‘ oder – verzeihen Sie, meine Damen, daß ich meine Beispiele anscheinend mit Vorliebe grade aus dieser Sphäre nehme –
die dritte Macbethhexe, *die* spiele ich, da bin ich ihm über, diesem
Matkowsky‹ . . . Und solche glücklichen Momente habe ich auch.«

»Mir sehr interessant, mein lieber Herr von Klessentin. Und
nun müssen Sie auch noch einen Schritt weiter gehen und mir
außer dem Meier von Sarnen, von dem ich, offen gestanden, eine
nur dunkle Vorstellung habe, mir also außer diesem Meier von
Sarnen noch ein paar andre Ihrer Paradepferde nennen, klein
oder groß, denn man kann bekanntlich auch auf einem Pony
paradieren.«

»Es schmeichelt mir, so viel freundlichem Interesse bei Ihnen zu begegnen, und ich wünsche nur, daß meine gern abzulegenden Geständnisse mich um dies freundliche Interesse nicht bringen mögen. Meine Begabung, wenn überhaupt von einer solchen die Rede sein kann, liegt nämlich sonderbarerweise nach der Seite des Grotesken hin; auch meine heutige Rolle streifte wenigstens dieses Gebiet, und so darf ich denn wohl sagen, daß ich meine kleinen Triumphe bisher im ›Sommernachtstraum‹ und besonders in Shakespeares ›Heinrich dem Vierten‹, zweiter Teil, errungen habe. Der Zufall, ein glücklicher oder unglücklicher, hat es so gefügt, daß ich die ganze Reihe der Falstaffschen Rekruten, also des sogenannten ›Kanonenfutters‹, durchgespielt habe, mit Ausnahme des Schwächlich. Einmal wurd ich sogar durch Händeklatschen von seiten Seiner Majestät ausgezeichnet, was mich begreiflicherweise sehr beglückte. Beim Publikum aber hab ich bisher in der Rolle des Bullkalb am meisten angesprochen.«

Therese begleitete dies Wort mit einer stolzen Kopfbewegung, die Herrn von Klessentin nicht entging, weshalb er sofort hinzusetzte: »Wenn man erst mal, und ich muß deshalb wiederholentlich die Verzeihung der Damen anrufen, beim Beichten ist, so kommen leicht Dinge zum Vorschein, die mehr oder weniger anstößig wirken. Und besonders, wenn Shakespeare in Frage steht. In eben diesem ›Heinrich dem Vierten‹ begegnen wir Personen und Namen, einer Witwe Hurtig beispielsweise . . . Nun, diese Witwe selbst möchte vielleicht noch gehen, aber neben ihr waltet auch ein blondes Dorchen seines Amtes, ein junges Mädchen mit einem Zunamen . . .«

»Oh, ich weiß, ich weiß«, lachte Manon.

»Du weißt es *nicht*«, sagte Therese mit dem ganzen Ernst einer älteren Schwester, die den Schul- und Erziehungsgang der jüngeren überwacht und daraufhin eine Verantwortlichkeit übernommen hat.

»Doch, doch, und Leo kann es bezeugen. Und er *muß* es sogar, damit der Ärmste mal wieder zu Worte kommt. Er ist ja ganz in bewunderndem Zuhören aufgegangen, und ich wette, er hat die ganze Zeit über überlegt, welche Rollen ihm am besten passen würden.«

Sophie legte den Finger auf den Mund. Aber Manon sah es nicht oder wollte es nicht sehen und fuhr fort: »Und wir erleben es auch noch, daß wir nach dem Vorbilde von ›Manfred . . . Herr Manfred‹ auf dem Theaterzettel lesen: ›Leo . . . Herr Leo.‹ Der von ihm zu Spielende muß aber natürlich ein Papst sein, unter dem tu ich es nicht. Ja, Leo, das ist mein Ernst. Und ich würde mich vielleicht auch freuen, dich auf der Bühne zu sehen. Warum auch nicht? Ich meine, man muß nur berühmt sein; auf welchem Gebiet, ist eigentlich ganz gleich.«

»Das ist dann«, unterbrach Therese, »der Grundsatz jenes auch berühmt Gewordenen, der den Tempel zu Korinth anzündete ...«

»Ephesus ...« verbesserte Leo. »Korinth, da waren die Kraniche ...«

»Das ist gleich, Tempel ist Tempel. Im übrigen verzeih, Onkel, wenn ich, dir vorgreifend, an unsern Aufbruch mahne. Auch Herr von Klessentin wird mir verzeihen. Aber unsre gute Mama ...«

»Versteht sich, versteht sich. Und noch dazu heute an ihrem Geburtstage ... Leo« – und Onkel Eberhard nahm bei diesen Worten einen Schein aus seiner Brieftasche, »bitte, bemächtige dich des Kellners und bring alles ins klare. Herr von Klessentin, Sie begleiten uns vielleicht eine Strecke ...«

»Mir eine große Ehre, Herr General. Aber bitte zugleich verzeihen zu wollen, wenn ich schon an der Friedrichstraßenecke mich verabschiede. Eine Verabredung ... zwei Kameraden von meinem alten Regiment. Ich würde versuchen«, und er wandte sich an die jungen Damen, »Ihren Herrn Bruder abtrünnig zu machen – wenn man mal in Berlin ist, will man auch Berliner Luft genießen –, aber ich zweifle, daß seine ritterlichen Gesinnungen ihm diese Fahnenflucht gestatten.«

»Es wird sich leider verbieten, Herr von Klessentin«, sagte Therese mit einem bedeutungsvollen Lächeln. »Und was die Berliner Luft angeht, ich glaube, wir haben sie in der Großgörschenstraße reiner als in der Friedrichstraße ...«

»Reiner, aber nicht echter ... mein gnädigstes Fräulein.«

Leo, der inzwischen die Rechnung beglichen hatte, gesellte sich ihnen wieder, und so brach man denn in corpore auf: der General mit Therese, Leo mit Manon, Herr von Klessentin mit Sophie, die weniger gesprochen, aber durch ihre Mienen all die Zeit über ein besonderes Interesse gezeigt hatte.

Sie fragte während ihres jetzt beginnenden Geplauders mit ihrem Partner auch nach Fräulein Conrad, von deren Verlobung sie ganz vor kurzem gehört habe. »Der Verlobte«, so bemerkte sie, »soll ein sehr scharfer Kritiker sein. Ich denke es mir schwer, einen Kritiker immer zur Seite zu haben. Es bedrückt und lähmt den höheren Flug.«

»Nicht immer. Wer fliegen kann, fliegt doch.«

»Und ich freue mich, das aus Ihrem Munde zu hören . . .«

Und bei diesen Worten hatte man die Ecke der Leipziger- und Friedrichstraße erreicht, und Herr von Klessentin empfahl sich; die Poggenpuhls aber gingen weiter auf das Potsdamer Tor zu, wo man sich am »Fürstenhofe« – nachdem Leo nicht bloß eine exakte Rechnungsablegung, sondern zu des Onkels großer Erheiterung auch eine Behändigung des verbliebenen Restes versucht hatte – mit einem »bis auf morgen« voneinander verabschiedete.

Achtes Kapitel

Mitternacht war dicht heran, als die Geschwister vor ihrer Wohnung eintrafen. Sophie hatte den Schlüssel und schloß auf. In einer gewissen Erregung, in der sie sich mehr oder weniger befanden, sprachen sie ziemlich laut auf der Treppe, was das Gute hatte, daß ihnen die über das lange Ausbleiben schon etwas unruhig gewordene Friederike bis in den zweiten Stock entgegenkam und leuchtete.

»Mama noch auf?« fragte Leo.

»Nein, junger Herr. Die gnädige Frau hat sich schon gleich nach neun zu Bett gelegt; es war ihr so kalt. Aber sie liegt bloß; sie schläft noch nicht.«

Unter diesem kurzen Gespräche hatten die jungen Damen ihre Mäntel, Leo seinen Paletot abgelegt, und alle traten gemeinschaftlich in das große Schlafzimmer, um die Mama noch zu begrüßen, während sich Friederike in ihre Küche zurückzog.

Die Majorin saß mehr im Bett, als sie lag, und schien in besserer Stimmung als gewöhnlich. »Aber, Kinder, so spät; nachtschlafende Zeit; ich dachte schon, es wäre was passiert . . .«

»Ist auch, Mutter.«

»Na, das mag was Schönes sein. Vielleicht hast du dein Vermögen verloren. Aber davon hör ich noch immer früh genug. Komm, Manon, gib mir deine Hand und sieh mich an. Und nun rückt euch Stühle 'ran und erzählt. Und du, Leo, kannst dich unten auf die Bettkante setzen. Es ist immer noch nicht so hart wie Lattenstrafe; die gab es noch, als ich jung war. Ihr seid ja runde sechs Stunden weggewesen, und ein wahres Glück, daß ich Friederike habe, mit der ich mich aussprechen kann.«

»Was du wohl auch redlich getan hast«, sagte Therese. »Du machst dich immer so vertraulich mit ihr, mehr als eine Herrschaft eigentlich tun sollte.«

»Meinst du?« sagte die Majorin, während sie sich in ihrem Bett noch etwas höher hinaufrückte. »Was meine vornehme Therese nicht alles weiß und meint. Aber nun will ich dir auch sagen, was ich meine. *Ich* meine, daß solche schlichte Treue das Allerschönste ist, das Schönste für den, der sie gibt, und das Schönste für den, der sie empfängt. Die Liebe der Kinder, auch wenn es gute Kinder sind, die hat keine Dauer; die denken an sich, und ich will's auch nicht tadeln und nicht anders haben; aber solch altes Hausinventar wie die Friederike, die will nichts als helfen und beistehn und fordert weiter nichts, als daß man mal ›danke‹ sagt. Und ich sage dir, Therese, da steckt ein gut Teil Christentum drin.«

»Ja, das glaubst du immer, Mutter.«

»Nein, das glaube ich nicht, das weiß ich. Aber wir wollen das lassen; Leo soll lieber erzählen, wie alles war.«

»Ja, Mama, wenn ich davon erzählen soll, so kann ich es nur nach einer Disposition, dreigeteilt, also wie 'ne Predigt.«

»Bitte, Leo . . .«

»Dreigeteilt also schlechtweg, ohne Zubemerkung oder Vergleich. Erster Teil: Onkel und die Quitzows; zweiter Teil: Onkel und Herr Manfred – Manfred ist nämlich mein Kadettenfreund Klessentin – und dritter Teil: Onkel und . . . Aber davon erst nachher; ich will meinen besten Trumpf nicht gleich in einer großen Überschrift ausspielen.«

»Ach, Leo, das sind ja wieder Flausen; hinterher ist es gar nichts.«

»Fehlgeschossen, wie du gleich sehen wirst. Aber jetzt aufgepaßt. Erst also: Onkel und die Quitzows.«

»Der gute Onkel! Er wird natürlich über all die Rodomontaden entzückt gewesen sein.«

»Mitnichten, Mutter. Ich möchte vielmehr umgekehrt annehmen, daß er, trotzdem er den Dietrich von Quitzow bewunderte, nicht so recht auf seine Kosten gekommen ist. Aber es stehe dahin. Nur so viel, als die Straußberger mit Sack und Pack anrückten, sprach er ziemlich laut – und jedenfalls so, daß es einen genieren konnte – von Mühlendamm und Trödelmarkt. Am meisten gefallen hat ihm offenbar eine hübsche Gräfin, eine gewisse Barbara, die bei den Pommernherzögen das Mindeste zu sagen gut angeschrieben stand und es nun auch mit unserm Dietrich von Quitzow versuchen wollte. Aber da kam sie schön an. Die Mark vertrat schon damals die höhere Sittlichkeit, also dasselbe, wodurch sie später so groß geworden ist.«

»Spotte nicht.«

»Und der Onkel zeigte auch darin wieder seine pommersche Abstammung, daß er gleich in hellen Flammen stand, und von Manfred Klessentin, den wir nach der Vorstellung im Theaterrestaurant trafen, auf der Stelle wissen wollte, wer denn eigentlich die Gräfin sei. Das heißt, die Schauspielerin, die die Gräfin gab.«

»Eine schöne Geschichte . . .«

». . . Und da haben wir denn mit guter Manier auch gleich die Überleitung auf Teil zwei, auf Onkel Eberhard und Manfred Klessentin. Aber davon können dir am Ende die Mädchen gerade so gut erzählen wie ich selbst.«

Die Mama nickte.

». . . und so denn lieber gleich Teil drei unter der imposanten Überschrift: Onkel Eberhard und der Hundertmarkschein. Und noch dazu ein ganz neuer. Ja, Mama, das war ein großer Moment. Er existiert zwar nicht mehr als Ganzes, ich meine natürlich den Schein, aber doch immer noch in sehr respektablen Überresten. Hier sind sie. Wie du dir denken kannst, sträubt ich mich eine ganze Weile dagegen; als ich aber sah, daß er es übelnehmen würde . . .«

»Leo, so hast du noch nie gelogen . . .«

»Selbstverspottung ist keine Lüge, Mama. Aber du siehst daran so recht, wie unrecht du mit deiner ewigen Sorge hast. ›Noch am Grabe pflanzt er die Hoffnung auf‹, solch großes Dichterwort ist nicht umsonst gesprochen und darf nie vergessen werden. Ich bekenne gern, daß ich den ganzen Abend über wegen des Rückreisebilletts in einer gewissen Unruhe war, denn ich darf wohl sagen, ich gebe lieber als ich nehme . . .«

Die Mädchen lachten.

». . . Indessen, Gott verläßt keinen Deutschen nicht und einen Poggenpuhl erst recht nicht, und wenn die Not am größten ist, ist die Hilfe am nächsten. So hab ich es immer gefunden. Und so schwimm ich denn augenblicklich ganz kreuzfidel wieder obenauf und, so Gott will, eine ganze Weile noch. Denn die Rückreise macht keinen großen Abstrich, auch wenn ich erster Klasse fahre.«

»Aber Leo . . .«

»Beruhigt euch, Kinder. Ich werde ja nicht erster Klasse fahren; es beglückt mich nur, so einen Augenblick denken zu können, ich könnt es. Alles bloß Phantasie, Traumbild. Aber *das* ist Ernst: ich will wissen, wieviel ich von meinem Vermögen hier lassen soll; jede Summe ist mir recht, und ich will auch keine Rückzahlung und keine Zinsen. Ich will vielmehr diesen Zustand voll und rein genießen und will Wendelin mal übertrumpfen. Aber ihr sagt ja nichts, auch du nicht, Mama.«

»Nun, ich nehme es für genossen an, Leo. Und nun geh in die Vorderstube, und nimm Manon mit, sie kann dir beim Packen behilflich sein. Aber haltet euch nicht zu lange damit auf; ich weiß schon, ihr kommt immer ins Schwatzen und könnt dann kein Ende finden. Und nun gute Nacht, und wir nehmen auch gleich Abschied. Komm morgen früh nicht an mein Bett, und bringe Wendelin meine Grüße, und es wäre hübsch von ihm gewesen, daß er dir diese Reise gegönnt. Er wäre nun schon der Beste von der Familie, ganz anders...«

»Wie Leo...«

»Ja, ganz anders. Aber du kannst doch bleiben, wie du bist. So sind alle alten Mütter; die Tunichtgute sind ihnen immer die liebsten, wenn sie nebenher nur das Herz auf dem rechten Fleck haben. Und das hast du. Du taugst nichts, aber du bist ein lieber Kerl. Und nun gute Nacht, mein Junge.«

Er streichelte sie und gab ihr einen Kuß, und dann ging er mit der jüngsten Schwester, die seine besondere Vertraute war, nach vorn, um da für den Abreisemorgen alles in Ordnung zu bringen.

*

Als sie mit dem Kofferpacken fertig waren, nahm Manon Leos Hand und sagte: »Setz dich da in die Sofaecke; ich muß noch ein paar Worte mit dir sprechen.«

»Brrr. Das klingt ja ganz ernsthaft. Ist es so was?«

»Ja, es ist so was. Freilich in deinen Augen kaum. Und nun höre zu, ganz aufmerksam. Ich bin nämlich einigermaßen in Sorge, daß du, deiner ewigen Schulden halber, falsche Schritte tust. Und noch dazu in Thorn. Ich bitte dich, übereile nichts. Du hast neuerdings ein paarmal Andeutungen gemacht, erst in deinen Briefen und nun auch hier wieder, so heute abend auf dem Heimwege. Du weißt, daß ich in dieser delikaten Sache nicht wie Therese denke; sie hält die Poggenpuhls für einen Pfeiler der Gesellschaft, für eine staatliche Säule, was natürlich lächerlich ist; aber du deinerseits hast umgekehrt eine Neigung, zu wenig auf unsern alten Namen zu geben oder, was dasselbe sagen will, auf den *Ruhm* unsres alten Namens. Ruhm und Name sind aber viel.«

»Kann ich zugeben, Manon; aber wer hat heutzutage *nicht* einen Namen? Und was *macht* nicht alles einen Namen! Pears Soap, Blookers Cacao, Malzextrakt von Johann Hoff. Rittertum und Heldenschaft stehen daneben weit zurück. Nimm da beispielsweise den Marschall Niel! Er hat, glaub ich, Sebastopol erobert und war, wenn ich nicht irre, verzeih den Kalauer, ein Genie im ›Genie‹; jedenfalls eine militärische Berühmtheit. Und doch, wenn nicht die Rose nach ihm hieße, wüßte kein Mensch mehr, daß er gelebt hat. Indessen lassen wir Niel; was geht uns am Ende Niel an? Nehmen wir lieber etwas, was uns viel, viel näher liegt, nehmen wir da beispielsweise den großen Namen Hildebrand. Es gibt, glaub ich, drei berühmte Maler dieses Namens, der dritte kann übrigens auch ein Bildhauer gewesen sein, es tut nichts. Aber wenn irgendwo von Hildebrand gesprochen wird, wohl gar in der Weihnachtszeit, so denkt doch kein Mensch an Bilder oder Büsten, sondern bloß an kleine dunkelblaue Pakete mit einem Pfefferkuchen obenauf und einer Strippe drum herum. Ich sage dir, Manon, ich habe mein Poggenpuhlhochgefühl gerade so gut wie du und fast so gut wie Therese; wenn ich dieses Hochgefühls aber froh werden soll, so brauche ich zu meinem Poggenpuhlnamen, der, trotz aller Berühmtheit, doch leider nur eine einstellige Zahl ist, noch wenigstens vier Nullen. Eigentlich wohl fünf.«

»Ich habe nichts dagegen, Leo, daß du so rechnest; ganz im Gegenteil. Bin ich doch selber nicht ängstlich in diesem Punkte. Ja, ich gebe zu, du *mußt* so rechnen. Aber ich fürchte, du rechnest nicht an der richtigen Stelle. Da sind Bartensteins, da ist Flora ... Ja, das wäre was. Flora Bartenstein ist ein kluges und schönes Mädchen und dazu meine Freundin. Und reich ist sie nun schon ganz gewiß. Also darüber ließe sich reden. Aber in Thorn, wovon du beständig schreibst und sprichst, ... freilich immer nur so dunkel und bloß in Andeutungen. Ich bitte dich, Leo, was soll das? In Thorn? ... Wie heißt sie denn eigentlich?«

»Esther.«

»Nun, das ginge. Viele Engländerinnen heißen so. Und ihr Vatersname?«

»Blumenthal.«

»Das ist freilich schon schlimmer. Aber am Ende mag auch das hingehen, weil es ein zweilebiger Name ist, sozusagen à deux mains zu gebrauchen, und wenn du Stabsoffizier bist – leider noch weitab –, und es heißt dann bei Hofe, wo du doch wohl verkehren wirst: ›Die Frau Majorin oder die Frau Oberst von

Poggenpuhl ist eine Blumenthal‹, so hält sie jeder für eine Enkelin des Feldmarschalls. Ein Poggenpuhl, der eine Blumenthal heiratet, so viel Vorteil muß man am Ende von einem alten Namen haben, rückt sofort auf den rechten Flügel der Möglichkeiten.«

»Bravo, Manon. Also deine Bedenken zerrinnen.«

»Doch nicht ganz: so viel kann ich nicht zugeben. Ich mühe mich nur einfach, aus Esther und Blumenthal das Beste zu machen. Außerdem, ich begreife deine Lage, fühle den Druck mit und freue mich, daß du heraus willst. Aber wenn es irgend sein kann, bleibe im Lande und nähre dich redlich; laß es nicht an der Weichsel sein, nicht Esther; sie kann, wie sie auch sei, an Flora nicht heranreichen. Zudem die ganze Bartensteinsche Familie – es sind drei Brüder, zwei in der Voßstraße – hat ein besonderes Ansehen; der, in dessen Hause ich verkehre, ist ein Ehrenmann, beiläufig auch noch ein Humorist, und ich bin sicher, daß er bei der nächsten Anleihe geadelt wird. In meinen Augen ist das nichts von Bedeutung, ja, beinahe störend, denn ich hasse alles Halbe, was doch am Ende bleibt. Aber vor der Welt...«

»Ich will es mir überlegen, Manon. Vorläufig find ich es entzückend, so gleichsam die Wahl zu haben; wenigstens kann ich mir so was einbilden. Am liebsten freilich blieb ich noch eine Weile, was ich bin; ein Junggeselle steht doch obenan. Nur der ›Witwer‹ mit seinem Blick in Vergangenheit und Zukunft steht vielleicht noch höher. Aber das kann man nicht gleich so haben. Und nun gehab dich wohl. Mama wird sich schon wundern, was wir alles wieder miteinander gehabt haben.«

Und bei diesen Worten trennten sie sich.

Manon aber trat noch an das Bett der Mutter, um zu sehen, ob sie schliefe.

»Du hast geweint, Mama.«

»Ja, Kind. Aber gute Tränen; die tun wohl.«

Neuntes Kapitel

Manon war früh auf, um dem Bruder noch bei der Abreise behilflich zu sein, die beiden anderen Schwestern aber beschränkten sich darauf, als Leo den Korridor passierte, ihm ihre Arme durch den Türspalt entgegenzustrecken.

»Ich kenne euch noch«, sagte Leo, »der dicke Arm, das ist Sophie.« Die von ihm gestellte Diagnose war denn auch richtig,

aber für Therese verletzlich, und so empfing der Abschiedsmoment einen kleinen Beigeschmack von Verstimmung. Friederike, die natürlich mit aufgestanden war, trug den Koffer bis
an den nächsten Droschkenstand, und als Leo hier gewählt und
Platz genommen und dem Kutscher »Friedrichstraßenbahnhof«
zugerufen hatte, drückte er Friederike etwas in die Hand,
das diese – trotzdem ihr bei den Poggenpuhls eigentlich wenig
Gelegenheit gegeben war, ein feines Abschätzungsvermögen für
im Halbdunkel gereichte Trinkgelder auszubilden – sofort als
einen richtigen preußischen Taler erkannte. Der Schreck darüber
war beinahe noch größer als die Freude.

»Gott, junger Herr...«

»Ja, Friederike, die Tage sind verschieden, und wenn es nach
mir ginge...«

»Nein, nein...«

»... Und wenn es nach mir ginge, so nähm ich gleich den ausgehöhlten Edamer, der doch wohl noch da ist, und schüttete ihn
dir voll lauter Goldstücke. Na, nun mit Gott, vorwärts.« Und
dabei gab er ihr noch die Hand, und die Droschke setzte sich in
eine wilde, aber schnell nachlassende Bewegung.

*

Auf dem Heimwege von der Potsdamerstraßenecke bis wieder nach Hause kamen Friederike allerlei Betrachtungen. »Es
kann einen doch eigentlich rühren«, sagte sie. »Und wenn ich
dann so an das reiche Volk denke, wo ich früher war, und gar
kein Mensch nich. Und daneben nun diese Poggenpuhls! Eigentlich haben sie ja gar nichts, un mitunter genier ich mich, wenn ich
sagen muß: ›Ja, gnäd'ge Frau, der Scheuerlappen geht nu nich
mehr.‹ Aber sie haben doch alle so was, auch die Therese; sie tut
wohl ein bißchen groß, aber eigentlich is es doch auch nich
schlimm. Un nu das Leochen! Ein Tunichtgut ist er, und ein
Flausenmacher, da hat die arme alte Frau ganz recht, un hat
auch seinen Nagel, wie sie alle haben, bloß die Frau nich... na,
die hat sich zu sehr quälen müssen, un da vergeht es einem...
Aber man is doch immer ein Mensch, un darin sind sie sich alle
gleich. Ich bin froh, daß ich solche Stelle habe; satt wird man
ja doch am Ende, un wenn es mitunter knapp is, denn kosten sie
bloß und lassen einen alles; aber ich mag denn auch nich; wenn
man das so sieht, da steckt es einen auch in 'n Hals un will nicht
'runter. Ja, ja, das liebe Geld... Un 'n Taler. Wo er ihn bloß

her hat? Na, der Onkel wird wohl ordentlich in die Tasche gegriffen haben.«

Als Friederike wieder oben war, fand sie die beiden älteren Mädchen schon am Kaffeetisch, und Manon kniete vor dem Ofen, um einzuheizen. Als es zuletzt brannte, kam auch die Mutter und nahm wie gewöhnlich ihren Platz auf dem Sofa.

»Na, ist er gut fortgekommen?«

»Ja, Mama«, sagte Manon, »und ich soll dir auch noch einen Kuß von ihm geben, und du wärst doch die Beste, wenn du auch keine richtige Poggenpuhl wärst . . .«

»Nein, das bin ich nicht. Gott, Kinder, wenn ich auch eine wäre, da wäre die Elle schon lange viel länger als der Kram.«

»Ach, laß doch; es geht auch so. Nur immer Mut. Ich hatte mir schon vorgenommen, mit Flora zu sprechen, und da mit einmal kam der Onkel . . .«

»Ja, der hat mal wieder geholfen. Aber man muß nicht denken, daß es immer so geht . . .«

»Nicht immer, Mama; aber doch beinah.«

»Ja, du bist auch solch Leichtfuß, ganz wie der Bruder. Und mit dem jungen Klessentin wird es wohl auch so gewesen sein. Da seht ihr, was dabei heraus kommt. Und nun heißt er Herr Manfred. Und wenn nicht ein Wunder geschieht, und ihr habt ja auch schon so was gesagt, so lesen wir auch noch mal auf dem Theaterzettel: Herr Leo. Wie fandet ihr denn den jungen Klessentin? Und wie kam denn der Onkel mit ihm aus oder er mit dem Onkel? Es muß doch eine rechte Verlegenheit gewesen sein.«

»Nein, Mama«, sagte Sophie. »Und warum auch? Man muß es nur immer richtig ansehen. Ich bin doch auch von Adel und eine Poggenpuhl, und ich male Teller und Tassen und gebe Klavier- und Singunterricht. Er spielt Theater. Es ist doch eigentlich dasselbe.«

»Nicht so ganz, Sophie. Das Öffentliche. Da liegt es.«

»Ja, was heißt öffentlich? Wenn sie bei Bartensteins tanzen und ich spiele meine drei Tänze, weil es unfreundlich wäre, wenn ich ›nein‹ sagen wollte, dann ist es auch öffentlich. Sowie wir aus unsrer Stube heraus sind, sind wir in der Öffentlichkeit und spielen unsre Rolle.«

»Gut, gut, Sophie. Du sollst recht haben; ich will es glauben. Aber der junge Klessentin. Was spielt er denn eigentlich? Ich habe doch noch nie von ihm gelesen.«

»Er hat immer nur ganz kleine Rollen und nannte auch ein paar. Aber, was einen trösten kann, er setzte gleich hinzu, das mache keinen rechten Unterschied und die kleinen Rollen, auf die käm es mitunter auch an, gerade so gut wie auf die großen. Und alles, was er sagte, klang so nett und so zufrieden und so voller guter Laune, daß Onkel Eberhard ganz eingenommen von ihm war und ihn beglückwünschte.«

»Ja, das glaub ich. Der gute Onkel ist eine Seele von Mann und kann das Wichtigtun und das Aufstelzengehen nicht leiden, und wenn einer sagt: ›Ich bin fürs Kleine‹, der hat gleich sein Herz gewonnen. Er mag's nicht, wenn die Menschen sich aufblasen und so tun, als ob sie ohne Atlastapeten nicht leben könnten. Er ist für seine Person beinahe bedürfnislos und mit allem zufrieden, und deshalb will ich ihn auch bitten, heute mittag mit uns fürlieb zu nehmen. Denn ich denke doch, daß er noch mit herankommt. Was können wir ihm denn wohl vorsetzen? Du hast ja die Woche, Sophie; was meinst du?«

»Nun, ich meine: Weißbiersuppe mit Sago, die hat ihm das vorige Mal so gut geschmeckt. Und dann haben wir noch eine kleine Schüssel Teltower Rüben und können von der Spickgans aufschneiden.«

»Das wird nicht gehen«, sagte Therese. »Die Spickgans ist aus Adamsdorf, von der Tante.«

»Tut nichts. Spickgänse kann man nicht unterscheiden. Und wenn er es merkt, ist es eigentlich eine kleine Aufmerksamkeit. Und als dritten Gang denk ich mir dann Sahnenbaisers von Konditor Eschke drüben. Und dann Butterbrot und Käse.«

Die Mutter, die das Ganze nur als symbolische Handlung ansah und sehr wohl wußte, daß der Onkel vorher gefrühstückt haben würde, war mit diesem Menü zufrieden und verlangte nur noch, daß die Töchter, die noch nachträgliche Neujahrsvisiten in der Stadt zu machen hatten, um spätestens zwei Uhr wieder zu Hause wären, weil es sonst zu spät würde. Bis dahin wollte sie den Onkel schon festhalten.

Und nachdem auf diese Weise alles geordnet war, räumte man den Kaffeetisch ab und begab sich in das Hinterzimmer, um da für die noch ausstehenden Besuche die nötige Toilette zu machen.

*

Alle drei Schwestern verließen gleichzeitig die Wohnung, um vom Botanischen Garten aus die Pferdebahn zu benutzen, deren »Zonentarif« sie sehr genau kannten. Die alte Majorin, als alles ausgeflogen, ging nun auch ihrerseits an ihre »Restituierung« und war kaum damit fertig, als sie draußen auf dem Vorflur ein ziemlich lautes und gemütliches Sprechen hörte, das keinen Zweifel darüber ließ, daß der Schwagergeneral gekommen sein müsse.

»Guten Morgen, Albertine. Verzeih, daß ich etwas früh komme, aber, wie ich sehe, doch nicht zu früh. Alles blink und blank, alles schon in full dress, wenn man dies von einer Dame sagen kann; ›full dress‹ ist nämlich eigentlich wohl männlich und heißt glaub ich soviel wie Frack oder Schniepel. Früher sagte man Schniepel.«

»Ach, Eberhard, du meinst es gut und hast immer ein freundliches Wort und siehst es auch gleich, daß ich mir meine Staatshaube mit einem neuen Band aufgesetzt habe. Aber mit mir ist Spiel und Tanz vorbei.«

»Nicht vorbei, Albertine. Immer noch eine propre Frau. Und du bist ja noch keine sechzig. Aber wenn auch. Was sind Jahre? Jahre sind gar nichts. Sieh mich an. Eben kam ein Bataillon von eurem Eisenbahnregiment an mir vorbei – ich sage ›von eurem‹, denn ihr habt es ja hier in eurer Straße – und ich kann dir sagen, wie ich bloß den ersten Paukenschlag hörte, da ging es mir wieder durch alle Glieder und ich fühlte ordentlich, wie das alte Gebein wieder jung und elastisch wurde. Man hat immer das Spiel in der Hand und ist gerade so jung wie man sein will. Aber du spinnst dich zu sehr ein, da wird man Antiquität, ägyptisches Museum, man weiß nicht wie. Sieh zum Beispiel gestern. Warum warst du nicht mit dabei?«

»Lieber Eberhard, Theater – es ist nichts mehr für mich.«

»Falsch, falsch. So denkt jeder. Aber ist man erst drin im Feuer, dann hat man auch das alte Vergnügen wieder. Ich sage dir, Albertine, wenn du diesen Quitzow, diesen Dietrich von Quitzow, gesehen hättest, Studie nach Bismarck, aber Bismarck Waisenknabe daneben. Augenbrauen wie 'ne Schuhbürste. Müssen das Leute gewesen sein. Und sein Bruder soll noch toller ausgesehen haben, weil er bloß ein Auge hatte. Polyphem. Hieß er nicht Polyphem?«

»Ich glaube, Eberhard. Wenigstens gibt es so einen.«

»Und dann nach dem Theater. In der Kneipe. Nun, die Kinder werden dir davon erzählt haben und von diesem Herrn Manfred, diesem Klessentin. Ein reizender junger Kerl, schneidig, frisch, humoristisch angeflogen. Ach, Albertine, mitunter ist mir doch so, als ob alles Vorurteil wäre. Na, wir brauchen es nicht abzuschaffen; aber wenn andre sich dran machen, offen gestanden, ich kann nicht viel dagegen sagen. Es hat alles so seine zwei Seiten. Adel ist gut, Klessentin ist gut, aber Herr Manfred ist auch gut. Überhaupt, alles ist gut, und eigentlich ist ja doch jeder Schauspieler.«

»Ach, ich nicht, lieber Eberhard.«

»Nein, du nicht, Albertine. Dir ist es vergangen. Aber ich, ich bin einer. Sieh, ich spiele den Gemütlichen, und ich darf nicht mal sagen, daß sich solche Schauspielerei für einen General nicht paßte. Da gibt es noch ganz andre Nummern, die auch alle Komödie gespielt haben, Kaiser und Könige. Nero spielte und sang und ließ Rom anzünden. Jetzt ist es Panorama, fünfzig Pfennig Entree. Denke dir, so billig ist alles geworden. Und vor zehn Jahren, wie mir eben einfällt, waren hier sogar die ›Fackeln des Nero‹ ausgestellt, ein großes Bild. Damals war ich noch in Dienst, und ich sehe die große Leinwand noch vor mir. Und du hast es vielleicht auch gesehen.«

»Nein, Eberhard, ich habe so was nie gesehen. Ich mußte mir dergleichen immer versagen. Du weißt schon weshalb.«

»Sprich nicht von ›versagen‹. Das Wort kann ich nicht leiden, man muß sich nichts versagen, und wenn man nicht will, braucht man auch nicht. Nun sieh, das war ein Bild, so groß wie die Segelleinwand von einem Spreekahn oder wohl eigentlich noch größer, und rechts an der Seite, ja, da war ja nun das, was die Gelehrten die ›Fackeln des Nero‹ nennen, und ein paar brannten auch schon und die andern wurden eben angesteckt. Und was glaubst du nun wohl, Albertine, was diese Fackeln eigentlich waren? Christenmenschen waren es, Christenmenschen in Pechlappen einbandagiert, und sahen aus wie Mumien oder wie große Wickelkinder, und dieser Nero, der Veranstalter von all dieser Gräßlichkeit, der lag ganz gemütlich auf einem goldnen Wagen, und zwei goldfarbne Löwen davor, und der dritte Löwe lag neben ihm, und er kraute ihn in seiner Mähne, als ob es ein Pudel wäre. Und nun sieh, dieserselbige Nero, der sich so was leisten konnte, der die ganze Welt, ich glaube bis hier in unsre Berliner Gegend, beherrschte, der sang und spielte auch, gerade so wie dieser Herr von Klessentin, und da frag ich mich denn: ›Ja, warum soll er nicht, dieser junge Mensch?‹ Wenn ein Kaiser spielen darf, warum soll Klessentin nicht spielen? Ein unbescholtner junger Mann, der wahrscheinlich niemals 'ne Fackel angesteckt hat, am wenigsten solche.«

Die Majorin reichte dem Schwager die Hand und sagte: »Eberhard, du bist immer noch derselbe. Und Leo wird auch so.

Dein Bruder Alfred war immer ernst, ein bißchen zu sehr, was wohl an den Verhältnissen liegen mochte . . .«

»Sprich nicht von Verhältnissen, Albertine. Verhältnisse, davon kann ich nicht hören . . .«

»Und es ist merkwürdig, daß die Kinder oft mehr den Charakter aus der Seitenlinie haben. Und ich will nur wünschen, daß sein Lebensgang, ich meine Leos, auch so wird, wie der deine, dasselbe Glück . . .«

»Sprich nicht von Glück, Albertine. Mag ich auch nicht hören. Selbst ist der Mann. Aber nein, nein, ich will dies nicht gesagt haben . . . Sprich nur von Glück . . . Es ist ganz richtig . . . Ich habe Glück gehabt. Erst im Dienst. Natürlich immer meine Schuldigkeit getan, aber doch schließlich kein Moltke . . . Gott sei Dank übrigens, daß es davon so wenige gibt, sie fräßen sich sonst untereinander auf, und wenn es zum Klappen käme, hätten wir keinen . . . Einer ist schon immer das Beste, da gibt es keine Konkurrenz und keinen Neid. Aber nun lassen wir Klessentin und Nero und Moltke und versuchen wir ein ander Bild. Wo sind die Mädchen?«

»Ausgeflogen. Und ich habe es unternommen, sie bei dem gütigen Onkel zu entschuldigen. Es waren aufgeschobene Besuche, höchste Zeit. Aber du siehst sie noch. Ich rechne darauf, daß du bleibst und unser Gast bist, so gut wir's haben.«

»Ah, ah, ah. Kann ich nicht leiden. So gut wir's haben. Was heißt das? Ein Teller Suppe . . .«

»Sophie sprach von Weißbiersuppe mit Sago . . .«

»Vorzüglich. Und könnte meine Beschlüsse beinah umstoßen. Aber ich habe noch allerhand zu tun und zu besorgen. Eigentlich Unsinn; eine Postkarte besorgt es alles viel besser. Aber meine Frau wünscht es. Und was eine Frau wünscht, ist Befehl, sonst ist der Krieg da, worin wir Militärs immer geschlagen werden; je schneidiger, je größer die Niederlage. Also ich muß fort. Und so gern ich die Mädchen alle drei noch mal gesehen hätte, so paßt es mir auch wieder, daß sie nicht da sind. Ich will nämlich eine nach Adamsdorf mitnehmen, meine Frau hat den Wunsch ausgesprochen, und ist nur noch die Frage, natürlich deine Zustimmung vorausgesetzt, welche?«

»Und du meinst, die Frage beantwortet sich besser unter uns.«

»Ja, Albertine.«

»Nun, da denke ich mir Therese. Sie war schon vorletzten Sommer mit deiner Frau in Pyrmont und kennt alles und hat sich einigermaßen mit ihr eingelebt.«

»Alles richtig. Und doch wäre vielleicht ein Wechsel angezeigt. Laß mich offen zu dir sprechen. Therese ist ein vortreffliches Mädchen und eine Dame. Aber sie hat von der Dame mehr als meiner Frau lieb ist. Meine Frau, eine Bürgerliche wie du, ist von einfachen Lebensgewohnheiten und Anschauungen, was ich alles nur billigen kann. Und Therese – du wirst verzeihen, daß ich es sage – hat eine ziemlich ausgesprochene Neigung, sich auf das Poggenpuhlsche hinauszuspielen. Ich mag nichts dagegen sagen und nehme persönlich keinen Anstoß daran. Aber meine Frau findet es etwas übertrieben und hat auch seinerzeit Auseinandersetzungen mit ihr darüber gehabt.«

»Ich verstehe, Eberhard. Und deine Frau hat recht. Es geht mir hier ebenso mit ihr. Sie hat einen zuverlässigen Charakter und nimmt es ziemlich ernst mit ihren Anschauungen von Adel und Adelspflicht. Aber es ist sehr schwer, wenn man in Verhältnissen . . .«

»Nein, nein, nein . . .«

». . . Wenn man auf so bescheidenem Fuße lebt, wie wir. Das gibt dann immer Meinungsverschiedenheiten und Unliebsamkeiten. Aber wenn Therese nicht, wer dann? Von Manon würde ich mich nicht gern trennen.«

»Sollst du auch nicht, Albertine. Manon ist Nesthäkchen und muß dir bleiben. Meine Frau hat sich, ich wiederhole, deine Zustimmung vorausgesetzt, für Sophie entschieden. Die hat ihr sehr gefallen, als sie sie hier sah, und ihre Briefe haben ihr gefallen, auch die, die sie an Therese schrieb. Alles so verständig. Und meine Frau hat eine Vorliebe für das Verständige, nur keine Flausen und Redensarten und aufgesteifte Sachen. Und Mogeleien sind ihr nun schon von Grund aus zuwider.«

»Davon hat Sophie, Gott sei Dank, nichts. Ihr Leben ist immer Arbeit gewesen, und sie hält eigentlich alles zusammen, was sonst auseinander fiele.«

»Darf nicht. Darf nicht. Nichts darf auseinander fallen. Also Sophie! Meine Frau will nämlich allerlei Neues und will namentlich auch neue Wappenteller haben, was mich anfänglich, offen gestanden, aufs äußerste verwunderte. Sie hat mir aber Aufschluß darüber gegeben: Ich bin jetzt, sagte sie mir neulich, eine Poggenpuhl, und da paßt es nicht mehr, daß alles noch das Leysewitzsche Wappen hat; ich glaube, die Leute reden darüber, und das muß man vermeiden. Sophie malt so gut; sie soll uns das Poggenpuhlsche Wappen malen, dabei wird sie sich auch wohl fühlen und glücklich sein, ihre Gaben im Dienste der Familie verwenden zu können. Und dann ist sie so musikalisch. In der Dämmerstunde zuhören, wenn ein Schubertsches Lied gespielt wird, darauf freu ich mich, das wird unser stilles Haus beleben, und wir können Besuche dazu laden.«

»Und wann denkst du, daß sie reisen soll?«

»Gleich heute mit mir. Sie muß um drei mit ihrem Koffer in meinem Hotel sein. Am besten allein. Abschiede verwirren, Küsse sind lächerlich. Um vier geht der Zug, und um elf sind wir in Adamsdorf.«

Damit erhob er sich, und unter Grüßen an Therese und Manon nahm er Abschied.

Zehntes Kapitel

Sophie von Poggenpuhl an Frau von Poggenpuhl.

Adamsdorf, 6. Januar.

Liebe Mama! Gestern, gleich nach elf, sind wir wohlbehalten hier eingetroffen. Ganz zuletzt, auf dem Wege von Hirschberg hierher, entzückte mich die Fahrt im offenen Wagen, trotzdem der Himmel bedeckt und das Gebirge, das zu sehen ich mich so gefreut, in seinen Linien unsichtbar war. Aber in den Dörfern herrschte doch noch Leben, und die Erdmannsdorfer Fabrik, in der auch die Nacht hindurch gearbeitet wird, leuchtete durch den Nebel, der zog. Es sah mittelalterisch-romantisch aus, als ob eine uralte Piastenfamilie darin wohnte. Hier in Adamsdorf – nur ganz in der Ferne schlug noch ein Hund an und ein andrer antwortete – war schon alles still, und still war es auch auf dem Vorplatz vor dem Schloß. Ich ängstigte mich einen Augenblick; aber wie fiel das alles von mir ab, als ich in den Salon trat und von der Tante aufs liebenswürdigste begrüßt wurde! Eine herrliche Frau. Ich begreife Therese nicht, die sich nie so recht mit ihr stellen konnte. Vielleicht kommen auch für mich noch die Beschwerlichkeiten, aber ich glaube es kaum. Daß Dir, mein altes Mutterchen, die Lebenslose doch auch so glücklich gefallen wären! Ich sprach von: Salon. Ja, es war ein Salon, in den wir eintraten, aber viel mehr noch ist es eine Halle. Der Vorbesitzer von Adamsdorf, das in alten Zeiten eine Benediktinerabtei war, hat viel von den alten Klostergebäuden mit in den Neubau herübergenommen, und diese Halle war vordem ein Refektorium; – durch den Raum hin stehen noch drei gotische Pfeiler, und in

dem Kamin glomm ein Feuer, dessen von Zeit zu Zeit aufflak-
kernde Lichter an der gewölbten Decke hin spielten. Außer der
Tante war nur noch eine Katze da, ein wunderschönes großes
Tier, das spinnend um mich herum ging und mir dann auf den
Schoß sprang. Ich erschrak; aber die Tante beruhigte mich und
sagte: das sei eine Liebeserklärung, womit Bob (es wird also
wohl ein Kater sein) sonst sehr zurückhalte. Er sei mißtrauisch
und eifersüchtig. Weil wir ausgefroren waren, bat der Onkel
um einen Eierpunsch, den sie hier aus Ungarwein und Gelbei
machen. Er schmeckte mir vorzüglich. Und was noch wichtiger,
ich habe hinterher herrlich geschlafen, und als ich zu guter Zeit
aufstand und die Jalousien in die Höhe zog, da lag das Gebirge,
ganz von Schnee überdeckt, in langer Linie vor mir. Wir wollen
in den nächsten Tagen eine Partie nach der Heinrichsbaude machen und dann in einem Hörnerschlitten wieder zu Tale fahren.
Es soll wunderschön sein, aber ich ängstige mich ein wenig. Ergeh es Dir gut. Gruß und Kuß Euch allen und (wenn Ihr schreibt)
auch nach Thorn hin an die Brüder.

In herzlicher Liebe

Deine Sophie.

*

Schloß Adamsdorf, d. 16. Januar.

Liebe Mama! Ich habe mich nun schon ganz hier eingelebt. Die
Tante verbleibt in ihrer Güte dieselbe gegen mich, und auch Bob
hält in seinem Attachement aus. Er geht darin ein wenig zu weit,
denn seine Zärtlichkeitsbezeigungen haben immer etwas Über-
fallartiges. Mit einemmal springt er mich an, immer noch die
Tigernatur. Die Fahrt zur Heinrichsbaude hinauf ist vertagt
worden. Man will noch einen frischen Schneefall abwarten,
denn es heißt: je mächtiger die Schneedecke, desto schöner die
Fahrt talwärts und desto gefahrloser; der Schlitten fliegt dann
über die Felsblöcke weg, als ob es Maulwurfshügel wären. –
Unser Leben hier ist ziemlich still, wenig Besuch und außer
unserm Adamsdorfer Prediger, der dann und wann vorspricht,
kommen meist nur Prediger aus der Nachbarschaft und ein alter
Oberst aus der Stadt; außerdem auch noch ein Amtsgerichtsrat
und seine Frau. Diese Besuche freuen mich immer sehr, aber
auch ohne sie habe ich Unterhaltung die Hülle und Fülle, weil
die Tante gern aus ihrem Leben erzählt, am liebsten aus ihren
Kindertagen, die sie noch in Armut verbrachte. Zu dem allem
haben wir auch noch eine merkwürdige Bildergalerie hier, deren

Grundstock aus verschiedenen Bildnissen aus der Klosterzeit her besteht: Heiligenbilder (nicht viele), zu denen sich die Porträts von Äbten und Prioren und sogar ein Fürstbischof von Breslau gesellen; dazwischen allerlei spezifisch Preußisches: Friedrich der Große (dreimal), Prinz Heinrich, General Tauentzien und zum Schluß ein Dutzend Bildnisse von Personen aus der Familie des ersten Mannes der Tante. Lauter Leysewitze. Von den Poggenpuhls nichts; nicht einmal das Porträt des Onkels. Ich nahm vor ein paar Tagen Gelegenheit, leise darauf hinzuweisen, worauf er lachend erwiderte: »Ja, Fiechen (so nennt er mich immer), das Poggenpuhlsche fehlt ganz und gar, was aber recht gut ist; es herrscht hier schon ein ungeheures Durcheinander, und wenn auch noch der ›Hochkircher‹ und der ›Sohrsche‹ hinzukämen, so wäre die Konfusion vollständig.« Der gute Onkel hat solchen bon sens, daß ihm der Hang, auch Mitglieder seiner eigenen Familie hier einziehen und mit den altschlesischen Adligen in Wettstreit treten zu sehen, gänzlich fern liegt. Und damit hängt es auch wohl zusammen, daß die Wappentellerfrage ruht. Onkel Eberhard war wohl von Anfang an dagegen und hat nur schließlich, ich will nicht sagen gern, aber doch ohne lange Kämpfe nachgegeben. All das hat sich aber geändert. Eine ganz andere Aufgabe harrt jetzt meiner, die mich stolz und glücklich macht. Was dies andre nun ist, davon das nächste Mal. – Wenn Briefe von Wendelin oder Leo bei Euch eintreffen, so schickt sie mir, zunächst natürlich meinetwegen, aber doch auch des Onkels halber, der sich für beide ganz aufrichtig interessiert und von jedem was erwartet, von Wendelin gewiß, aber auch von Leo. Leo, sagt er noch heut, ist ein Glückskind, und das Beste, was man haben kann, ist doch immer das Glück. Die Tante wurde dabei ganz ernsthaft und bestritt es, beruhigte sich aber, als er verbindlich und mit einer chevaleresken Handbewegung sagte: »Hab ich dich verdient oder war es Glück?« Sie gab ihm einen Kuß, was mich rührte, denn es war kein Zärtlichkeitskuß, den ich bei alten Leuten nicht sehen mag, sondern nur echte Zuneigung und Dankbarkeit. Und mit Recht. Denn so gewiß diese Verheiratung *ihn* glücklich gemacht hat, so gewiß auch *sie*. – Du siehst aus diesem allem, wie glücklich ich hier bin, aber mitunter sehne ich mich doch nach Dir und möchte Dir die Hände streicheln. Ängstige Dich nur nicht zu viel. Es wird noch alles gut. Das läßt Dir der Onkel noch eigens durch mich vermelden. Er sagt mir heut, es gäbe einen Wappenspruch, der laute: »Sorg, aber sorge nicht zu viel, es kommt doch, wie's Gott haben will.« Und gegen diesen

Spruch, so schloß er, verstießest Du mehr als recht sei. Ich hab übrigens nicht, wie Du vielleicht glaubst, mit eingestimmt, hab ihm vielmehr gesagt: »Wie weh etwas tut, weiß nur der, der das Weh gerade hat.« Da hat er mir auch einen Kuß gegeben. Es ist ein herrlicher Mann, und ich kann nicht herauskriegen, wer besser ist, er oder sie. Nun aber lebe wohl.

Deine Sophie.

*

Schloß Adamsdorf, 19. Januar.

Heut, meine liebe Mama, nur eine Karte. Vorgestern ist Schnee gefallen; er liegt um das Schloß her wie eine Mauer. Seit heute früh aber klarer blauer Himmel, milde Kälte, himmlisches Wetter. Wir wollen nun in den nächsten Tagen zu Fuß und zu Wagen bis auf den Kamm des Gebirges und dann in Hörnerschlitten zu Tal. Der Pastor und ein Assessor aus der Stadt wollen teilnehmen. Ich freue mich unendlich darauf. Ergeh es Euch gut.

Deine Sophie.

Heinrichsbaude, 22. Januar.

Wieder nur eine Karte. Diesmal aber mit einem Bilde drauf (Heinrichsbaude). Wir sind nämlich hier oben und werden wenigstens noch bis morgen bleiben, bleiben *müssen*. Und daran bin ich schuld. Ich verfehlte, gleich als ich den Schlitten bestiegen und das Niedersausen begonnen hatte, den rechten Weg und wäre, rettungslos verloren, in den Krater gestürzt – den sie, weil er unten Wasser hat, den »kleinen Teich« nennen –, wenn nicht ein in der richtigen Richtung fahrender Schlitten, der dies sah, mit allem Vorbedacht von der Seite her in meinen Hörnerschlitten hineingefahren wäre. Bei diesem, ich muß sagen glücklichen, weil mich rettenden, Zusammenstoß wurde ich herausgeschleudert und mußte, weil ich, etwas verletzt, nicht gehen konnte, hierher zurückgetragen werden. Wir erwarten in ein paar Stunden den Arzt aus Krummhübel. Das ist das nächste große Dorf. Ängstigt Euch nicht. Auf Hörnerschlittenfahrten aber laß ich mich nicht wieder ein. Mein Retter war ein junger Assessor (adlig) und schon verlobt. Wie immer

Deine Sophie.

Schloß Adamsdorf, 25. Januar.

Zwei Telegramme des guten Onkels werden Dich über mein Befinden beruhigt haben. Von Gefahr keine Rede mehr; Oberschenkelbruch; in vier Wochen, spätestens in sechs, kann ich wieder tanzen. Der Arzt ist vorzüglich und sehr dezent; Sohn eines Webers hier aus der Nähe (Notiz für Therese). Meine Rettung, wie ich Dir, glaub ich, schon schrieb, verdanke ich allein dem Assessor; er ist natürlich Reserveleutnant und will, wenn es zum Kriege kommt, dabei bleiben. Akten sind ihm zuwider, was der Amtsgerichtsrat, sein Vorgesetzter, lächelnd bestätigt. Daß ich so viele Wochen ruhig liegen muß, würde mir hart ankommen, wenn mir der Doktor nicht freie Bewegung meiner Arme gestattet hätte. Die Tante ließ mir denn auch sofort eine Stellage herrichten, so daß ich ohne Mühe schreiben und zeichnen kann. Ich mache davon den reichlichsten Gebrauch und fertige Skizzen über Skizzen. Und da ist es denn auch wohl an der Zeit, Dir, meine gute Alte, von dem neuen Plan zu erzählen, hinsichtlich dessen ich schon vor ein paar Wochen, bald nach meinem Eintreffen hier, einige kurze Andeutungen machte. Statt mit dem Malen von Wappentellern, bin ich nämlich, höre und staune, mit Ausmalung unsrer protestantischen Kirche (das Dorf hat, wie fast überall hier, auch eine katholische) betraut worden, und zwar sollen in all die tiefer liegenden Felder, die sich um die Kirchenempore herumziehen, auf Holz gemalte biblische Bilder eingelassen werden, jedes etwa von der Größe eines zusammengeklappten Spieltisches. Eine freilich etwas sonderbare Maß- und Größenangabe, wenn ich bedenke, daß es sich um eine Kirche handelt. Natürlich wird es nichts großartig Kunstmäßiges werden, dafür ist gesorgt, aber doch auch nichts Schlechtes, und, was mich am meisten beglückt, ich werde die Aufgabe ganz neu zu lösen trachten. Also: »Joseph wird nach Ägypten hin verkauft«, »Judith und Holofernes«, »Simson und Delila« – all dergleichen denk ich fallen zu lassen und dafür das zu nehmen, worin das Landschaftliche vorherrscht. Meine Bemühungen gehen mithin zunächst dahin, in der Bibel nach Stoffen mit guter Szenerie zu suchen und solche, wenn ich sie gefunden, in wenig Strichen hinzuwerfen, so gut es in meiner gegenwärtigen Lage geht.

Aus der Länge meines Briefes siehst Du, daß es mir trotz alledem und alledem sehr gut ergeht. Manon wird dies vielleicht bestreiten und sich darauf berufen, daß man, weil man Briefe vorläufig noch mit der Hand schreibe, keine Schlußfolgerungen daraus auf das Wohlbefinden des Fußes ziehen dürfe. Das ist aber falsch. Wenn man einen kranken großen Zehen hat, d. h. wirklich krank, so kann man ebensowenig schreiben, wie wenn es ein kranker Daumen wäre.

Laß mich recht ausführlich hören, wie's Euch geht. Auch Friederike soll mir schreiben; Dienstbotenbriefe sind immer so reizend, so ganz anders wie die der Gebildeten. Die Gebildeten schreiben schlechter, weil weniger natürlich; wenigstens oft. Das Herz bleibt doch die Hauptsache. Nicht wahr, meine liebe gute Alte! Du weißt das am besten. Und Therese soll mir eine Beschreibung von der Soiree bei Bronsarts machen und ob lebende Bilder gestellt wurden und welche. Und Manon soll mir von Bartensteins schreiben und dem Ball und ob sie mitgetanzt hat und mit wem. Und welche Toilette sie hatte. Manon versteht es, aus ein bißchen Tüll und einem Rosaband ein Feenkostüm zu machen. Und nun lebe wohl. Die Tante will noch ein paar Zeilen (vielleicht einen Krankenbericht) mit beilegen. Wie immer Deine Dich herzlich liebende

Sophie.

Elftes Kapitel

Während der Wochen, wo diese Korrespondenz zwischen Berlin und Schloß Adamsdorf ging, ging auch ein Briefwechsel zwischen Berlin und Thorn. Leo begann mit einer Karte an Manon, die, nachdem sie geschrieben, wohlweislich noch in ein Kuvert gesteckt worden war.

Thorn, 8. Januar.

Seit drei Tagen wieder da. Kopernikus steht noch. Im ganzen Neste riecht es nach Bierfisch, was übrigens nicht ganz richtig ist, denn sie kochen hier die Karpfen mit Pfefferkuchen und Ungarwein. In diesen Stücken sind wir euch überlegen; freilich geht man etwas mißbräuchlich damit vor. – Wendelin empfing mich am Bahnhof, furchtbar artig, aber doch auch sehr gnädig. Er übertreibt es; Gönnermiene, ganz Generalstab. Und er ist es noch nicht mal. Natürlich kommt er dazu. So viel Tugenden kann sich der Staat nicht entgehen lassen. Verzeih diese Malicen, aber wenn man sich so verschwindend klein fühlt, hat man nichts als Schändlichkeiten, um sich vor sich und andern zu behaupten. Der Wurm krümmt sich. Ich schreibe morgen wieder, vielleicht noch heute, wenn mir das Rekrutenexerzieren nicht den Lebensodem nimmt. »Dobry, dobry« und dazwischen »Schafskopp«. Tausend Grüße.

Dein Leo.

An den Rand der Karte war noch eine Nachschrift gekritzelt. »Eben kommt eine Einladung zu heut abend; engster Zirkel. Wohin, brauche ich Dir wohl nicht erst zu sagen. Esther übrigens heute früh schon am Fenster gesehen – pompös, ja, fast Pompossissima, was mich ein wenig ängstigt. Denn sie ist erst 18. Wohin soll das am Ende führen?«

*

Drei Tage nach Empfang antwortete Manon.

Berlin, 12. Januar.

Mein lieber Leo! Habe Dank für Deine Zeilen, die mich herzlich erfreut haben, weil sie so ganz Du selbst waren. Deine Karte, glücklicherweise kuvertiert, kam zugleich mit einem Brief von Sophie. Da sah man so recht den Unterschied. Sophie immer ich möchte sagen Palette in Hand, immer künstlerisch, immer gefühlvoll und immer dankbar. Namentlich dies letztere läßt sich Dir nicht vorwerfen. Dein älterer Bruder (und der bessere dazu) macht Dir den Hof, und Du bespöttelst ihn. Ei, ei; poggenpuhlsch ist das jedenfalls nicht. Die Poggenpuhls sind pietätvoll. Ich glaube, Dein Hang zu kleinen Spöttereien und Überheblichkeiten fliegt Dir so an, ist Umgangseinfluß, oder was dasselbe sagen will, eine Folge des Tons, dem Du im Hause der pompösen Esther oder der »Pomposissima«, wie Du schreibst, begegnest. Ich kenne diesen Ton auch von Bartensteins her, wiewohl diese selbst nicht daran teilnehmen und verlegen werden, wenn er überhaupt angeschlagen wird. Daß dies geschieht, können aber freilich selbst Bartensteins nicht verhüten, denn sie haben, bei der eigentümlichen Zusammensetzung ihrer Gesellschaft, das Spiel nie ganz in der Hand. Um nur eins zu nennen, die Verwandtschaft, die sich allsonntäglich bei ihnen versammelt, ist immer wie aus zwei Welten; der eine Onkel war vielleicht dreißig Jahre lang in London oder Paris, der andere dreißig Jahre lang in Schrimm. Und das macht denn doch einen Unterschied. Ich sprach von Umgangseinfluß. Er ist da; seine Macht verspür ich an mir selbst, und wenn ich Therese ansehe, so bestätigt sich mir dieser Einfluß, von der andern Seite her, wie eine Probe aufs Exempel. Therese, wenn auch manches an ihr anders sein könnte, weiß doch jederzeit, was sich schickt, und das verdankt sie der Wilhelmstraßenluft, in der sie nun mal lebt. Ich weiß nicht, in welcher Straße Esther wohnt (vielleicht *auch* in einer Wilhelm-

straße), nur *das* weiß ich, daß es in der unsrigen keine Pompo-
sissimas gibt. Ich muß mich hier unterbrechen. Eben hat es ge-
klingelt, und aus dem Korridorgespräch, das Friederike führt,
hab ich gehört, daß Flora gekommen und bei der Mama eingetreten ist. Sie wird mich einladen wollen. Über das vorstehende
Thema nächstens mehr. Die ganze Zukunft, so viel wird mir immer klarer, dreht sich um die Frage: Esther oder Flora. Flora,
Gott sei Dank, ist blond, sogar hellrotblond. Lebe wohl. In
alter Liebe

Deine Manon.

Berlin, 15. Januar.

Lieber Leo! Du hast meinen zweiten Brief, der den ersten ver-
vollständigen sollte, gar nicht abgewartet und mir umgehend
geantwortet. Das ist sehr liebenswürdig, aber leider auch ängstlich, und wenn schon die bloße Raschheit der Erwiderung etwas
Michbesorgtmachendes hatte, so mehr noch die einzelnen Wendungen Deines Briefs. Ich will doch nicht fürchten, daß die Einladung zum 8. abends, von der Du auf Deiner Karte schriebst,
verhängnisvoll für Dich geworden ist. Ich weiß, daß dunkler
Teint Dir immer gefährlich war. Und Esther! Es ist merkwürdig, daß manchem Namen etwas wie eine mystische Macht inne-
wohnt, eine Art geistiges Fluidum, das in rätselhafter Weise
weiter wirkt. Raffe Dich auf, sei stärker als Ahasverus war (ich
meine den Perserkönig), der auch der Macht einer Esther erlag.
Eben habe ich Deine Zeilen noch einmal überflogen und wieder
den Eindruck davon gehabt, als hättest Du Dich bereits engagiert. Ist dem so, so weiß ich sehr wohl, daß die Welt darüber
nicht zugrunde gehen wird, aber mit Deiner Karriere ist es dann
vorbei. Denn in der Provinz, und speziell in *Deiner* Provinz, ist
das religiöse Gefühl – oder, wie sie bei Bartensteins immer sagen,
das »Konfessionelle« (sie wählen gern solche sonderbar verschränkten Ausdrücke) – von viel eigensinnigerem Charakter,
und der Übertritt wird von den Eltern einfach verweigert werden. In diesem Falle bliebe Dir also nur Standesamt, ein, so aufgeklärt ich bin, mir geradezu schrecklicher Gedanke. Solch ein
Schritt würde Dich nicht nur von der Armee, sondern, was mehr
sagen will, auch von der »Gesellschaft« ausschließen und Du
würdest von da ab in der Welt umherirren müssen, fremd, abge-
wiesen, ruhelos. Und da hätten wir dann den *andern* Ahasverus.
Tu uns das nicht an. Therese würd es nicht überleben.

Deine Manon.

Mein lieber Leo! Gott sei Dank. Nun kann noch alles gut werden. Du glaubst nicht, wie erlöst ich mich fühle, daß dieses Wetter an uns allen und nicht zum wenigsten an Dir selber vorübergegangen ist. Du lachst mich aus über meine Besorgnisse, neckst mich und stellst die Frage, was denn, wenn's nun wirklich sich so gestaltet hätte, was denn für ein Unterschied gewesen wäre zwischen den so verpönten Blumenthals und den mit so vielem Empressement empfohlenen Bartensteins. Ja, Du fügst hinzu, Blumenthal führe seit Jahr und Tag den Kommerzienratstitel, und solche Staatsapprobation durch eine doch immerhin christliche Behörde sei zwar nicht die Taufe selbst, aber doch nahe daran, und so sei denn Haus Blumenthal dem Hause Bartenstein eigentlich um einen Pas voraus. Ach, lieber Leo, das klingt ganz gut, und als einen Scherz will ich es gelten lassen, aber in Wahrheit liegt es doch anders. Bei Bartensteins war der Kronprinz, Bartenstein ist rumänischer Generalkonsul, was höher steht als Kommerzienrat, und bei Bartensteins waren Droysen und Mommsen (ja, einmal, kurz vor seinem Hinscheiden, auch Leopold von Ranke), und sie haben in ihrer Galerie mehrere Bilder von Menzel, ich glaube einen Hofball und eine Skizze zum Krönungsbild. Ja, lieber Leo, wer hat das? In einem Damenkomitee für das Magdalenum sitzt Frau Melanie, das ist der Vorname der Frau Bartenstein, seit einer Reihe von Jahren, Dryander zeichnet sie bei jeder erdenklichen Gelegenheit aus ... Und dann Esther und Flora selbst! Es *ist* ein Unterschied, *muß* ein Unterschied sein. Ich beschwöre Dich: überlege – vor allem aber – und das ist das, was ich Dir nicht genug ans Herz legen kann – vor allem wiege Dich nicht in der eitlen Vorstellung, daß man hier etwa bang und sehnlichst auf Dich wartete. Die Wünsche beider Eltern, auch Floras selbst, gehen unzweifelhaft nach der Adelsseite hin, aber doch sehr mit Auswahl, und wenn beispielsweise bei Frau Melanie – die sich ihrer und ihres Hauses Vorzüge sehr wohl bewußt ist – die Entscheidung läge, so weiß ich ganz bestimmt, daß sie's unter einem Arnim oder Bülow nicht gern tun würde. Und nun berechne danach die Chancen der Poggenpuhls! Sie sind, trotz Therese, nicht eben überwältigend, und Deine persönliche Liebenswürdigkeit würde schließlich doch viel, viel mehr den Ausschlag zu geben haben, als das Maß unsrer historischen Berühmtheit. Demungeachtet ist auch diese ein durchaus in Rechnung zu stellender Faktor, ganz besonders Flora gegenüber, die, im Gegensatz zu beiden Eltern, einen ausgesprochen romantischen Sinn hat und mir erst vorgestern wieder versicherte, daß ihr, als sie neulich in Potsdam die Grenadiermützen vom 1. Garderegiment gesehen hätte, die Tränen in die Augen gekommen seien. – Alles in allem, Leo, Du hast noch keine volle Vorstellung davon, um was und um wieviel Du wirbst und daß es, trotz meiner guten und, ich kann wohl sagen, intimsten Beziehungen, immer noch Mühen und Anstrengungen kosten wird, die Braut heimzuführen. Weise also nicht hochmütig das, was ich Dir noch vorzuschlagen haben werde, zurück, ein Leichtsinn, gegen den ich Dich durch Deinen guten Verstand und Deine schlechte Finanzlage gleichmäßig geschützt glaube.

... Aber da kommt eben Flora, um mich zum »shopping« (sie wählt gern englische Wendungen) abzuholen, und ich muß hier abbrechen, ohne mich über meinen Plan: eine Familiengeschichte der Poggenpuhls, höre und staune, durch *Dich* geschrieben zu sehen, näher ausgesprochen zu haben. Nur noch so viel: Wendelin muß das Beste dabei tun und hinterher natürlich Onkel Eberhard. Überleg's. Vor allem aber Mut und Schweigen. Flora weiß nichts, ahnt nichts. Wie immer

Deine Manon.

Umgehend antwortete Leo.

Thorn, 19. Januar.

Meine liebe Manon! Ich fühle mich wie beschämt durch Deine Liebe und Fürsorge. Ein vorzüglicher Plan, geradezu großartig. Aber, aber ... Und ach, dies Aber läßt mich Dir in ziemlich schwermütiger Verfassung antworten. Wendelin, der es doch schließlich machen müßte, will nicht. Er findet es einfach ridikül. Und warum? Weil seiner aufrichtigen Meinung nach das Poggenpuhlsche nicht mit den Kreuzzügen, sondern einfach mit Wendelin von Poggenpuhl anfängt. Was seit hundert Jahren unter dem »Hochkircher« und dem »Sohrschen« geschah, war Alltagsarbeit; in Front stehen und Hurra schreien, bedeutet ihm nicht viel, er ist für strategische Gedanken. Jedenfalls denkt er mehr an sich, als an die Familie. Er hilft mir zwar regelmäßig und ist in vielen Stücken eine glänzende Nummer, aber es muß immer was sein, was ihm zugleich in aller Augen zu Vorteil und Ehre gereicht; wenn es ihm so vorkommt, daß er persönlich damit bei hohen Vorgesetzten anstoßen oder wohl gar in einem fragwürdigen Lichte dastehen könnte, so ist es mit allem Familiengefühl und aller Bereitwilligkeit rasch vorbei. Er heißt Poggenpuhl, aber er ist keiner, oder doch ganz auf seine Weise, die von der unsrigen sehr abweicht. Darüber aber kein Wort zu Mama; die ist imstande und schreibt es ihm, und dann bin ich an den Pranger gestellt. Ich bin ohnehin schon immer verlegen, wenn er bei mir in die Stube tritt. Er hat so'n verdammt superiores Lächeln, und ich muß mich ducken. Überhaupt – und das ist das Fatale der ganzen Karriere –, man muß sich immer ducken. Aber statt dieser Konfessions lieber zurück zur Hauptsache, zu der zu schreibenden Ruhmesbroschüre. Wendelin, wie gesagt, will nicht und ich selber kann nicht, kann nicht und wenn sich's darum handelte, die Königin von Madagaskar als Braut heimzuführen. Ach, Manon!... »über Madagaskar fern im Osten seh ich Frühlicht glänzen« – ja dahin muß ich, damit endet's, damit muß es enden! – Denn ich werde Flora nie »mein nennen« (so drücken sich manche aus), wenn die Familiengeschichte durchaus geschrieben werden muß. Und daneben, und das ist das Schlimmste, weil zugleich das Beschämendste, daneben hab ich die Leidenschaft Esthers für mich stark überschätzt. Oder vielleicht auch, daß mir über Nacht ein Rival, ein bevorzugter Mitbewerber, erstanden. In diesem Falle würde ich Esther hassen müssen. Und um nichts zurückzuhalten, ach, Manon, auch von dem Quitzowabend, der sich so glänzend anließ oder wenigstens so glänzend abschloß, ist seit einer Woche so gut wie nichts mehr da. Trauriges Dasein und draußen Tauwetter. Ich könnte den Hamletmonolog deklamieren, aber ich wähle das Kürzere: »Nymphe, bete für mich.« Es wird wohl falsch zitiert sein; die meisten Zitate sind falsch.

Dein Leo.

Zwölftes Kapitel

Diese Korrespondenz zwischen den zwei jüngeren Geschwistern setzte sich bis in den Februar hinein fort, wenig zur Freude Theresens, die gelegentlich einen von Leos Briefen las und es jedesmal beklagte, daß sich »das Poggenpuhlsche so weit verirren könne«, wobei sie übrigens der Schwester die Hauptschuld zumaß. »Meiner Meinung nach«, so hieß es regelmäßig, wenn dies Thema zur Sprache kam, »ist der ganze Briefwechsel überhaupt überflüssig; wenn er aber stattfinden soll, so möcht ich wohl, daß er einen andern Inhalt hätte. Du wirst ihn noch ganz zu dir hinüberziehen, in jene gesellschaftliche Sphäre, darin du dich leider wohl und immer wohler fühlst. Du willst nicht einsehen, daß *die* Welt, die du leichtfertig und hochmütig und, bloß um dich zu mokieren, als die ›christlich-germanische‹ bezeichnest,

daß diese Welt mehr bedeutet, als ein halbes Dutzend Gersons –
denn so viele werden es doch wohl nachgerade sein. Es kommt
auf das innerliche Leben an, nicht auf das äußerliche: die Äpfel
mit der schönen Schale sind meist wurmstichig.«

»Und die grauen Renetten überdauern den ganzen Winter.«
Therese zuckte die Achseln und brach ab, nahm auch nicht
Veranlassung, darauf zurückzukommen, und zwar um so weniger, als sich das, was ihr die Mama in dieser Streitsache be-
gütigend gesagt hatte, sehr bald erfüllen sollte. »Laß doch die
beiden«, so etwa waren die Worte der Majorin bei jener Gelegenheit gewesen, »du solltest doch Leo kennen und wissen, wie
wenig das alles auf sich hat. Heute will er das und morgen das.
Ehe drei Wochen um sind, hört die Schreiberei zwischen ihnen
von selbst auf.« Und so kam es auch. Leo schloß sich, noch ehe
der Januar zu Ende ging, einem katholischen Geistlichen an, der
Dogmenstrenge mit Skat und Fidelität glücklich zu vereinigen
wußte, welche neue Bekanntschaft denn auch sofort verhängnisvoll für die weitere Erörterung der Esther- und Florafrage
wurde. Sie starb sehr bald ab.

Ja, die Korrespondenz nach Thorn hin erlosch rasch, aber die
zwischen Sophie und Manon setzte sich fort, und keine Woche
verging, ohne daß ein Brief aus Adamsdorf eingetroffen wäre,
meistens gleichzeitig mit einer sorglich gepackten Kiste, deren
Eintreffen Friederike, wenn sie sie öffnete, jedesmal mit derselben Rede begleitete: »Wieder frische Eier und alle eingewickelt
und in Häcksel. Ja, das laß ich mir gefallen, gnäd'ge Frau. Denn
erstens kriegt man keine frischen, wenn es auch drauf steht, und
zweitens sind Eier doch immer besser, als was eben erst geschlachtet is. Ente geht noch, weil Ente fett ist; aber schon bei
Hühnern fängt es an, und ist es gar Kalb, dann hat es immer
einen Stich ... Un ich werde auch gleich eins kochen, gnäd'ge
Frau; Sie müssen sich auch mal was gönnen. Es ist wahr, Sie
haben ja die Bonbons, aber das gibt keine Kraft un is bloß von
wegen den Husten.«

Sophiens Briefe teilten sich, der Zeit nach, in solche, die sich
mit ihrer fortschreitenden Genesung und, als diese schließlich da
war, mit ihrer malerischen Tätigkeit beschäftigten. Diese Briefe
zu lesen, war immer ein Vergnügen, und einzelne davon nahm
Manon sogar mit zu Bartensteins, um sie da zum besten zu geben,
aber freilich meist nur, wenn der Alte zugegen war, der so was
gern hörte, während die Damen eigentlich nur aus Artigkeit
folgten. Flora (vielleicht weil sie wegen eines geplanten Aus-

fluges nach Olympia gerade Neugriechisch lernte) hatte eine Neigung, alles »unbedeutend« zu finden, was Manon, so verliebt sie
in die Freundin war, doch bestimmte, mit ihren Mitteilungen
schließlich etwas zurückhaltender zu sein.

In einem dieser Briefe hieß es: »Ich bin jetzt bei der Sintflut,
die ja, wenn man will, auch ins Landschaftliche fällt. Wasser ist
doch auch Gegend und Gegend ist Landschaft. Und was denkt
ihr nun wohl, wie meine Sintflut aussieht? Ganz anders wie
andre, was ich, ohne unbescheiden zu sein, sagen darf, weil die
Idee nicht von mir, sondern von Onkel Eberhard herrührt. Und
auch eigentlich nicht von ihm, wie Ihr gleich hören werdet. Als
ich mich nämlich vorige Woche beim Tee dahin äußerte, daß ich
jetzt an die Sintflut herangehen wolle, sagte der Onkel: ›Ja,
Fiechen, wie denkst du dir das nun eigentlich? Oder richtiger, ich
will es gar nicht wissen, ich will dir lieber gleich sagen, wie *ich*
es mir denke und wie ich es mir wünsche. Als ich noch in Berlin
bei ›Alexander‹ stand, war ich mal auf Besuch in einer benachbarten Dorfkirche, drin viele Bilder waren, auch eine Sintflut.
Und aus der Sintflut ragte nicht bloß, wie gewöhnlich, der Berg
Ararat mit der Arche hervor, nein, neben dem Ararat befand
sich auch noch in geringer Entfernung ein zweiter Berg, und auf
diesem zweiten Berg stand eine Kirche. Und diese Kirche war
genau die kleine märkische Dorfkirche mit einem Laternenturm
und sogar einem Blitzableiter, in der wir uns in jenem Augenblick gerade befanden. Und das hat damals einen so großen Eindruck auf mich gemacht, daß ich dich bitten möchte, du machtest
es auch so und ließest auch zwei Kuppen aufsteigen, und auf der
zweiten Kuppe stände die Kirche von Adamsdorf. Das heißt die
protestantische. Wenn sich die Katholiken darüber ärgern, können sie sich ja ihre Kirche auch malen lassen. Ich stehe zu Martin
Luther und der reinen Lehre. Darin, denke ich, bin ich ein fester
Poggenpuhl.‹ Ich erschrak erst, als der Onkel das sagte, weil ich
es mir alles anders gedacht hatte; da's aber kein Entrinnen gab,
so gab ich mich zufrieden, und jetzt, wo's beinahe fertig ist, hab
ich mich in die Idee ganz verliebt. So kindlich es mir anfänglich
vorkam und auch noch vorkommt, so hat es doch zugleich eine
tiefe Bedeutung; als die alte Sündenwelt unterging und die neue,
bessere, sich aufbaute, war das erste, was neu erschien (denn die
Tiere waren ja noch aus der alten Welt), die Kirche jenes kleinen
märkischen Dorfes und jetzt also die von Adamsdorf. Es war,
als ob Gott sie gleich dahin gestellt habe. Natürlich kann man
darüber lachen, aber man kann sich auch darüber freuen. Und

Du, meine liebe Mama, die Du ja Gott sei Dank aus einem frommen Predigerhause bist, Du wirst es schön finden und den Onkel Eberhard noch lieber haben als zuvor. Er ist auch wirklich ein kapitaler Mann. So viel über die Idee zu dem Bilde. Und nun wirst Du Dich nur noch wundern, wo und wie ich, die ich das Meer nie gesehen, die Vorstellung dazu hergenommen und zu meiner Sintflut verwandt habe. Nun höre. Vielleicht erinnerst Du Dich noch der Partie, die wir vorigen Herbst mit Bartensteins machten, alle dritter Klasse, was Bartensteins noch so sehr amüsierte. Dritter Klasse Ringbahn und bis Bahnhof Stralau. Und als wir da hoch oben ausstiegen, hoch wie der Berg Ararat, da lag der Rummelsburger See mitsamt der Spree wie eine mächtige Wasserfläche vor uns. Dieses Panorama hab ich für mein Bild benutzt. Der Bahnhof ist der Ararat, der Rummelsburger See die Sintflut. Auf stürmische Bewegung, weil ich doch sozusagen nur den Schlußakt der Sintflut gemalt habe, glaubte ich, ohne dadurch unkorrekt zu werden, verzichten zu können.«

*

Briefe verwandten Inhalts trafen öfter ein, unter denen einer, der Sophies »Untergang von Sodom und Gomorrha« beschrieb, des alten Bartensteins ganz besonderen Beifall weckte. »Das ist eine Mahnung«, hatte er sich damals gegen Manon geäußert, ohne übrigens anzudeuten, *wen* er dadurch gemahnt sehen wollte.

Fiechen lebte sich inzwischen immer mehr ein, und je länger sie bei den Verwandten weilte, desto lebhafter wandte sie sich, neben ihren Malereien, auch den häuslichen Angelegenheiten von Schloß Adamsdorf und ganz besonders dem Charakter der Frau vom Hause zu. Gespräche, die sie, wenn sie gemeinschaftlich um die große Parkwiese gingen, mit der Tante führte, teilte sie, wenn es paßte, ganz ausführlich nach Hause hin mit. Einmal schrieb sie: »Wir haben gestern wieder unsern Spaziergang gemacht, um die große Wiese herum, in deren Mitte sich ein Gehege mit ein paar jungen Rehen befindet, reizende Tiere, die ich auch noch zu verwenden hoffe. Da mit einmal, ich weiß nicht mehr in welchem Zusammenhange, sagte die Tante: ›Ja, deine Schwester Therese. Sie wird nicht recht zufrieden mit mir gewesen sein und mich vielleicht bei euch verklagt haben, weil ich damals in Pyrmont nicht Lust bezeigte, mich der Fürstin von Wied vorstellen zu lassen, worauf sie beständig drang, und als ein Korso war, wollte ich nicht mit in der Reihe fahren und noch weniger die Pferdegeschirre mit Rosengirlanden ausstaffieren lassen. Es erschien mir alles unpassend, und ich hab es ihr auch frank und frei gesagt. Therese, wie das so oft geschieht, hat eine falsche Vorstellung von meiner Vermögenslage, die mal glänzend war, aber es nicht mehr ist. Es liegt mir daran, dich über diese Dinge, die ziemlich kompliziert sind, aufzuklären. Ich bin aus einer einfachen bürgerlichen Familie, die klein und arm anfing und es nachher zu Reichtum brachte. Da heiratete mich mein erster Mann, der damals nichts besaß, und kaufte sich Schloß Adamsdorf, denselben Besitz, der schon früher einmal, als es aufhörte Kloster zu sein, in seiner Familie war und dann verlorenging. Er war ein vollkommener Kavalier, und wir führten eine sehr glückliche Ehe, in der übrigens, was das Vermögen angeht, die Rollen sehr bald gewechselt wurden. Mein Geld nämlich ging verloren, und wir hätten Adamsdorf wieder aufgeben müssen, wenn nicht mein Mann durch Todesfälle ganz unerwartet ein ziemlich bedeutendes Vermögen geerbt hätte. Das hat uns an dieser Stelle gehalten. Aber alles, was wir besitzen, ist dadurch wieder Leysewitzisch geworden und muß den Leysewitzes verbleiben, was dein Onkel auch von Anfang an gewußt hat und guthieß. Ich habe das seltene Glück erfahren, in zwei Ehen zwei gleich treffliche Männer zur Seite gehabt zu haben. Alles hat sich zum guten für mich gefügt, aber diese glückliche Gestaltung der Verhältnisse darf ich auch nicht vergessen und muß danach leben. Es liegt so: Von allem, was du hier siehst, haben wir nur den Nießbrauch; Schloß, Gut, Vermögen, alles fällt zurück, und weil es so ist, habe ich haushalten gelernt. Und du, du bist ein gutes und kluges Kind und kannst mir in allem folgen. Therese, die, wenn ich Andeutungen derart machte, kaum mit halbem Ohr hinhörte, wollte nicht recht daran glauben. Das ist immer so. Was einem nicht paßt, das glaubt man nicht gern.‹

Ja, liebe Mama, das war es, was die Tante mich wissen ließ. Es wird ganz gut sein, wenn Therese davon erfährt. Aber in Deiner Antwort bitte ich Dich, all dieser Dinge, trotzdem sie mir wahrscheinlich mitgeteilt wurden, um sie Dich wissen zu lassen, nicht zu erwähnen; ich bin daran gewöhnt, Deine und der Schwestern Briefe beim Frühstück vorzulesen, und eine auf diese meine Mitteilungen bezügliche Antwortstelle würde mich nur in Verlegenheit bringen.

Im übrigen hab ich seit vielen Wochen nichts von den Brüdern gehört. Wendelin, das fällt nicht auf, er schrieb immer nur

Pflichtbriefe. Aber Leo? Mitunter ängstige ich mich doch und denke, sein nächster Brief kommt aus Kamerun oder Namaqualand. Ehe nicht seine Verhältnisse geordnet sind, kommt er nicht zur Ruhe. Aber wo soll diese Ordnung herkommen?«

*

Es war Ende Mai, als Sophie diesen Brief schrieb, und sie vermied klugerweise, das darin behandelte Thema noch einmal zu berühren. Es genügte ihr, daß ihr Brief seine Wirkung getan und das ungerechte Kritteln der älteren Schwester in eine gerechtere Beurteilung umgewandelt hatte.

Das stille Leben in Schloß Adamsdorf nahm mittlerweile seinen Fortgang und erfuhr nur einen Wandel, als der Hochsommer heran war und die Tante, eine passionierte Schlesierin, allwöchentlich einmal auf die Fahrt ins Gebirge drang. Abwechselnd fuhr man bis Schreiberhau oder Hermsdorf oder Krummhübel, um dann von diesen Punkten aus höher ins Gebirge hinaufzusteigen, nach Kirche Wang oder dem Mittagsstein, oder selbst bis zu den Schneegruben. Sophie skizzierte irgendeine Szenerie für ihre alttestamentlichen Bilder und sagte dabei: »Das ist Abrahams Grab, das ist der Sinai, das ist der Bach Kidron.« Ihr größtes Vergnügen aber war immer, wenn auf dem Heimwege, da, wo man das Fuhrwerk zurückgelassen hatte, noch einmal Rast gemacht und das Tun und Treiben der Berliner »Sommerfrischler« beobachtet wurde. Das gab dann jedesmal Heiterkeitsstoff für die Rückfahrt, und Onkel Eberhard wurde nicht müde zu versichern: »Ja, diese Berliner, man mag sie nun lieben oder hassen, amüsant sind sie, und ihnen so zuzusehen, ist immer wie ein Schauspiel. Eigentlich ist es auch wirklich so was; denn sie kucken sich immer um, ob sie auch wohl ein Publikum haben, vor dem sich's verlohnt, den Vorhang aufzuziehen.«

An den Bildern für die Kirche wurde den ganzen Sommer über fleißig weiter gearbeitet. Ende August war Sophie schon bei »Saul in der Höhle« (die Höhle dazu hatte sie dicht bei den Kräbersteinen entdeckt) und Saul selbst war halb Onkel Eberhard, halb der Kretschamwirt, der einen Vollbart trug und einen bösen Blick hatte. David aber war der Assessor. Onkel Eberhard freute sich aufrichtig am Fortschreiten der Arbeit und versicherte jeden Tag, daß er nie geglaubt hätte, von einer solchen Sache so viel Freude haben zu können. Er erging sich dann in wohlgemeinten Äußerungen über Künstlerleben überhaupt und nahm alles zurück, was er in seinen früheren Jahren darüber gesagt hatte. »Man kann darüber lachen, aber es ist doch immer eine kleine Schöpfung. Und Schaffen macht Freude. Wenigstens kann ich mir nicht denken, daß Gott die Welt aus Verdrießlichkeit geschaffen hat.«

»Mancher sieht doch so aus, Onkel.«

»Ja, Fiechen, da hast du recht. Mancher sieht so aus. Aber was kommt nicht alles vor! Und das einzelne beweist nichts. Das ist ein fataler Zug jetzt bei den Menschen, daß sie den Ausnahmefall zur Regel machen wollen. Und wenn sie sich dabei nur was Hübsches aussuchten! Aber nein, was recht Häßliches muß es sein. 's war freilich vor dreißig Jahren auch nicht viel besser. Ich habe es noch erlebt, wie das mit dem Affen aufkam, und daß irgendein Orang-Utan unser Großvater sein sollte. Da hättest du sehen sollen, wie sie sich alle freuten. Als wir noch von Gott abstammten, da war eigentlich gar nichts los mit uns, aber als das mit dem Affen Mode wurde, da tanzten sie wie vor der Bundeslade.«

Das war gerade am zweiten September, daß Onkel Eberhard und Sophie dies Gespräch hatten, oben in der Giebelstube, die die Adamsdorfer Herrschaften ihrer Nichte zum Atelier eingerichtet hatten. Eine Stunde später fuhr der Onkel nach Hirschberg, wo der Sedantag wie herkömmlich festlich begangen werden sollte. Natürlich auch durch eine Rede auf Kaiser Wilhelm. Und diese Rede, wie nicht minder selbstverständlich, hatte der alte General von Poggenpuhl zu halten, dem dabei schlechter zumute war, als bei St. Privat im allerverflixtesten Moment. Sonst, wenn er die schöne Fahrt durchs Tal machte, lachten ihn die Felder in ihrem Segen an, aber heute sah er nicht, wie der Hafer stand, er sah ihn überhaupt nicht, sondern memorierte in einem fort und sagte sich in wachsender Unruhe: »Jetzt ist es eins. Noch drei Stunden, dann fängt mein Leben erst wieder an und vielleicht auch mein Appetit. Bis dahin ist es nichts.« Er hatte denn auch Kopfweh, ein leises Ticken an zwei Stellen, das sich bei der beständig wiederkehrenden Frage: »Wenn ich nun steckenbleibe?« natürlich noch steigerte. Zuletzt aber fand er sich auch darin zurecht oder resignierte sich wenigstens. »Und wenn ich nun wirklich steckenbleibe, was ist es denn am Ende? Zu meiner Zeit konnte überhaupt keiner reden, und das wissen die Vernünftigen auch. Außerdem hab ich die Einleitung ganz intus, und wenn ich merke, daß ich mich zu verwickeln anfange, so sag ich bloß: ›... Und so möcht ich Sie denn fragen, Sie alle, die Sie hier versammelt sind, sind wir Preußen? Ich bin Ihrer Antwort sicher. Und in diesem Sinne fordre ich Sie auf ...‹ Und dann das Hoch.«

All das gab ihm seine Haltung einigermaßen wieder, aber er blieb trotzdem in einem gewissen Fieber, und dies hielt auch noch an, als der schreckliche Moment bereits vorüber war. Vielleicht lag es auch daran, daß er gleich nach seinem Hoch ein großes Glas herben Ungar heruntergestürzt hatte. Nach dem Kaffee überfiel ihn ein Schwindel. Er ging aber wieder vorüber, und in bester Laune brach er schließlich auf. Die Sterne funkelten; es war schon herbstlich frisch, und er fröstelte. »Höre, Johann«, sagte er, »hast du nicht eine Zudecke?«

»Nein, Herr General; ich werde aber meinen Mantel ausziehen.«

Aber da kam er schön an. »Unsinn, Menschen Rock vom Leibe ziehen; ich ein Poggenpuhl. Und in solchen Ausrufungen sprach er noch eine Weile weiter.

Es war ein Uhr, als er in die Dorfgasse einfuhr. Im Schlosse war noch ein alter Diener auf, ebenso Sophie. Die sah schon auf dem Flur, wie verändert er war. »Onkel, du frierst so, soll ich noch einen Tee machen oder eine Stürze?«

»Unsinn. General Poggenpuhl ...«

Es klang so sonderbar, und Johann sagte zu Sophie: »Gott, Fräulein, so sagt er schon immerzu. Ich glaube, er ist sehr krank.«

*

Er war sehr krank. Doktor Nitsche, der am andern Morgen gerufen wurde, bemerkte zu der Tante: »Gnädige Frau, wir müssen nasse Tücher aufhängen und ein mattes Licht und vollkommene Ruhe«; zu Sophie aber sagte er: »Typhus, mein gnädiges Fräulein.«

»Wird er wieder?«

Er zuckte die Achseln.

Dreizehntes Kapitel

Die Befürchtungen erfüllten sich schnell. Sophie, die trotz Widerspruch des Arztes die Pflege leitete, schrieb jeden Abend eine Karte nach Haus, in der sie – schon der Tante halber, die die Zeilen vielleicht lesen mochte – zunächst immer nur betonte,

»daß noch keine Gefahr sei«. Sie war aber nur zu sehr da, und den siebenten Tag nach Beginn der Krankheit traf ein Brief bei der Mama ein, der dahin lautete:

»Heute mittag ist Onkel Eberhard gestorben; während der Nacht war er noch in großer Unruhe, dann fiel er im Laufe des Vormittags in einen apathischen Zustand, und kurz vor zwölf ist er eingeschlafen. Von Anfang an war wenig Hoffnung, weniger als ich Dir aussprechen mochte. Ich habe viel an ihm verloren, aber nicht ich nur; wir werden ihn alle sehr vermissen, vielleicht Wendelin ausgenommen, der seinen Weg auch so macht. Über manches, was diese Tage mich sonst noch erleben ließen, mündlich ausführlicher. Ich freue mich, euch alle wiederzusehen, vor allem Dich, meine liebe gute Mama. Daß Ihr kommt, nehme ich als sicher an. Die Tante wünscht es dringend, und ich glaube, wir müssen ihre Wünsche respektieren. Erst aus Klugheit und dann, weil sie's so sehr verdient. Das Beigeschlossene bittet sie freundlichst aus ihrer Hand annehmen zu wollen und hofft, daß es ausreichen werde, die Reise sowie alles übrige zu bestreiten. Was *ich* brauche, wird aus Breslau kommen. Ihr werdet am besten übermorgen abend abreisen. Dann seid Ihr am zwölften in aller Frühe hier. In der Mittagsstunde soll die Beisetzung erfolgen.

Deine Sophie.«

*

Die Gefühlsbewegung, als Manon diesen Brief vorgelesen hatte, war bei den drei Damen eine nicht geringe, bewegte sich aber doch nach sehr verschiedenen Seiten hin. Die Mutter hing ganz einer herzlichen Trauer nach, die noch reiner gewesen wäre, wenn sich nicht manche bange Zukunftssorge mit eingemischt hätte; Manon, trotz aller Verehrung und Liebe für den Onkel, empfand es schmerzlich, einer gerade für den zwölften bei Bartensteins angesetzten Soiree nicht beiwohnen zu können, während sich Therese nur von einer Vorstellung beherrscht fühlte: von dem Gedanken an das ihr lediglich als eine Haupt- und Staatsaktion erscheinende Begräbnis. Sie sah sich nicht nur bereits in der vordersten Reihe der Leidtragenden, sondern lebte auch ganz dem Hochgefühle, daß die Repräsentation der Poggenpuhlschen Familie – die beiden alten Damen, als nur angeheiratete, zählten kaum mit – einzig und allein auf ihr beruhe. Dies Hochgefühl sah sich allerdings durch den dem Briefe beigelegten Tausendmarkschein auf Augenblicke beeinträchtigt, aber die Vorzüge lagen andrerseits auch wieder so klar zutage, daß das Bedrückliche schnell hinschwand, besonders nachdem man sich untereinander dahin geeinigt hatte, daß Therese in die Stadt fahren und dort die Trauergarderobe besorgen solle. Nächst dem Begräbnis selbst erschien allen dieser Besuch in einem Trauermagazin als der bedeutungsvollste Moment, und die Miene, mit der sich die ältere Schwester zu dieser Fahrt anschickte, hatte etwas so ausgesprochen Distinguiertes, daß selbst Manon davon berührt und zu einer Art Huldigung hingerissen wurde.

Dieses Gefühl machte freilich rasch einer entgegengesetzten Empfindung Platz, als Therese von ihrer Fahrt zurückkehrte. Die Kleider, so berichtete sie, würden bis morgen früh geliefert werden, kleine Änderungen seien leicht zu bewerkstelligen; alles andere aber habe sie gleich erstanden und in einem großen Karton mitgebracht. Es waren dies Krepphüte, lange schwarze Schleier und drei Trauerhauben mit einer tiefen Stirnschneppe.

»Gehst du davon aus«, sagte Manon, »daß wir diese Hauben mit Schneppe wirklich tragen sollen?«

»Eine sonderbare Frage.«

»Das heißt also ›ja‹?«

Therese nickte.

»Nun, dann erlaube mir, dir zu sagen, daß ich mich davon ausschließen werde.«

»Das wirst du nicht. An solchem Tage wenigstens wirst du dich auf das besinnen, was du deinem Namen schuldig bist.«

»Ich weiß, was ich meinem Namen schuldig bin.«

»Und das wäre?«

»Wenn es sein kann, nicht ins Ridiküle zu fallen.«

»Was in deinen Augen worin besteht?«

»…Uns à tout prix als Königinwitwe herauszustaffieren. Wir sind einfach die Nichten eines alten Generals.«

»Des Generals von Poggenpuhl. Ich wenigstens stehe in der alten, guten Tradition.«

»Aber nicht in der des guten Geschmacks.«

Man erhitzte sich immer mehr; zuletzt sollte die Mama entscheiden. Diese lehnte das aber ab. »Ich bin nicht bewandert genug in derlei Fragen und weiß nicht, ob es paßt oder ob es zuviel ist. Ich denke mir, wir nehmen die Kartons mit und richten uns nach dem Ausspruch der Tante.«

Dies fand Zustimmung, und als am andern Morgen die gleich »wie angegossen« sitzenden Kleider erschienen, wurde vor dem langen, schmalen Spiegel, in dem man sich gemustert und gegenseitig befriedigend gefunden hatte, der schwesterliche Friede neu besiegelt.

»Er war doch ein herrlicher Mann«, sagte Manon.

»Das war er, und sein Andenken sei gesegnet. Aus meinem Herzen kann sein Bild nie wieder schwinden.«

*

Um zehn Uhr ging der Nachtzug, vom Friedrichstraßenbahnhof aus, ab. Schon vor neun stand man in voller Reisetoilette da, bei der Manon, die sehr gut aussah, auf einen zufällig vorhandenen Krimstecher nur ungern verzichtet hatte. Sie sagte sich aber, daß es »stillos« sein würde (stillos war eine Lieblingswendung Floras), und als sie dies erlösende Wort gefunden hatte, wurde ihr der Verzicht auch leichter. Friederike befand sich mit im Vorzimmer, um zu helfen, wenn die Mäntel umgenommen werden sollten; es war aber immer noch viel zu früh, und man kam in Verlegenheit, wie die Zeit hinzubringen sei. Das benutzte die Majorin, um noch eindringlich eine Rede zu halten.

»Ich kann dir nur sagen, Friederike, sei vorsichtig und denke daran, was alles vorkommt. Erst gestern stand wieder was drin.«

»Ich weiß ja, gnäd'ge Frau. Aber man is doch auch kein Kind mehr.«

»Und wenn es klingelt, mache nicht gleich auf und schiebe dir lieber erst eine Fußbank 'ran, daß du durchs Oberfenster sehen kannst, wer eigentlich draußen ist...«

»Ja, gnäd'ge Frau.«

»Und wenn du aufmachst, immer noch die Kette vor und immer bloß durch die Ritze... Neulich ist erst wieder eine Witwe totgemacht worden, und wenn du gleich alles aufreißt, kann es dir auch passieren, oder sie streuen dir Schnupftabak in die Augen, oder sie haben auch einen Knebel und da kannst du nicht mal schreien. Und dann rauben sie alles aus...«

»Ach Gott, gnäd'ge Frau, die wissen ja immer gut Bescheid, hier kommen sie nicht.«

»Sage das nicht. Die denken auch, wer das Kleine nicht ehrt, ist des Großen nicht wert. Immer besser bewahrt als beklagt!«

Friederike versprach alles, und nun trennte man sich.

Eine Droschke – die Portiersfrau hatte sich dazu verstanden, eine von der Ecke her herbeizuholen – hielt schon vor der Tür, und nach nochmaligem Abschied von Friederike ging es auf die Potsdamerstraße zu.

Morgens gleich nach fünf kam der Zug in Schmiedeberg an, von dem aus es nur eine kleine Stunde bis Adamsdorf war. Johann hielt in einem offenen Wagen am Bahnhofe; der große Koffer kam nach vorn, die alte Majorin in den Fond, ebenso Therese; Manon dagegen saß auf dem Rücksitz und freute sich über das Landschaftsbild. Die Sonne war noch nicht auf, die Berge ringsum aber röteten sich schon, und dazu ging eine frische Luft. Alles versprach einen schönen Herbsttag.

Auch Therese war ganz hingenommen davon, und als die Berglinien immer schärfer und klarer hervortraten, deutete sie darauf hin und sagte, sich von ihrem Sitz erhebend: »Das also ist das Riesengebirge?«

Johann, an den sich diese Frage richtete, fand sich in dem ungewohnten Worte nicht gleich zurecht und sagte deshalb: »Ja, da links, das ist die Koppe.«

»Die Schneekoppe?«

»Ja, die Koppe.«

Manon amüsierte sich, daß der Kutscher auf das Bildungsdeutsch ihrer älteren Schwester nicht recht eingehen wollte, während Therese selbst ihrer Lieblingsvorstellung von der Volksbeschränktheit behaglich nachhing.

*

Es war gerade sechs, als der Wagen vor Schloß Adamsdorf hielt. Ein Diener half den Damen beim Aussteigen, und gleich nach ihm erschien Sophie, die sichtlich erfreut war, alle drei wiederzusehen, Therese mit eingeschlossen, trotzdem diese sich etwas reserviert zeigte. Sie fand nämlich den Empfang anders als erwartet und vermißte namentlich die Tante.

»Wo ist die Tante?« fragte sie. »Doch nicht krank?«

»Nein, nicht krank«, erwiderte Sophie, die sofort erriet, was in Thereses Seele vorging. »Die letzten Tage waren so schwere Tage. Da will sie sich ausruhen, solange es irgend geht. Sie hat mich gebeten, sie zu entschuldigen.«

»Arme Verwandte«, sagte Therese mit halbauter Stimme vor sich hin.

Danach stiegen alle die breite Treppe hinauf in den ersten Stock, wo zwei Fremdenzimmer hergerichtet waren, ein großes und ein kleines, beide nebeneinander und die Zwischentür auf, nur durch eine schwere Portiere geschlossen. In dem großen Zimmer sollte die Mama mit Manon schlafen, in dem kleineren

Therese. Die Auszeichnung, die darin lag, söhnte diese halb wieder aus.

»Und nun könnt ihr euch«, sagte Sophie, »noch volle zwei Stunden ausruhen. Oder soll ich euch gleich ein Frühstück aufs Zimmer schicken und ihr geht dann im Park spazieren, bis die Tante kommt? Es ist am schönsten des Morgens.«

Manon und die Mama schienen auch wirklich zu schwanken, namentlich erstere, die von »Morgenspaziergängen im Park« eine hohe Vorstellung hatte. Therese hielt es aber für unklug, diese Dinge zu sehr zu betonen und zu tun, als ob man dergleichen noch nie gesehen habe; die Güter in Pommern, die sie kannte, hatten doch schließlich auch ihre Parks, und so sagte sie denn, es würde wohl das Beste sein, dem Beispiel der Tante zu folgen und für das, was der Tag noch alles bringen müsse, nach Möglichkeit Kräfte zu sammeln.

Vierzehntes Kapitel

Um halb neun erschienen die Damen unten in der großen Halle, darin ein Feuer brannte, trotzdem die Luft draußen beinahe sommerlich war. Die Tante begrüßte die Verwandtschaft herzlich und zugleich mit einem so vornehmen Anstand, daß Therese ziemlich verwundert war. Damals, in Pyrmont, hatte die Generalin einen sehr bürgerlichen Eindruck auf sie gemacht, woraus alle Meinungsverschiedenheiten und kleinen Häkeleien entstanden waren, und jetzt nun so ganz anders. War es das Gefühl, hier in Adamsdorf auf der eigenen Scholle zu sein? Oder war es einfach der Schmerz, der sie geadelt hatte? Sie entschied sich für den Schmerz.

Ihr Beisammensein beim Frühstück währte nicht lange; waren doch nur wenige Stunden bis zum Begräbnis, und der Adel aus der Nachbarschaft erschien sehr wahrscheinlich um ein gut Teil früher. Die Mama fragte, ob sie den Schwager noch einmal sehen könne, was verneint wurde; der Sarg sei schon geschlossen. Manon und Therese drückten ihre Trauer darüber aus, waren aber eigentlich froh und fanden Trost in der Wendung, »er lebt so in einem lichteren Bilde in uns fort.«

Schon um zehn füllte sich der Platz vor dem Schloß mit Leuten aus dem Dorf. Die Alten, Männer wie Frauen, waren ernst und bewegt, denn sie hatten den General geliebt und verehrt; das junge Volk aber war mehr oder weniger in Kirmesstimmung und kicherte sich sehr Irdisches ins Ohr. Um elf kamen die Equipagen, eine halbe Stunde später die beiden Geistlichen aus dem Dorf (auch der katholische), und um zwölf setzte sich der Zug unter Gesang in Bewegung, bis in die Kirche. Hier sprach der Geistliche; nach ihm, in privater Eigenschaft, auch der alte katholische Pfarrer, »der nur dem Dank für die schöne Gerechtigkeit Worte leihen wolle, die den verehrten Toten ausgezeichnet habe« – danach noch die Einsegnung, und der Sarg senkte sich in die Kirchengruft. Therese hatte ein schmerzliches Gefühl, daß ein Poggenpuhl ausersehen sei, so zwischen den Särgen einer fremden Familie zu liegen, und ihre Haltung, die durch Ernst auffiel, gab diesem Gefühle Ausdruck. Einige billigten es; andere aber – Schlesische von Adel – fanden es etwas albern und flüsterten sich zu: »Pommerscher Junkerhochmut.« Denn die Schlesier haben keine Junker. Oder wenigstens keine ganz echten.

Alle waren übrigens mit der Feier zufrieden, einen Kirchenältesten ausgenommen, der nicht darüber weg konnte, daß auch der »alte Katholsche« gesprochen habe. Das ginge nicht. Wenn man das einreißen lasse, so setze man sich in die Nesseln und die »Simonie« sei fertig. Was er darunter eigentlich verstand, konnte nicht aufgeklärt werden.

*

Gleich nach der Feier in der Kirche wurde ein Imbiß genommen, Mittagstafel fiel aus, und als die Gäste wieder fort waren, zogen sich die beiden alten Damen, die Generalin und die Majorin, in ihre Zimmer zurück. Sie bedurften der Ruhe, wollten allein sein. Sophie hatte noch in der Wirtschaft zu tun, und so blieben nur Manon und Therese, die sich alsbald zu einem Spaziergange an dem von einem Wässerchen umzogenen Außenrande des Parkes hin entschlossen. Es mochte gegen vier Uhr sein, die Sonne neigte sich schon und schien durch hohe Silberpappeln. Kein Lüftchen ging, alles still, nur von einer benachbarten Schmiede her hörte man ein Hämmern und Pinken und ganz zuletzt, als man weiter und schon bis in die Nähe der Felder gekommen war, auch das Dengeln der Sense; weiße Birkenbrücken führten über das Wässerchen hinüber, und an einzelnen Stellen machte der Laubengang kleine Nischen und Buchtungen, in denen Bänke standen. Die Vögel sangen nicht mehr, aber ein Eichhörnchen sprang über den Weg. Therese gab ihre kritische Laune ganz auf und fand sich gemüßigt, anerkennende Äußerungen über den schlesischen Adel einzustreuen. »Es ist alles reicher hier«, sagte sie; »man fühlt es den Dingen ab, daß niemand ans Sparen dachte. Bei uns denkt man immer daran, auch die, die's nicht nötig haben. Sieh diese Bank. Alles Granit und mit Sandstein eingefaßt. Bei uns wäre sie von Holz.«

Manon fand es eigentlich auch. Aber die Hauptunterhaltungsform zwischen den Poggenpuhlschen Schwestern war die, daß eine der andern widersprach. Und so sagte sie denn: »Du kannst nie Maß halten, Therese. Wie wir ankamen, mißfiel dir alles, und nun findest du wieder alles schön und reich und uns überlegen. Ich kann es nicht finden; ich finde den Tiergarten viel schöner.«

»Wie du nur so was sagen kannst, und alles bloß aus Widerspruch. Der Tiergarten, nun meinetwegen, der kann passieren; aber er ist doch etwas Öffentliches, und was öffentlich ist, ist immer gewöhnlich. Und vieles, was man im Tiergarten sieht, ist geradezu zynisch.«

»Zynisch?«

»Ja. Man sieht Statuen und Reliefs, die das Zynische rücksichtslos herauskehren. Ich wähle diesen Ausdruck absichtlich. Es ist das eben die Vorliebe für das Natürliche, das die moderne Kunst als ihr gutes Recht ansieht; ich glaube aber umgekehrt, daß die Kunst verhüllen soll. Indessen dies alles mag auf sich beruhen, ich will davon nicht sprechen; als ich vorhin mit Vorbedacht das Wort zynisch gebrauchte, dachte ich vielmehr an die lebendigen Bilder und Szenen, an die Menschen also, die man dort findet. Auf jeder Bank sitzt ein Paar und verletzt durch seine Haltung. Und wenn man endlich wo Platz nehmen will, an einer Stelle, wo sich zufällig kein Paar befindet, so kann es auch nicht, weil man nie weiß, wer vorher da gesessen hat. Gerade im Tiergarten soll es so furchtbare Menschen geben.«

»Ich setze mich immer da, wo Kinder spielen.«

»Das solltest du nicht tun, Manon. Man ist auch da nicht sicher, oft da am wenigsten. Und jedenfalls fehlt allem der Zauber des Unberührten; hier weiß ich, ich atme eine reine Luft. Sieh doch, wie das plätschert; bei uns ist alles trübe Lache.«

Therese sprach noch weiter in dieser Richtung und verstieg sich dabei bis zu hoher Anerkennung der Tante. »Sophie hat uns nicht zuviel geschrieben, eine Frau, in der alles Frühere bis auf den letzten Rest getilgt ist. Es ist nicht jedem beschieden, dies von sich sagen zu können. Wenn ich da an Mama denke...«

»Du solltest nichts gegen Mama sagen. Mama ist gut und mußte viel tragen und hat es. Das kann auch nicht jeder.«

Erst beim Tee sahen sich alle wieder. Manon sprach über die Gäste, über einzelne Vorkommnisse, zuletzt auch über die Predigt. Der Geistliche hatte viel von Auferstehung gesprochen, und die Tante richtete die Frage an Sophie, ob die Auferstehung nicht auch durch einen Hergang aus dem Alten Testament dargestellt werden könne. Sie würde sich freuen, zu hören, daß das möglich sei.

»Ja«, sagte Sophie, »das Alte Testament hat einen Hergang, von dem man annimmt, daß er die Auferstehung bedeute.«

»Und welcher ist das?«

»Es ist das der Moment, wo der große Walfisch den von ihm verschlungenen Propheten Jonas wieder auswirft. Wie man zugestehen muß, sehr sinnreich. Ich fühle mich der Aufgabe aber nicht gewachsen.«

»Gott sei Dank«, sagte Manon in einem plötzlichen Anfall von Übermut.

»Sage das nicht, Kind«, bemerkte die Tante. »Dir erscheint es komisch; aber was Jahrhunderte mit Ernst und Achtung angeschaut haben, darin seh ich immer etwas, was man respektieren muß.«

Manon errötete und erhob sich dann und küßte der Tante die Hand.

*

Man trennte sich früh, aber doch mit der Zusicherung, am andern Tage spätestens um sieben beim Frühstück sein zu wollen. Es gab noch allerhand zu besprechen. Da kam man denn auch überein, daß Sophie, die nun schon so lange in halber Einsamkeit gelebt habe, wieder mit nach Berlin zurückkehren solle, aber nur auf kurze Zeit. Sophie, so äußerte sich die Tante, sei so gut und so klug und so bescheiden, daß ihre Nähe ihr ein Bedürfnis geworden sei; sie müsse sich freilich in der großen Stadt erholen, aber je eher sie zurückkehre, je lieber sei es ihr. Es wurde seitens der Tante festgesetzt, daß sie Mitte November wieder in Adamsdorf eintreffen solle; mit dem Malen würde es dann in den dunkeln Nebeltagen wohl vorbei sein, aber das schade nichts, und wenn Sophie neben ihr sitze und mit ihr ins Feuer sähe und des lieben Toten gedenke; so sei das noch besser als das beste Bild. Als sie das sagte, reichte sie Sophie die Hand, und alle waren glücklich, daß ein so herzliches Verhältnis zwischen den beiden bestehe. Selbst Therese freute sich; ihr Familiengefühl war stärker als ihre persönliche Eitelkeit, und sie sah in dem Ganzen einen Sieg des Poggenpuhlschen, das doch auch in Sophie lebte, wenn auch anders als bei den andern und ganz besonders bei ihr. Sie hatte das Liebe, Freundliche, Demütige, das der gute Onkel ja auch gehabt.

Nach diesen Abmachungen zogen sich die jungen Mädchen zurück, um dem Pfarrer und seiner jungen Frau, die für eine Schönheit galt und es auch war, einen Besuch zu machen, und nur die beiden alten Damen, die den Namen Poggenpuhl trugen und doch keine Poggenpuhls waren, blieben in der Veranda zurück. Der Diener wollte den Frühstückstisch abräumen. »Laß noch, Joseph«, sagte die Generalin, und als sie wieder allein waren, sahen beide auf das Gartenrondell und dann, über eine von Efeu überwachsene Mauer fort, auf die Dächer der Dorfstraße, zwischen denen der Kirchturm mit seinem grünen Kupferdach aufragte. Die Gedanken beider gingen denselben Weg, sie dachten an *den*, der nun da drüben in der stillen Gruft lag.

Eine Weile verging, ohne daß ein Wort gesprochen worden wäre, dann nahm die Generalin der Majorin Hand und sagte: »Liebe Frau Majorin, ich muß nun noch etwas richtig stellen zwischen uns. Etwas Geschäftliches. Und ich denke, Sie werden mir zustimmen in dem, was ich vorzuschlagen habe.«

»Das werde ich gewiß. Ich darf das sagen, ohne daß ich weiß, um was es sich handelt. Ich habe zu sehr erfahren, wie gütig Sie sind.«

»Nun denn ohne Umschweife. Sie wissen durch Sophie, die mir diese Ausplauderei nachträglich gebeichtet, wie die Besitzverhältnisse liegen. Adamsdorf verbleibt mir bei meinen Lebzeiten, dann fällt es an die Familie meines ersten Mannes zurück. Mein eingebrachtes Vermögen ging verloren. Auch davon werden Sie wissen. Aber diesen Vermögensverlust war ich doch imstande, später wieder zu begleichen, wenigstens einigermaßen. Poggenpuhl bestritt seine kleinen Liebhabereien von seiner Pension, unser Haushalt wurde sparsam geführt, und so hab ich mich in der glücklichen Lage gesehen, schlechter Ernten unerachtet, ein bescheidenes Privatvermögen aufs neue sammeln zu können. Darüber habe ich freie Bestimmung, und ehe Sie Adamsdorf verlassen, sollen Sie hören, wie ich darüber verfügt habe. Die Summe selbst beträgt bis zur Stunde nicht mehr als etwa siebzehntausend Taler – ich rechne noch nach Talern –, von denen ich zwölftausend Taler in fünfprozentigen Papieren bei meinem Bankier in Breslau deponiert habe. Sie werden davon, vom ersten Oktober an, die vierteljährlichen Zinsen empfangen, so daß sich Ihre Jahreseinnahmen um etwa sechshundert Taler verbessern werden. Das Kapital ist unkündbar. Nur im Falle sich eine Ihrer Töchter verheiraten sollte, wird ihr ihr Anteil ausgezahlt. Wenn sich alle drei verheiraten, würde für Sie, meine gnädige Frau, nur ein Geringes übrigbleiben, aber Ihnen verbliebe dann die ganze staatliche Pension, und ich weiß von vielen Jahren her, wie anspruchslos Sie Ihr Leben einzurichten wissen.«

Die Majorin war so gerührt, daß sie stumm dasaß und vor sich hin blickte, während die Generalin fortfuhr: »Dann sind da freilich noch die Söhne, und die sollen nicht vergessen sein. Aber das ist eine Privatsache, die das andre nicht berührt; sie werden sich mit kleinen einmaligen Geschenken ihrer Tante begnügen müssen. Ich habe vor, an Wendelin, der ein guter Wirt ist und den Wert des Geldes kennt, tausend Taler zu schicken, an Leo fünfhundert. Leo wird sich davon einen guten Tag machen; er ist ein Leichtfuß, woran ich aber keine moralischen Betrachtungen knüpfe, denn auch die Leichtfüße sind mir sympathisch, vorausgesetzt, daß Anstand und gute Gesinnung in dem leichten Leben nicht untergehen. Für meine teure Sophie behalte ich mir noch Sonderentschlüsse vor. Das war es, meine liebe Frau Majorin, was ich Ihnen vor Ihrer Abreise noch mitteilen wollte.«

Die Sonne schimmerte gedämpften Lichts durch die noch dicht in Laub stehenden Bäume, auf das Rondell und die Beete aber, die sich vor der Veranda ausdehnten, fiel ihr voller Schein, und die noch hie und da blühenden Balsaminen und Verbenen leuchteten auf in einem helleren Weiß und Rot. Von dem Gutshof her stiegen Tauben auf und flogen hoch über den Garten hin, auf den Kirchturm zu, den sie umschwärmten, ehe sie sich auf den kupfernen Helm und den First des Daches niederließen.

Die Majorin wollte der Generalin die Hand küssen, aber diese umarmte sie und küßte sie auf die Stirn.

»Ich bin glücklicher als Sie«, sagte die Generalin.

»Das sind Sie, gnädige Frau. Glücklich machen ist das höchste Glück. Es war mir nicht beschieden. Aber auch dankbar empfangen können ist ein Glück.«

An dem Tage, an dem die Poggenpuhls zurückerwartet wurden, war nicht bloß Friederike, sondern auch die Portierfamilie in einer gewissen Aufregung. Es hing dies, soweit die Nebelungs in Betracht kamen, mit dem zufälligen Umstande zusammen, daß infolge Verreistseins eines in der zweiten Etage wohnenden frei-konservativen Geheimrats die für diesen bestimmten Zeitungen unten in der Portierwohnung abgegeben und von dem ebenso neugierigen wie gern faulenzenden Nebelung (seine Frau mußte sich dafür quälen) je nach Laune durchstudiert oder auch bloß überflogen wurden. Unter diesen Zeitungen war auch die »Post«, in der in der heutigen Morgennummer des Hinscheidens des Generalmajors von Poggenpuhl kurz Erwähnung geschehen war, unter gleichzeitiger Anfügung der Worte: »Siehe auch die Todes-anzeige.« Auf diese stürzte sich nun unser Nebelung sofort, und als er die schwarz umränderte Anzeige gefunden und mit einem gewissen Grinsen aufmerksam gelesen hatte, schob er das Blatt seiner vierzehnjährigen, mit ihren zwei Brüdern gerade beim Nachmittagskaffee sitzenden Tochter Agnes zu und sagte: »Da, Agnes, lies mal; das da, wo die dicken schwarzen Striche sind.« Und Agnes, die nicht bloß bleichsüchtig, sondern wegen ihrer Figur und ihrer Vorliebe für die »Jungfrau von Orleans« auch fürs Theater bestimmt war, las, während alles aufhorchte:

Heute starb, 67 Jahre alt, auf Schloß Adamsdorf in Schlesien unser treuer Gatte, Schwager und Oheim, der Generalmajor a. D.

Eberhard Pogge von Poggenpuhl,

Ritter des Eisernen Kreuzes 1. Klasse wie des Ordens Albrechts des Bären. Dies zeigen statt jeder besonderen Meldung an die tiefbetrübten Hinterbliebenen

Josephine Pogge von Poggenpuhl, geb. Bienengräber, verwitwete Freiin von Leysewitz, als Gattin.

Albertine Pogge von Poggenpuhl, geb. Pütter, verwitwete Majorin, als Schwägerin.

Wendelin Pogge von Poggenpuhl, Premierleutnant im Grenadier-Reg. von Trzebiatowski,

Leo Pogge von Poggenpuhl, Sekondleutnant im Grenadier-Reg. von Trzebiatowski,

Therese Pogge von Poggenpuhl,

Sophie Pogge von Poggenpuhl,

Manon Pogge von Poggenpuhl.

als Neffen und Nichten.

Agnes, deren etwas käseweißes Gesicht bei dem Vortrag all dieser Namen – nur den polnischen Regimentsnamen brachte sie nicht recht zustande – ganz rot geworden war, legte das Blatt aus der Hand, während der Alte mit breitem Behagen sagte: »Na so was von Poggen; ich hör es ordentlich quaken« – ein Witz, der von dem johlenden Beifall seiner beiden Jungens (echten Nebelungs) sofort begleitet wurde. Die Tochter aber, die sich von ihrem dramatischen Vortrag eine ganz andere Wirkung versprochen hatte, stand auf und sagte, während sie hinausging, zu der etwas seitabsitzenden Mutter: »Ich weiß nicht, Vater ist heute wieder so ordinär« – eine Bemerkung, die die kränkliche, immer verärgerte Frau durch mehrmaliges Kopfnicken bestätigte. Nebelung selbst aber rief der in der Tür eben verschwindenden Tochter nach: »Sei nich so frech, Kröte; – noch bist du nich dabei.«

*

In gewissem Sinne hatte Agnes ihrem Vater Unrecht getan. In der Tiefe seiner Seele fühlte sich Nebelung gar nicht so unberührt von dem allen; er hatte sich vielmehr, als echter Berliner, nur den durch die glänzende Namensaufzählung empfangenen Eindruck wegschwadronieren wollen. Andrerseits freilich war er aufrichtig unwirsch, daß ihm das »pauvre Volk da oben« mit einmal als etwas Besonderes aufgezwungen werden sollte. Das sei doch alles bloß zum Lachen, der reine Unsinn. Aber wie immer auch, während er sich noch dagegen sträubte, war er doch auch schon wieder bereit, gute Miene zum bösen Spiele zu machen, und die Gelegenheit dazu bot sich bald.

Es mochte halb fünf sein (die Jungens waren eben aus der Schule nach Hause gekommen), als die Streitszene zwischen Vater und Tochter gespielt hatte, und keine Stunde mehr, so kam auch schon eine Droschke mit Reisekoffer die Großgörschenstraße herauf. Das ganze Haus wartete. Wie Friederike, so hatten sich auch die Nebelungs unten aufgepflanzt, allerdings in sehr verschiedenen Stellungen und Beschäftigungen; die beiden Jungens lehnten sich an die Hauswand, halb neugierig, halb bummelig, weil sie dem »freien deutschen Mann« in ihnen nichts vergeben wollten; Nebelung selbst aber, eine Art Fes auf dem Kopfe, patrouillierte das Trottoir auf und ab, während Agnes, wie wenn es sich um ihr Auftreten etwa als Mondecar oder irgend sonst ein spanisches Hoffräulein gehandelt hätte, schlank und aufrecht in der offen stehenden Haustüre stand. Als die Frau Majorin an ihr vorüberging, machte sie einen gut einstudierten Hofknicks, der sich gesteigert wiederholte, als gleich danach Therese kam. War diese doch die einzige der Familie, die noch unentwegt den langen Trauerschleier trug, was ihr, samt ihrer funebren Haltung, auch schon unterwegs allerlei Huldigungen eingetragen hatte. Man hatte sie für eine junge Offizierswitwe gehalten, deren Mann in einem schlesischen Bade gestorben sei.

Hart neben dem Bürgersteige hielt noch immer die Droschke, mit deren Kutscher, einem ziemlich verschmitzt dreinschauenden Manne, Manon und Sophie wegen Heraufschaffung des Koffers parlamentierten; »er könne nicht von dem Pferde weg, er käme sonst in Strafe«, so hieß es seinerseits immer wieder. In diesem Verlegenheitsmoment aber trat der sonst so zugeknöpfte Nebelung an die beiden jungen Damen heran und erklärte sich unter gefälliger Lüftung seines Fes bereit, den großen Koffer in die Wohnung hinaufzutragen. »Ach, Herr Nebelung ...« sagte Sophie. Dieser aber hatte schon Hand angelegt, wuchtete den Koffer ziemlich geschickt auf seine Schulter und ließ sich auch nicht irre machen, als ihm der in seiner Diplomatie verunglückte Droschkenkutscher spöttisch nachrief: »Na, schaden Sie sich man nich.«

Es hatte damit aber gute Wege, denn der Koffer, so groß er war, war nicht schwer, und Nebelung schien kaum außer Atem, als er oben ankam. Friederike nahm ihm den Koffer ab, und im selben Augenblicke sagte Sophie: »Bitte, Herr Nebelung ... Ich danke Ihnen.« Unten aber, in seine Portierloge zurückgekehrt, warf Nebelung ein blankes Markstück auf den Tisch und sagte: »Da, Mutter, *das* muß in die Sparbüchse. Pogge von Poggenpuhl ... Und noch dazu von Sophiechen ... Jungferngeld; das heckt.«

Agnes, die nur die Schlußworte gehört hatte, drehte sich verächtlich um.

*

An der Türeinfassung oben hing ein halber Papierbogen mit »Willkommen« von Friederikens eigener Hand. Aus Schreibunsicherheit oder vielleicht auch aus Ersparnis hatten die Buchstaben alle keinen rechten Tintenkorpus, sondern bestanden bloß aus zwei nebeneinander herlaufenden Linien. In der Blumenschale vor dem Bilde des Sohrschen befanden sich rote und weiße Markt-Astern. Einige davon waren für den Hochkircher bestimmt gewesen und zwar zum Einstecken hinter den Rahmen; aber Friederike hatte wieder Abstand davon genommen mit der Bemerkung: »Den kenn ich; wenn man ihn anrührt, fällt er.«

»Na, leben tust du ja noch«, sagte die Majorin, als ihr Friederike dienstbeflissen den Mantel abnahm. »Hast du auch nicht zu sehr gespart? Das mußt du nicht. Und immer bloß Nachguß; dabei kannst du nicht gedeihen.«

»Ach ich gedeihe schon, gnädige Frau.«

»Na, wenn es nur wahr ist. Aber nun bringe uns Kaffee. Die Tassen stehen ja schon. Ein bißchen ausgefroren bin ich doch; die eine Dame riß immer alles auf.«

»Ja, das tut man jetzt, Mama«, sagte Therese.

»Ich weiß, man tut es jetzt. Und es mag auch gut sein, aber nicht für jeden. Wer Rheumatismus hat...«

Sophie hatte sich's inzwischen auch bequem gemacht und warf sich mit einem gewissen Behagen in die Sofaecke, erst das Zimmer und dann all die alten Kleinigkeiten musternd, die umherstanden und lagen und die sie hundertmal in Händen gehabt hatte.

»Komm, Mama, du mußt dich hier neben mich setzen oder ich rücke weiter hin, denn dies ist ja deine Ecke. Gott, wenn ich mich hier so umsehe. Eigentlich ist es doch ganz hübsch bei euch.«

»Du könntest sagen bei uns«, sagte Therese.

»Gewiß, gewiß. Ich gehöre ja zu euch und werde immer zu euch gehören. Aber die lange Zeit. Dreiviertel Jahr oder doch beinah. Und dann soll ich ja auch wieder zurück.«

»Und willst auch? Und willst es auch gern?«

»Natürlich. Es ist ja abgemacht. Und wenn es auch nicht abgemacht wäre, ich bin gern in Adamsdorf und gern bei der Tante.«

»Wer wäre es nicht«, sagte Therese. »Der Park und die Gruft, darin nun der General, unser Onkel, ruht. Dahin zieht es wohl jeden. Und diese Frau, der ich viel abbitten muß, ich hielt sie für befangen in Bürgerlichkeit, aber sie hat ganz die Formen der vornehmen Welt. Es ist schade, daß sich dieser Umwandlungsprozeß so selten vollzieht.«

Sophie und Manon warfen der Schwester Blicke zu mit der offenbaren Absicht, sie von dem heiklen Thema abzubringen. Aber so gut gemeint dies war, so war es doch nicht nötig, weil die Mama nichts von Bitterkeit dabei empfand. Sie lächelte nur wehmütig vor sich hin mit jener stillen Überlegenheit, die das

Leben und das Bewußtsein gibt, die Kämpfe des Lebens ehrlich durchgefochten zu haben. »Ach, meine liebe vornehme Tochter«, sagte sie, »was du da wieder sprichst.«

»Ich habe dich nicht kränken wollen, Mama.«

»Weiß ich. Und es kränkt mich auch nicht. Ich hatte auch mal mein Selbstgefühl und meinen Stolz, aber all das hat das Leben zerrieben und mich mürbe gemacht ... Das mit der Tante, ja, da hast du recht, das ist eine vorzügliche Frau und, wenn du's so haben willst, auch eine adlige Frau. Das hab ich immer gewußt, und seit diesen Tagen weiß ich es noch besser. Aber das alles – und es ist hart, daß ich das meiner eigenen Tochter immer wieder versichern muß, während sie's doch wissen könnte, auch ohne meine Versicherung –, aber das alles hätte das Leben auch aus mir machen können. Es hat es nur nicht gewollt. In einem Schlosse zu Hause zu sein und Hunderte beglücken und dann durch Entziehung von Glück auch mal wieder strafen zu können, das alles ist eine andre Lebensschule, wie wenn man nach Herrn Nebelungs Augen sehen und sich um seine Gunst bewerben muß. Ich habe nur sorgen und entbehren gelernt. Das ist *meine* Schule gewesen. Viel Vornehmes ist dabei nicht herausgekommen, nur Demut. Aber Gott verzeih es mir, wenn ich etwas Unrechtes damit sage, die Demut, wenn sie recht und echt ist, ist vielleicht auch eine Eigenschaft, die sich unter dem Adel sehen lassen kann.«

Sophie glitt leise von dem Sofa nieder auf ihre Knie und bedeckte die Hände der alten Frau mit Tränen und Küssen. »Das kannst du nicht verantworten, Therese«, sagte Manon und trat ans Fenster.

Therese selbst aber ließ ihr Auge ruhig über die über der Sofalehne hängende »Ahnengalerie« hingleiten, und ihr Auge schien sagen zu wollen: »Ihr seid Zeugen, daß ich nicht mehr gesagt, als ich sagen durfte.« Dann aber kam ihr ein zweites, besseres Gefühl, und sie lieh ihm auch Worte: »Verzeih, Mama«, sagte sie. »Es kann sein, daß ich unrecht habe.«

*

Es lag nicht im Charakter der Familie, den Verstimmungen über eine derartige Szene Dauer zu geben. Die Mutter hatte Schwereres tragen gelernt und war jeden Augenblick zur Verzeihung und Nachgiebigkeit geneigt, während die im wesentlichen in ihren Anschauungen verharrende, trotzdem aber nicht eigentlich eigensinnige Therese das Bedürfnis hatte, wieder einzulenken, wozu ein Gespräch mit Manon das beste Mittel bot. Sie nahm daher diese bei der Hand, führte sie von ihrem Fensterplatz her an den Kaffeetisch zurück und sagte, während sie sie neben sich auf eine Fußbank niederzog: »Es muß nun doch vieles anders werden mit uns und auch mit dir, Manon. Du bist, mein lieber Schelm, am weitesten ab vom rechten Wege. Wie denkst du nun eigentlich hinsichtlich deiner Zukunft?«

»Zukunft? – Ach, du meinst heiraten?«

»Ja, das vielleicht auch. Aber zunächst meine ich hinsichtlich deines Umgangs, deines gesellschaftlichen Verkehrs. Wie denkst du darüber?«

»Nun, gerade so wie früher. Mein Verkehr bleibt wie er ist.«

»Das solltest du doch überlegen.«

»Überlegen? Ich bitte dich... Ich möchte wohl das Gesicht des alten Bartenstein sehen, wenn ich mich, angesichts meiner zweihundert Taler Zinsen, plötzlich auf meinen alten Adel besönne. Wenn es mehr wäre, verzieh er mir's vielleicht. Aber...«

»Also alles beim alten?«

»Ja. Und nun gar heiraten! So dumme Gedanken dürfen wir doch nicht haben; wir bleiben eben arme Mädchen. Aber Mama wird besser verpflegt werden, und Leo braucht nicht nach dem Äquator. Denn ich denke mir, seine Schulden werden nun wohl bezahlt werden können, ohne Blumenthals und selbst ohne Flora. Flora selbst aber bleibt meine Freundin. Das ist das, was *ich* haben will. Und so leben wir glücklich und zufrieden weiter, bis Wendelin und Leo etwas Ordentliches geworden sind und wir wieder ein paar andre Größen haben als den Sohrschen und den Hochkircher.«

»Du vergißt einen dritten, deinen Vater«, sagte die Majorin, in der sich bei der Übergehung zum ersten Mal das Poggenpuhlsche regte.

»Ja, meinen Vater, den hatt ich vergessen. Sonderbar, Väter werden fast immer vergessen. Ich werde mit Flora darüber sprechen. Die sagte auch mal so was.«

ANHANG

Von den drei hier zusammengefaßten Romanen aus der Welt des bürgerlichen Realismus gehören »L'Adultera« (1880) und »Cécile« (1884/85) in der zeitlichen Entstehung zusammen, während die »Poggenpuhls« (1896) ein Spätwerk Fontanes darstellen. Alle drei spielen in der preußischen Hauptstadt, dehnen aber ihre Kreise in den Harz, nach Schlesien und Italien aus. Doch Berlin bleibt der Mittelpunkt.

Mit »L'Adultera« und »Cécile« vollzieht sich Fontanes Abkehr vom Historischen (»Vor dem Sturm«, »Schach von Wuthenow« und »Grete Minde«). Sie leiten in Thema, Konzeption und Darstellungsart die Entwicklung zum großen Gegenwartsroman ein, dessen Konflikte mehr und mehr aus dem Zusammenprall verschiedenartiger Charaktere und Stände erwachsen.

»*L'Adultera*« ist Fontanes erster Ehe- und Gesellschaftsroman. Mit geschärfter Beobachtungsgabe faßt er politische, soziale, rassische und kulturelle Strömungen zusammen und läßt verschiedene Typen der Zeit über die Bühne gehen: den adligen strebersichen Offizier, den von Bismarck entlassenen höheren Beamten, dessen ganzer Zorn sich über den Kanzler ergießt, den genießerischen Feinschmecker und Erzähler pikanter Histörchen als unentbehrliches Requisit aller Diners, mittelmäßige Kunstmaler, die den Zugang zu Geldkreisen suchen, das altadlige Stiftsfräulein und allen voran den getauften Juden, der sich, reich genug für alle Forderungen des Lebens, in den Vordergrund einer hochgezüchteten Berliner Gesellschaft gedrängt hat. Van der Straaten ist der erste Typus des Emporkömmlings, dem Fontane später den Kommerzienrat Treibel an die Seite stellt. Vom Scheitel bis zur Sohle ein echter Berliner, zwiespältig im Charakter, gutmütig und sarkastisch, gefühlvoll und eitel, resigniert und derb, mit künstlerischem Blick und der Neigung zu sentimentalen Banalitäten. Als Mann in mittleren Jahren hat er die wesentlich jüngere espritvolle Melanie de Caparoux geheiratet, die einem französisch-schweizerischen Adelsgeschlecht entstammt, und hat sie, stolz auf seine schöne Frau, mit allen Mitteln seines Reichtums umsorgt. Melanie hat die Freuden eines sorglosen gesellschaftlichen Daseins genossen und sich von dem niemals eifersüchtigen Mann verwöhnen lassen, dessen taktlosen Entgleisungen sie mit liebenswürdiger Überlegenheit begegnet.

Nach zehnjähriger guter Ehe tritt der junge getaufte Jude,

aus vornehmer Frankfurter Familie, zwischen Melanie und ihren Mann. Nach zehn Jahren erkennt sie, daß die Ehe mit van der Straaten ihr eigenes Selbst nicht zu erfüllen vermocht hat. Zwangsmäßig zieht es sie zu Rubehn hin, sie erliegt der Macht des Unausweichlichen, die von dem ihr wahlverwandten Mann ausgeht. Sie bricht die Ehe, aber indem sie alle daraus sich ergebenden Konsequenzen mit bewußter Klarheit auf sich nimmt, wird der Ehebruch für sie zur naturhaften Notwendigkeit und erfährt dadurch seine sittliche Rechtfertigung: »– einem jeden ist das Gesetz ins Herz geschrieben, und danach fühl ich, ich muß fort ... Ich will fort, nicht aus Schuld, sondern aus Stolz, und ich will fort, um mich vor mir selber wiederherzustellen.« So verteidigt sich Melanie vor sich selbst, so sucht auch Fontane ihre Flucht einer höheren Sittlichkeit zu unterstellen. Er zieht aber nicht die daraus erwachsenden Konsequenzen, weil er dem dichterisch notwendigen tragischen Ausgang, den etwa Goethe seinen »Wahlverwandtschaften« gegeben hat, ausweicht und den Roman der Ehebrecherin Melanie, auf eine etwas unkomplizierte Art, versöhnlich ausklingen läßt, woraus sich Fontanes einziger Liebesroman mit gutem Ende ergibt. Freilich nicht ohne in der tief menschlichen Aussprache zwischen Melanie und van der Straaten die sittlichen Gegensätze aufzudecken, den verlassenen Ehemann in ein absichtlich helleres Licht zu rücken und beim glücklichen Ausgang auch ihn in den Kreis hochherziger Verzeihung einzubeziehen.

So sucht Fontane die »sittliche Gewaltlösung« zu mildern. Daß er selbst dabei aber nicht ganz glücklich war, geht aus der Handlungsführung hervor. Im ersten Teil verläuft sie in folgerichtiger Steigerung: vom ersten Gespräch zwischen den Ehegatten mit dem Eintreffen des Tintoretto-Bildes bis zur Nachricht, daß Rubehn kommt; von dem Diner bis zu dem verhängnisvollen Stralauer Ausflug, wo sich Melanie zum erstenmal ihres Gatten schämt, als sie bemerkt, daß Rubehn von seinen taktlosen Bemerkungen peinlich berührt ist, und plötzlich der Zwiespalt zwischen ihr und van der Straaten offenbar wird; von der nächtlichen Liebesszene und dem geheimgehaltenen Verhältnis zwischen Melanie und Rubehn bis zur Flucht. Im zweiten Teil, der die italienische Reise und die Rückkehr nach Berlin umfaßt, verblaßt der gesellschaftliche Hintergrund, der der Handlung bis dahin eine besondere Atmosphäre gegeben hat. Und sie verliert an innerer Spannung, weil der Kampf, den Melanie und Rubehn führen müssen, um sich ein neues Leben aufzubauen, und die Aussöhnung mit der Welt nicht genügend im Seelischen verankert sind.

»Melanie van der Straaten« sollte dieser Roman zuerst heißen, dann erhielt er nach dem berühmten Tintoretto-Bild den symbolischen Titel. Eine offensichtliche Neigung zur Symbolik zieht sich, manchmal belastend, durch die ganze Erzählung. Das Bild des Anfangs wird mit dem Medaillon des Schlusses wieder aufgenommen, immer wieder ertönen Leitmotive aus Wagnerschen Opern, und auch sonst fehlt es nicht an zu gewollter Betonung von Vorausdeutungen, die Fontane später zurückhaltender und dichterisch eindringlicher zu verwenden weiß. Aber großartige Schilderungen, wie das Diner, die Landpartie, die seit »Vor dem Sturm« in allen Fontaneschen Romanen wiederkehrt, das nächtliche Gespräch zwischen den Ehegatten vor der Trennung, die Art, Atmosphäre zu erzeugen, die auch echt Fontanisch ist, die Charakterzeichnung auch der kleineren Chargen und die Kunst der Dialogführung – lassen in diesem frühen Roman die Hand des werdenden großen Romanciers und Menschendarstellers erkennen.

In »Cécile« greift Fontane das Thema der Ehe zwischen einem älteren Mann und einer wesentlich jüngeren Frau wieder auf, packt es aber schon tiefer an der Wurzel an. Der in der Erzählung geschilderte Spaziergang von Thale nach Altenbrak ist eine Wiederholung des Weges, den der Dichter 1884 machte, als er »Cécile« konzipierte, die so prachtvoll aus der Harzlandschaft erwachsen ist, für die Fontane eine besondere Vorliebe hatte. Der zwei Jahre früher erschienene »Schach von Wuthenow« spielte bereits in märkischen Adelskreisen, wandte sich aber noch in die Vergangenheit zurück. »Cécile« ist Fontanes erster Roman aus der Offiziers- und Adelswelt der Gegenwart, er bringt auch eine bis dahin nicht erreichte konsequente Entwicklung innerer Vorgänge und ist darin »L'Adultera« und den vorangegangenen Erzählungen sichtbar überlegen. Die ebenso sicher geführte Handlung ist voller Spannung, die nicht so sehr durch äußeres Geschehen, als durch die dadurch hervorgerufenen seelischen Reflexe erreicht wird. Indem er die tiefsten Regungen der weiblichen Natur aufdeckt, hat Fontane hier, trotz aller Einwendungen gegen die Passivität der bildschönen, von Schwermut und geheimnisvollen Reizen umgebenen Titelheldin, eine seiner unvergänglichen Frauengestalten geschaffen, die man mit Lene Nimptsch (in »Irrungen Wirrungen«), Stine und Effi Briest in eine Reihe stellen darf. Langsam und vorsichtig lüftet er den

Schleier, der das Vorleben der unglücklichen Cécile verhüllt, mit Andeutungen und oftmals hingeworfenen halben Sätzen. Schilderungen, Zwiegespräche und allgemeine Unterhaltungen, die sich in epische Breite zu verlieren scheinen, ergeben stets neue Enthüllungen und werden immer auf das Kernproblem zurückgeführt: Céciles Vergangenheit. Bis Klothildens Brief an ihren Bruder Gordon die lange und kunstvoll zurückgehaltene Lösung bringt.

Wir wissen, welche Rolle der Brief in Fontanes Romanen spielt, welche Bedeutung er ihm im Leben überhaupt zumaß. Hier erhält er eine geradezu schicksalhafte Aufgabe, indem er den Anstoß zu der unvermeidlichen tragischen Entwicklung gibt. Denn der frühere Offizier und jetzige Zivilingenieur Leslie-Gordon ist zwar ein leidenschaftlicher Mensch, aber auch ein schwankender Charakter, in dem der jähe Trotz seiner schottischen Ahnen lebt. Er vermag sich nach den Enthüllungen dieses Briefes nicht über die jugendlichen Verfehlungen eines durch ihre sittenlose Umwelt in Verstrickungen geratenen Mädchens hinwegzusetzen. Er erliegt der gesellschaftlichen Konvention, an die er, wie so manche Männer in Fontanes Liebesromanen, unlöslich gekettet ist. Anstatt daß seine Liebe ihn dazu treibt, der geliebten Frau Schutz und Hilfe zu geben, wird er mißtrauisch, eifersüchtig und taktlos, ohne zu fühlen, daß Céciles ganze Sehnsucht ihm entgegenstrebt. So wird die Katastrophe für ihn und für sie unausbleiblich.

Wenn dieser Roman im Gegensatz zu »L'Adultera« tragisch endet, so darf man daraus keineswegs eine Steigerung der pessimistischen Lebensauffassung bei Fontane ablesen, vielmehr ist es das Zeichen einer tiefen Einsicht in die besonderen dichterischen Notwendigkeiten, wie sie sich hier aus der verhängnisvollen Begegnung nicht für einander geschaffener Menschen ergeben. Melanie erkämpft sich, wie wir feststellen mußten, Freiheit und Erfüllung ihrer Natur mit Hilfe des ihr wahlverwandten Mannes auf einem fast zu leichten Weg. Die Dulderin Cécile hofft sich durch die Liebe eines starken Mannes von ihrer Schuld erlösen zu können. Sie zerbricht an seiner Unzulänglichkeit. Dasselbe Schicksal erfahren Lene und Stine in den sehr bald folgenden Romanen. Man sieht, wie Fontane von hier bis zu »Unwiederbringlich« das Eheproblem gewissermaßen umkreist und absteckt, bevor er mit Effi Briests Leidensweg zur letzten schicksalhaften Vertiefung gelangt.

St. Arnaud, nach Gordons Worten ein »alter Gardeoberst

comme il faut«, setzt Céciles passiver Ichbezogenheit seinen im Grunde kalten und brutalen Egoismus entgegen. Auch er ist stolz auf seine schöne Frau, aber wirkliche Liebe ist ihm fremd. Er war früher selbst ein kühner Abenteurer, aber durch die Verabschiedung ist er verbittert und zum Hasardeur herabgesunken. Nicht um die gekränkte Ehre seiner Frau wieder herzustellen, sondern aus eigener gekränkter Eitelkeit fordert er den Nebenbuhler zum Duell, der seinen Stolz verletzt hat, weil er meint, »über ihn weg sein Spiel spielen zu können. Nicht das Liebesabenteuer als solches weckte seinen Groll gegen Gordon, sondern der Gedanke, daß die Furcht vor *ihm*, dem Manne der Determiniertheiten, nicht abschreckender gewirkt hatte. Gefürchtet zu sein, einzuschüchtern, die Superiorität, die der Mut gibt, in jedem Augenblicke fühlbar zu machen, das war recht eigentlich seine Passion«.

Neben den Hauptpersonen wird auch hier eine große Anzahl ebenso vortrefflich gezeichneter Charaktere aus verschiedenen Ständen aufgeboten, die aber mit dem Geschehen fester verknüpft sind, als es in »L'Adultera« der Fall ist: die Malerin Fräulein Rosa, die Touristen, der alte Emeritus, der Hofprediger, der laszive Geheimrat – sie alle sind in einem farbigen Bild vereinigt, das den Titel trägt: die Berliner Gesellschaft.

Zwischen »L'Adultera« und den *»Poggenpuhls«* liegt ein langer Weg künstlerischer Entwicklung. Was sich in dem ersten Eheroman abzuzeichnen beginnt, verleiht dieser Späterzählung eine besondere Prägung: die Verdichtung der gesellschaftlichen Atmosphäre durch ausgedehnte Kleinmalerei und die fast ausschließliche Verlagerung der Handlung in den lebensprühenden Dialog, der sich drei Jahre später im »Stechlin« zur letzten künstlerischen Höhe steigert.

Ein neuer Stand, der bisher nur durch Randfiguren gekennzeichnet war, tritt jetzt in Erscheinung und wird zum Gegenstand liebevollster dichterischer Schilderung. Aus so gezeichneter Umgebung hebt sich der verarmte Adel heraus mit seinem unerschütterlichen Gefühl für Standestradition und Standesehre, die sich im Schlachtenruhm preußischer Siege bewährt hat. Die beiden jungen Offiziere, der leichtlebige, von ständigen Geldsorgen geplagte Leo und der ehrgeizige künftige Generalstäbler Wendelin, stehen im Mittelpunkt der sorgenden Familie. Aus Liebe für ihre Söhne trägt die alte Majorin klaglos das Schicksal einer mittellosen Offizierswitwe. Die Karriere der Brüder bestimmt das Leben der drei Mädchen. Die adelsstolze Therese knüpft

Verbindungen zu hohen Offiziers- und Beamtenkreisen, Sophie, die zweite, sucht ihre freilich als »unstandesgemäß« empfundenen künstlerischen Talente nutzbar zu machen, während das Nesthäkchen Manon Zugang zu jüdischen Bankierskreisen gefunden hat. Durch eine Einheirat möchte sie ihren geliebten Bruder Leo mit der reichen Flora Bartenstein aller Sorgen entheben. Und schützend über allem steht der in Schlesien ansässige Generals-Onkel Eberhard, dessen Familiensinn und Hilfsbereitschaft nie versagen, wenn Not am Mann ist.

In diesen so gezogenen Kreisen: des armen Adels, des traditionsbewußten Offiziersstandes und der Welt neureicher jüdischer Finanziers verläuft die etwas fragmentarische Handlung, die sich im ersten Teil um den Geburtstag der Majorin konzentriert, im zweiten ziemlich abrupt nach Schlesien verlegt wird. Man hat diesen Bruch wiederholt festgestellt und getadelt. Man hat ihn auf ein Nachlassen der dichterischen Schaffenskraft bei Fontane zurückgeführt, aber er ist damit keineswegs erklärt.

Die Gründerjahre nach dem 70er Krieg hatten für Preußen einen ungeahnten wirtschaftlichen Aufstieg zur Folge gehabt. Der jüdische Bankier trat in den Vordergrund, er suchte Anschluß an die aristokratische Welt, diese wiederum wurde von dem Geld der Neureichen angezogen. Ehen zwischen armen adligen Offizieren und Kommerzienratstöchtern waren keine Seltenheit. Manon sieht diesen Weg für Leo vor sich. Daneben tritt der Typ des pensionierten hohen Offiziers und frei konservativen Agrariers, den Onkel Eberhard darstellt. Verschiedene Welten, innerlich geschieden und doch unter dem Zwang gesellschaftlicher Umschichtung zueinander strebend.

Standestradition allein bietet keinen sicheren Halt mehr. Nach Onkel Eberhards Tod finden sich die beiden dem Bürgertum entstammenden und erst durch ihre Heirat adlig gewordenen Frauen, die Generalin und die Majorin, zusammen. Die Familie der Majorin, die in ihren Grundfesten wankt, wie das Bild des »Hochkirchers« an der Wand wackelt, wenn die alte Friederike es beim Staubwischen zu heftig anrührt, wird durch die hochherzige Generalin wieder auf sicheren Boden gestellt. Thereses Adelsstolz wird durch die demütigen Worte der vom Leben hart angefaßten Mutter erschüttert. Manons offenes Herz bleibt ihrer jüdischen Freundin trotz der neuen Situation weiterhin zugetan. Und die »unstandesgemäße« Sophie, die ein gutes Schicksal aus der beengten Berliner Atmosphäre in die Freiheit des schlesischen Gutes geführt hat, steht als Trägerin einer weltoffenen Lebensanschauung da, der nicht ererbter Adel und nicht Geld, sondern der wirkliche Mensch als höchste Daseinserfüllung gilt. Deshalb darf sie im zweiten Teil des Romans in den Vordergrund treten. Gesinnung und Tüchtigkeit sind die Kennzeichen eines neuen Adels, dem nach Fontanes prophetischen Worten im »Stechlin« die Zukunft gehört. Indem die »Poggenpuhls« ein Bild der Berliner Gesellschaft entwerfen und sich dann in die Freiheit der schlesischen Natur begeben, erheben sie sich zu einer Absage an falsche Traditionsgebundenheit. Mit der Durchbrechung des Aufbaus, die nicht wegzuleugnen ist, hat sich der Dichter aus ethisch-künstlerischem Erleben heraus die zwei Kreise geschaffen, in denen »das Spiel um den Menschen« abrollen kann, um alle Stände zu *einer* Welt zu verbinden.

Man muß den Schluß des Romans und besonders die Gespräche zwischen der Generalin und der Majorin und der Mutter mit ihren Töchtern genau in Betracht ziehen, um hinter der lockeren Handlungsführung den symbolischen Gehalt zu erkennen, der sich wesentlich von der Bildsymbolik in »L'Adultera« unterscheidet. Dort noch ein von außen gesehenes und nach außen wirkendes Zuviel, hier bei aller minuziösen Zustandsschilderung knappste stilistische Formung. Auf dieser Berliner Gesellschaft ruht das Auge eines weisen Weltbetrachters, der sich vom Realen ablöst. Die »Poggenpuhls« öffnen das Tor zum »Stechlin«, der letzten großen Bekenntnisdichtung des alten Fontane: von der Freiheit des Menschen.

Edgar Groß

Alle hier genannten Romane von Th. Fontane: »Vor dem Sturm«, »Grete Minde«, »Irrungen Wirrungen«, »Stine«, »Unwiederbringlich«, »Effi Briest«, »Frau Jenny Treibel«, »Der Stechlin« liegen in Neuausgaben der Nymphenburger Verlagshandlung, München, vor.

ANMERKUNGEN

L'ADULTERA
*Entstehungszeit 1879/80. — Vorabdruck in »Nord und Süd«, Bd. 13,
S. 299—349 und Bd. 14, S. 47—93. — Erstausgabe 1882.*

Titel: *L'Adultera:* ital. = die Ehebrecherin, Ton auf dem u.

S. 7 *alteriert:* lat. = geändert. — *Allüren:* frz. = Benehmen. — *Observanz:* lat. = Betrachtungsweise. — *Konventikler:* lat. = Sektierer. — *»O rühret...«:* aus Emanuel Geibels (1815—84) Lied »Wo still ein Herz von Liebe glüht« (1840).

S. 8 *Bonmot:* frz. = treffendes Witzwort. — *Repartis:* frz. = Entgegnungen. — *Gutzkowschen Vanderstraaten:* der reiche jüdische Handelsherr Manasse Vanderstraaten im Trauerspiel »Uriel Acosta« (1848) von Karl Gutzkow (1811—78). Vgl. dazu F's Brief an Maximilian Ludwig vom 29. 4. 1873. — *Honneurs:* frz. = Höflichkeiten beim Empfang. — *Debets:* lat. = Schulden.

S. 9 *suspekten:* lat. = verdächtigen. — *hochpaneelierten:* niederld. =hochgetäfelten. — *Subskriptionsball:* Teilnahme nur nach vorherigem Eintrag eines größeren Geldbetrags in eine Liste (Subskription). — *Tort:* frz. = Kränkung.

S. 10 *sakrosankt:* lat. = unantastbar. — *Ambassaden:* frz. = Gesandtschaften. — *Kanevas:* frz. = gitterartiges Gewebe für Stickereien.

S. 11 *persiflieren:* frz. = geistvoll verspotten. — *Kollo:* ital. = Ballen. — *Simson:* der starke Hebräer (Altes Test., Richter 13 bis 16). — *Wieland der Schmied:* Gestalt in der altgermanischen Heldensage. — *›Meister‹:* gemeint ist Richard Wagner (1813 bis 1883).

S. 12 *perorierte:* lat. = mit Nachdruck sprach. — *Tintoretto:* Jacopo Robusti (1518—94), genannt Tintoretto, venezianischer Maler der Spätrenaissance. »Die Ehebrecherin vor Christus« ist eines seiner frühen Gemälde. — *»Wer unter euch...«:* vgl. Johannes-Evangelium, Kap. 8.

S. 13 *medisieren:* frz. = lästern. — *Suboff:* die Grafen Nikolaus und Valerian Subow gehörten wie Fürst Plato Subow, der Geliebte der Kaiserin Katharina, der Offiziersverschwörung gegen den Despoten Paul I. (1754—1801) an. Sie ermordeten den Zaren am 23. 3. 1801 um 23 Uhr. — *König Ezel:* Hunnenkönig in der Nibelungensage (Etzel).

S. 14 *Memento mori:* lat. = denke an den Tod. — *Kapuziner:* 1525 gegründeter Zweig des Franziskanerordens. Strenge Regel. — *trivialsten:* lat. = alltäglichsten.

S. 15 *c'est tout:* frz. = das ist alles. — *Dänenprinz:* Anspielung auf den Monolog »Sein oder Nichtsein« in Shakespeares »Hamlet«, III, 1. — *›gestrengen Herren‹:* die Eisheiligen Mitte Mai.

S. 16 *Courtoisien:* frz. = Ritterlichkeiten. — *Revers:* frz. = Kehrseite.

S. *17* *exquisiten:* lat. = auserlesenen. — *»Eh bien... Faisons le jeu ...«:* »Nun gut ... machen wir das Spiel.« — *Konspirationen:* lat. = Verschwörungen.

S. *18* *Accent grave:* frz. = schwere Lautbetonung. — *suspekt:* lat. = verdächtig. — *zwölf Söhne Jakobs:* Altes Testament, Buch Mose, 29 ff.; hier auch Anspielung auf die jüdische Abstammung Rubehns. — *Rubens:* Peter Paul R. (1577—1640), der große niederld. Maler. — *Krugs Garten:* Berliner Etablissement am Lützowplatz. — *Distinguiertes:* frz. = Vornehmes.

S. *19* *Chartres und Proupry:* Kampforte im Dezember 1870. — *›Die Mohrenwäsche‹:* Bild von Karl Joseph Begas (1794—1854), um 1845 entstanden (Ein kleines Mädchen versucht, mit einem Schwamm eine Negerin abzuwaschen.). — *Simplizitas:* lat. = Einfalt.

S. *21* *Beresina:* schwerste Angriffe der Russen auf das napoleonische Heer, das sich flüchtend auf die Beresina-Brücke drängte (26. 11. 1812). — *sein großer Chef:* der preußische Generalstabschef und Generalfeldmarschall Helmuth Graf von Moltke (1800—1891). — *Negationsrat:* lat. = Verneinungsrat. — *Koloniefranzosen:* Angehöriger der frz. »Kolonie« in Berlin. — *Analogie:* griech. = Ähnlichkeit. — *Duquesne:* Abraham Marquis D. (1610 bis 1688), frz. Seeheld unter Ludwig XIV. — *excellierte:* lat. = glänzte.

S. *22* *Entree:* frz. = Vorraum.

S. *23* *»Hochzeit zu Cana«:* Gemälde des ital. Malers Paolo Veronese (1528—88). — *Makrelen:* schmackhafter Fisch aus verschiedenen Meeren. — *Cöllnischen Fischmarkt:* Cölln gegenüber von Alt-Berlin, an der Spree gelegen. — *Tells Geschoß:* vgl. Schiller, Wilhelm Tell, IV, 3.

S. *24* *Montefiascone:* ital. Muskatellerwein aus Montefiascone bei Viterbo. — *Benedettihaftes:* Vincent Graf B. (1817—1900), frz. Botschafter in Berlin, überbrachte König Wilhelm in Bad Ems die frz. Forderungen. Bismarck erwiderte darauf mit der berühmten »Emser Depesche«, die den Siebziger-Krieg zur Folge hatte.

S. *25* *den Fürsten... Doppelschatz:* Bismarck hatte zahlreiche Schenkungen erhalten. — *Monstregeschütz:* aus der Firma Krupp (46 cm). — *Hazardieren:* frz. = alles aufs Spiel setzen. — *doublierte:* frz. = verdoppelte. — *triplierte:* frz. = verdreifachte. — *six-la-va:* frz. = sechs gilt (beim Würfelspiel). — *dessen pikante Schlußwendung:* die zum Kaiser und Papst aufgestiegene arme Fischersfrau wird wegen ihres vermessenen Wunsches, Gott zu sein, wieder in ihre armselige Hütte zurückversetzt. Die Schlußwendung lautet: »Ga man hen, se sitt all weder in'n Pißputt.« — *Emphase:* griech. = Nachdruck. — *stupendes:* lat. = erstaunliches. — *Plagiatorisches:* griech. = von der Art eines geistigen Diebstahls.

S. *26* *Exmittierung:* lat. = Ausschließung. — *Ekrasierung:* lat. = Zermalmung. — *Einer ihm feindlichen Partei:* die Fortschrittspartei (vgl. Brief F's an Georg Friedlaender vom 26. 1. 1887). — *Dschingiskhanartiges:* Dschingis-Chan (1155—1227), Begründer des großen mongolischen Reiches.

S. 27 *Glücks-Tempelherrn:* vgl. Lessings dramatisches Gedicht »Nathan der Weise«. — *Jesuiten aus dem Lande geschafft hat:* die Jesuitenniederlassungen in Deutschland wurden 1872 durch Reichsgesetz aufgelöst und verboten. — *Die Bösen sind wir los:* Mephisto in Goethes »Faust I.«, Hexenküche, Vers 2517, genau: »Den Bösen sind wir los, die Bösen sind geblieben.« — *Murillo:* Bartolomé Estéban M. (1617—82), der große span. Maler. — *A la bonne heure:* frz. = vortrefflich. — *Immaculatas und Conceptiones:* lat. = unbefleckte Empfängnisse und Empfängnisse, z. B. das berühmte Gemälde »Die unbefleckte Empfängnis« (1668 und öfter gemalt) und die »Concepión Soult« (Heilige Empfängnis) von 1678. — *magnifique:* frz. = großartig.

S. 28 *Diversion:* lat. = Ablenkung. — *Tizianischen:* gemeint sind wohl folgende Gemälde des ital. Malers Tizian Vecelli (1477 bis 1576): Mariä Himmelfahrt (1518, Venedig), Die Pesaromadonna (1526, dto.), Mariä Tempelgang (1538, dto.). — *Pomuchelskopf:* nddt. = Kartoffelkopf, vgl. Herrn von Pomuchelskopp in Fritz Reuters Roman »Ut mine Stromtid« (1862/64). — *Allons enfant:* frz. = Vorwärts Kinder (Anfang der Marseillaise). — *Mouet:* Champagner. — *Roller:* vgl. Schillers »Räuber«, III, 2. — *Tizian ... Venus:* vgl. die Gemälde »Das Venusfest« (1818, Madrid), Venus von Urbino (1538, Florenz), Venus mit Amor (1545, dto.), Venus und Adonis (1554, Madrid). — *Renommage:* frz. = Angeberei. — *superbe:* frz. = köstlich.

S. 29 *Suum cuique:* lat. = jedem das Seine. — *debütierte:* frz. = auftrat. — *Orakulosen und Mirakulosen:* lat. = Zeichen- und Wunderdingen.

S. 30 *Casta diva:* lat. = die keusche Göttliche (Mondgöttin Luna). — *Voggenhuber:* Vilma von V. — Krolop, dramat. Sopranistin, vor allem Wagner-Partien, seit 1868 an der Berliner Hofoper. — *Permission:* lat. = Erlaubnis.

S. 31 *Kupierungen:* frz. = Abschneidungen. — *Kupons:* frz. = Zinsabschnitte. — *inferiores:* lat. = untergeordnetes. — *reprimandieren:* lat. = tadeln. — *»Friede sei ihr erst Geläute«:* Schlußvers von Schillers »Lied von der Glocke«. — *Lacrimae Christi:* lat. = Christustränen, feuriger Wein von den Hängen des Vesuv. — *Gold ist nur Chimäre ... überwundenen Oper ... Nonnen, die tanzen:* gemeint ist die Oper »Robert der Teufel« (1831) von Giacomo Meyerbeer (1791—1864) mit Text von Eugène Scribe und Charles Delavigne. In der Balletszene »Die Auferstehung der Nonnen« werden die Geister der in »sündiger Lust« verstorbenen Nonnen beschworen; nachdem die grauen Hüllen gefallen sind, vereinen sich die verführerischen Frauen zu einem bacchantischen Tanz.

S. 32 *Filettuch:* frz. filet = Netz. — *Fritz Reuterschen Gegenden:* der plattdeutsche Mundartdichter Fritz Reuter (1810—74) stammte aus Stavenhagen.

S. 33 *Präliminarien:* lat. = Vorverhandlungen. — *des Eckfensters:* das historische Eckfenster im Palais Kaiser Wilhelms I. Unter den Linden, von wo aus er das Volk zu begrüßen pflegte.

S. 34 *ma chère:* frz. = meine Liebe.

S. 35   *Siegesdenkmal:* die 1873 eingeweihte Siegessäule von Strack stand früher auf dem Königsplatz im Tiergarten. — *der ›Große Mann‹:* Bismarck.

S. 36   *Erlkönig:* Ballade von Goethe. — *Air:* frz. = Ansehen. — *Mesalliance:* frz. = Mißheirat. — *Stoffel:* Eugène George Henri Celeste Baron de St. (1823–1907) schrieb 1870/71 einen »Militärischen Bericht, geschrieben in Berlin« (Rapport militaire, écrit de Berlin). — *Courmacher:* frz. = Hofmacher.

S. 37   *konsolidierte:* lat. = feste, gefestigte. — *Fonds:* frz. = zweckbestimmte Geldmittel.

S. 38   *Dames d'honneur:* frz. = Ehrendamen.

S. 39   *Cramerschen Klavierschule:* gemeint sind die »84 Studien« (1834 als 5. Teil der »Großen Pianoforteschule«) und die »Schule der Fingerfertigkeit« des Klaviervirtuosen und Komponisten Johann Baptist Cramer (1771–1858). — *Bosketts:* frz. = Gebüsche. — *Aloen:* griech. = staudige Liliengewächsgattung mit fleischigen, dornigen Blättern. — *jaloux:* frz. = eifersüchtig.

S. 40   *»Mais à la guerre…«:* frz. = aber im Kriege ist es wie im Kriege.

S. 42   *»Wotans Abschied«:* aus der Oper »Die Walküre« von Richard Wagner.

S. 43   *Pontarlier:* frz. Ort an der Schweizer Grenze, in dem am 1. 2. 1871 Gefechte zwischen preuß. Truppen unter General Manteuffel und frz. unter General Clinchant stattfanden. — *Montecchi…:* Montague und Capulet heißen die feindlichen Familien in Shakespeares »Romeo und Julia«. — *tout à fait:* frz. = ganz und gar. — *jener kleinen Gemeinde:* die Wagnerianer. — *Au revoir:* frz. = auf Wiedersehen.

S. 45   *Medisieren:* frz. = Lästern. — *Comptoir:* frz. = Handelsbüro. — *Stralauer Fischzug:* Volksfest, das bis 1892 am 24. August stattfand. — *proponier ich:* frz. = schlag ich vor.

S. 46   *Crayon:* frz. = Bleistift.

S. 47   *insinuieren:* lat. = einschmeicheln. — *avertieren:* frz. = benachrichtigen. — *konfidentiell:* lat. = vertraulich. — *O lieb Vaterland…:* aus dem Lied »Die Wacht am Rhein« (1840) von Max Schneckenburger (1819–49).

S. 48   *»Wir satteln nur um Mitternacht«:* aus der Ballade »Lenore« (1773) von Gottlob August Bürger (1747–94). — *konvulsivisch:* lat. = krampfhaft. — *Trakehnern:* Pferde aus dem in Ostpreußen gelegenen ehemals königlichen Hauptgestüt Trakehnen, 1732 unter Friedrich Wilhelm I. angelegt. — *Shiphotel:* engl. = Schiffshotel. — *Cicerone:* lat. = Reiseführer.

S. 49   *monsieurherkulesartig:* »Monsieur Herkules« (1863), Posse von Georg Belly; die Titelfigur ist ein Akrobat. — *intrikaten:* lat. = heiklen.

S. 50   *Tete:* frz. = Spitze. — *Ranunkel:* Hahnenfuß. — *Attention:* frz. = Achtung. — *»Schapp«:* nddt. = Schrank mit Doppeltür. — *Dominien:* lat. = Herrschaftsgebiete.

S. 51   *à tout prix:* frz. = um jeden Preis. — *Santa Maria Saluta:* die Kuppelkirche Santa Maria della Salute in Venedig. — *Salute:* ital. = Heil. — *prätendiere:* lat. = erhebe den Anspruch.

S. 52 *Sprachen-Kardinal:* Guiseppe Mezzofanti (1774—1849), seit 1838 Kardinal, soll angeblich 12 Sprachen gesprochen haben. — *salus:* lat. = Heil.

S. 53 *Kanaan . . . Kaleb:* Altes Testament, 4. Buch Mose, Kap. 13. — *kein Geld, keine Schweizer:* frz. = Point d'argent, point de Suisse, als geflügeltes Wort bereits 1720 bekannt. Bezieht sich auf die Schweizer Söldner, die sich nur gegen erhaltene Bezahlung zum Dienst verpflichteten. — *Leander:* durchschwamm der Sage nach den Hellespont zwischen Griechenland und Kleinasien, um zu seiner Geliebten Hero zu gelangen (vgl. das Trauerspiel »Des Meeres und der Liebe Wellen« von Franz Grillparzer). Der engl. Berufsschwimmer des 19. Jhdts. Kapitän Boyton wiederholte diese Schwimmleistung, wie übrigens auch der engl. Dichter Lord Byron (am 3. 5. 1810). — *Heine:* Heinrich Heine (1797—1856).

S. 54 *Adorante:* ital. = Anbeter. — *enfin:* frz. = schließlich. — *Expektoration:* lat. = Betrachtung. — *Replik:* lat. = Erwiderung. — *Debüt:* frz. = erstes Auftreten.

S. 55 *katilinarische Verschwörung:* Lucius Sergius Catilina (um 108 bis 62 v. Chr.), Haupt der nach ihm benannten Verschwörung gegen Cicero (63 v. Chr.) in Rom (vgl. Sallust »De conjuratione Catilinae«).

S. 56 *Triumphzug des Germanicus . . . Thusnelda . . . Piloty . . . Thumelicus:* die Gemahlin des Cheruskerfürsten Arminius, Thusnelda, wurde 17 n. Chr. mit ihrem Söhnchen Thumelicus von dem römischen Feldherrn Germanicus (4. v. Chr. — 19. n. Chr.) gefangengenommen und in Rom im Triumphzug aufgeführt. Gemälde des Historienmalers Karl von Piloty (1826—86). — *Aber sei weiß wie Schnee:* vgl. Shakespeares »Hamlet«, III, 1 (» . . . sei so keusch wie Eis, so rein wie Schnee, du wirst der Verleumdung nicht entgehn.«). — *Kallipygos:* griech. = Venus Kallipygos, Beiname der Aphrodite für Statuen, die nach hinten blicken. — *Kallipygos-Epigramm:* Zweizeiler von Paul Heyse (1830—1914) in »Verse aus Italien« (1880). Epigramm ist ein kurzes geistreiches Gedicht mit bestimmter Tendenz.

S. 57 *Distichon:* griech. = Strophe aus zwei verschiedenen Versen, meist Hexameter (sechstaktig) und Pentameter (fünftaktig). — *Aspirationen:* lat. = Bestrebungen. — *Prätensionen:* lat. = Ansprüche. — *Eierhäuschen:* beliebtes Ausflugslokal an der Oberspree (vgl. »Wanderungen durch die Mark Brandenburg«, Bd. Spreeland).

S. 59 *Long, long ago:* engl. = Lang, lang ist's her; Volkslied von Thomas Haynes Bayly (1797—1839).

S. 60 *O säh ich . . .:* volkstümliches Lied von dem schottischen Dichter Robert Burns (1759—96), Komposition von Felix Mendelssohn-Bartholdy (1809—47).

S. 61 *Rothtraut, Schön-Rothtraut:* »Rohtraut, Schön-Rohtraut« (1838), Ballade von Eduard Mörike (1804—1875), Vertonungen von Kauffmann, Robert Schumann und Hugo Wolf.

S. 62 *Enquête:* frz. = Verhör. — *Diffiziles:* lat. = Schwieriges.

S. 63 *au fond:* frz. = im Grunde. — *kondensiert:* lat = verdichtet. — *Ruben:* der älteste Sohn Jakobs, aus der Ehe mit Lea (1. Buch

Mose, Kap. 29 ff.). — *Mesquinerie:* frz. = Kleinlichkeit. — *sechs Halblegitimen:* Söhne Jakobs von den Sklavinnen Bilha und Silpa. — *ägyptische Exzellenz:* Joseph. — *enfant terrible:* frz. = schreckliches Kind. — *der Jüngste:* Benjamin. — *Grognards:* frz. = Brummbären. — *Meriten:* lat. = Verdienste.

S. 64 *Refus:* lat. = abschlägige Antwort. — *Eh bien:* frz. = nun wohl. — *Gig:* engl. (von isld. gigjy/Fiedel) = leichtes Gefährt.

S. 65 *au sein de sa famille:* frz. = im Schoß der Familie. — *divertieren:* lat. = unterhalten. — *ziepsig:* voller Fäden. — *Stiltonkäse:* kräftiger engl. Käse, meist aus Leicestershire.

S. 66 *Exkursen:* lat. = Ausführungen.

S. 67 *opulenter:* lat. = reichlicher. — *Orchard:* engl. = Obstgarten. — *Veloziped:* lat. = Fahrrad.

S. 68 *Gärten in Kew:* berühmter botanischer Garten in Kew bei London.

S. 69 *ins mittelste Zelt:* die »Zelte« waren ein bekanntes Vergnügungslokal am Tiergarten.

S. 71 *Thuja:* Lebensbaum (Thuya).

S. 72 *Drakäen:* lat. dracaena = Drachenpalme, baumartige Lilienazaleen.

S. 73 *Man wandelt nicht ungestraft unter Palmen:* aus Goethes Roman »Die Wahlverwandtschaften«, 2. Teil, Kap. 7.

S. 74 *Etablierung:* frz. = Einrichtung.

S. 75 *Reunions:* frz. = Zusammenkünfte. — *Potenzierung:* lat. = Verstärkung.

S. 76 *Konfidenten:* lat. = Vertrauten. — *soupçonösen:* frz. = mißtrauischen.

S. 79 *née de:* frz. = geborene von. — *Madame est...:* frz. = Madame ist Französin... Ach unser schönes Frankreich. — *Schubertschen Liede:* »Der Wanderer« (1816) nach einem Gedicht von Georg Philipp Schmidt (1766—1849).

S. 80 *Superbes:* frz. = Prachtvolles. — *enragierter:* frz. = begeisterter. — *Steeplechase:* engl. = Kirchturmrennen (Hindernisrennen). — *kräpscher:* streitlustiger. — *Libertin:* frz. = leichtsinniger Mensch. — *ridikül:* frz. = lächerlich.

S. 81 *Pincenez:* frz. = Zwicker. — *Mouchy... Beauffremont:* alte frz. Adelgeschlechter (Beaufremont). — *un teint de lys...:* frz. = eine Haut wie Lilien und Rosen, und ganz und gar vornehm. — *mon cher:* frz. = mein Lieber. — *Beauté:* frz. = Schönheit.

S. 85 *kajolierte:* frz. = liebkoste. — *Singuhr... ›Üb immer Treu und Redlichkeit‹:* die von Fontane oft erwähnte Singuhr, ein Glockenspiel auf dem Turm der Berliner Parochialkirche. Sie spielte den obengenannten Vers aus dem Lied »Der alte Landmann an seinen Sohn« (1779) von Ludwig Hölty (1748—76) nach der Melodie der Papageno-Arie »Ein Mädchen oder Weibchen« aus Mozarts »Zauberflöte«.

S. 87 *Hazardeurs:* frz. = Glücksritter. — *enfin:* frz. = schließlich. — *Leone Leoni:* ital. Bildhauer und Erzgießer (1509—90), auch Titelfigur eines Romans (1835) der frz. Dichterin George Sand (1804—76). — *»Gottes Mühlen...«:* aus Friedrich von Logaus (1604—55) »Sinngedichten«.

S. 88 *Abstraktion:* lat. = Herkunft. — *Regards:* engl. = Rücksichten. — *Ezechiel:* Prophet des Alten Testaments. — *als Adam grub:* seit 1493 gedrucktes Sprichwort. — *dreidoppelte Geheimnisse von Paris:* gemeint ist der Roman des frz. Schriftstellers Eugène Sue (1804—57) »Les Mystères de Paris« (1842/43, dt. = Die Geheimnisse von Paris). — *die reinen Lämmchen, weiß wie Schnee:* Anspielung auf das Gedicht »Ein junges Lämmchen, weiß wie Schnee« von Julius Bertuch (1747—1822) in seinen »Wiegenliedern« (1772).

S. 93 *Perron:* frz. = Bahnsteig. — *Reverend:* lat. = hochwürdig; Titel der Geistlichen in England.

S. 95 *wo Kaiser Max begraben liegt:* das Bronzegrabmal des Kaisers Maximilian I. (1459—1518) von Peter Vischer d. Ä. (1460 bis 1529) steht in der Franziskaner- oder Hofkirche in Innsbruck. Der Kaiser liegt in Wiener Neustadt begraben. Der österr. Dichter und Politiker Anastasius Grün (Anton Alexander Graf zu Auersperg, 1806—76) feierte ihn in seinem Romanzyklus »Der letzte Ritter« (1830). Die Sage, wonach Kaiser M. sich in der Martinswand bei Zirl am Inn verirrte und durch sein Gebet nahe am Abgrund von einem Engel errettet wurde, ist durch Dichtung und Malerei bekannt (Gemälde von G. Ad. Cloß). — *Andreas Hofer:* das Grab des Tiroler Freiheitskämpfers (1767—1810) befindet sich in der Hofkirche zu Innsbruck.

S. 96 *Rialto:* berühmte Brücke in Venedig.

S. 98 *Tale »zwischen den Seen«:* das Bödeli-Tal mit dem Ort Interlaken. — *Rousseauinsel:* im Berliner Tiergarten.

S. 100 *Rigorismus:* lat. = Strenge.

S. 102 *Devotion:* lat. = Ergebenheit. — *mais il faut payer...:* frz. = wir müssen für alles bezahlen, und doppelt für unser Glück.

S. 103 *Species:* lat. = Art. — *Attachement:* frz. = Anhänglichkeit. — *c'est mon metier:* frz. = das ist mein Beruf. — *›Die Fackeln des Nero‹:* »Die lebenden Fackeln des Nero« (Krakau 1876), dekoratives Gemälde von dem polnischen Maler Henri Siemiradzki (1843—1902), das die Verbrennung lebender, in Pech gewickelter Christen vor dem römischen Kaiser Nero (37 bis 68 n. Chr.) darstellt.

S. 104 *Disposition:* lat. = Gliederung. — *diffizil:* lat. = schwierig.

S. 105 *Druväpfel:* gelbrote Traubenäpfel. — *de haut an bas:* frz. = von oben herab. — *»Mit meinem Mantel vor dem Sturm beschütz' ich dich...«:* 3. und 4. Zeile des unter Anm. zu S. 60 zitierten Liedes von Robert Burns. — *cheer up, deer:* engl. = Kopf hoch, Liebe.

S. 106 *›it is a nine days wonder‹:* engl. = es ist ein Neun-Tage-Wunder.

S. 107 *»Wer nie sein Brot mit Tränen aß«:* Gesang des Harfners in Goethes Roman »Wilhelm Meisters Lehrjahre«, vertont von Robert Schumann (1810—56).

S. 112 *embarras de richesse:* frz. = Verwirrung durch Überfluß.

S. 113 *a shadow of a shadow:* engl. = ein Schatten eines Schattens. — *metteurs en scène:* frz. = Regisseure.

S. 114 *Großinquisitor:* Ketzerrichter. — *genferischen Schlages... Servet verbrannte:* in Genf setzte der Reformator Johannes Calvin (1509—64) die nach ihm benannte Religionslehre (Calvinismus) mit größter Härte durch. Der Arzt und Theosoph Michael Servet (1511—53) wurde auf sein Betreiben am 27. 10. 1553 in Genf verbrannt. — *perhorresziere:* lat. = verabscheue.

S. *118* King-Charles-Hündchen: nach dem engl. König Karl II. (1660 bis 85) benannter, schwarzroter, glatthaariger Zwergterrier.

S. *119* Vertiko: Zierschrank. — *Enquête:* frz. = Verhör.

S. *120* Trumeau: frz. = Pfeilerspiegel. — *Toussaint-L'Ouverture:* 1743—1803, zuerst Sklave, dann Anführer eines Negeraufstands auf Haiti, bekannter Autodidakt. — *Toussaint-Langenscheidt:* bekannte Lehrmethode zum Selbststudium nach dem Berliner Sprachgelehrten Gustav L. (1832—1895) und dem frz. Sprachlehrer Charles T. (gest. 1877). — *Reputation:* lat. = Ansehen.

S. *121* Steuerdefraudanten: frz. = Steuerbetrüger.

S. *122* Nemesis: griech. = Göttin der strafd. Gerechtigkeit — *Indignation:* lat. = Entrüstung. — *Inséparables:* frz. = Unzertrennlichen. — *Esoterischer:* griech. = Esoteriker, in der Mystik und Theosophie die Eingeweihten im Gegensatz zu den Uneingeweihten Exoterikern (Außenstehenden). — *Wahlverwandtschaften:* in der Chemie der Begriff von der Anziehung artverwandter Stoffe; in Goethes Roman »Die Wahlverwandtschaften« auf das menschliche Leben übertragen.

S. *124* Julklapp: Weihnachtsgeschenk. — *Ah, voilà:* frz. = Ach, sieh her. — *en miniature:* frz. = in Kleinformat. — *King Ezel ...:* engl. = König Etzel in seinem ganzen Glanz. — *Berlocke:* Uhranhänger.

CÉCILE

Entstehungszeit 1884/85. — Vorabdruck in »Universum« 1886, S. 1 ff. Erstausgabe 1887.

S. *129* Thale: beliebte Sommerfrische im Harz, von Fontane mehrfach besucht (vgl. Briefe). — *Kompartiments:* frz. = Abteile. — *kupieren:* lat. = abschneiden, hier = entwerten der Billets.

S. *130* Lisière: frz. = Rand, Grenze. — *M.H.A.:* Magdeburgisch-Halberstädter-Eisenbahngesellschaft.

S. *131* Hotel Zehnpfund: weitbekanntes Hotel, in dem auch Fontane gewohnt hat. — *Table d'hôte:* frz. = Gemeinschaftstafel. — *à la Princesse:* frz. = wie eine Prinzessin.

S. *133* Cicerone: ital. = Fremdenführer.

S. *134* Chenille: frz. chenille = Raupe; eine bandartig gedrehte und aufgefaserte Schnur mit raupenartigem Aussehen aus Samt, Seide oder Wolle. — *distinguierte:* frz. = vornehme. — *Devotion:* lat. = Ergebenheit.

S. *135* à part: frz. = für sich. — *St. Denis:* der Ort wurde am 29. 1. 1870 von Deutschen erobert. — *Karotis:* lat. = große Halsschlagader. — *»Franz«:* das Berliner Regiment Kaiser Franz, bei dem Fontane diente (vgl. Fontane, Von Zwanzig bis Dreißig). — *»Maikäfern«:* die Soldaten des 4. Gardefüsilierregiments in Berlin wurden im Volksmund üblicherweise

Maikäfer genannt. — *»Cerf«:* frz. = Hirsch (Gasthof). — *Fortschritte der Russen in Turkmenien:* bei der Unterwerfung der beiden bedeutendsten turkmenischen Stämme, der Achal-Teke und Merw-Teke (1881—84) am Kaspischen Meer im Zuge der Ausdehnung der russ. Grenzen in Mittelasien. — *Bosketts:* frz. = Gebüsche.

S. 136 *comme il faut:* frz. = wie es sich gehört. — *›Sacrécœur‹:* frz. = zum Heiligen Herzen.

S. 137 *Schweppermann aber zwei:* einer Anekdote zufolge soll Kaiser Ludwig der Bayer diesen Ausspruch nach der Schlacht von Mühldorf am 28. 9. 1322 zu Ehren des Nürnberger Feldhauptmanns Seyfried Schweppermann getan haben, als beim abendlichen Mahl an der kaiserlichen Tafel die Eier knapp waren. — *Tivoli . . . Kuhnheimsche Fabrik:* damals vielbesuchter Vorort von Berlin mit Vergnügungsrestaurants.

S. 138 *Schmook:* verräucherte Luft. — *par excellence:* frz. = mit Auszeichnung.

S. 139 *Emeritus:* (lat.) hier = Geistlicher im Ruhestand. — *Rabulisten:* frz. = Rechtsverdreher.

S. 140 *Hautesaison:* frz. = Hauptbetriebszeit. — *Korona:* lat = Kranz. — *Ragoût fin en coquille:* frz. = feines Fleischgericht in Muscheln. — *»States«:* engl. = Die Vereinigten Staaten von Amerika.

S. 141 *Panachee:* gemischtes Eis.

S. 142 *enragiert:* frz. = begeistert. — *»Gordon-Leslie!«* . . . *Oberst Buttler:* Gordon ist der Kommandant von Eger und Oberst Buttler der Chef eines Dragonerregiments in Schillers »Wallenstein«; Buttler leitet die Aktion, die zur Ermordung Wallensteins führt.

S. 143 *»Reminiszenz aus ›Lederstrumpf‹«:* Rückerinnerung an den Trapper Lederstrumpf, die Titelgestalt des berühmten Indianerromans in 5 Teilen (1823—41) des amerikanischen Schriftstellers James Fenimore Cooper (1789—1851).

S. 144 *Table d' hôte:* s. o. — *pittoresken:* ital. = malerischen.

S. 145 *Was du tun willst, tue bald:* vgl. Johannes, 13,27 (Jesus zu Judas: »Was du tust, das tue bald«).

S. 146 *intrikate:* lat. = verwickelte. — *Rosa Malheur:* frz. malheur = Unglück. Anspielung auf die frz. Tiermalerin Rosa Bonheur (= Glück), 1822–1899.

S. 147 *Askanier:* dt. Fürstenhaus, ursprünglich als Grafen von Ballenstedt im Ostharz ansässig, nannten sich seit etwa 1100 Grafen von Askanien nach einer Burg bei Aschersleben. — *Albrecht der Bär:* um 1100 — 70, wurde nach Kämpfen mit den Welfen um das Herzogtum Sachsen 1134 Markgraf der Nordmark (Altmark) und eroberte 1136—57 im Kampf mit den Welfen die Priegnitz. Er erwarb durch Vertrag mit dem Wendenfürsten Prbislaw die Mark Brandenburg (Markgraf seit 1144), die er mit Deutschen besiedelte.

S. 139 *Urnenbuddler:* ironische Anspielung F's auf einen gewissen aufgesteiften Gelehrtentypus (hier Archäologe), vgl. dazu eine Stellungnahme in dem Brief F's an seinen Sohn Theodor vom 8. 9. 1887: »Als ich an ›Cécile‹ arbeitete, begegneten mir allerhand Ödheiten in den Berliner und brandenburgischen Geschichtsvereinen, und weil diese Lederheiten zugleich sehr anspruchsvoll auftraten, beschloß ich, solche Gelehrtenkarikatur abzukonterfeien.«

S. 147 *Waldemar der Große:* der vorletzte Markgraf aus askanischem Geschlecht (1281—1319); unter seiner Herrschaft Blütezeit der Mark. — *Otto mit dem Pfeil:* ... *Heilwig* ... *Schatz in Angermünde:* Otto mit dem Pfeil (1266—1309), auch als Minnesänger bekannt, wurde in einer Fehde gegen den Erzbischof von Magdeburg 1287 bei Frose gefangen. Mit dem in der Tangermünder St. Stephanskirche aufbewahrten Schatz (4000 Pfd. Silber) wurde er durch seine Gemahlin Heilwig und den ihm getreuen Ritter Joh. v. Buch ausgelöst. Die Lesart Angermünde beruht auf einem Irrtum Fontanes. Den Beinamen erhielt Otto, weil er 1280 bei Staßfort von einem Pfeil getroffen wurde, den er ein Jahr lang im Kopf trug. — *Klopstock:* Friedr. Gottl. K. (1724—1803), durch seine Oden und das Versepos »Der Messias« berühmt. — *Griepenkerl:* Robert G. (1810—68) schrieb historische Dramen und Erzählungen (»Robespierre«, »Die Girondisten«). — *Bengel:* Johann-Albrecht B. (1687—1752), ev. Theologe, Pietist und Schöpfer der neutestamentl. Bibelkritik. — Ledderhose: Karl Friedr. L. (1806—90), ev. Pfarrer u. theol. Schriftsteller (Luther-Biographie und Hg. der Postillen von Herberger; vgl. F's Erzählung »Quitt«).

S. 148 *Mümmeln:* undeutliches Sprechen (nddt.). — *retiré:* frz. = zurückgezogen. — *Retraite:* frz. = Rückzug.

S. 149 *Wereschagin:* Wasilij Wasilewitsch W. (1842—1904), russ. Maler, Fontane persönlich bekannt; vgl. Briefe an E. Dominik (13. 2. 1882) und M. Lazarus (6. 6. 1861). Seine Landschaften aus Persien, Turkestan und seine Bilder aus dem türkischen Krieg zeichnen sich durch grelle Realistik aus. — *Samarkand:* im Altertum die Hauptstadt der persischen Provinz Sogdians und seit 712 Mittelpunkt des islamischen Ostens, von 1369 bis 1405 Residenz Timurs des Gr., seit 1868 russisch, heute Handelsstadt in der UdSSR. — *Plewna:* die bulgarische Stadt Plewen. — *Hiller:* vornehmes Restaurant in Berlin Unter den Linden.

S. 150 *Triennium:* lat. = Zeitraum von 3 Jahren.

S. 151 *interveniert:* lat. = tritt dazwischen. — *aide toi même:* frz. = hilf dir selbst. — *multrig:* leicht faulig.

S. 152 *Vertebrallinie:* lat. vertebra = Wirbel.

S. 153 *Chacun à son gout:* frz. = jeder nach seinem Geschmack; aus dem Couplet des Prinzen Orlofsky in der Operette »Die Fledermaus« (1874) von Johann Strauß (1825—99), Text von Carl Haffner und Richard Genée.

S. 156 *Bois de Boulogne:* (frz. bois = Wald) berühmter Park bei Paris. — Karl Ritter: 1779—1859, Prof. der Geograph. in Berlin, Begründer der mod. Geographie. — *Regensteiner:* der Regenstein ist eine alte Ritterburg nördlich von Blankenburg im Harz. — *die Bourgeoisie ...:* typisch für die verwerfende Kritik F's an der materiellen Gesinnung des neureichen Bürgertums (vgl. »Frau Jenny Treibel«.) nach 1870/71.

S. *157* à tempo: frz. = eilends. — *Reprimande:* frz. = Tadel. — *die Nathusiusse:* Gottl. Nathusius (1760—1835) schuf sich durch die Steingut- und Porzellanindustrie sowie durch Obst- und Tabakverwertung ein großes Vermögen; sein Sohn Hermann Engelhard von N. (1809—1879) war ein berühmter Tierzüchter, ein weiterer Sohn war bei der Berliner Kreuzzeitung und schrieb ein Werk über »Das Wollhaar des Schafes« (1866). — *Rambouillet-Zucht:* Schaf- und Rinderzucht im frz. Departement Seine et Oise. — *Gebrüder Grimm:* Jacob G. (1785—1863), der Begründer der deutschen Sprach- und Altertumswissenschaft, der zusammen mit seinem Bruder Wilhelm (1786—1859) die »Deutschen Sagen«, die »Kinder- und Hausmärchen« (1812—22) und die Anfänge des »Deutschen Wörterbuches« herausgab.

S. *159* darin er geboren wurde: s. o. — *excelsior:* lat. = höher.

S. *160* Priorität: lat. = Vorrang. — *Honneurs:* frz. = Höflichkeiten beim Empfang.

S. *161* Rubens: s. »L'Adultera«, Anm. zu S. 18. — *Snyders:* Frans S. (1579—1657) Mitarbeiter Rubens', besonders Tier- und Blumenstücke. — *Wouvermanns:* Philips W. (1619—68), niederld. Maler: Tiergruppen auf der Weide. — *Quedlinburger Äbtissinnen:* das Kloster wurde 937 von Mathilde (gest. 968, seit 909 2. Gemahlin König Heinrichs I.) gegründet. Ihre Enkelin Mathilde (neuere Form von Mechthild, 955—99), die Tochter des Kaisers Otto I. (912—73) war dort die erste Äbtissin. — *Arras:* durch Wandteppichweberei bekannte Stadt in Frankreich.

S. *162* König Jérome: Bruder Napoleons I., von 1807—13 König von Westfalen. — *Bernadottesche Zeit:* Jean Baptiste B. (1764 bis 1844), Schwager von Joseph Napoleon, seit 1810 schwed. Kronprinz, seit 1818 König.

S. *163* Friedrich Wilhelm des Vierten: 1795—1861, von 1840—57 König von Preußen.

S. *164* Aurora von Königsmarck: 1668—1728, Geliebte König Augusts des Starken von Sachsen (1670—1733), Mutter Moritz' von Sachsen und spätere Pröpstin von Quedlinburg. — *Sukkurs:* lat. = Unterstützung.

S. *165* Donatoren: lat. = Schenker. — *in effigie:* lat. = im Bild. — *Stuart:* Karl II. (1630—85), vgl. dazu F's Gedicht »König Karl von Engelland«. — *Lola Montez:* 1820—61, schottische Tänzerin, Geliebte König Ludwigs I. von Bayern, der sie zur Gräfin von Landsfeld erhob. — *Torquemada:* Thomas de T. (1420—98), seit 1483 berüchtigter Großinquisitor.

S. *166* votre santé: frz. = auf dein Wohl.

S. *167* Grandes dames: frz. = große Damen. — *two birds...:* engl. = zwei Vögel mit einem Stein = zwei Fliegen mit einer Klappe. — *Stephan:* Heinr. St. (1831—79), Generaldirektor der Post des Deutschen Reiches und Gründer des Weltpostvereins.

S. *168* Lofoten: norwegische Fischerinseln (Schreibart Lofoden abgeändert). — *Perpetuierlichkeit:* lat. = Unaufhörlichkeit. — *arrondieren:* lat. = abrunden.

S. *169* from top to toe: engl. = von Kopf bis Fuß. — *languissant:* frz. = müde, matt, gleichgültig. — *Beauté:* frz. = Schönheit. —

den Genealogischen: das deutsche Adelsverzeichnis im Gothaischen Genealogischen Taschenbuch. — *Sacré cœur:* Herz-Jesu-Kirche auf dem Montmartre in Paris und Kloster der Herz-Jesu-Gesellschaft.

S. 170 *adorierten:* lat. = angebeteten. — *Man hat es...:* vgl. dazu F's Gedicht »Man hat es...«. — *je ne sais quoi:* frz. = ich weiß nicht was; ein gewisses Etwas. — *hautenen:* frz. = hochmütigen.

S. 171 *Thaliens oder gar Terpsychores:* in der griech. Mythologie die Musen der Komödie und des Tanzes (hier svw. Schauspielerin und Tänzerin). — *Reparti:* frz. = Antwort. — *comme il faut:* frz. = wie er sein muß. — *Garçon:* frz. = Junggeselle.

S. 172 *Courtoisie:* frz. = Höflichkeit. — *chevaleresker:* frz. = ritterlicher. — *»genierten Blick«:* leichtes Schielen. — *Jeu:* frz. = Spiel. — *Kampagne:* frz. = Feldzug.

S. 173 *›Komm in mein Schloß mit mir‹:* aus dem Duett Don Giovanni — Zerlina (»Reich mir die Hand, mein Leben...«) in Mozarts Oper. Zerlina ist ein Bauernmädchen, das er verführen will, Donna Elvira seine ihn eifersüchtig verfolgende verlassene Geliebte. — *unrenommistisch:* unprahlerisch.

S. 174 *de tout mon cœur:* frz. = von ganzem Herzen. — *Prätension:* lat. = Anspruch. — *chevalier errant:* frz. = fahrender Ritter. — *Golz:* Gustav v. G. (geb. 1833), preußischer General, von 1877—86 Kommandeur des preuß. Eisenbahnregiments. — *Skobeleff:* Michael Dimitrijewitsch S. (1843—82), russ. General, der sich besonders in Zentralasien und im russ.-türk. Krieg auszeichnete (1877/78); später geograph. Forschg.

S. 175 *in petto:* ital. = in Bereitschaft. — *Zentifolien:* lat. centifolius = hundertblättrig; Gartenrosenart.

S. 176 *Perfidie:* lat. = Arglist, Durchtriebenheit.

S. 177 *Antagonist:* griech. = Gegner. — *un lâche:* frz. = ein Feigling. — *Timidität:* lat. = Ängstlichkeit. — *Effronterie:* frz. = Unverschämtheit.

S. 178 *Degebrodt:* ehemals bekannte Berliner Konditorei. — *revoziere:* frz. = erwidere. — *anthropophagisch:* griech. = menschenfresserisch.

S. 179 *Gourmandise:* frz. = Feinschmeckerei.

S. 180 *Nomination:* lat. = Benennung. — *Konventikliges:* Sektiererisches. — *Mormonen:* Sekte im Staat Utah in USA (Salt lake city), die damals die Vielweiberei propagierte.

S. 181 *Konsistorium:* lat. = Kirchenbehörde.

S. 182 *sein berühmter Namensvetter:* vgl. das Kommerslied von Victor von Scheffel (1826—86). — Der »Rodensteiner«, nach einer Burg im Odenwald benannt, ist der Sage nach ein spukender Ritter, der sich mit dem Wilden Heer hören läßt, sobald ein Krieg bevorsteht.

S. 183 *generalisieren:* lat. = verallgemeinern. — *Dr. Miquels:* Johannes von Miquel (1828—1901), Mitbegründer des Deutschen Nationalvereins (1859) und seit 1867 Mitglied der nationalliberalen Fraktion des preuß. Abgeordnetenhauses und Reichstags.

S. 184 *Kyffhäuser:* Berg in der Harzgegend, wo der Sage nach Kaiser Barbarossa schlafend sitzen soll. — *große Sachsenkaiser:* Heinrich I. (876—936), Otto I. (912—73), Heinrich IV. (1050 bis 1106). — *große Kaiserpfalz:* in Goslar/Harz. — *ghibellinischen:* ghibellinisch = waiblingisch nach der Stauferstadt Waiblingen/ Württbg., kaisertreue Partei, die im Kampf zwischen Kaiser und Papst im Gegensatz zu den Welfen (Hie Welf — hie Waibling als Schlachtruf) stand.

S. 186 *Doppel-Oxigens:* Sauerstoff. — *Larix tenuifolia und sibirica:* lat. = Lärchenarten. — *Quercus robur:* lat. = Eichenart. — *Douglasia:* Douglas-Fichte (Abies venusta Dougl., Abies amabilis Dougl.). — *Therapeutik:* griech. = Lehre von der Behandlung der Krankheiten. — *Epilobum:* lat. = Weidenröschen. — *Autopsie:* griech: = Augenschein. — *Boncœur:* frz. = Gutherz.

S. 187 *Lampe:* Name des Hasen in der Tiersage.

S. 189 *à tout prix:* frz. = um jeden Preis. — *Karthäuserorden:* Einsiedlerorden mit strengem Schweigegebot, 1084 in der Einöde von La Chartreuse gegründet.

S. 190 *Kavalkaden:* ital. = Reiterzüge. — *A la bonne heure:* frz. = vortrefflich. — *Crève-cœur:* frz. = Herzeleid.

S. 191 *Avantgarde:* frz. = Vorhut. — *homo litteratus:* lat. = gelehrter Mann.

S. 192 *multum non multa:* lat. = viel, doch noch vielerlei. — *Gero:* seit 937 Markgraf und Herzog der Ostmark, unterwarf 940 Brandenburg und in den darauffolgenden Jahren die Wenden bis zur Oder. Er starb 965 und liegt in Gernrode begraben. — *Hauderer:* oderdt. = Mietkutsche.

S. 193 *den alten Dessauer:* volkstümliche Bezeichnung für den Feldmarschall Friedrichs des Großen, Fürst Leopold I. von Anhalt-Dessau (1676—1747); der Text »So leben wir« wurde der von ihm geliebten Marschmelodie unterlegt. — *Otto den Faulen ... Otto den Finner:* Beinamen für den Markgrafen Otto (1351 bis 1373) aus dem Hause Wittelsbach. — *Heinrich dem Löwen:* Herzog von Sachsen und Bayern (1129—95) aus dem Fürstenhaus der Welfen. — *Haus Anhalt ... Haus Welf ... Braunschweiger:* Fontane spielt auf den seit 1866 (Aneignung Hannovers durch Preußen) bestehenden Konflikt zwischen der hohenzollernschen und welfischen Dynastie an. Die Welfen wurden 1884 von der ihnen zustehenden Thronfolge in Hannover ausgeschlossen, so daß der preuß. Prinz Albrecht (s. Poggenpuhls, Anm. zu S. 303) als Regent des Herzogtums Braunschweig eingesetzt wurde, ein Konflikt, der erst 1913 beigelegt wurde.

S. 194 *›Das Wort sie sollen lassen stahn‹:* aus dem Trutzlied »Ein feste Burg ist unser Gott« (1529) von Martin Luther (2. Str., 1. Zeile). — *in pontificalibus:* lat. = in Galakleidung.

S. 195 *meiner musikalischen ... Namensschwester:* Cäcilie, Schutzheilige der Musik. — *mise en scène:* frz. = in Szene gesetzt.

S. 197 *paneelierte:* frz.-ndld. = holzvertäfelte. — *Empire:* Stil der Zeit Napoleons I. von ca. 1800—1815. — *von unsrem Herzog ...:* die Brüder Herzog Wilhelm und Karl II. von Braunschweig. Karl († 1873) wurde 1830 durch einen Volksaufstand verjagt; sein Bruder regierte an seiner Statt bis 1884.

S. 198 *Duodezfürsten:* Kleinfürsten (Besitz von »Zwölftelgröße«). — *Durchläuchtings:* vgl. Fritz Reuters satirischen Roman *»Dörchleuchtings«* (1866). — *Serenissimi:* lat. = die Durchlauchtigsten. — *Philippika:* Streitrede, geht zurück auf die Reden des Atheners Demosthenes (384—322 v. Chr.) gegen Philipp von Makedonien (382—336 v. Chr.).

S. 199 *»Eh bien ... Vite, vite«:* frz. = Nun wohl ... Schnell, schnell. — *Tempelhof und Tivoli:* seinerzeit Vororte von Berlin mit Vergnügungslokalen.

S. 201 *Markgrafen Waldemar ... Jakob Rehbock:* der angebliche Müllergeselle Jakob Rehbock aus Hundeluft (Anhalt) behauptete 1347, der dreißig Jahre zuvor verstorbene Markgraf Waldemar (1281?—1319) zu sein und von einem Kreuzzug zurückzukehren. Er wurde 1348 — unterstützt von mehreren dt. Fürsten, die die Macht der Wittelsbacher in der Mark zu schwächen hofften — von Kaiser Karl IV. mit Brandenburg belehnt, 1350 jedoch als Betrüger wieder der Macht enthoben. Er lebte jedoch unbehelligt und teilweise immer noch anerkannt bis zu seinem Tode 1356 in Dessau, wo er fürstliche Ehren genoß. Vgl. den Roman »Der falsche Waldemar« (1842) von Willibald Alexis (1798—1871) und die »Wanderungen durch die Mark Brandenburg«, Bd. Havelland, Abschnitt »Kloster Chorin«. — *Otto mit dem Pfeil:* s. Cécile, Anm. zu S. 147.

S. 202 *Waldeck-Kopf:* Benedikt Franz Leo W. (1802—70), Führer der Fortschrittspartei im Deutschen Reichstag (großer Kopf mit starkem Bart — und Haarwuchs.).

S. 205 *Porphyr:* Gestein mit eingewachsenen Kristallen.

S. 206 *König Polykrates:* vgl. die Ballade »Der Ring des Polykrates« von Schiller.

S. 207 *demissioniert:* lat. — den Abschied genommen. — *»Tout à fait comme il faut:* frz. = alles genau, wie es sich gehört.

S. 208 *Saucischen:* Bratwürstchen. — *»White bait«:* engl. = Weißfisch. — *Yklei:* Karpfenart (Ukelei). — *Spreestint:* Lachsfischart. — *»Honny soit ...«:* frz. = Ehrlos sei, wer Schlechtes darüber denkt; Motto des engl. Hosenbandordens. — *Revozierung:* lat. = Widerruf.

S. 209 *Leberreim:* kurzes scherzhaftes Stegreifgedicht (wer die Hechtleber bekommt, muß einen Trinkspruch dichten). — *commençons:* frz. = beginnen wir! — *Aland ... Blei:* Karpfenarten. — *auf dem der Malerei:* Hinweis auf die nach dem Siebziger Krieg hervortretende Schlachtenmalerei der v. Werner, Bleibtreu, Hünten und Röchling. — *Firdusi:* persischer Nationaldichter (939—1020).

S. 210 *Inkulpat:* lat. = Angeklagter. — *Eginhard ... im Namen der Poesie:* Karls des Gr. Biograph Einhard (770—840, »Vita Caroli Magni«). — *Fürst von Werle:* mittelalterliches Grafengeschlecht in Niedersachsen.

S. 211 *en ligne:* frz. = in Linie. — *Scheffelschen Rodensteiner:* s. Cécile, Anm. zu S. 182.

S. 212 *de haut en bas:* frz. = von oben herab.

S. 213 *excellieren:* lat. = sich auszeichnen. — *die gastrosophischen Versuche:* Gastrosophie = Kunst, die Tafelfreuden zu genießen.

S. 214 *Plaid:* engl. = Reisedecke. — *Clan:* schott. = Sippe. — *Lady Macbeth:* in Shakespeares Tragödie.

S. 215 *Pfeil:* Friedr. Wilh. Leop. Pf. (1783—1859), Forstmeister und Prof. in Berlin und Eberswalde. — *Pyritzer Weizacker:* fruchtbares Gebiet um die Stadt Pyritz bei Stettin. — *Konter:* Wechseltanz. — *Pace:* engl. = Gangart.

S. 217 *Bosketts:* frz. = Gebüsche. — *Spektralanalyse:* in der Physik die Zergliederung des Lichts. – *Poor:* engl. = arm. – *Courtoisie:* frz. = Höflichkeit.

S. 219 *Queen Mary ... Hampton Court:* das Bild der Maria Stuart (1542—87) im Schloß Hampton Court bei London (vgl. Fontane »Ein Sommer in London«). — *Bothwell ... Darnley:* James Hepburn Lord Bothwell (um 1536—78) ermordete 1567 Henry Stuart Lord Darnley, den König von Schottland (geb. 1545) und zweiten Gatten der Maria, indem er ihn samt seinem Landhaus in die Luft sprengte. Bald darauf heiratete er die Königin, die als Mitwisserin galt. Vgl. F's Balladen »Maria und Bothwell«, »Der fliehende Bothwell« u. a. sowie das Reisebuch »Jenseit des Tweed«.

S. 220 *Au revoir:* frz. = auf Wiedersehen.

S. 222 *»Flora«-Konzerte:* im seinerzeit bekannten Konzerthaus Flora in Berlin-Charlottenburg. — *Friktion:* lat. = Reibung.

S. 223 *Lennéstraße:* am Südostrand des Tiergartens.

S. 225 *Schaperschen Goethe:* das Goethe-Denkmal im Berliner Tiergarten von dem Bildhauer Friedrich Sch. (1841—1919), das 1880 enthüllt wurde. — *au fond:* frz. = im Grunde. — *roten Kopftüchern:* charakteristisches Kleidungsstück der Spreewaldammen.

S. 226 *Defilee:* frz. = Hohlweg. — *»gekeilt...«:* aus Schillers »Wallensteins Tod«, IV, 10. — *Tiene:* nddt. = Faß. — *Besinge:* ndt. = Heidelbeeren.

S. 227 *Alhambra:* maurisches Schloß bei Granada. — *Abenceragen:* Abencerragen, edles arabisches Geschlecht in Granada, dessen letzte Angehörige 1480 in der Alhambra auf Geheiß des Königs Abdul Hassan ermordet worden sein sollen, als dieser von der Liebschaft eines Abencerragen mit seiner Schwester Zoraide erfuhr. Vgl. die Erzählung »Die Abenteuer des Letzten der Abenceragen« (1826) von dem frz. Schriftsteller F. R. Vicomte de Chateaubriand (1768—1848). — *Abdel-Kader:* 1807—83, mächtiger Araberhäuptling, zeichnete sich im Kampf gegen die frz. Kolonisten aus. — *Rifpirat:* berüchtigte Seeräuber an der Küste von Marokko (Rif), gleichfalls gegen frz. und span. Fremdherrschaft kämpfend. — *Dotationen:* lat. = Schenkungen, hier Anspielung auf die sog. Ehrengeschenke für preuß. Offiziere.

S. 229 *Beletage:* frz. = das schöne Stockwerk (der 1. Stock). — *Devotion:* lat. = Ergebenheit.

S. 230 *Etagere:* frz. = aus mehreren Fächern bestehender Zierschrank. — *Montesfiacone:* s. L'Adultera, Anm. zu S. 24.

S. 231 *Hansa-Passion:* Begeisterung für den mittelalterl., vorwiegd. norddt. Städtebund der Hanse, der Handelsbeziehungen bis nach England und Rußland unterhielt. — *sakrilegisch:* lat. =

gotteslästerlich. — *Dioskuren:* in der griech. Mythologie Zwillingssöhne des Zeus, hier = Goethe und Schiller. — *Buko von Halberstadt:* der kinderfreundliche Bischof Burkhard von H. (1059—88) wurde als Feind Kaiser Heinrichs IV. von den Sachsen erschlagen. Er lebt im Kinderlied fort (»Buko von H.,/ bring doch unserm Kinde wat.«). — *von Taubenhayn:* die Ballade »Des Pfarrers Tochter von Taubenhain« von Gottfr. Aug. Bürger (1747—94). — *d'accord:* frz. = im Einklang. — *König von Thule:* Ballade von Goethe (Faust I). — *Canna indica:* hohe Staudenpflanze mit roten Blüten.

S. *232* Sentiments: frz. = Empfindungen.

S. *233* Kaschieren: frz. = verbergen.

S. *235* Paroxysmen: griech = Anfälle. — *Gregor XVI.:* Papst von 1831—46. — ›*Una enthusiasta‹:* ital: = eine Hysterische.

S. *238* Haute-Finance: frz. = Hochfinanz. — *Points:* frz. = Einsätze. — *Jeu:* frz. = Spiel. — *Billettdoux:* frz. = zärtliche Briefe.

S. *239* Frondeurs: frz. = Widersacher. — *quand même:* frz. = um jeden Preis. — *Anti-Schwenninger:* Gegner der von Bismarcks Leibarzt Ernst Sch. (1850—1924) begründeten »Naturheilschule« mit bekannten Abmagerungskuren.

S. *240* Ostentation: lat. = Deutlichkeit. — *Graf Schack:* Adolf Friedr. Graf v. Sch. (1815—94), Dichter, Literarhistoriker und Übersetzer, übertrug die Heldensagen und epischen Dichtungen des Firdusi (s. Anm. zu S. 209) aus dem Persischen ins Deutsche. — *Servilismus:* lat. = Unterwürfigkeit.

S. *241* Turbot: frz. = Steinbutt. — *Reminiszensen:* lat. = Rückerinnerungen. — ›*Nach Kanossa gehen wir nicht‹:* Bismarck tat diesen Ausspruch am 14. 5. 1872 im Reichstag während des sog. Kulturkampfes. Er wandte sich damit gegen die wachsende politische Machtentfaltung der katholischen Kirche. — *Mühler:* Heinrich von M. (1813—74), streng konservativer preuß. Kultusminister von 1862—72, wurde bei Beginn des Kulturkampfes zwischen dem preuß. Staat und der kath. Kirche 1872 durch Adalbert Falk (1827—1900) ersetzt. Dieser wurde neben Bismarck bis 1879 Führer des Kulturkampfes und betrieb eine liberale Schul- und Kirchenpolitik (zu Mühler vgl. F's »Von Zwanzig bis Dreißig«). — *Pamphletist:* griech. = Verfasser einer Schmähschrift.

S. *242* Toupet: frz. = Halbperücke. — *ad hoc:* lat. = zu einem gewissen Zweck. — *Dalai-Lama:* der als Wiederkehr des göttlichen Wesens verehrte Priesterkönig der buddhistischen Lamaisten und weltliches Oberhaupt von Tibet. Hier ist Bismarck gemeint. — *Herwegh … ›Flügelschlag der freien Seele‹:* Georg Herwegh (1817—75), revolutionärer politischer Lyriker im Kampf gegen die Reaktion nach 1830, von Fontane zeitweise verehrt (vgl. »Von Zwanzig bis Dreißig«). Das Zitat entstammt H's Gedicht: »Aus den Bergen« (»Raum, ihr Herrn, dem Flügelschlag/ einer freien Seele.«). — *Omnipotenz:* lat. = Allmacht.

S. *243* Arnims kluge Worte: Graf Harry von A. (1824—82), nach dem Siebziger Krieg Botschafter in Paris, wurde 1874 von Bismarck abberufen. Wegen angeblicher Unterschlagung von Dokumenten zu Gefängnis verurteilt, floh er ins Ausland und beschuldigte Bismarck aufgrund geheimer Schriftstücke unlauterer Handlungen, was A. eine Zuchthausstrafe in Abwesenheit einbrachte. Als der Prozeß durch das Leipziger Reichsgericht wieder aufgenommen werden sollte, starb A. in Nizza. — *pourquoi tant de bruit . . .:* frz. = Warum so viel Lärm um einen Eierkuchen?« — Ausspruch des frz. Dichters Jacques Valée, Sieur des Barreaux (gest. 1675), als er an einem Fastentag einen Speckeierkuchen essen wollte und in diesem Augenblick ein Donnerschlag ertönte, worauf er den Kuchen aus dem Fenster warf.

S. 244 *Melonenkirche:* heute zerstörte Dreifaltigkeitskirche Ecke Mohren- und Mauerstraße, die ein Kuppeldach hatte (Schleiermacherkirche). – *jeder auf seine Fasson . . .:* Friedr. der Gr. machte 1740 folgende Glosse an einen Bericht, in dem von Streitereien wegen der Einrichtung katholischer Schulen berichtet und von protestant. Seite um neue Anweisungen für den Fiskus ersucht wurde: »Die Religionen Müsen Tolleriret werden und Mus der Fiscal nuhr das Auge darauf haben, das keine der andern abrug Tuhe, den hier mus ein jeder nach seiner Fasson Selich werden.« – *Kabinett:* das Militärkabinett.

S. 245 *der Chef:* General Emil Ludwig von Albedyll, Chef von 1871 bis 88. — *homo novus:* lat. = Emporkömmling. — *am Cremmer Damm . . . Ketzer-Angermünde:* das Gefecht am Cremmer Damm bei Berlin zwischen dem Burggrafen Friedr. von Nürnberg (1372—1440), von Kaiser Sigismund als Statthalter und später als Kurfürst eingesetzt, und den aufständ. Pommernherzögen Otto und Kasimir fand am 24. 10. 1412 statt. Bei Angermünde siegte Friedr. 1420 über die Pommern (vgl. Fontane »Fünf Schlösser« und die Ballade »Die Gans von Putlitz«).

S. 246 *Obersten St. Arnaud des 4. Oktober:* wo er bei St. Denis 1870 verwundet wurde. — *General St. Arnaud des 2. Dezember:* Jacques Leroy de St. A. (1796—1854), frz. General, bereitete als Kriegsminister den Staatsstreich vom 2. 12. 1851 vor, der Napoleon III. auf den frz. Thron brachte. 1852 wurde er Marschall von Frankreich. — *proponieren:* lat. = vorschlagen. — *Ragaz:* Badeort in der Schweiz. — *Kaiserin Eugenie:* 1826 bis 1920, eine geb. span. Gräfin de Montijo, seit 1853 Gattin Nap. III. — *Polisson:* frz. = liederlicher Kerl. — *Alexander-Regiment:* Gardegrenadierregiment Nr. 1 in Berlin, nach dem russ. Zaren Alexander I. genannt. — *Chartreuse:* Likör aus dem Kloster Nancy. — *konzedier ich:* lat. = gesteh' ich zu. — *filou comme il faut:* frz. = Spitzbube, wie er im Buche steht.

S. 247 *arrondierten:* frz. = rundlichen. — *Engel-Ufer:* in der Gegend des heutigen Ostbahnhofs gelegen, von Céciles Wohnung ca. 4 km entfernt. — *Chronique scandaleuse:* frz. = Skandalchronik, — *Malicen:* frz. = Bosheiten. — *pot à feu:* frz. = um sich sprühender Feuerwerkstopf.

S. 248 *Libertinage:* frz. = Liederlichkeit.

S. 249 *Garçon:* frz. = Junggeselle.

S. 250 *con amore:* lat. = mit Liebe.

S. 251 *provoziert:* lat. = herausgefordert.

S. 253 *»den unglückseligen Gestirnen«* vgl. den Prolog zu Schillers Wallenstein. — *In duplo:* lat. = doppelt.

S. 255 *Speilerchen:* mhd. = Stäbchen. — *morceau de ...:* frz. = Hauptstück. — *le roi Champignon:* frz. = der König Champignon.

S. 256 *Que faire?:* frz. = was tun? — *Similia similibus:* lat. = Ähnliches mit Ähnlichem (heilen), Leitsatz der Homoöpathie. — *perorierte:* mit Nachdruck erzählte.

S. 257 *Kohinur:* Koh-i-noor; großer ind. Diamant, im Besitz der brit. Krone.

S. 258 *Les beaux esprits ...:* frz. = die guten Geister begegnen sich. — *es ist ihr ewig Weh und Ach:* Worte Mephistos in Faust I, Schülerszene, Vers 2024 ff. — *C'est le ton ...:* frz. = der Ton macht die Musik.

S. 259 *Chaperonnieren:* frz. = als Beschützer begleiten.

S. 260 *dezidiert:* frz. = entschieden. — *distinguiert:* frz. = vornehm.

S. 263 *Marinelli:* intriganter Höfling in Lessings »Emilia Galotti«. — *Jargon:* frz. = Ausdrucksweise.

S. 267 *Some days must be ...:* engl. = manche Tage müssen dunkel und traurig sein; aus einem Gedicht des amerik. Dichters Henry Wadsworth Longfellow (1807—82). — *Tennyson:* der engl. Dichter Alfred T. (1809—92).

S. 268 *»Störenfried«:* »Der Störenfried« (1863), Lustspiel von Roderich Benedix (1811—73); vgl. F's Kritiken in »Causerien über Theater«. — *Niemann:* der damals berühmte Wagner-Tenor Albert N. (1813—1917), der schon in der Pariser Uraufführung des »Tannhäuser« die Titelrolle sang. — *Voggenhuber:* s. L'Adultera, Anm. zu S. 30.

S. 269 *Arion:* Sohn des Meergottes Poseidon. — *Nereiden:* die fünfzig Töchter des Meergottes Nereus, Meerjungfrauen. — *Hülsen:* Botho von H. (1815—86), Generalintendant der Kgl. Schauspielschule in Berlin seit 1852, früher Offizier im Alexander-Regiment in Berlin. (Vgl. auch F's »Causerien über Theater« und Briefe, Zweite Sammlung). — *Levée en masse:* frz. = Massenerhebung.

S. 270 *Europens übertünchter Höflichkeit:* aus dem Gedicht »Der Wilde« (1801) von Joh. Gottfr. Seume (1763—1810). — *replizierte:* lat. = erwiderte.

S. 271 *frappiert:* frz. = befremdet. — *Masetto:* eifersüchtiger junger Bauer, Verlobter Zerlinas.

S. 272 *indigniert:* lat. = ungehalten. — *Affront:* frz. = Beleidigung.

S. 273 *mokieren:* frz. = sich lustig machen. — *süffisanter:* frz. = dünkelhafter.

S. 277 *Eklat:* frz. = Skandal. — *Effronterien:* frz. = Unverschämtheiten. — *Infamie:* lat. = Niedertracht.

S. 278 *geriert sich:* lat. = benimmt sich. — *Prätension:* lat. = Anmaßung. — *Determinertheiten:* lat.; hier = Grundsätze.

S. 282 *Rencontre:* frz. = feindliche Begegnung. — *›Tu l'as voulu, George Dandin‹:* frz. = »Du hast es gewollt, George Dandin«. Abwandlung eines Ausspruchs in der gleichnamigen Komödie (1668) von Moliere (1622—73), wo es I, 9 heißt: »Vous l'avez voulu.« — *Julius-Turm:* in Spandau bei Berlin, wo die wegen Duellvergehens verurteilten Offiziere ihre Festungshaft verbüßten.

S. 283 *Meriten:* lat. = Verdienste. — *Au revoir:* frz. = auf Wiedersehen.

S. 284 *Konvertitin:* zum anderen Glauben Übergetretene. — *Kondukt:* lat. = Überführung.

DIE POGGENPUHLS

Entstehungszeit 1890—95. — Vorabdruck in »Vom Fels zum Meer«, 15. Jg., 1895. — Erstausgabe 1896 — Vgl. dazu Briefe Fontanes an Wilh. Hertz vom 14.1.1892 und an Siegmund Schott vom 14.1.1897.

Titel: F. entnahm den Familiennamen Poggenpuhl (= Froschpfuhl) wahrscheinlich dem Ortsnamen Poggendorf in Pommern; auch im Kreis Rügen gibt es ein Rittergut Poggendorf.

S. 287 *um des kriegsgeschichtlichen Namens:* bei Großgörschen fand am 2. 5. 1813 der erste größere Kampf der preuß.-russ. Armee gegen Napoleon statt.

S. 288 *Gravelotte:* dort siegte das dt. Heer am 18. 8. 1870. — *reputierliche:* lat. = achtbare. — *Krönungstaler:* am bekanntesten sind die Denkmünzen auf die Krönung der preuß Könige Friedr. I (1701) und Wilh. I. (1861). — *Generalsuperintendent Schwarz:* der evang. Theologe Karl Sch. (1812—85) war zunächst ao. Prof. in Halle, dann seit 1856 Hofprediger und seit 1876 Generalsuperintendent in Gotha. — *Schmiedeberger:* imitierte türk. Teppiche aus Schmiedeberg im Harz.

S. 289 *Sohrschen Husarenregiment:* nach dem preuß. General Friedr. v. Sohr. — *Pour le Merite:* frz. = für das Verdienst; von Friedr. d. Gr. 1740 gestifteter preuß. Orden, aus dem 1667 gestift. Orden »Pour la géneosité« hervorgegangen, seit 1810 nur Kriegsverdienstorden, seit 1920 nicht mehr verliehen. — *Hängeboden:* Schlafstelle der Dienstmädchen auf einer in der Küche gezogenen Zwischendecke, im »Stechlin« (Kap. Nach dem Eierhäuschen) Grund sozialer Anklage. — *Kapwein:* Weißwein von der Kapkolonie in Südafrika. — *Malice:* frz. = Bosheit. — *petitionierte:* lat. = ein Bittgesuch einreichte. — *Premier:* frz. = Oberleutnant.

S. 291 *Spektralanalyse:* in der Physik die Zergliederung des Lichts.

S. 292 *Trias:* lat. = Dreiheit. — *nach Westpreußen verlegte Regiment:* das 8. pommersche Infanterieregiment v. d. Marwitz war nach Thorn verlegt worden. — *Zorndorf:* Sieg Friedr. d. Gr. über die Russen (1758), der vor allem Seydlitz' Verdienst war (vgl. F's Ballade »Seydlitz«). — *Garde du Corps:* frz. = die berittene Leibgarde des regierenden Fürsten. — In Preußen wurde durch Friedr. d. Gr. 1740 eine Schwadron Garde du Corps errichtet, aus der sich das spätere Regiment mit Sitz in Potsdam entwickelte. Nach dem Ersten Weltkrieg aufgelöst.

S. 293 *Daguerreotypzeit:* der frz. Maler Louis Jacques Mandé Daguerre (1789—1851) entdeckte 1839 das nach ihm benannte frühe photographische Verfahren (Daguerreotypie). — *Überfall von Hochkirch:* im sächs. Ort Hochkirch wurde das preuß. Heer unter Friedr. d. Gr. durch die Österreicher unter General Daun am Morgen des 14. Okt. 1758 im Lager überfallen und unter großen Verlusten zum Rückzug gezwungen. Vgl. das berühmte Bild von Adolf v. Menzel (1856).

S. 294 *ajustiert:* frz. = gut ausgerüstet. — *pitoyablen:* frz. = erbarmungswürdigen. — *Familienaffektionswertes:* lat. = Familienanhänglichkeitswertes.

S. 296 *Bleichröder:* Berliner Bankhaus, 1803 von Samuel B. gegründet und von seinem geadelten Sohn Gerson (1822–93) weitergeführt. — *Krösus:* der durch seinen sprichwörtlichen Reichtum berühmte König von Lydien (6. Jhdt. v. Chr.). — *Klimax:* griech. = Höhepunkt. — *Octavio:* Anspielung auf die Erzählung Wallensteins in Schillers »Wallensteins Tod«, II, 3 (»Es gibt im Menschenleben Augenblicke...«). — *»Tout à vous...«:* frz. = Ganz der Deine, meine königliche Mutter. — *wohlaffektionierter:* lat. = wohlgewogener.

S. 299 *en échelon:* frz. = gestaffelt.

S. 300 *der Sohrsche:* s. Anm. zu S. 289. — *Pohlsche:* Polnische. — *Helms:* Restaurant des Hoflieferanten Fritz Helms in der Berliner Schloßfreiheit. — *Reichshallen:* das Reichshallentheater, ein Varieté in der Leipziger Straße 77. — *innen lebt die schaffende Gewalt:* aus Schillers »Wallensteins Tod«, III, 13, genau: »Doch innen/ Im Marke wohnt die schaffende Gewalt,/ Die sprossend eine Welt aus sich geboren.« — *Jeu:* frz. = Spiel.

S. 303 *man möchte rasend werden:* vielleicht ist die Szene »Spaziergang« in Faust I gemeint. — *Honneurs:* frz. = Höflichkeiten beim Empfang. — *Querulanten:* lat. = Nörgler. — *Assiette:* frz. = Lage. — *Prinzen Albrecht:* Prinz Albrecht von Preußen (1837–1906) nahm als Generalleutnant am Siebziger Krieg teil, übernahm dann die 20. Division und 1874 das 10. Armeekorps in Hannover. 1885 wurde er zum Regenten des Herzogtums Braunschweig bestimmt, seit 1883 Herrenmeister des Johanniterordens.

S. 305 *Carolaths:* schles. Fürstenfamilie, aus der die Dichter Prinz Heinrich und Prinz Emil von Schönaich-Carolath stammen.

S. 306 *enfant perdu:* frz. = verlorenes Kind. — *Skobeleff:* s. Cécile, Anm. zu S. 174. — *Yussupoff:* ursprüngl. tatarisches, russ. Fürstengeschlecht (Jussupoff). — *Dolgorucka:* altes, von Rurik, dem Gründer des ersten russ. Staatswesens abstammendes Adelsgeschlecht. — *›Bourgeoisie‹:* s. Cécile, Anm. zu S. 56. — *Merw:* Stadt in Russisch-Turkmenien. — *Samarkand:* s. Cécile, Anm. zu S. 149. — *Odaliske:* weiße Sklavin eines türk. Sultans.

S. 308 *von französischem Namen:* Bouillon. — *Boulette:* frz. = feine Fleischpastete. — *vom Alten Bund:* Anspielung auf die Juden des Alten Testaments.

S. 310 *Gilka:* nach seinem Hersteller benannter Getreidekümmel. — *Bukoba:* Ort am Westufer des Viktoriasees in der früheren Kolonie Deutsch-Ostafrika.

S. 314 *›Goldene Hundertzehn‹:* Kleiderladen in der Leipziger Straße 110 (vgl. auch F's Gedicht »Goldene Hundertzehn«). — *Re-*

zonevillepanorama: großes Gemälde, anläßl. einer Kunstausstellung in Berlin gezeigt (vgl. Brief F's an seine Tochter Martha vom 9. 7. 1893). Es stammt von den Malern Neuville und Detaille und zeigt eine Darstellung der Schlacht bei Vionville (16. 8. 1870) vom Standpunkt Kaiser Wilhelms I., dem Dorf Rezonville, aus gesehen. — *der alte Kaiser am Fenster:* das berühmte Eckfenster, s. L'Adultera, Anm. zu S. 33. — *parlamentiert:* lat. = verhandelt.

S. 315 *Lupus in fabula:* lat. = der Wolf in der Fabel (der erscheint, wenn man von ihm spricht).

S. 316 *alten Koppe:* die Schneekoppe im Riesengebirge (vgl. F's Gedicht »Die Nacht auf der Koppe«). — *Bellevue und Josty:* bekannte Berliner Konditoreien.

S. 317 *Kroll:* beliebtes Etablissement am Tiergarten. — *die »Quitzows«:* der Markgraf u. spät Kurfürst Friedr. v. Brandenburg (1357—1440) schlug den Aufstand des märk. Adels, an dessen Spitze die Brüder Johann und Dietrich von Quitzow standen, 1414 nieder. Diese Vorgänge behandelt das Schauspiel von Ernst von Wildenbruch (Urauff. am 9. 11. 1888 im Kgl. Schauspielhaus in Berlin, vgl. »Causerien über Theater«.). Zu gleicher Zeit wurde im American-Theater in der Dresdner Straße nähe Moritzplatz eine Parodie »Quitzows von Ernst Zahmenbruch, Musik von Schulzenstein« gespielt (verfaßt von Martin Böhm, 1844—1912).

S. 318 *blauen Briefe:* sie enthielten die Verabschiedung. — *Tageblatt:* »Berliner Tageblatt und Handelszeitung«, 1872 von Rud. Mosse gegründet.

S. 319 *Mitterwurzer:* Friedr. M. (1844—97), bedeutender Darsteller im Helden- und Charakterfach. Unternahm vom Burgtheater Wien aus größ. Gastspielreisen und war u. a. vom 3. 11. 1888 an mehrere Wochen am Kgl. Schauspielhaus Berlin (vgl. F's Besprechung der »Quitzows« in »Causerien über Theater«, Auff. v. 9. 11. 1888). — *Schönhausen:* Ort an der Elbe an der Bahn Stendal — Berlin. Geburtsort Bismarcks. *Quitzövel:* Stammsitz der Quitzows, unweit der Mündung der Havel in die Elbe. — *in der Charlottenstraße gelegenen Theaterrestaurant:* die Weinstube von Lutter & Wegener. — *Tegel:* damals Dorf bei Berlin, heute größerer Binnenhafen. — *Wilkens Keller* seit 1866 und bis heute bestehendes Lokal in Hamburg.

S. 320 *Jagello:* Jagiello (1386—1434), Großfürst von Litauen und König von Polen, Stammvater der Dynastie der Jagiellonen, der den Deutschen Orden in der Schlacht von Tannenberg (1410) besiegte. — *Karl dem Zwölften und der Aurora von Königsmarck:* die schöne Aurora v. K. (s. Cécile, Anm. zu S. 164) suchte den schwed. König Karl XII. (1682—1718) im Heerlager von Narwa auf, um Schonung für Sachsen zu erbitten, mit dessen König August II. sie ein Liebesverhältnis hatte. Der schwed. König — ein Weiberfeind — beachtete sie nicht.

S. 321 *Lichterfelde:* dort war das Kadettenkorps stationiert. — *Graf Hochbergschen Hause:* Bolko Graf von Hochberg (1843—1926) war von 1886—1903 Generalintendant der Kgl. Schauspiele Berlin. — *à la bonne heure:* frz. = vortrefflich.

S. *322* *nom de guerre:* frz. = Kriegsnamen = Necknamen. — *Lord Byronschen Manfred:* dramat. Gedicht (1817) des engl. Dichters Lord Byron (1788—1824). — *›Manfred ... Herr Manfred‹:* vgl. dazu die Wendung F's »Herr Franz spielt den Franz« in der Besprechung der Auff. von Goethes »Götz von Berlichingen« vom 20. 4. 1884 in »Causerien über Theater«.

S. *324* *Matkowsky:* Adalbert M. (1857—1909), bedeutender Liebhaber, Helden- und Charakterspieler von leidenschaftlicher Kraft, seit 1889 am Kgl. Schauspielhaus in Berlin (seine Darstellung des Prinzen Sigismund hielt Fontane für eine besonders große Leistung, vgl. die Besprechung der Auff. von Calderons »Das Leben ein Traum« vom 17. 12. 1887 in »Causerien über Theater«). — *Calderon:* Pedro Calderon de la Barca (1600—1681), der große span. Dramatiker.

S. *325* *Schwächlich ... Bullkalb:* Rekruten Falstaffs (richtig = Bullenkalb). — *Witwe Hurtig ... Dorchen:* Frau Hurtig ist die Wirtin und Dor[t]chen Lakenreißer eine leichtfertige Schenkmagd in der Schenke zum wilden Schweinskopf (Shakespeare, Heinrich IV. und Heinrich V.). — *natürlich ein Papst:* es gibt 13 Päpste mit dem Namen Leo.

S. *326* *Ephesus:* griech. (ionische) Handelsstadt in Kleinasien mit einem Tempel der Artemis, der 356 v. Chr. von Herostratos aus Ruhmsucht angezündet wurde. — *Korinth ... Kraniche:* vgl. Schillers Ballade »Die Kraniche des Ibykus«. — *reiner als in der Friedrichstraße:* das nächtliche Treiben auf der Friedrichstraße war berüchtigt. — *in corpore:* lat. = insgesamt. — *Fräulein Conrad:* Paula C. (1862—19 . .), von 1880—1900 sehr beliebte und von Fontane verehrte Naive und Salondame am Kgl. Schauspielhaus Berlin, verlobte sich 1890 mit dem bekannten und mit F. befreundeten Kritiker an der Vossischen Zeitung Max Schlenther (1854—1916), von 1898—1910 Direktor des Wiener Burgtheaters. Die Hochzeit fand 1892 statt. Vgl. Brief F's an Schlenther von Ende Aug. 1890 und »Causerien über Theater«.

S. *328* *Rodomontaden:* Aufschneidereien (nach Rodomont, einem großmäuligen Helden in den Dichtungen von Ariost und Bojardo).

S. *329* *›Noch am Grabe ...‹:* aus Schillers Gedicht »Die Hoffnung« (1797).

S. *331* *Marschall Niel:* Adolphe, Marschall von Frankreich (1802 bis 1869) eroberte am 8. 9. 1855 als Leiter des Pionierwesens der frz. Armee Sewastopol. — *Hildebrand:* Ferdinand Theodor H. (1804—74), Realist, Schüler Schadows, Motive vorwiegend aus der Theaterwelt; Eduard H. (1817—68), Reisebilder; Adolf v. H. (1847—1921), Bildhauer (Wittelsbacher Brunnen in München). — *blaue Pakete mit einem Pfefferkuchen:* von dem bekannten Berliner »Pfefferküchler Hildebrandt«. — *à deux mains:* frz. = mit beiden Händen = sowohl als auch.

S. *332* *Enkelin des Feldmarschalls:* 1810—1900, im Siebziger Krieg Generalstabschef der unter dem Befehl des Kronprinzen Friedrich stehenden 3. Armee, die als erste die Grenze überschritt. — *bleibe im Lande ...:* Bibel, Psalm 37, 3.

S. *334* *die Elle . . . viel länger als der Kram:* Berliner Redensart = die Kosten sind größer, als die Sache wert ist.

S. *336* *Restituierung:* lat. = Wiederinstandsetzung. — *Eisenbahnregiment:* Eisenbahn-Regiment Nr. 1 und Nr. 2 in Berlin. — *Polyphem:* der einäugige Riese, Sohn Poseidons, in Homers »Odyssee«.

S. *337* *Nero:* der berüchtigte röm. Kaiser (vgl. L'Adultera, Anm. zu S. 103).

S. *338* *Moltke:* s. L'Adultera, Anm. zu S. 21.

S. *340* *Erdmannsdorfer Fabrik:* Leinenherstellung. — *Piastenfamilie:* Piasten, erstes poln. Königshaus (960—1370), dessen Stammvater ein Bauer war. — *Refektorium:* lat. = Speisesaal eines Klosters.

S. *341* *Heinrichsbaude:* Berg bei Krummhübel (1420 m ü. Meer).

S. *342* *Prinz Heinrich:* Bruder Friedrichs d. Gr. (1726—1803). — *Tauentzien:* die bedeutenden Generäle Bogislaw, Graf von T. (1760—1824) und Friedr. Bogislaw v. T. (1710—91). — *bon sens:* frz. = gesunder Menschenverstand. — *»Sorg, aber sorge nicht zu viel«:* altwürttembg. Wappenspruch (vgl. Brief F's an Carl Lessing vom 23. 5. 1892).

S. *345* *Bronsarts:* Paul v. B. (1832—91), preuß. General und von 1883 bis 1889 Kriegsminister, sowie sein Bruder Walther Franz Georg (1833—1914) General und von 1893—96 Kriegsminister. — *Kopernikus:* der große Astronom Nikolaus K. (1473—1543) stammt a. Thorn, wo ihm 1853 ein Denkmal errichtet wurde. — *Dobry, dobry:* poln. = tapfer, tapfer.

S. *346* *Schrimm:* entlegene Kreisstadt an der Warthe bei Posen (vgl. dazu den Spottvers in »Effi Briest«, Kap. 25).

S. *347* *Ahasverus:* im Buch Esther hebräischer Name des unhistor. Perserkönigs Xerxes, der von den Reizen der schönen Jüdin Esther bezaubert wird und sie heiratet. — *den andern Ahasverus:* die legendäre Gestalt des »Ewigen Juden«, eines Schuhmachers aus Jerusalem, der wegen seiner Vergehen gegen Jesus nicht zur Ruhe kommen kann.

S. *348* *Empressement:* frz. = Diensteifer. — *Droysen:* Joh. Gust. D. (1808—84), bekannter Historiker und Politiker. — *Mommsen:* Theod. M. (1817—1903), vor allem durch seine Werke über römische Geschichte bekannt. — *Ranke:* Leopold v. R. (1795 bis 1886), berühmt durch seine »Weltgeschichte«. — *Menzel:* der Maler Adolf v. M. (1815—1905), vgl. auch F's »Von Zwanzig bis Dreißig«. — *Hofball:* bekanntes Gemälde Menzels. — *Magdalenum:* Fürsorgeheim für junge Mädchen im Magdalenenstift in Berlin-Plötzensee. — *Dryander:* Ernst von D. (1843 bis 1922), Pfarrer an der Dreifaltigkeitskirche in Berlin, später Oberhofprediger und Generalsuperintendent. — *Arnim oder Bülow:* angesehene preuß. Adelsfamilien.

S. *349* *1. Garderegiment:* unterstand direkt dem Kaiser. — *shopping:* engl. = einkaufen. — *Konfessions:* frz. = Selbstbekenntnisse.

S. *350* *»Über Madagaskar . . .«:* aus Ferdinand Freiliggraths (1810 bis 1876) Gedicht »Löwenritt«. — *»Nymphe, bete für mich«:* vgl. Shakespeares »Hamlet«, III, 1, genau: »Die reizende Ophelia. - Nymphe, schließ' / in dein Gebet all meine Sünden ein.«

S. 351 *Gersons:* das bekannte Berliner Kaufhaus Gerson (jüdische Inhaber).

S. 352 *»Alexander«:* s. Cécile, Anm. zu S. 246. — *Fürstin von Wied:* verheiratet mit dem Fürsten Wilhelm zu Wied (1845—1907), eine holländ. Prinzessin.

S. 355 *Namaqualand:* Sitz der Hottentotten im westl. Teil von Südafrika.

S. 356 *wie das mit dem Affen aufkam:* die Abstammungslehre des engl. Naturforschers und Philosophen Charles Darwin (1809 bis 1892; »Über die Abstammung des Menschen«, 1871), wonach der Mensch sich aus niederen Tierarten entwickelt habe. — *Sedanstag:* 2. 9., an diesem Tage wurde der Sieg über Napoleon III. gefeiert. – *Kaiser Wilhelm:* Wilhelm I. (1797–1888). – *St. Privat:* verlustreicher Sturm des preuß. Gardekorps am 18. 8. 1870 auf das burgartige Gehöft St. P., durch den die Schlacht bei Gravelotte entschieden und Metz eingeschlossen wurde.

S. 357 *Stürze:* mundartl. für Sturzbad, Dusche.

S. 359 *à tout prix:* frz. = um jeden Preis.

S. 360 *Krimstecher:* Fernrohr.

S. 363 *Simonie:* strafbarer Handel mit Kirchenämtern.

S. 367 *Balsaminen:* in Ostindien heimische Gartenpflanze mit rosaroten, weißen oder gelben Blüten. — *Verbenen:* Zierstauden mit roten, blauen oder weißen Doldenblüten.

S. 368 *»Post«:* freikonservatives preuß. Blatt, 1866 von Stroußberg gegründet, seit 1874 »Das Botschafterorgan« genannt. — *»Jungfrau von Orleans«:* Schillers »romantische Tragödie«. — *Ordens Albrechts des Bären:* von den Herzögen von Anhalt-Köthen, Anhalt-Dessau und Anhalt-Bernburg 1836 gestifteter Orden mit der Devise »Fürchte Gott und befolge seine Befehle«. — *Grenadier-Regiment von Trzebatowski:* gemeint ist wohl das 1. oder 2. Schles. Grenadier-Reg. (Nr. 10 u. 11).

S. 369 *Pogge:* nddt. = Frosch. — *pauvre:* frz. = arm. — *Fes:* rotes Käppchen, Kopfbedeckung der Türken. — *Mondecar:* Hofdame in Schillers »Don Carlos«, Erster Akt. — *funebren:* lat.-frz. = düster-feierlichen.

INHALT